Español correcto

04-21-10.

Para César, una persona que Dios ha puesto en mi camino y es muy especial. Por ello deseo que logre aprender el castellano que tanto desea pero así deseo que a la vez aprenda a conocerme y a amarme.

Con toda mi gratitud.

Sandra

Español correcto

Fernando Ávila

GRUPO
EDITORIAL

norma

Barcelona, Bogotá, Buenos Aires, Caracas, Guatemala,
Lima, México, Miami, Panamá, Quito, San José,
San Juan, San Salvador, Santiago de Chile

Impreso y encuadernado por
Printer Colombiana, S.A.
Impreso en Colombia - Printed in colombia

Caricaturas, Hernando "Chato" Latorre
Cubierta, Marta Ayerbe
Armada electrónica, Samanda Sabogal Roa

ISBN del libro: 958-04-6738-2

Acerca del autor

Fernando Ávila, Bogotá, 1952.

Nunca imaginé que algún día sería autor de un libro de casi quinientas páginas sobre el buen manejo del español. Menos aún, que cinco años después de salir al mercado la primera edición de *Español correcto*, estaría revisándolo una vez más, para que usted, amable lector, pudiera tener esta edición actualizada en sus manos.

Y le digo con verdad que nunca lo imaginé, pues los únicos títulos que me acreditan para elaborar estas páginas son mi amor por el idioma de Cervantes y mi incurable obsesión por su buen manejo. Nací en Bogotá, cuna de Cuervo, Caro, Pombo, Marroquín y otros importantes cultores del español en América, y donde nacieron también la primera academia de la lengua correspondiente de la española y los primeros escritos literarios de Gabriel García Márquez y de Álvaro Mutis, por sólo darle algunas pinceladas de acuarela sobre mi patria chica.

Mi fascinación por el idioma comenzó en mis años de colegio, donde ganaba concursos de ortografía y de conjugación de verbos. En bachillerato dirigí el periódico del colegio, *Linterna*. Durante mis estudios de Arte en la Universidad Nacional de Colombia, colaboré con mis dibujos y con mis escritos en las páginas de *Diálogos Universitarios*, un periódico del que llegué a ser codirector.

En 1980 fui becario del Programa de Graduados Latinoamericanos de la Universidad de Navarra, España, donde elaboré mi tesis sobre Redacción Periodística. Así tuve ya una disculpa válida para enseñar redacción en la universidad, actividad en la que llevo más de veinte años.

En estas dos décadas largas he combinado la actividad docente con la jefatura de redacción de agencias de prensa y de revistas, la redacción de guiones para radio y televisión, la capacitación empresarial y la defensoría del lenguaje en el diario *El Tiempo*, de Bogotá. Este cargo de Defensor del Lenguaje, honor y responsabilidad incomparables, me permitieron estar más que nunca en diálogo permanente entre la doctrina académica y la indeclinable necesidad de comunicar con claridad y sencillez la realidad del mundo a lectores de todos los niveles.

Y esos veinte años, amable lector, son los que de verdad me dieron el bagaje necesario para poder decirle lo que le voy a decir en las páginas que siguen, así como para publicar los demás títulos de mi obra, que le relaciono en orden cronológico: *Manual de redacción Periodística*, 1981; *En busca del verbo preciso*, 1993 (1ª.), 1994 (2ª.), *Noticia*, 1995, *Ortografía*, 1997; *Dónde va la coma*, 2001, y *Dónde va la tilde*, 2002.

Dedicatoria

A la memoria de mis padres, que me legaron el buen uso del idioma.

A Diana, Daniel Fernando y Xavier Santiago, a quienes amo.

Reconocimientos

A mis editores de Norma, que han confiado en mi trabajo, y a mis lectores, que han hecho posible la vigencia de este libro en nuestros países, unidos por una lengua común.

Tabla de contenido

Parte II: La ortografía no ha sido jubilada aún 87

Capítulo 5: ¡Dé el martillazo donde es! Todo lo que usted siempre quiso saber sobre la tilde y nunca se atrevió a preguntar 89

Capítulo 6: Los monosílabos 111

Parte III: Las frases, la oración y el párrafo 219

Capítulo 10: La estructura sintáctica de la oración 221

Capítulo 11: La oración determinativa o la esencia de la idea 237

Capítulo 12: La oración explicativa y los incisos 257

Parte V: Los dieces *383*

Capítulo 19: **Novedades léxicas, anglicismos y galicismos** **385**

Capítulo 20: **El español de los Estados Unidos** **399**

Capítulo 21: **Los dieces de la gramática y el estilo** **421**

Introducción

· ·

Cuando yo cursaba quinto grado, era el campeón de ortografía de mi curso, pero, sólo un año antes, solía ocupar uno de los últimos lugares, con cuarenta errores por dictado. Este cambio, que así narrado parece una especie de milagrosa conversión, no fue gratuito, pero tampoco exigió denodados esfuerzos de mi parte. Sufrí más cuando intenté llegar a la nieve, tras dos días de ascenso al Nevado del Tolima.

Escribir con buena ortografía y hablar con buena ortología, que es su equivalente fonético, requiere en primer lugar una actitud, una disposición favorable; y luego, algo de cuidado y atención. Supongo que es como cocinar bien. Y digo *supongo*, porque nunca en la vida he incursionado en las artes culinarias, pero mis amigas, que eventualmente entran a la cocina a preparar mi manjar favorito, se ponen el delantal y, mientras el fuego hace su trabajo, ellas van agregando una pizca de esto y otra de aquello hasta que el sabor es inmejorable. El *quereme* queda al pelo, la cocinera sin desvelo y el invitado medio lelo.

Un texto requiere algo parecido. El escrito en bruto y con errores puede servir para expresar bien o mal —casi siempre mal— una idea, pero quedará inmejorable sólo si las palabras con *zeta* están con *zeta*, si las tildes y las comas van donde les toca y si no hay *haches* de más ni *eses* de menos. En últimas, este texto así trabajado se entiende mejor, agrada al lector y satisface al autor.

A quién se le ocurrió esto

Esta serie para *dummies*, originalmente escrita en inglés, enseña a reconocer y disfrutar los vinos, los hijos, los computadores, el Internet... A los traductores se les ocurrió que si cosas tan difíciles como el vino, los hijos, los computadores, el Internet... llegan a ser dominados por *dummies*, pues la ortografía española también puede serlo.

No es el primer libro que lo intenta. Hay en el mercado innumerables folletos, opúsculos, cartillas, manuales y enciclopedias que hablan de gramática. Este no habla de otra cosa, sino que quizá lo dice de otro modo, con algo de humor y con todas las explicaciones necesarias —y sobre todo las innecesarias—, para que el asunto no solo se entienda sino para que no haya posibilidad alguna de que no se entienda.

¡Vaya meta!

Vinos, hijos, computadores e Internet son casi iguales en inglés y en español, mientras que gramática española ¡es gramática española!, razón —o sinrazón— por la cual este es uno de los pocos libros de la serie escritos originalmente en español.

Este libro sirve solamente a los cuatrocientos millones de personas que escriben y hablan español en el mundo y a los anglohablantes, sinohablantes, rusohablantes, quechuahablantes y etcéterahablantes que deseen perfeccionar el uso del bello idioma de Cervantes o simplemente salir de alguna duda gramatical. A nadie más.

De lo aburrido a lo fascinante

Aprender normas como la que ordena contar el grupo *ui* como diptongo, aunque no lo sea, para efectos de acentuación, razón por la cual *influido*, *constituido* y *jesuita* ya no se tildan, es en primera instancia bastante más aburrido que hacer cola en el banco. Y si las normas de ese estilo se multiplican como conejos, la aburrición puede adquirir visos depresivos.

Sin embargo, una vez usted conoce, entiende y aplica la norma, la disfruta. Sí. No hay nada tan fascinante como decirle al jefe: *En este párrafo no hay coma, porque la oración determinativa nunca lleva tal signo, señor.* Aunque el uno por ciento de estos episodios termina en despido y sólo el diecisiete por ciento en ascenso, el momento se disfruta. Créamelo.

Ni llave maestra del éxito ni aspirina

Usted y yo conocemos a más de un millonario y a más de dos millardarios que no sólo no tienen buen manejo de la gramática, sino que ni siquiera tienen letras. Por eso, para no exagerar la nota, hay que reconocer de entrada que la gramática no es la única llave maestra de las puertas del éxito ni tampoco una especie de aspirina, invento alemán que sirve para todo.

Pero también es cierto que, en la mayoría de los casos, una buena nota en la escuela, un buen puesto en el trabajo, un buen *sí* en el banco, un buen beso en la boca, son efecto inmediato de una buena ortografía en la tarea escolar, en la hoja de vida, en la solicitud crediticia y en la esquela amorosa.

No hay duda. Quien se luce con sus aciertos ortográficos en lo escrito y con sus aciertos ortológicos en lo hablado está en franca ventaja sobre sus competidores.

No tiene por qué leer todo este mamotreto

Como cualquier otro libro de la serie para *dummies,* este tampoco tiene que leerlo de cabo a rabo. Hay cinco partes, cada una de las cuales ofrece información completa y, en general, independiente del resto.

Quizá usted sólo desea resolver alguna duda concreta para terminar de pulir su memorando o para ganar la apuesta con el terco de su barra. Entonces, no tiene más que buscar en el glosario final, o en el índice temático, el tema pertinente. Quizá su debilidad más señalada es la escritura de los números cuando está girando un cheque y debe leer y releer el capítulo 9, sin necesidad de dedicarle tiempo a los demás.

Ahora, en el caso de que su meta sea la de obtener un escaño en la Academia de la Lengua o ser el campeón de ortografía de su país, debe leerlo casi todo, pues si se salta páginas, es posible que justamente en ellas esté el dato preciso con el cual puede ganar sus oposiciones.

En los siguientes renglones puede usted orientarse sobre el contenido de cada parte y decidir si comienza por el principio, si va directamente a la Parte III para resolver sus dudas sobre *eses, zetas* y *ces,* si sólo desea leer los datos destacados con íconos o si definitivamente regresa a la librería y pide que le cambien este mamotreto por una colección de Mafalda y algún rompecráneos que le permitan matar el tiempo.

Parte I: ¿El amante latino? ¡Ese es usted!

En esta parte encuentra datos históricos sobre el idioma español, una de las más importantes evoluciones del latín, lengua clásica llevada por los romanos a la península ibérica en el siglo II antes de Cristo. El español está presente hoy en más de veinticinco países de Europa, Asia, África y América.

En el capítulo 1 puede ver cómo el idioma en el cual yo le estoy escribiendo y usted me está leyendo tiene aportes griegos, germanos, árabes, y cómo, a partir de la gran expedición de Colón, se enriquece con las lenguas indígenas americanas y poco a poco se universaliza.

En el capítulo 2 encuentra todo lo relativo al origen, alcance, cumplimiento y violación de las normas gramaticales y particularmente ortográficas. Siempre es bueno saber quién inventa las normas que uno debe cumplir.

En el capítulo 3 hace usted un viaje por el mundo de los diccionarios, con una especial escala en el *Diccionario de la lengua española*. Allí están buena parte de las pautas que guían la aventura de escribir bien.

El capítulo 4 es de inexcusable lectura. En él se explica la naturaleza de las palabras: qué son los sustantivos, qué son los adjetivos, qué son los verbos. Cómo distinguir un prefijo de una preposición... Es imprescindible tener claros estos conceptos para abordar las partes III y IV.

Parte II: La ortografía no ha sido jubilada aún

Esta es la parte para leer en voz alta. Debe oírse. En el capítulo 5 usted va a oír el sonido débil y el fuerte; va a distinguir lo acentuado de lo inacentuado, lo tónico de lo átono; va a dividir sílabas, establecer diferencias fonéticas y definir de una vez por todas cuándo hay que marcar la tilde.

En los capítulos 6, 7 y 8 va a aclarar todo lo relativo a la marcación de la tilde. Además de las conocidas normas de esdrújulas, graves y agudas, están las a veces olvidadas normas especiales para monosílabos, hiatos y palabras compuestas, y los treinta y ocho casos de acento diacrítico. En el capítulo 8 también encuentra la explicación y aplicación práctica de la diéresis.

En el capítulo 9 se resuelven algunas dudas sobre el uso de las letras: cuándo va *ese,* cuándo va *ce,* cuándo va *equis,* cuándo va *zeta...*, en fin, los típicos casos dudosos... y luego, los números: cómo se escriben los cardinales, ¿dieciséis?, ¿diez y seis?; los ordinales, ¿décimo segundo?, ¿decimosegundo?, ¿duodécimo?; los partitivos, ¿dieciochoavo?, ¿dieciochavo?, y los romanos... los números por supuesto.

Parte III: Las frases, la oración y el párrafo

Quizá usted sea uno de los lectores que se presenta con la fórmula: yo soy bueno para la ortografía, pero no tanto para la redacción. Bien, pues aquí está la Parte que a usted le interesa. La redacción es un arte, pero como todo arte, tiene una técnica. Esa técnica está expresada paso a paso en esta Parte del libro: las cuatro estructuras básicas de la oración (determinativa, explicativa, vocativa, elíptica) y las pautas para ir armando su texto, identificando claramente el papel de cada palabra y de cada frase en la oración y en el párrafo. En las seis lecciones de esta Parte se sigue una secuencia lógica, que a partir de lo general y básico, va avanzando a las posibles variables estructurales, y termina en el párrafo, con todos sus posibles elementos. Paralelamente se va indicando el uso de los tres signos esenciales de puntuación: el punto, la coma y el punto y coma. Como en el resto del libro, hay *talleres* de autoevaluación.

Parte IV: Tres cuestiones medulares de estilo

Los tres problemas más frecuentes que debe enfrentar el hispanohablante en su expresión oral o escrita son el leísmo, el gerundio y el dequeísmo o la dequefobia. Al primero de estos temas se refiere el capítulo 16; en él se señala para qué sirven los pronombres *lo, la, los, las, les, se* y cómo se engarzan en la estructura sintáctica de la oración; de su buen uso se deducen muchas precisiones de estilo. El capítulo 17 se refiere a tres formas emparentadas con el verbo, pero con funciones sintácticas distintas: infinitivos, gerundios y participios, de los cuales, el gerundio constituye un especial dolor de cabeza para redactores y, muy especialmente, para traductores del inglés. El capítulo 18 aborda el tercer tema neurálgico de estilo: el uso de la frase *de que*, cuyo desconocimiento lleva a dos vicios igualmente inconvenientes: la dequefobia y el dequeísmo.

Parte V: Los dieces

En esta parte, característica distintiva de esta serie de libros para "dummies", van, en series de diez, advertencias sobre mitos o falsas normas gramaticales, y pautas para el manejo correcto de sustantivos, adjetivos, verbos y preposiciones habituales.

Aquí encontrará usted algunas controversias sobre la ortografía de los nombres propios y otros alegatos como para hacer apuestas... ¡y ganarlas! En el **Glosario** encuentra definiciones precisas de la terminología usada en este libro. En el **Índice temático** puede buscar su duda concreta y la página donde está tratada.

Íconos usados en este libro

A lo largo de estas páginas encuentra usted párrafos señalados con algunos de los siguientes íconos. Cada uno identifica el tipo de información que con él se destaca.

Parece norma, pero no es más que un mito, repetido de generación en generación, de escuela en escuela y de oficina en oficina, hasta el punto de que muchos se lo han creído. Usted no lo crea ¡y ya!

Aquí sí puede apostar la cabeza. Esto es cierto. Es norma. Lo dice la Academia. Créalo y hágaselo creer a los demás. Aplíquelo. Cúmplalo.

De los muchos ejemplos posibles o terrenos de aplicación de la norma, este es representativo. Puede ser más fácil comprender y memorizar este ejemplo o esta anécdota que la regla que se ejemplifica.

Esta es una historia simpática, real o ficticia, sobre el acierto o error gramatical. La sonrisa estimula la memoria.

Error frecuente, en el cual usted no debe caer. La expresión *no haga el oso,* de uso coloquial y frecuente en algunos países, sirve para invitar cariñosamente a quien se equivoca a que no haga el ridículo... En este libro se toma, a sabiendas de que no es frase universal, porque es una simpática e inofensiva manera de reprender.

Cuando lo que ya es correcto se corrige, se llega a la ultracorrección, forma rebuscada o idiotismo. No conviene acudir a semejantes soluciones. Por eso se señalan con el nombre de *idiotismo,* que, por lo demás, es término técnico de la gramática.

La academia dice A, pero el autor de este libro cree que debe ser B; entonces, viene el alegato: el autor da razones, aporta citas y descubre analogías... y ya el lector decidirá si obedece a la Academia u opta por una razonada desobediencia.

Aplique lo visto y autoevalúese.

Parte I
¿El amante latino? ¡Ese es usted!

En esta parte...

A quienes hablamos español nos gusta llamarnos latinos. Nos enorgullece decir que somos latinos. Pocas veces nos identificamos como hispanohablantes o, simplemente, como hispanos... Nos tiene sin cuidado que para un nórdico, un oriental o un anglosajón el latino sea informal, desobediente o irresponsable... Para nosotros mismos, el latino es emprendedor, recursivo, audaz y, según las leyendas más favorables, excelente amante, condición magnificada en el irresistible *latin lover* de Hollywood.

Pero, precisamente por nuestro carácter latino, los hispanohablantes de América —léase América total: la del Norte, la del Centro y la del Sur— hemos exagerado. Nos consideramos los únicos latinos del mundo.

Si revisamos con detenimiento las palabras y su historia, veremos claramente que quienes por derecho propio ostentan la condición de latinos son los portugueses, españoles, franceses e italianos. Los mexicanos, colombianos, venezolanos, brasileros, chilenos, argentinos... somos latinos por nuestra herencia cultural europea, es decir, por haber recibido la cultura latina, romana, fundamentalmente a través de los portugueses y de los españoles.

Es decir, somos latinoamericanos gracias a la confluencia de dos culturas, la americana —léase maya, nahua, taína, chibcha, quechua...— y la latina.

Hagamos, entonces, un viaje histórico para descubrir por qué los que hablamos español somos latinos, por qué nuestra lengua se llama romance y descubramos si esto de hablar romance y ser latinos tiene algo que ver con nuestra gran pasión por el amor.

Capítulo 1:
¿De dónde salió este romance?

· ·

En este capítulo

▶ Orígenes de la lengua castellana

▶ Aportes latinos, griegos, celtas, germanos, árabes y americanos al español

▶ Expresiones latinas de uso frecuente

▶ Cómo van evolucionando los sonidos de nuestra lengua

· ·

Necesariamente debemos situarnos en la península ibérica para descubrir el origen de nuestra lengua española.

En el siglo II antes de Cristo vivían celtas e íberos en lo que hoy son España y Portugal. No hay mayores vestigios de un idioma íbero, pero sí está claramente identificado el celta, que, con una lógica evolución de veintidós siglos, es el eusquera hablado hoy en el sur de Francia y el norte de España. Más concretamente, el eusquera es lengua oficial (junto con el castellano) del País Vasco, integrado por las provincias españolas de Guipúzcoa, Álava y Vizcaya.

Entre amayas y solórzanos celtas

Pues bien, allí, en la península ibérica, hace 2.200 años los *burros* (palabra celta) y los *perros* (palabra celta) paseaban por el *solórzano* (prado en celta), lejos del *barranco* y sin salirse del *amaya* (límite en celta) para no meterse en el *barro* ni perderse en los *charcos*. Mientras tanto, sus amos, abrigados con *chamarras*, preparaban algún alimento con *manteca*. Unos vivían en *chabolas* y otros ya habían construido su *javier* (casa nueva en celta), rodeada de *abedules* y *conejos*.

Ya desde esa época se vislumbraba su vocación metalúrgica, pues trabajan la *chatarra*. Los pescadores usaban *chisteras*. La *boina* ya formaba parte de su indumentaria. Y con alguna frecuencia armaban tremendos *aquelarres*.

A esto hay que ponerle orden y latín

Estos tatarabuelos nuestros, grandes, fuertes y barbados, que para distraerse torcían el pescuezo de un enorme toro cuando estaban algo estresados, vieron un buen día invadida su tierra por modernos y estilizados guerreros provenientes de Roma. Venían a poner orden.

Tal vez a los celtas les parecieron un poco leguleyos: todo era reglamentado, todo se legislaba, todo se escribía. Y exageradamente cuadriculados: las ciudades empezaron a crecer alrededor de una plaza central, en cuadrículas estrictamente iguales. Además, eran obsesivos de la limpieza: baños y acueductos eran indispensables en la nueva estructura.

Total, en el lapso de dos siglos, la península ibérica se había convertido en Hispania, una más de las provincias del gran Imperio Romano. Y como todo imperio que se respete impone el uso de una lengua única, los romanos impusieron el latín, lengua así llamada por ser originaria del Lacio.

Latín: el inglés de la época romana

El latín era una especie de inglés de la época, es decir, una lengua práctica, muy útil para dar órdenes y para establecer principios. Ideas que en otros idiomas debían ser expresadas con numerosas palabras imprecisas, en latín se expresaban con uno o dos vocablos exactos y breves.

Ahí tenemos, pues, al burdo celta atendiendo al *magíster* romano, que le exige pronunciar la sofisticada letra *efe*, de *foja*, *farina* y *facer*. El barbado y musculoso gigante, acostumbrado por siglos a la *erre* de *pizarra*, *echeverri* y *verraco*, lo intenta y lo logra en ocasiones, pero, finalmente, al cabo de varios siglos, ya no se oirá *foja*, *farina* y *facer*, sino *hoja*, *harina* y *hacer*.

Por supuesto no todo era milicia, derecho y obras públicas. También había tiempo para el amor. Por alguna no tan extraña razón, *Roma* es *Amor* al revés, y con los romanos llegaron los conceptos de *novio* y *novia* (nuevo), *matrimonio, ágape* (afecto). Hubo tiempo para el *corpus,* no solamente el jurídico, y para el *vinum,* la *lingua,* las *manus.* Así, todo fue *bonus* como el *aqua* y el romance se volvió *longus, mollis, plenus* y *rotundus.*

¡Qué cantidad de rosas!

Pero bien o mal pronunciado, el latín se impone. Y es de suponer que, en el lapso de los siguientes quinientos años, los hispanos cumplieron su deber de hablar latín, pero con la pereza necesaria para simplificar las múltiples formas de cada vocablo. Por ejemplo, de *rosa, rosae, rosam,* tres singulares para la misma flor, quedó una sola forma: *rosa.* No sucedió lo mismo con los verbos, pues el español conservó las desinencias o terminaciones verbales del latín y del griego. Esa es una de las diferencias más significativas entre el inglés y el español: mientras en inglés un verbo tiene tres formas: *love, loved, loving,* en español tiene medio centenar: *amo, amas, ama, amamos, amáis, aman, amé, amaste, amó, amasteis, amaron, amaba, amabas, amabais, amaban...* y ahí no hemos dicho ni la quinta parte de las desinencias de un solo verbo.

CLAVE

12 formas para una sola palabra latina

Si usted alguna vez tiene la buena idea de estudiar latín, como algún presidente reciente de los Estados Unidos quería hacerlo "para ver si por fin entendía a los *latinos*"..., lo primero que encontrará en su cartilla es la declinación de la palabra *rosa.*

	Singular	Plural
Nominativo:	rosa	rosae
Genitivo:	rosae	rosarum
Acusativo:	rosam	rosas
Dativo:	rosae	rosis
Vocativo:	rosa	rosae
Ablativo:	rosa	rosis

No se preocupe ni por aprenderse este cuadro ni por saber para qué sirve. Lo hemos transcrito con el único afán de que usted vea cuán complicado es el latín, que tiene 12 formas para una sola palabra, en comparación con el español que tiene normalmente dos (rosa-rosas) o cuatro (niño-niña-niños-niñas).

Ahora, si la curiosidad no lo deja seguir adelante, el nominativo es el que simplemente enuncia: *rosa* es *la rosa;* el genitivo, el que indica posesión: *rosarum* es *de las rosas...* y de ahí viene un vocablo bien conocido en español: *rosario,* que significa *de rosas,* nombre que tienen una oración a la Virgen ideada por santo Domingo de Guzmán, un conjunto de paradisíacas islas en las antillas colombianas, y algunas muchachas. Las Rosarios españolas son llamadas cariñosamente Charo o Charito.

Algunas palabras españolas de origen griego

En latín (tomado del griego)	en español
idea	idea
phantasia	fantasía
rhytmu	ritmo
schola	escuela
balneum	baño
gypsum	yeso
orphanus	huérfano

Pues bien, el latín es el idioma de donde sale el español. El español es, digámoslo así, un latín mal hablado o un latín simplificado o un latín evolucionado. Pero no es solo latín. El latín ya traía muchas palabras de origen griego. Por eso, en la etimología de numerosos lexemas españoles encontramos raíz griega: *acrópolis, filosofía, ortografía, hemorragia,* son palabras que llegaron del griego al español a través del latín.

En el siglo V de nuestra era desapareció el Imperio Romano. No hubo guerras de independencia sino simple aburrición de los emperadores. Así que cada provincia romana quedó al garete y el latín de cada lugar tomó su propio camino. Algunas palabras tuvieron poca variación: *amare* siguió siendo *amare* en italiano, mientras que en castellano, provenzal, portugués y catalán perdió la *e* final: *amar,* y en francés fue primero *amer* y luego *aimer.*

Otras tuvieron más variaciones: *bonus* pasó a ser *bom* en portugués; *bon* en gallego, provenzal y francés; *bon* y *bo* en catalán, valenciano y mallorquí; *buono* en italiano y *bueno* en castellano.

Esta evolución es la que da lugar a los idiomas latinos o romances, que son, como se ve en los ejemplos, derivaciones del latín: el rumano, el francés, el italiano, el portugués y los diversos idiomas españoles: castellano, gallego, valenciano, catalán...

Inglaterra y Gales fueron también colonias romanas. En esas tierras quedaron las ciudades cuadriculadas, los acueductos y las leyes, pero no la lengua latina. Siglos después se impondrían en estos países las lenguas germanas, de donde deriva el inglés.

Algunos ejemplos de la evolución del latín al español

latín	español	latín	español
rosam	rosa	pectus	pecho
amicum	amigo	possibilis	posible
veritatem	verdad	sensatus	sensato
lucem	luz	gordus	gordo
latronem	ladrón	sic	sí
mancipium	mancebo	sexus	sexo
tempus	tiempo	magister	maestro

No obstante, es fácil encontrar palabras que en inglés y en español tienen muy parecida escritura, porque el inglés no estuvo del todo ajeno a la influencia latina y de hecho tomó del latín su forma escrita, su abecedario.

La evolución lingüística, sin embargo, no ha impedido que aún hoy, a las formas modernas del latín, es decir, al italiano, al francés, al castellano, les mezclemos sin problema alguno una buena dosis de latín puro. Así, seguimos diciendo *déficit* y *superávit,* tal como lo decía en su época el ministro de economía del César. Los juristas emplean una buena colección de voces latinas, como se usaron hace veinte siglos en el Imperio: *hábeas corpus, ad hoc, ultimátum, dura lex sed lex.* Y hasta no hace mucho tiempo se leía en las empresas algún *memorándum* y se tocaba en las iglesias pequeñas el *armónium.* Todos tenemos en nuestra casa un *álbum,* rezamos *amén,* y a ratos nos creemos el *non plus ultra* del barrio. Además, la prensa deportiva anuncia encuentros de fútbol así: "River *versus* Independiente, en el *campus* de la universidad".

Que somos latinos, lo somos.

El turno es para la guerra

Muerto en el siglo V el último emperador romano y, como ya dijimos, establecido el latín como lengua común de las colonias romanas, inclui-

Expresiones latinas de uso frecuente

ab aeterno	desde la eternidad.
ad honorem	sin cobrar sueldo ni honorarios. *Fulano trabaja ad honórem porque es un filántropo.*
ad hoc	solo para una función. *Zutano es ministro de trabajo ad hoc para resolver el problema del sindicato petrolero, pues el titular se declaró impedido.*
ad infinítum	hasta el infinito, sin fin, ilimitado.
ad ínterim	de manera interina, entretanto.
ad líbitum	a voluntad, a elección.
ad líteram	a la letra, al pie de la letra.
alma máter	madre nutricia. *La Universidad de Harvard es el alma máter de muchos líderes latinoamericanos.*
álter ego	otro yo. *Fernán Martínez Mahecha fue el álter ego de Julio Iglesias.*
a priori	antes de, antes de toda experiencia. *Fue juzgado a priori.*
aquárium	acuario.
bona fide	de buena fe.
cum laude	con opción a premio extraordinario. *Obtuvo cum laude en su tesis doctoral.*
currículum vitae	hoja de vida, historia profesional de una persona.
de facto	de hecho.
de iure	de derecho, formal, oficial.
do ut des	reciprocidad.
dura lex, sed lex	la ley es dura, pero es la ley.
ex aequo	con igual mérito.
ex cáthedra	con autoridad de maestro.
ex profeso	a propósito.
grosso modo	en líneas generales, en conjunto, sin detallar. *Les explicará grosso modo su plan para liberar a los rehenes.*
hábeas corpus	derecho del detenido a ser oído por un juez.
honoris causa	por razón de honor. Modalidad de título universitario que se otorga a quien se distingue especialmente en una disciplina.
íbidem	en el mismo lugar. Se abrevia *ídem.*
imprimátur	autorización eclesiástica para publicar un escrito.

(Continúa)

in aetérnum	para siempre.
in albis	en blanco, sin nada.
in extremis	poco antes de morir.
in memóriam	en recuerdo de.
in péctore	en secreto. *El Alcalde ya tomó la decisión in pectore.*
in situ	en el sitio. *Se realizó la investigación in situ.*
ipso facto	inmediatamente, en el acto.
ítem	artículo de un texto. *Léalo en el siguiente ítem.*
motu proprio	por su propia iniciativa. *La contrató motu proprio.*
mutatis mutandis	cambiando lo que se deba cambiar. *La descripción que hizo hace cien años corresponde mutatis mutandis a la situación actual.*
nihil obstat	nada se opone. Autorización eclesiástica previa al *imprimátur.*
non grata	no grata. *Fue destitutido de su cargo y declarado persona non grata.*
non plus ultra	no más allá.
peccata minuta	error, falta o vicio leve.
per áccidens	accidentalmente.
per cápita	por cabeza o por persona. *El consumo proteínico diario per cápita en Chile es de 68.*
per saécula soeculórum	por los siglos de los siglos.
per se	por sí mismo.
quid	esencia, meollo.
quid pro quo	una cosa por otra.
sine die	sin fecha determinada.
sine qua non	sin la cual no. *Puede quedarse con la condición sine qua non de que no hable.*
statu quo	en el estado actual. *Todo aristócrata defiende su statu quo.*
sui géneris	muy especial. *Tenía un estilo pictórico sui géneris.*
tabula rasa	tabla rasa.
urbi et orbi	a los cuatro vientos.
vade retro	retrocede, apártate.
vox pópuli	de dominio público. *Eso ya no es secreto; es vox pópuli.*

da Hispania, comenzaron las invasiones bárbaras. A las Galias llegaron los francos y fue tal su dominio que siglos después las Galias pasaron a ser Francia y el latín francés pasó a ser el menos latino de los romances o el más germano de ellos. A Hispania llegaron los visigodos, pero nunca Hispania llegó a ser Visigodia; siguió siendo Hispania, aunque no permaneció ajena a la influencia de los guerreros germanos, que eso eran ante todo los nuevos jefes: guerreros. De ahí que la terminología bélica (del latín *bellum*) se enriqueció con numerosos aportes germanos: *guerra, bramar, heraldo, embajada, compañero, guardia, guardián, espía, pendón, ¡alto!, robar, yelmo, dardo, espuela.*

Nuestros abuelos germanos buscaban *albergues* para *guarecerse* y luego fundaron *burgos,* en cuyas casas había *ruecas* por un lado y *salas* por otro, donde se interpretaba el *arpa* para *agasajar* a los invitados.

Muchos nombres españoles son de origen germano. Mire a ver si aquí está el suyo: *Álvaro* (de *all,* todo, y *wars,* prevenido), *Fernando* (de *frithu,* alianza, y *nanth,* atrevido), *Rodrigo* (de *hroths,* fama, y *ricks,* poderoso), *Elvira* (de *gails,* alegre, y *wers,* fiel). Así mismo, son de origen visigótico *Gonzalo, Alfonso, Adolfo, Ramiro, Galindo...*

El romance que más tarde llamaremos castellano va formándose así: latín salpicado de celta, adobado con griego y enriquecido con germano.

Alá manda más palabras para amar

El reinado visigodo terminó en el siglo VIII, cuando llegaron nuestros abuelos árabes a la península. La guerra contra los cristianos la dirigían los *adalides,* que recibían información de sus *atalayas* y dirigían ejércitos armados de *alfanges* y *adargas.* El romance se hizo más grato gracias a la llegada del *algodón,* las *almohadas,* las *alfombras,* las *jofainas,* las *babuchas* y el *alcohol.*

Con la llegada de nuestros abuelos árabes, las muchachas comenzaron a *acicalarse* para ir a los *almacenes* y, a pesar de las elevadas *tarifas,* compraban telas de color *azul* o *carmesí, alfileres, tazas, jarras, azucenas, almíbar* y hasta *azúcar* por *arrobas.* Sus románticos pretendientes, fueran *alcaldes* o *albañiles,* les regalaban *azahares* y *alfajores,* y les cantaban acompañados por el *laúd.*

¡Qué algarabía!

Cuando los árabes necesitaban algo, oraban a Alá: ¡oh, Alá! Y nuestros antepasados españoles no se sintieron menos cristianos al decir como ellos: *¡ohalá!, ¡ojalá!*

Muchos vocablos españoles surgen de unir el artículo árabe *al* y el sustantivo: *algarabía* (que no significa otra cosa que *la lengua árabe), álgebra* (la reducción), *alguacil* (el ministro), *alférez* (el jinete). En las palabras de origen árabe hay muchas *aes: hazaña, alcázar, naranja, marras.* Entre las palabras más hermosas del idioma español, según entrevista del diario chileno *El Mercurio* a Jorge Luis Borges, José Donoso, Arturo Uslar Pietri y otros escritores famosos, figuran con preeminencia vocablos de origen árabe: *ámbar, ajonjolí, alquimia, azul, ojalá...*

Aunque la *zeta* se incorpora a nuestro idioma con la cultura visigoda, muchas palabras con *zeta* son de origen árabe: *azulejo, azahar, zábila, zafra, azafrán, zaga, zagal, zoquete.*

Ya con todos estos ingredientes —latín, griego, celta, germano, árabe— hay un romance bastante elaborado y cada vez más alejado del latín clásico. Aquí puede establecerse ya una clara diferencia entre la lengua notarial, oficial, académica (el latín), y la lengua del comercio, de la calle, de los caminos, de las fondas, de la intimidad, del amor, del romance, que hasta por eso se llamará romance.

Los monjes de la Cogolla se inventan el castellano

Hacia finales del siglo X o comienzos del XI, los monjes de San Millán de la Cogolla, cerca a la actual ciudad de Madrid, escribieron al margen de unas homilías, la traducción al lenguaje vulgar, al lenguaje de la calle, de lo que en ellas decía en latín. Este es ni más ni menos el primer texto escrito en castellano. Un castellano que no obedecía a reglas académicas, pues ni había reglas ni había Academia, sino al uso de la gente común.

Entonces, se pierde el miedo a escribir en vulgar, en romance, en castellano, y se siguen asimilando influencias. Durante el siglo XI, las gigantescas peregrinaciones de francos a Santiago de Compostela van creando un corredor de paraderos, más tarde ciudades, con lo que el idioma se ve enriquecido por provenzalismos y galicismos: *homenaje, mensaje,*

La *che* y la *elle* dejaron de existir como letras en abril de 1994, por decisión de las Academias. Esto no significa que el sonido que estas letras representaban haya sido eliminado del idioma, sino que tal sonido ya no se representa con la letra *che* y con la letra *elle,* sino con las letras *ce* y *hache* en el primer caso, y con dos *eles* en el segundo. Así, *chino* se escribía con cuatro letras: las consonantes *che* y *ene* y las vocales *i* y *o.* Ahora se escribe con cinco letras, tres consonantes y dos vocales, pero el sonido es el mismo.

El cambio afecta más que todo a diccionarios y directorios telefónicos, que en vez de 29 apartados, tendrán solo 27. Entonces, las palabras que empiezan con *ch* y con *ll* se clasificarán en los capítulos de la *ce* y de la *ele,* donde les corresponda alfabéticamente.

fraile, monje, mesón, manjar, vianda, vinagre. En esta época nace la letra *che.* De hecho, hoy usamos numerosas palabras de origen francés con *che: chalán, chalet, chambelán, champaña, champiñón, chantaje, chaqueta, charada, charcutería, chovinismo...* y hasta un vocablo de extensísimo uso, pero aún no aprobado por las Academias: *chance.*

Como sucede con cualquier organismo vivo, el idioma evoluciona. Por eso, el castellano de hoy no es igual al que se usaba hace diez siglos, como de seguro el del siglo XXI no será igual al que se usa hoy. En el Poema del Mío Cid se escribió *traydores, muort, fuort,* en vez de *traidores, muerte, fuerte.* En documentos notariales del siglo XII se lee *mulleres* y *fillos,* por *mujeres* e *hijos.* Textos del siglo XIII muestran *palomba* y *maura,* que evolucionarán a *paloma* y *mora.* Los versos de Gonzalo de Berceo dicen *plus blanco* y *plus bermeio,* en vez de *más blanco* y *más bermejo,* como se escribiría hoy.

El castellano del Mío Cid

Dios lo quiera e lo mande, que de tod el mundo es señor,

d'aqueste casamiento, ques' grade el Campeador.

Una piel bermeja, morisca e ondrada,

Cid, beso vuestra mano, en don que la yo aya.

Evolución de sonidos

Y si la escritura evoluciona, la fonética también. En los primeros cinco siglos del castellano hubo un sonido igual al de la *sh* del inglés actual representado por la *x*, en palabras como *dixo, Xavier, baxo,* que después del siglo XVI tendrían el sonido gutural de la *jota: dijo, Javier, bajo.*

Durante varios siglos se distinguieron dos sonidos *ese:* el sordo de *señor* y *pensar* y el sonoro de *osso* y *espesso.* También dos *ces*: la simple de *cerca, circo* y la *ce con cedilla* de *braço* (brazo) y *cabeça* (cabeza). Tanto la *doble ese* como la *ce con cedilla* fueron eliminadas del español escrito en el siglo XVIII.

Una de las mayores y aún no resueltas discusiones es si alguna vez se distinguieron fonéticamente la *be* y la *uve,* aunque hay acuerdo casi total en que desde el siglo XVI han sido ambas labiales. La pronunciación labial de la *uve* es una de las características del español respecto a otros idiomas en que es labiodental.

En cuanto a su desarrollo geográfico, el castellano comenzó a hablarse en la región cantábrica, al norte de España, por los alrededores de Burgos. En los siglos XI y XII se extendió hacia el sur: Segovia, Ávila, Madrid, Toledo, Cuenca. En el siglo XIII se siguió extendiendo hasta alcanzar la costa sur y cubrir Córdoba, Sevilla y Cádiz. Posteriormente llegó por el occidente a León y Salamanca, hasta el actual territorio portugués; por el oriente hasta las zonas de habla catalana, cubriendo Huesca, Zaragoza, Teruel y Murcia, y por el sur hasta Granada, Málaga y Almería.

En la España de hoy, el castellano convive con otras lenguas, como el gallego, el valenciano, el catalán y el eusquera, de las cuales esta última no es latina.

CLAVE

Doble ese

La *doble ese* y la *ce con cedilla* fueron eliminadas del alfabeto español en el siglo XVIII. De ahí que palabras como *cassette* (francés) o *stress* (inglés) no se escriban así en español, pues no corresponderían a la morfología léxica de nuestro idioma. Sus versiones españolas son *casete* y *estrés.*

En algunos nombres propios se ha conservado la escritura antigua: *Panesso, Bossio, Alexandra, Xavier,* lo que no sucede con nombres comunes.

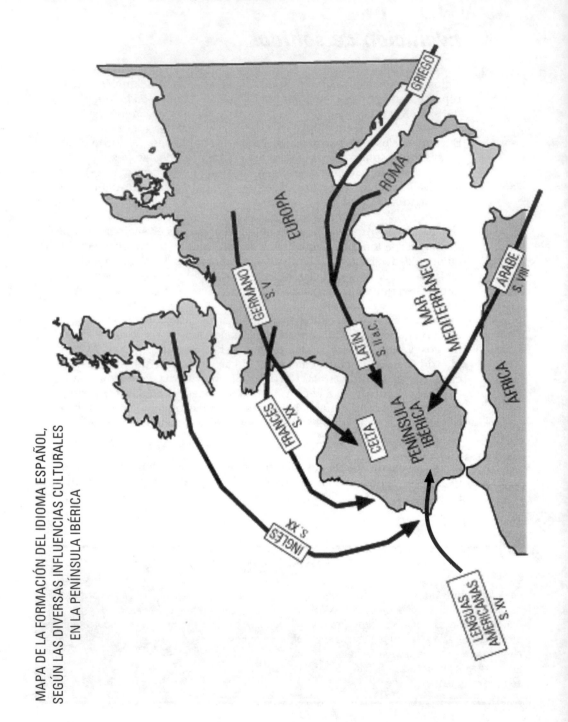

MAPA DE LA FORMACIÓN DEL IDIOMA ESPAÑOL, SEGÚN LAS DIVERSAS INFLUENCIAS CULTURALES EN LA PENÍNSULA IBÉRICA

Y los españoles aprenden a amar —perdón, a hablar— en americano

En el siglo XV, hay varios hechos significativos para el desarrollo y consolidación de nuestro idioma. El matrimonio de los reyes Fernando de Aragón e Isabel de Castilla unifica en una sola nación reinos dispersos. La unidad española se efectúa también en lo lingüístico y se convierte así el castellano en lengua oficial.

En 1492 —sí, ya sabemos lo de Colón—, antes de la expedición de Colón, hubo otro hecho importante: Elio Antonio de Nebrija, un destacado gramático al servicio de los reyes, presentó su Gramática de la lengua castellana, acontecimiento que elevó nuestro idioma a la categoría de lengua clásica, pues, hasta Nebrija, *Gramática* era prácticamente sinónimo de *'latín'*. Este mismo autor había hecho ya un diccionario latín-castellano.

Y ahora sí, es preciso hablar de Colón.

Colón nació en Venecia, vivió y se casó en Portugal y, sin embargo, escribió su famoso diario de viaje en castellano. Ese hecho es diciente de la prevalencia del castellano sobre otros idiomas de la época. Pero no es por ese hecho que hay que traer a colación al Almirante en este relato, sino por haber traído a América el castellano y haber facilitado así que el castellano se enriqueciera con el aporte de las lenguas indígenas americanas.

Desde el primer contacto de Colón con el Nuevo Mundo, aparecieron palabras taínas que rápidamente se incorporarían al castellano, como *cacique, bohío, maíz, batata, carey, ají, tabaco, guacamayo, tiburón, yuca, canoa* y *hamaca*. El diccionario castellano se vio enriquecido con voces caribes, como *caimán, caníbal, loro, piragua, butaca, arepa;* nahuas, como *aguacate, cacahuete, cacao, chocolate, hule, petate, tiza, tomate;* quechuas, como *alpaca, guarapo, vicuña, cóndor, mate, papa, pampa;* guaraníes, como *ñandú, tucán, yaguaré.*

Con la llegada a América de los negros, nuestro idioma sumó a su léxico no pocos aportes de las lenguas africanas: *bongó, conga, samba, mambo, burundanga.*

En 1770, el rey Carlos III declara el castellano idioma oficial del Imperio Español, que entonces abarcaba no solo la actual América hispanohablante, sino también lo que hoy son los estados de California, Arizona, Nuevo México, Texas y Florida, además de Filipinas, en el Asia, y otras posesiones en Europa. No sobra recordar que el Imperio Español ha sido

Muestra de palabras americanas que entraron a idiomas europeos en el siglo XVI

Español	francés	italiano	inglés
batata	batate	batata	
papa (patata)	patate	patata	potato
caimán	caïman	caimano	caiman
canoa	canot	canoa	canoe
hamaca	hamac	amaca	hammok
maíz	maïs	mais	maize
piragua	pirogue	piragua (piroga)	pirogue
tabaco	tabac	tabacco	tobacco

el más grande de la historia de la Humanidad y que esta ley de 1770 contribuyó a la expansión del castellano, idioma que hoy, dos siglos después, es primera lengua de 400 millones de terrícolas. Es decir, una lengua superada solo por el inglés, hablado por unos 600 millones de personas, y por el chino mandarín, lengua que deben de hablar hoy unos 1.500 millones de ojirrasgados. Esta posición del español, en un mundo donde se hablan casi 10.000 idiomas no es como para pasar por alto.

El castellano llegó a su plenitud en el llamado Siglo de Oro. Es aquí donde se sitúan Miguel de Cervantes Saavedra con su obra máxima, el Quijo-

El escritor colombiano Gabriel García Márquez, premio Nobel de Literatura 1982, pinta con su particular estilo la situación lingüística de la América Española en el siglo XVIII en su novela *Del amor y otros demonios*. La protagonista, María de Todos los Ángeles, una niña supuestamente endemoniada, habla congo, mandinga y yoruba, y se entiende así a las mil maravillas con los esclavos negros. Su padre, el marqués de Casalduero, le pide al médico portugués Abrenuncio que no le hable en latín sino en ladino. La abadesa del monasterio de Santa Clara, por su parte, es quien menos posibilidades de comunicación tiene con los demás habitantes de Cartagena de Indias, pues solo habla castellano...

te, publicada en 1605, y otros autores como santa Teresa, san Juan de la Cruz, fray Luis de León, fray Luis de Granada, Lope de Vega, Góngora, Quevedo..., que produjeron textos bellos, densos, novedosos, representativos del sentir de la época y que alcanzaron rápidamente reconocimiento literario universal.

Un poco de esnob nunca viene mal

Para completar el cuadro de influencias del castellano, que, por cierto, ya al convertirse en lengua universal se llama español, veamos cómo el francés y el inglés son los idiomas que más están enriqueciendo nuestra lengua desde el siglo XVIII hasta hoy.

La elegancia francesa introduce al español expresiones propias de la moda, como *petimetre, hombre de mundo, coqueta, chaqueta, corsé, beige;* de la vivienda y el mobiliario, como *hotel, chalet, buró, sofá, neceser;* del arte culinario, como *merengue, croqueta, cruasán;* de la milicia, como *brigadier, retreta, batirse, pillaje;* del comercio, como *letra de cambio, bolsa, aval, cotizar, endosar, garantía, tur, casete, disquete;* de la política, como *parlamento, elite, comité, debate, burocracia,* y expresiones como *hacer el amor,* que nace en las calles de París y de allí se extiende al mundo entero.

De origen inglés son *vagón, tranvía, yate, bote, mitin, líder, reportero, revólver, turista, fútbol, tenis, córner, cloche, suéter, overol, esmoquin, esnob, yaz, coctel, chárter, guachimán, contenedor, estándar, estéreo, estrés, bit, clóset, sándwich, autoservicio, telón de acero, guerra fría, whisky, ponqué, perro caliente, récord...*

En compensación, es bueno saber que el español ha hecho sus aportes a otros idiomas. Por ejemplo, el *platino,* dado a conocer con su nombre español en el siglo XVIII, pasó a ser *platine* en francés, *platina* y *platinum* en inglés y *platino* en italiano. *Tomate* fue copiado así por el francés y el inglés. La palabra inglesa y francesa *cabotage* fue tomada del español *cabotaje.* El *cigarro* español se convirtió en *cigare* francés, *sigaro* italiano y *cigar* inglés. Los jugadores de billar dicen *carambole* en inglés y en francés, copiado de *carambola.*

Guerrilla y *guerrillero,* así como *camarilla,* se escriben tal cual en inglés, y en la literatura francesa moderna se ven términos como *picador, gitane, bolero, cachucha* y *rondalla.* El socorrido *BBQ* inglés, tan de moda hoy en restaurantes y conjuntos residenciales, no es otra cosa que el *barbacoa* español y portugués.

Similitudes léxicas del español y el inglés

Ejemplos de palabras con igual escritura en los dos idiomas

cruel	open	bit	chip	fuel
normal	contestable	control	coral	moral
vegetal	vestal	axial	cultural	unilateral
unidimensional	trivial	soda	golf	gratis
residual	angina	no	nocturnal	lira
jaguar	feudal	invisible	fauna	favor
mutual	autogiro	contrastable	impostor	era
convoy	detestable	ex	pedal	whisky
abominable	banana	canal	declinable	iceberg
medieval	dental	mediocre	mosquito	oral

Ejemplos de palabras muy similares o casi iguales en los dos idiomas

español	inglés	español	inglés
invadir	to invade	formato	format
sándwich	sandwich	clóset	closet
visita	visit	viril	virile
centro	center	cicatriz	cicatrice
ciclón	cyclone	arribar	to arrive
hipnosis	hypnosis	hilaridad	hilarity
eunuco	eunuch	exclusión	exclusion
vinilo	vynile	bronce	bronze
eutanasia	euthanasia	exacto	exact
valiente	valiant	abril	April
acta	act	adagio	adage

Se han publicado listas de hasta casi **18.000** palabras iguales o similares en los dos idiomas.

Capítulo 2

Esto tiene sus normas

- -

En este capítulo

▶ Las diferencias idiomáticas en el tiempo y en el espacio

▶ Las necesidades de estandarizar el idioma mediante unas normas

▶ Los grandes aportes de Alfonso X, Nebrija, Bello, Cuervo y la Academia

▶ La Ortografía y el Diccionario de la Academia

- -

Las variables que tiene un idioma hablado por cerca de 400 millones de personas son muchas. Esta es una prueba de laboratorio para comprobarlo: Llame por teléfono a un grupo de latinoamericanos provenientes de distintos países. Unos le contestarán ¡aló!, otros, ¡a ver!; algunos, ¡diga! y el resto ¡dígame! y todos hablan el mismo idioma. Invítelos a su oficina. Los mexicanos llegarán en *camión,* los colombianos en *bus* y los argentinos en *autobús,* tres vehículos que son la misma cosa, pero que cada uno llama de distinta manera. Ya reunidos, los mexicanos, para expresar que llegaron en grupo, le dirán que viajaron *en bola,* con el consecuente escándalo de las ecuatorianas que habrán entendido que iban desnudos.

Ofrézcales un *tinto* y los colombianos le dirán que qué maravilla tomarse un café para estimular la mente, mientras que los demás rechazarán el vino, inoportuno a esa hora de trabajo. Dígales que tomen algo para escribir y verá *estilógrafos, biromes, esferográficos, bolígrafos, plumas,* que son la misma cosa pero con distinto nombre, según la procedencia geográfica del dueño. Hábleles de su tema favorito y oirá que los cubanos dicen *futbol,* con acentuación aguda, mientras los demás pronuncian *fútbol,* con acentuación grave... al conversar sobre el mismo deporte.

Mire, mira y mirá

Y ya entrados en confianza, observe que nicaragüenses, colombianos, ecuatorianos, bolivianos, uruguayos y argentinos se tratan de vos: *mirá, fijáte, subí, bajá, oíme, pasáme...,* mientras chilenos, venezolanos, cubanos, puertorriqueños, panameños y dominicanos prefieren el *tú: dime, cuéntame, préstame, olvídate, sigue...,* salvo algunos que prudentemente se mantienen en el elegante *usted: permítame, siéntese, disculpe, ¡mande!...*

La situación no era distinta en la literatura española anterior al siglo XVIII. Una sola expresión, *al acecho,* aparece en textos clásicos en formas tan diversas como autores la usaron: *al assecho, al asecho, al azecho, al acecho, al açecho...*

Por esa diversidad que presenta el idioma, tanto en lo oral como en lo escrito, es necesario que haya normas que permitan un desarrollo único del idioma, así se trate solo de ese español universal, que necesariamente convive con los localismos propios de cada nación, de cada provincia e incluso de cada barrio. Es un hecho que un libro editado hoy en Madrid, en México o en Buenos Aires no necesita traducciones o adaptaciones para el amplio mercado hispano. El lector sabrá que fue escrito en español peninsular si a los automóviles se los llama *coches;* o que fue escrito en México si los personajes de la novela *platican;* o que fue escrito en Argentina si el adjetivo *recién* precede verbo y no participio: *recién llegó, recién salió...* Pero ninguna de esas peculiaridades hace el texto menos legible en un sitio que en otro.

La unidad actual del idioma español, fácilmente comprobable con solo sintonizar canales de televisión de diversos países, es una realidad que bien vale la pena conservar, mediante el respeto y aplicación de las normas gramaticales.

Un hombre de apellido Nebrija

Algún poeta del siglo XV escribió la siguiente trova:

> *Llámala Castilla inojo,*
> *que es su letra de Isabel;*
> *llámala Aragón finojo,*
> *que es su letra de Fernando.*

En estos versos que riman bastante mal se alude a las diferencias lingüísticas entre Aragón y Castilla, los dos reinos que se unieron con el matrimonio de Fernando e Isabel. Fernando hablaba aragonés e Isabel, castellano, pero, a partir de la unión, se favoreció el uso exclusivo del castellano. El castellano era ya la lengua literaria preferida por poetas y prosistas. Así, el escritor catalán Narciso Viñoles escribe en la "limpia, elegante y graciosa lengua castellana, la cual puede muy bien, entre muchas bárbaras y salvajes de aquesta nuestra España, latina sonante y elegantísima ser llamada".

Años antes de la expedición de Colón, el gramático Elio Antonio de Nebrija se presentó en Salamanca a la reina Isabel y le informó sobre los avances de su trabajo en la elaboración de una gramática castellana. La reina le preguntó que para qué podía servir tal obra y, ante el repentino mutismo del autor, el obispo de Ávila, presente en el encuentro, le dijo a la Reina que ese sería un valioso instrumento para enseñar la ley a los pueblos bárbaros que quedaran bajo su yugo.

No se sabe si este obispo era clarividente o si ya se respiraba en el ambiente la vocación imperialista de los Reyes Católicos. En todo caso, Nebrija continuó con su trabajo, que era insólito, pues no se conocía ni se demandaba entonces gramática para una lengua vulgar. La gramática era ciencia para aprender el correcto uso de las lenguas clásicas, el latín y el griego, no para aprender el uso de una lengua que se asimilaba desde la cuna y se perfeccionaba en la escuela.

Instrucciones anteriores a la Gramática

Como antecedentes del trabajo de Nebrija se conocen solo instrucciones de fonética francesa para los cortesanos ingleses, que habían decidido sofisticar el ambiente palaciego comunicándose en francés, y algunas instrucciones para trovar en castellano o breves glosarios para aclarar significados. La obra de Nebrija supera en objetivos y en valor científico la de todos sus antecesores.

Hoy, más de quinientos años después, Nebrija parecería vanguardista: su gramática no dice *pretérito, futuro, perfecto, imperfecto y pluscuamperfecto,* como la gramática actual, sino *pasado, venidero, acabado, no acabado* y *más que acabado.*

Nebrija tuvo plena conciencia de la magnitud de su trabajo, muy en consonancia con el sentimiento de la época sobre la plenitud que había alcanzado el desarrollo del castellano. Se creía que el idioma había logrado su más acabada y excelsa forma y que era el momento de fijar sus usos para siempre. Este sentimiento se refleja en el prólogo de la Gramática Castellana: "...lo que agora y de aquí en adelante en él (en castellano) se escriviere, pueda quedar en un tenor y estenderse por toda la duración de los tiempos que están por venir, como vemos que se ha hecho en la lengua griega y latina, las cuales, por aver debaxo de arte, aunque sobre ella han passado muchos siglos, todavía quedan en una uniformidad".

Tan pronto salió de la imprenta el primer ejemplar, Nebrija fue a presen-
társelo a la Reina. Era agosto de 1492. Colón había partido ya en busca
del nuevo camino para llegar a las Indias.

La Real Academia Española

La Academia se fundó en 1715 con el objetivo que expresa su lema: "limpia, fija y da esplendor"... como el antiguo detergente Puloil, en cuyos
comerciales de televisión hacía la misma promesa.

La primera tarea de la Academia fue elaborar el *Diccionario de Autoridades,* publicado en 1726. Se llama de *Autoridades* porque cada palabra
incluye ejemplos de uso por parte de las autoridades literarias del idioma. En 1741 publicó su *Orthographía,* y en 1771, su primera *Gramática.*
Desde entonces, el argumento de autoridad sobre el acierto o error al
escribir o al hablar es "así lo dice la Academia". Los criterios de la Academia, desde entonces, fueron de más peso que los de los diversos gramáticos que hasta ese momento habían expresado sus opiniones ten-
dientes también a limpiar, fijar y dar esplendor al idioma.

Hasta 1726 se habían usado indistintamente los signos *u* y *v* como consonante o como vocal *(uno, vno),* no estaban delimitados los usos de la *i* y
la *y (imagen, ymagen),* se tomaba o se dejaba la *hache* sin mayor escrú-
pulo *(honesto, onesto),* se mantenía la escritura latina de palabras cultas
o se castellanizaba a capricho del escritor *(philosophía, filosofía).* En su
Diccionario de Autoridades, la Academia definió que la *u* fuera solo vocal
y la *v* solo consonante. Además, suprimió la *ce con cedilla* que fue reem-
plazada por *ce* antes de *e* y de *i,* y por *zeta* antes de *o,* de *a* y de *u (corazón,* en vez de *coraçón, lucir* en vez de *luzir...).* Así mismo, definió el uso
de la *be* y la *ve,* según el origen de la palabra, con lo que desaparecieron
cavallo, cantava, boz, bivir, y quedaron *caballo, cantaba, voz* y *vivir.* Esta
diferencia entre la *be* y la *ve* se hizo por la etimología, ya que fonéticamente no la había entre una y otra, como sí la había entonces en inglés,
alemán, francés e italiano.

De Orthographía en Ortografía

La *Orthographía* de 1741 eliminó algunas dobles consonantes: *acelerar,
acento, anotar, anual,* en vez de *accelerar, accento, annotar, annual.* Y la
Ortografía de 1763 eliminó definitivamente la *doble ese: ese, grandísimo,
tuviese,* en vez de *esse, grandíssimo, tuviesse.* La *doble ese* la han conser-

La *equis* se puede pronunciar como una *ge* seguida de una *ese*. Así, *taxi, sexo, conexión,* suenan *tagsi, segso, conegsión*. Debe cuidarse ese sonido, pues a veces se oye *tadsi, sedso, conedsión*. Otro sonido de la *equis* es simplemente el de *ese: auxilio, auxiliar, auxiliadora,* suenan *ausilio, ausiliar, ausiliadora*. ('Suenan' no significa que se escriban así. Aquí no es válido aquello de que "se escribe como suena").

vado el italiano *(espress, missione)*, el francés *(cassette, poisson)*, el portugués *(emissora, passar)* y el inglés *(cross, stress)*, por cuya inadvertida influencia aparece a veces en textos españoles escritos sin el suficiente rigor.

La *Ortografía* de 1815 cambia definitivamente a *ce (cuanto, cual, cuatro)* la *cu* de *quanto, qual, quatro;* deja la vocal *y* únicamente para el final de palabras con diptongo o triptongo *(doy, buey, rey, muy)* y la elimina como vocal en las demás posiciones *(imagen, aire, Leiva, Caicedo,* en vez de *ymagen, ayre, Leyva, Caycedo)*. Además, elimina la *equis* con sonido *jota* de *caxa, quexa, lexos, Xavier,* que pasan a escribirse *caja, queja, lejos, Javier*. Esto último tiene las consabidas excepciones de *Texas, México, Oaxaca, Xalapa...* que se pronuncian *Tejas, Méjico, Oajaca* y *Jalapa*.

Las 22 Academias

Habrá observado usted que ya para la época en que la Academia definió los usos de la *i latina*, la *i griega*, la *cu* y la *equis*, las colonias españolas en América habían comenzado a independizarse. Sin embargo, independencia política no significó renuncia al uso de la lengua de la metrópoli. Con la misma pasión con que se proclamaba la independencia de cada país, se defendía la conservación de la lengua española, si bien es cierto que en Perú y México predominaban por entonces las lenguas indígenas.

El idioma español fue para cada nueva nación americana parte de su patrimonio cultural y, en vez de rechazarlo como símbolo del vencido imperialismo, fue tomado como bandera de identidad propia. Pero, ¡claro!, el español ya no era entonces lengua impuesta a las colonias por una metrópoli, sino lengua común de un grupo de países hermanos. Por eso, el 10 de mayo de 1871 se fundó en Bogotá la Academia Colombiana, que, lejos de pretender una oposición sistemática a las normas emanadas de Madrid, quiso servir como organismo consultor que informaba sobre el uso del español en ultramar.

Con ese mismo espíritu se fundaron en años sucesivos academias correspondientes de la Real y asociadas a ella en cada ex colonia española. Y no solo en América, pues Filipinas (Asia) también tiene su Academia y, desde 1973, hay una Academia de la Lengua Española con sede en Nueva York, que es en el conjunto de las 22 existentes, una de las más activas en el cuidado por la conservación del español.

Academias de la lengua española

Academia, sede, año de fundación, director en la fecha de edición de este libro.

1. Real Academia Española, Madrid, 1715, Víctor García de la Concha

2. Academia Colombiana, Bogotá, 1871, Jaime Posada

3. Academia Ecuatoriana, Quito, 1874, Carlos Joaquín Córdova Malo

4. Academia Mexicana, México, 1875, José Luis Martínez

5. Academia Salvadoreña, San Salvador, 1876, Alfredo Martínez Moreno

6. Academia Venezolana, Caracas, 1883, José Luis Salcedo Bastardo

7. Academia Chilena, Santiago de Chile, 1885, Alfredo Matus Olivier

8. Academia Peruana, Lima, 1887, Luis Jaime Cisneros Vizquerra

9. Academia Guatemalteca, Guatemala, 1887, Francisco Albizúrez Palma

10. Academia Costarricense, San José de Costa Rica, 1923, Alberto F. Cañas Escalante

11. Academia Filipina, Manila, 1924, José Rodríguez Rodríguez

12. Academia Panameña, Panamá, 1926, Elsie Alvarado de Ricord

13. Academia Cubana, La Habana, 1926, Salvador Bueno Menéndez

14. Academia Paraguaya, Asunción, 1927, Roque Vallejos Pérez Garay

15. Academia Dominicana, Santo Domingo, 1927, Mariano Lebrón Saviñón

16. Academia Boliviana, La Paz, 1927, Carlos Castañón Barrientos

17. Academia Nicaragüense, Managua, 1928, Pablo Antonio Cuadra Cardenal

18. Academia Argentina de Letras, Buenos Aires, 1931, Ofelia Kovacci

19. Academia Nacional de Letras de Uruguay, Montevideo, 1943, José María Obaldía

20. Academia Hondureña, Tegucigalpa, 1949, Óscar Acosta

21. Academia Puertorriqueña, San Juan de Puerto Rico, 1955, José Luis Vega

22. Academia Norteamericana, Nueva York, 1973, Odón Betanzos Palacios

Bello y una cornada en la plaza de toros

El español, entonces, comenzó a ser estudiado en América, donde surgieron los dos más grandes filólogos del español no peninsular: el venezolano Andrés Bello y el colombiano Rufino José Cuervo.

Bello reelaboró la terminología de la conjugación de verbos, en consonancia con el uso americano que pronto fue distinto del peninsular. Pongamos un ejemplo: en la plaza de toros, el astado introduce el pitón en el vientre del diestro. El locutor de la Televisión Española dice: *le ha corneado.* El de Caracol dice: *lo corneó.*

Baste este botón de muestra para establecer la diferencia que Bello estudió profunda y sesudamente y sobre la cual construyó toda una teoría y un sistema que habría de revolucionar los conceptos de la Real Academia. La oración *le ha corneado* se construye con el pronombre *le,* que no es el más adecuado para estos casos (ver Capítulo 16) y un tiempo antes llamado *pretérito perfecto.* La oración *lo corneó* tiene el pronombre *lo,* más propio para este caso, y un tiempo antes llamado *pretérito indefinido.*

Bello advirtió que *lo corneó* no tenía nada de indefinido. La cornada estaba perfectamente definida, como que había sangre, dolor y lágrimas. Era, entonces, un pretérito perfecto. Para no contradecir a la Academia, Bello no intercambió los nombres de estos dos tiempos, llamando *perfecto* al *indefinido* e *indefinido* al *perfecto,* sino que llamó *pretérito* a secas la forma *corneó* y *antepresente* la forma *ha corneado.*

Tal peso llegó a tener la posición de Bello que la Academia terminó por revisar la terminología y hoy llama *pretérito perfecto simple* el *corneó* y *pretérito perfecto compuesto* el *ha corneado.* Además, toda la terminología de Bello para los verbos ha sido validada por la Academia.

La Real Academia Española creó en 1994 la Colección Nebrija y Bello y el primer título de esta colección fue nada menos que la *Gramática de la lengua Española.* En la solapa del libro se explica así el nombre de la Colección: "Con esta colección se rinde homenaje a dos de los más insignes estudiosos de nuestra lengua: Elio Antonio de Nebrija, autor de la primera *Gramática castellana,* publicada en 1492, y el venezolano Andrés Bello, cuyos estudios gramaticales sobre el español, realizados en el siglo XIX, han servido de base e inspiración a los más pretigiosos lingüistas de nuestro siglo, tanto en España como en América".

El texto es suficientemente expresivo y sobra que consignemos aquí cualquier otra loa a Bello.

Cuervo, filología y cerveza

El filólogo colombiano Rufino José Cuervo hubiera querido hacer lo mismo que Elio Antonio de Nebrija: entregar al Rey de España su *Diccionario de construcción y régimen de la lengua castellana,* pero no pudo hacerlo, pues tras 21 años de trabajo ininterrumpido solo había llegado a la letra D, esto es, al segundo de ocho gigantescos tomos. El Instituto Caro y Cuervo continuó esta tarea, considerada la mayor obra filológica del mundo, y la terminó 123 años después de iniciada por Cuervo. El director del Instituto, Ignacio Chávez Cuevas, cumplió el sueño de Cuervo: entregó los primeros ocho tomos salidos de la imprenta al rey Juan Carlos de Borbón y a la reina doña Sofía, a mediados de 1995... solo que esta vez la Reina no le preguntó para que serían útiles esos libros ni ningún obispo terció para hablar de futuros yugos... ¡los tiempos han cambiado!

Cuervo trabajó 21 años en París, con las utilidades que le dejó la venta de su fábrica de cerveza, la primera que hubo en Colombia. Cien años después, Bavaria, una de las más grandes cerveceras del mundo, patrocinó la etapa final del proyecto. ¿Ven que cerveza y letras sí se pueden dar la mano?

Campeonato lingüístico y/o futbolístico

En todo caso, ya en el siglo XX, la gramática española no era tema que afectara a los individuos de un solo país, o sobre el cual se sintiera invitada a opinar solo la elite intelectual de Alcalá de Henares, Salamanca y Madrid... No. Fíjese usted el lío de campeonato que se armó con la adaptación de la palabra inglesa *football* al español. La Academia incluyó el vocablo *fútbol,* así, grave, con tilde en la *u,* por primera vez en el Diccionario de 1927. Algunos países protestaron al ver esa tilde y exigieron que se escribiera y se pronunciara *futbol,* aguda, sin tilde. Así apareció, entonces, en el Diccionario de 1939. En 1952, volvió a ser *fútbol* y la Academia condenó expresamente la acentuación aguda *(futbol),* como reacción a las protestas de otros países.

¡Quién dijo miedo! Filólogos, catedráticos, locutores, periodistas y simples aficionados mexicanos, argentinos y cubanos exigían que se respetara la voz aguda *futbol,* con acento en la *o;* mientras españoles, ecuatorianos y costarricenses cobraban penalti a quienes escribían y pronunciaban así el controvertido vocablo. La confrontación terminó en junio de 1956, cuando el Diccionario dio definitivo visto bueno a las dos formas en disputa. Desde entonces hasta hoy coexisten *fútbol* y *futbol* en inalterable paz.

A mediados de los sesenta, una década después de haberse resuelto el problema, a algún académico sin mejor oficio se le ocurrió proponer la voz *balompié,* en reemplazo de las ya aprobadas *fútbol* y *futbol.* Y aunque no sería justo decir que fracasó en su intento, pues la palabra es usada hoy como alternativa culta de las otras dos, con aprobación académica, la verdad es que esta tercera voz en discordia tiene muy poco arraigo popular.

Hoy existe, pues, una Asociación de Academias, con sede en Madrid, España, que coordina el trabajo de las 22 y permite realizar un trabajo bastante democrático en cuanto a la adopción de nuevas normas gramaticales se refiere. En compensación, las normas son universales. No hay unas pautas ortográficas para Chile y otras para España; ni unas normas fonéticas para Uruguay y otras para la República Árabe Sahaurí; ni una semántica para Perú y otra para Guinea Ecuatorial: las normas son —¡o deben ser!— para todos los hispanohablantes del mundo.

Esbozo de las nuevas normas

En la segunda mitad del siglo XX se ha procurado simplificar el sistema de tildes, según lo preceptuado en las *Nuevas normas de prosodia y ortografía,* publicadas en 1952. Estas normas les quitaron la tilde a vocablos como *fue, fui, dio, vio, pie, incluido, constituido, jesuita...,* sin embargo, basta ojear un periódico, una valla o una tarea escolar, y ahí siguen esas tildes, como si pesara más la inercia de diez siglos marcándolas inútilmente, que la norma que exime de tal requisito.

Además, ha continuado el proceso de simplificación ortográfica, consistente básicamente en quitar de la escritura las letras que la costumbre va convirtiendo en mudas, para mantener así una unidad real entre el lenguaje oral y el escrito. Así, en vez de escribir *subscripto* y decir *suscrito,* se acepta escribir tal palabra sin la *be* y la *pe,* que los hablantes de todos los países terminamos por eliminar al pronunciarlas.

La Academia publicó en 1973 el *Esbozo de una nueva gramática de la lengua española,* como documento *provisional* y *sin validez normativa.* Sin embargo, vaya a ver usted cualquier texto de análisis gramatical, cualquier manual de redacción, cualquier cartilla escolar, y el argumento de autoridad número uno es el *Esbozo,* de tal manera que a Samuel Gili Gaya, su redactor, le fue tan bien como a su antecesor Nebrija, en cuanto a la seriedad con que fueron tomados en cuenta sus conceptos, pese al voto de humildad que le exigió la Academia. Además, aunque el tango dice que *veinte años no es nada,* fueron veinte años, con un esbozo provisional, del cual no aparecía la versión definitiva.

Finalmente, en 1994, Emilio Alarcos Llorach terminó la tan esperada *Gramática de la lengua española,* pero también hizo su voto de humildad en el prólogo: "esta gramática aconseja normas, siempre, eso sí, sin espíritu dogmático". Como ve usted, últimamente el espíritu libertario tan característico de nuestro tiempo ha afectado a los académicos, porque las normas no se expresan como dogmas indiscutibles y de obligatorio cumplimiento, sino como simples consejos. Quienes las consultamos, en cambio, nos tomamos muy a pecho lo que dice la Academia, así sea en una simple e informal respuesta telefónica, y tanto más si el concepto está consignado en la gramática oficial.

¡Karajo, qué jenialidad!

Quizá ese espíritu libertario ha alentado propuestas como la del poeta español Juan Ramón Jiménez, el celebrado autor de *Platero y yo* y ganador del premio Nobel de Literatura. Jiménez escribía *jenialidad* en vez de *genialidad,* desde luego no por error, ni como simple capricho, sino como seria propuesta para eliminar el doble sonido de la *ge.* Fíjese usted: *gerente* se escribe con *ge,* y *jeringa* con *jota,* siendo el mismo sonido (ge = je). Entonces, escribir todo sonido *jota* con *jota,* hace innecesaria la *u* muda de *guerra* y *sigue,* que podrían escribirse *gerra* y *sige;* y hace innecesaria también la diéresis de *nicaragüense* y *bilingüe.*

El jesuita colombiano Antonio Silba (originalmente *Silva)* Mojica tiene todo un tratado con su propuesta para llevar el español a una total simplificación ortográfica. *Silba* opina que *be* y *uve* se pueden reducir a *be: burro* y *baca.* Los sonidos *ka* de la *ce,* la *cu* y la *ka,* todos con *ka;* entonces, no *baca* sino *baka;* así mismo, *kama, kuna* y ¡*karajo!* Los sonidos *ese,* que fuera de España son también los de la *ce,* la *equis* y la *zeta,* todos con *ese: sapato, ausilio* y *Selina* (¡pobre Reutilio!). ¿Y la *hache?* ¡para qué, si no suena, *ombre!* En cuanto a tildes, todas las esdrújulas y todas las agudas la llevarían, mientras que las graves irían sin ella: *bijésimo, karacter* y *beraneár.*

La simplificación ortográfica actual

Las propuestas de Jiménez y de Silba aparecen en este contexto como exageradas; sin embargo, no son más que una franca aceleración de un proceso que viene dándose, en el cual, de siglo en siglo, se elimina alguna *hache* o se pierde una *be* posvocálica. Lo cierto es que la Academia ha aprobado en el último medio siglo las siguientes simplificaciones:

Por Chato

—¡OLA, BUEN OMBRE,
¿KÉ ORAS SON?

1. Palabras que empiezan con *ps-* pueden escribirse sin la *pe* inicial: *sicología, sicosis, sicópata, sicoterapia, siquiatra, seudónimo...*, aunque sigue siendo válido dejar la *pe*, que no se pronuncia: *psicología, psicosis...*

2. Palabras que empiezan con *gn-* pueden escribirse sin la *ge* inicial: *nomo, nosticismo, nóstico...*, aunque sigue siendo válido dejar la *ge*, que no se pronuncia: *gnomo, gnóstico...*

3. Palabras que empiezan con *mn-* pueden escribirse sin la *eme* inicial: *nemotecnia, nemotécnico, nemotécnica...*, aunque sigue siendo válido dejar la *eme*, que no se pronuncia: *mnemotecnia, mnemotécnico...*

4. La doble *e* de algunas palabras compuestas puede eliminarse: *rembolsar, rembolso, remplazar, remplazo, sobrentender, sobrentendido, sobresdrújula, sobrexcitación, sobrexcitar...*, aunque sigue siendo válido dejar la doble *e* en la pronunciación y en la escritura: *reembolsar, sobreentender, sobreexcitar...*

5. Algunas *bes* posvocálicas se pueden eliminar: *oscuro, suscrito, sujeto, sustancia, sustancioso, sustantivo, sustitución, sustraer, sustrato...*, aunque sigue siendo válido dejar la *be* en la pronunciación y en la escritura: *obscuro, substancia, substrato...*

6. Algunas *pes* posvocálicas se pueden eliminar: *suscrito, suscribir, sétimo, setiembre...*, aunque sigue siendo válido dejar la *pe* en la pronunciación y en la escritura: *suscripto, séptimo, septiembre...*

7. Palabras que empiezan con *trans-* pueden escribirse sin esa *ene*: *traspiración, trasplantar, traslación...*, aunque sigue siendo válido dejar la *ene* en la pronunciación y en la escritura: *transpiración, transplantar, translación...*

8. Palabras que empiezan con *post-* pueden escribirse sin la *te*: *posgrado, posguerra, posoperatorio, posfechado...*, aunque sigue siendo válido dejar la *te* en la pronunciación y en la escritura: *postguerra, postoperatorio, postfechado...*

9. Algunas *haches* iniciales o intermedias se pueden eliminar: *acera, armonía, armonioso, armonizar, exagonal, exágono, arpa, arpía, alacena, alajú, alelí...*, aunque sigue siendo válido dejar la *hache*: *hacera, harmonía, harmonioso, harmonizar, hexagonal, hexágono, harpa, harpía, alhacena, alhajú, alhelí...*

10. La palabra *consciencia* puede escribirse sin la *ese*: *conciencia*, pero sigue siendo válida con *ese*, aunque mucho más difícil de pronunciar.

Morfología léxica española

Todo cambio en el léxico se hace dentro de las pautas morfológicas del español. Compare usted el apellido de mi amigo suizo _Schmith_ con el de mi amigo chileno _Alvear_. ¿Qué observa al rompe? ¿Ve la desproporcionada cantidad de consonantes de _Schmith_ al lado de una sola e indefensa vocal? Y en _Alvear,_ ¿ve el equilibrio de tres vocales y tres consonantes? Bueno, pues ahí tiene usted una característica clarísima del español respecto al alemán y, en general, a los idiomas de origen germano: en español casi por cada consonante hay una vocal. Y las palabras tienden a construirse con vocal y consonante intercaladas: _casa, tamaño, papanatas, liberadora..._

Como ya se ha visto, en español no hay _ce con cedilla (braço),_ desde 1726; no hay _doble ese (assecho),_ desde 1741; no hay _i griega_ al comienzo o en medio de palabra _(ymagen, ayre),_ desde 1815... Estas características dan al español su personalidad y lo distinguen claramente de los demás idiomas. Es fácil deducir una decena de esas características y delimitar así el perfil morfológico del léxico español.

1. Ninguna palabra española empieza por _st-_, como sí sucede en inglés _(street)_, en latín _(statu, stabat, stadium)_, o en italiano _(stacatto)_.

2. Ninguna palabra española empieza por _sl-_, como sí sucede en inglés _(slogan, sleeping, slogan)_.

3. Ninguna palabra en español tiene _doble ese,_ como sí sucede en inglés _(stress)_, en italiano _(rosso),_ en portugués _(posso)_.

4. Todas las palabras usuales que empiezan por _ue-_ tienen _hache_ inicial: _hueco, hueso, huérfano, huele, huella..._

5. La _i griega_ solo va sola como conjunción y al final de palabra: _whisky_ y _buey_. En las demás situaciones no es _i griega_ sino _ye: yuca, maya, payaso..._

6. La letra más frecuente en español es la _e._

7. El español es un idioma predominante-mente grave _(casa, mesa, Arequipa, Carlos, Elisa, venga, siga, cuente),_ a diferencia del francés, por ejemplo, que es eminentemente agudo _(petit, promener, accompagner...)_

8. El español es un idioma más vocálico _(aéreo, línea, lee...)_ que consonántico _(postgrado...),_ a diferencia del alemán, por ejemplo, que es más consonántico _(Möhrensaft, Speck, sprechen...),_ que vocálico _(teuer...)_

9. La letra más reciente es la _uve doble: whisky, sándwich...,_ mucho más frecuente en inglés _(watch, why, William, Washington, down...)_ o en alemán _(Wolljacken, Weste, wie, Krawatten...)_

10. La combinación más reciente es la doble _zeta_ en palabras de origen italiano: _pizza, pizzería..._

Capítulo 3
El diccionario

● ●

En este capítulo
- ▶ Qué es el DRAE
- ▶ Quién lo hace
- ▶ Qué información ofrece
- ▶ Cómo se consulta
- ▶ Otros diccionarios y manuales para resolver dudas gramaticales

● ●

*E*n el diccionario hay de todo. Palabras bellas y feas, biensonantes y malsonantes, útiles e inútiles, antiguas y actuales...

Qué tal, por ejemplo, *uebos, uesnorueste, uessudeste, ueste,* ¡uf!..., voces que, aunque usted no lo crea, aparecen en la página 2043 de la edición de bolsillo del *Diccionario de la lengua española,* 1992. Para lo único que puede servir escribir *uebos* es para que reprueben al estudiante que lo haga, con la siguiente advertencia: no se escribe 'uebos' sino 'huevos'. A mí solo me ha servido para hablar de la excepción que tiene toda regla, cuando digo que todas las palabras comenzadas con *ue-* se escriben con *hache* inicial. La edición del 2001 conserva *uebos.*

Pues *uebos* es palabra que se usó en la edad media, en expresiones como *uebos auemos,* que significaba *necesitamos. Uesnorueste* y *uessudeste* son puntos cardinales que aparecen en mapas antiquísimos. Lo único que nos sirve de esta lista es *¡uf!,* al terminar este inventario de términos inútiles. Pero veamos lo positivo de esta información. Muchas palabras antiguas o desusadas están en el diccionario para que, cuando usted decida leer textos originales escritos en la edad media, entienda su significado.

Desde luego, las palabras de todos los días están ahí: la plática y la platica; el sancocho, el *whisky* y el aguacate; el vicerrector mexicano, el guachimán neoyorquino, el bikini fluminense, las ondas hercianas, el disquete estándar y el extintor regular. No faltan amar, comer, respirar, jugar, xerocopiar, bendecir, babear ni agradecer. Se pueden ver el folleto, el opúsculo, el mamotreto, la novela, el cuento, el poema y el ensayo... Hay gasolina, ideas, naftalina, troncos, ollas, ópera, yaz, homilías, bigotes, vasijas, maratón, tenis, suspicacias, trenzas, actrices, diablos y Dios. Todo.

Para que no se aburra en los próximos 2.368 días

Pero no solo están las palabras y su ortografía. En el diccionario usted encuentra la etimología, el género, el significado, el uso... Hay refranes, proverbios, adagios... Antónimos y sinónimos. Descripciones y hasta narraciones. La verdad, si uno estudiara cada día una página del diccionario se volvería insoportablemente sabio y tendría algo más que hacer durante los próximos 2.368 días de su vida.

El diccionario puede ser uno de los libros más útiles del mundo, pero a muchas personas les da vergüenza utilizarlo. Veamos al típico gerente en acción. Va a escribir *persuasión* en su carta de instrucciones al equipo de ventas. Duda de la ortografía de esta palabra. Le parece que puede ser *persuación*, pero algo le dice que quizá sea *persuasión*. En el último cajón de su escritorio tiene guardado el diccionario. Cuando alguien ve el libro, él le aclara: *...es por si mi secretaria lo necesita... yo tengo muy buena ortografía...*

Con gran sigilo toma el diccionario, en el momento preciso en que la secretaria ha ido a beber agua y a empolvarse la nariz, y nadie ronda en varios metros alrededor. Sin poner el diccionario sobre el escritorio, sino parapetándolo tras él, busca rápidamente la *pe* y llega a la palabra dudosa. Mira si es con *ce* o con *ese*. Comprueba que la escritura correcta es *persuasión*... y deja luego el libro en su cajón hasta una nueva oportunidad.

Parece una operación prohibida, penosa o penalizada. Y es que se interpreta el gesto de consultar el diccionario como humillante manifestación de ignorancia. Sí. Las precauciones no son del todo injustificadas: un jefe con el diccionario abierto sobre el escritorio y la mirada escrutadora sobre las diminutas letras que resuelven sus dudas puede suscitar comentarios y sonrisas denigrantes entre el equipo de subordinados (...el jefe está consultando el diccionario... pobre jefe... en qué colegio habrá estudiado... parece que lo que sabe de finanzas lo ignora en ortografía... estará buscando si *vaca* es con *be* de *burro*... ja, ja, ja).

Pues bien, usted va a tener que hacerse un lavado cerebral para superar este complejo. Al terminar la lectura de este capítulo debe ser capaz de mantener su diccionario sobre el escritorio y de abrirlo permanentemente mientras esté redactando sus cartas, no solo sin aprensión, sino con auténtico disfrute, solaz y... pasión.

El Diccionario de la Real Academia Española

El diccionario oficial de nuestro idioma es el *Diccionario de la lengua española,* de la Real Academia Española. Lo edita Espasa Calpe. La última edición es la vigésima segunda. Esta última edición salió en octubre del 2001, nueve años después del quinto centenario del descubrimiento de América, es decir, de cuando Colón y sus huestes aprendieron a decir *yuca, papa, hamaca, bohío, arepa...*

Este diccionario se suele citar en gramáticas y otros libros con la sigla DRAE, que significa Diccionario de la Real Academia Española.

Desde la primera edición, llamada *Diccionario de Autoridades,* hasta la vigésima, el Diccionario tuvo una única presentación: el clásico libro en formato grande, como un directorio telefónico, pero con pasta dura sarabiada. Para muchos era más un objeto de decoración o una joya cultural, que un libro de trajín y consulta diaria. Para muchos más era un artículo casi inasequible. Consultar el Diccionario significaba hacer viaje expreso a la biblioteca pública más cercana, para una mayoría de clientes potenciales.

Se sabe de algunas familias pudientes que lo tenían en la biblioteca paterna tan protegido, que cuando el niño iba a consultar la escritura de una palabra, tenía que pedir permiso a su progenitor, antes de atreverse a sacarlo de su sagrado estante y en caso de ser autorizado, debía lavarse y secarse las manos para no dejar mancha alguna en las blanquísimas páginas del impecable e intocable lexicón... ¡Quién iba, entonces, a consultar con tantas condiciones!

La actual edición viene en libro grande de pasta veteada, para guardar la tradición, y por segunda vez trae otras dos presentaciones: una en disco óptico (el llamado *C.D.Rom* en inglés), que tiene el mismo valor comercial del lujoso libro tradicional, y otra en dos tomos. Esta es la llamada edición de bolsillo. A decir verdad, solo cabría en los bolsillos de Gulliver en el país de los enanos... pero se llama así, edición de bolsillo.

Su precio es significativamente menor al de las otras dos presentaciones. Esta edición es la que verdaderamente ha puesto a medio mundo a hablar sobre las formas correctas e incorrectas del español, pues con ella el *Diccionario de la lengua española* dejó de ser el secreto supremo al que solo unos cuantos especialistas tenían acceso y se popularizó en forma irreversible.

Y ¿quién escribe el Diccionario?

Para esta visión panorámica del Diccionario, voy a basarme en la edición de bolsillo, cuya paginación no corresponde a la de tomo único.

Las primeras treinta y siete páginas están numeradas con romanos y traen indicaciones sobre la concepción general del libro, criterios de clasificación, explicación de las abreviaturas y los nombres de los académicos responsables de la edición. Ninguna de ellas es irrelevante, pues por la pereza de consultar el significado de una abreviatura, se pierde una enorme cantidad de información. Usted dirá, ¿y los nombres de los académicos para qué? Esa información es más pertinente de lo que parece. Léala por simple curiosidad... ¡qué pereza leer casi quinientos nombres! Bueno, lea solo los de su país. Es bueno saber quién le está diciendo cómo escribir las palabras... de pronto encuentra nombres por los que usted siente admiración y respeto, lo que propiciará una mayor credibilidad de su parte.

Ahí están escritores tan reconocidos como el peruano Mario Vargas Llosa; el español Camilo José Cela; el venezolano Arturo Uslar Pietri y el chileno Jorge Edwards. También figuran en la lista el caricaturista español Antonio Mingote, cuyos dibujos son publicados en numerosos periódicos americanos, y los más reconocidos tratadistas actuales de la gramática española, como Emilio Alarcos Llorach, Manuel Seco, Fernando Lázaro Carreter y Rafael Lapesa, ante quienes me quito el sombrero, pues mucho de lo dicho en este libro se basa en sus sesudos escritos y enseñanzas.

Primero, la ortografía

Y bien, ya en la página 1, en números arábigos, empiezan las palabras. Lo primero, entonces, es la ortografía. La forma correcta de cada palabra está en negrilla, en estricto orden alfabético. Voy a mostrarle cómo puede consultar la ortografía de diez palabras, de uso más o menos frecuente.

asimismo, así mismo

Su primera duda es si se escribe *asimismo* o *así mismo*, pues ha visto las dos formas indistintamente, o porque un profesor le dijo que así y otro le dijo que asá.

Pues bien, vaya al tomo I del *Diccionario de la lengua española*, DRAE, 2001. Abra el libro en las páginas 228 y 229. Observe que la palabra guía de la 228 es *asignable*, y la palabra guía de la página 229 es *asnillo*. Eso quiere decir que en esas dos páginas se encuentran todas las palabras alfabéticamente clasificadas entre *asignable* y *asnillo*.

De manera que por ahí debe estar *asimismo*. Búsquela con paciencia.

En efecto, en la segunda columna de la 228, después de *asimilista* y antes de *asimplado* está *asimismo*. Ya sabe entonces que esa escritura es correcta.

Pero no descarte la posibilidad de que la forma *así mismo* también exista. Búsquela en *así*, página 227, primera columna... No está. Ahora búsquela en *mismo*, tomo II, página 1515. Ahí, en la primera columna, está *mismo, ma*, que quiere decir, *mismo, misma*. Después de los significados, vienen las frases, la primera de las cuales es justamente *así mismo*, que, como ve ahí, equivale a *asimismo*. Las dos formas son correctas.

autostop, autoestop

Usted quiere contar en su carta que hizo un viaje en autoestop, pero duda de la forma correcta de escribir esta expresión. Incluso, piensa que quizá no exista la forma escrita en español.

Vamos a ver.

En la página 251, después de *autoestima* y antes de *autoestopista*, está *autoestop*, sustantivo masculino que significa 'manera de viajar por carretera solicitando transporte a los automóviles que transitan'. Esa es su palabra..., pero, por curiosidad, antes de cerrar el DRAE, busque en la página 253 *autostop*... Ahí está. Equivale. Usted puede usar cualquiera de las dos formas.

empelotarse

¿Que qué hace este vocablo aquí, en este libro tan serio? Bueno, pues es para que vaya viendo que el libro no es tan serio... y aunque usted no utilizará esta palabra en su tesis de grado, sí la habrá oído por ahí y no sobra aclarar cómo se escribe. No es válida la escritura *ese loco se en pelota*, sino *ese loco se empelota*. Este verbo se usa en Andalucía, Extremadura, Colombia, Cuba, Chile, México, Nicaragua y República Dominicana con el sentido de desnudarse y viene de *en pelota*. Hay otro verbo igual que viene de *pelote,* aumentativo de *pelo,* y significa enredarse.

ex gerente   La palabra *ex* aparece en la página 1014 del DRAE 2001. La primera información que le da es que se trata de un adjetivo. Información nueva respecto al DRAE 92, donde decía que era preposición, y al DRAE 84, donde simplemente se refería a *ex* como partícula.

Ahora el asunto está más claro que nunca. Un adjetivo nunca se pega a su sustantivo, *exgerente*, ni se separa con guion, *ex-gerente*. Como no se escribe *buengerente* ni *buen-gerente,* sino *buen gerente*, cuando se usa otro adjetivo, en este caso, *buen*.

nubado,   Vieja discusión... que si el sustantivo es *nube,* el adjetivo
nublado   debe ser *nubado*... que de dónde sale la *ele*... Pues mire usted las páginas 1593 y 1594. Ahí están las dos palabras, *nubado* y *nublado.* Solo que no tienen el mismo significado. Mientras *nubado* es una lluvia no generalizada, *nublado* es el firmamento cubierto de nubes. Así que el cielo está *nublado,* con *ele,* y no hay más que hacer.

persuasión   Aparece así, sin ninguna *ce,* en la página 1740 del DRAE.

restaurante,   Las dos palabras aparecen en la página 1961. Ambas
restorán   son correctas y significan lo mismo.

sin embargo   ¿Unido o separado? (¡Hagan sus apuestas, señores!) Esta es una de esas dudas para la cual todo mundo tiene una respuesta: que es separado, que es unido, que es de las dos formas. Que a mí me dijeron esto y que a usted le dijeron aquello... Bien, si la palabra *sinembargo* (unida) es correcta tiene que estar en *el Diccionario:* exactamente en la página 2069, después de *sinedrio* y antes de *sine qua non*. Búsquela... ¿Resultado? No está. Por lo tanto, no es correcto escribir *sinembargo*. Ahora, busque *embargo*. Está en la página 876. Trac cinco significados y, al final, la locución conjuntiva adversativa *sin embargo,* en negrilla. ¡Hela ahí! No le dé más vueltas: la única forma correcta es *sin embargo* (separado).

sándwich   Desde luego, existe la palabra *emparedado.* Pero si esa palabra ahuyenta a los clientes de su restaurante, es preciso que usted escriba en el menú el vocablo vendedor, en forma correcta. ¿*Sándwich* (con tilde), *sandwich* (sin tilde, como en inglés), *sánduiche,*

sánduche, sángüiche, sángüich?
En la página 2021 lo tiene: *sándwich.*

millardo   Alguna vez usted oyó en el noticiero que la inversión de tal o cual empresa fue de un millardo de dólares. Usted quedó patidifuso porque el locutor estaba estrenando palabra y no la explicó.
La voz *millardo* es nueva en español. Aparece en la página 1506 del DRAE 2001. Su significado es 'mil millones'. En caracteres arábigos es un uno con nueve ceros, 1.000.000.000. En la página 209 de este libro le doy más amplia información al respecto.

Segundo, la etimología

Después de cada palabra en negrilla, el *Diccionario* ofrece una información más interesante de lo que a simple vista parece: la etimología, es decir, el origen del vocablo, de dónde salió o de qué idioma procede. A decir verdad, el DRAE es excesivamente escueto en este aspecto, pero le el da el punto de partida para una posible profundización posterior, en algún diccionario etimológico, como el de Cobarrubias, que es el más conocido; el de Cuervo, que es el más prolijo; o el de Corripio, que es el más divertido. La etimología se indica entre paréntesis. Ahí sabe usted si la palabra viene del árabe, del latín, del griego... ¡Ah! ¡Un momento! ¿Sabe usted leer griego? ¿No? Pues es igual, porque enseguida de la palabra griega está su significado. Aquí van los diez ejemplos.

alto   Hay dos *altos*. El *alto(1)* es el adjetivo para *los* que tienen *mayor* estatura que uno. Viene del latín *altus*. El *alto(2)* es más bien un *¡alto!* Voz militar para detener el paso, que, como muchas otras del léxico castrense, viene del alemán *halt,* que significa *parada.*

arepa   Viene del vocablo cumanagoto *erepa,* que significa *maíz.* Esa información lo deja a uno turulato. ¿Cumanagoto? ¿Dónde hablan eso? ¡Cónchale! Pues, en la antigua provincia de Cumaná, Venezuela. De manera que es una palabra caribe, tan castiza y tan arraigada en el idioma como cualquiera de las que vienen del latín, la lengua madre.

té   Viene del vocablo chino *tscha,* que algunos chinos pronuncian *té.*

maratón   La etimología de esta palabra es de las más extensas en el DRAE. Ocupa más de dos renglones. Dice que viene del griego y que así se llamaba el lugar a 42 kilómetros de Atenas, donde los griegos obtuvieron una gran victoria sobre los persas.

cartel Hay dos *carteles.* El DRAE los distingue con un numerito arriba de la palabra, así: *cartel¹* y *cartel².* El primero es de origen provenzal y el segundo de origen alemán. Del provenzal *cartel* se deriva el *cartel* español que sirve para anunciar eventos. Un publicista lo definía como un grito pegado en la pared. Del alemán *Kartell* se deriva el otro *cartel,* que también puede ser *cártel,* con el cual se denomina a los grandes consorcios dedicados a negocios internacionales, a veces ilícitos, como los *carteles del narcotráfico.*

corcho Viene del latín *cortex,* que significa *corteza*, y pasó a ser pronunciado *corcho* en las zonas de dominio árabe en la península ibérica.

chofer La palabra francesa *chauffeur,* que significa *fogonero,* es la que da lugar a los vocablos españoles *chofer* y *chófer.* La duda que no nos resuelve el DRAE es por qué el que conduce es un *fogonero.* Carlos Fisas, en su libro *Palabras con historia,* lo aclara: el primer automóvil, inventado en Francia, rodaba gracias al mismo mecanismo de las locomotoras, por lo que el conductor debía ir alimentando con carbón la caldera. Era un fogonero.

geográfico Viene del griego, a través del latín *geographicus.*

guachimán Tiene su origen en la palabra inglesa *watchman,* que se compone del verbo *to watch* (mirar) y *man* (hombre). O sea, hombre que mira, hombre que vigila: vigilante. También se entiende como 'el hombre del reloj'.

zapato Viene del turco *zabata...* y no me va a decir usted que cuando un turco está hablando español no dice justamente *zabata* en vez de *zapato.*

Muchas voces son onomatopéyicas, es decir, su nombre no está tomado de otro idioma sino que imita el sonido del objeto nombrado. Por ejemplo, ¿cómo suena un *clip* al caer? Suena exactamente como su nombre: *clip.* Por eso se llama así. De otras palabras, el DRAE simplemente reconoce que no se sabe de dónde vienen. Entonces, en la voz *prohombre,* por ejemplo, indica que es de origen incierto o de etimología discutida.

Tercero, la naturaleza de cada palabra

En seguida, el *Diccionario* indica si la palabra es sustantivo, adjetivo, verbo, adverbio, preposición, conjunción, interjección, prefijo, sufijo o qué. Esta información puede pasar inadvertida porque siempre se indica con una leyenda mínima. Por ejemplo, si es sustantivo, simplemente trae una de estas cuatro abreviaturas: *m., f., com.* o *amb.,* lo que significa, respectivamente: *sustantivo masculino, sustantivo femenino, sustantivo de género común y sustantivo de género ambiguo.* Vaya viendo pues lo importante de esa letrica. Pero no se contente con ver lo que dice al comienzo, después de la etimología. Es muy posible que más adelante diga algo así como *Ú.t.c.adj.,* que significa *úsase también como adjetivo.*

Sustantivos y adjetivos

Entonces, usted tiene su diccionario de bolsillo abierto en la página 873. Allí está la palabra *élite.* Al buscar la letrica de marras, encuentra una *f.,* gracias a la cual usted ya sabe que *élite* es sustantivo de género femenino. Es decir, que no va a escribir o a decir *el élite, un élite,* sino *la élite, una élite, las élites...* Y, además, sabe que es sustantivo, razón por la cual evitará usarla como adjetivo. No llamará a sus vendedores *grupo élite de ventas,* sino que los elogiará como *la élite de los vendedores.*

Vecino de *élite* encuentra usted *elevador* y *elevadora.* La abreviatura de estas palabras es *adj.,* por ende, debe usarlas como adjetivos: *máquina elevadora, aparato elevador...,* pero vea que unos renglones más adelante aparece la abreviatura *Ú.t.c.s.,* que usted ya sabe traducir: *úsase también como sustantivo.* De ahí que también sea correcto hablar de *algún elevador panorámico que hay frente al parque* o de *ese elevador antiguo que ya parece una reliquia...*

No diga *el cuerpo élite de la policía, la zona élite de la ciudad,* mi *pariente élite...,* pues en estas expresiones la palabra *élite* aparece en función de adjetivo, que no le corresponde. Puede decir *la élite de la sociedad limeña, una élite muy sofisticada, esa élite intelectual...,* frases donde la palabra *élite* aparece como sustantivo, que eso es.

En todo caso, si la palabra *élite* ha de cumplir función adjetiva, debe usarse con preposición, *comandos árabes de élite, grupo de élite, colegio de élite.* En el DRAE 92 venía solamente la voz grave *elite,* sin tilde. En el DRAE 2001 vienen *élite,* esdrújula, y *elite,* grave. Ambas formas son correctas..

Americano, canadiense, californiano, bonaerense, jerosolimitano (natural de Jerusalén), *barranquillero, vietnamita...* son adjetivos, en todos los cuales usted va a encontrar siempre la indicación *Ú.t.c.s.* Es tan válido decir *mi amigo canadiense...* (adjetivo) como expresar *un canadiense vino a mi casa* (sustantivo).

Palabras como *deleble* (que puede borrarse), *indeleble* (que no puede borrarse), *conspicuo* (destacado), *gran, san, cualquier...* aparecen solamente como adjetivos. De hecho, usted puede decir *gran inauguración,* pero no *la gran,* ni *una gran,* sin más, pues *gran* no es nunca sustantivo.

Sin duda, cada vez más adjetivos pasan a ser sustantivos, por la fuerza del uso. Por ejemplo, *docente,* que figuraba en el DRAE de 1984 únicamente como adjetivo *(cuerpo docente, personal docente, proceso docente),* en el DRAE de 1992 ya tiene la consabida abreviatura *Ú.t.c.s.,* lo que valida escribir oraciones como *se necesitan docentes, yo soy un docente, mi docente es decente...* La palabra *circular* comenzó siendo adjetivo: *una comunicación circular para el personal de la empresa* y terminó siendo sustantivo: *una circular para el personal de la empresa.*

Verbos transitivos e intransitivos

En el caso de los verbos, las abreviaturas que los identifican son *intr.* y *tr.,* lo que significa: *verbo intransitivo* y *verbo transitivo.* Ya verá usted en el próximo capítulo, en detalle, qué es eso de intransitivo y transitivo. Por ahora, observe que esa es la identificación de los verbos, que siempre van enunciados en infinitivo, es decir, en sus terminaciones *-ar, -er, -ir.*

No haga el oso (hacer el oso = meter la pata = quedar en ridículo) buscando en el diccionario verbos conjugados. He visto que muchas personas buscan *fue, dio, vio, dé, constituido, concluido, incluido...* para ver si tienen tilde o no. Pueden perder el día entero y no van a encontrar tales voces, pues todas ellas son conjugaciones de los verbos *ir* o *ser, dar, ver, constituir, concluir, incluir.* Y solo así aparecen en el DRAE. Tenga en cuenta que en español cada verbo tiene alrededor de cincuenta terminaciones distintas, es decir, formas de conjugación o desinencias: *canso, cansé, cansarás, cansábamos, cansaríais...*así sucesivamente hasta más o menos cincuenta inflexiones del mismo verbo *cansar.* Esta es la gran limitación de un diccionario español. Por eso existen los diccionarios de conjugación, que son el complemento número uno del diccionario convencional.

En todo caso, *intr.* y *tr.* son, pues, las abreviaturas que identifican una palabra como verbo. Si usted llega a la oficina de ventas de finca raíz y le dicen: *¡recepciónese, por favor!* Usted se preguntará qué significa

Aunque existen los sustantivos *recepción* y *recepcionista*, no existe el verbo *recepcionar*. Atención pues, locutores deportivos, nada de "el arquero recepcionó el balón". Lo recibió. Y atención señoritas secretarias, nada de "ayer se recepcionó el documento". Ayer se radicó o, simplemente, se recibió.

recepciónese, que tiene toda la cara de ser el imperativo de un verbo cuyo infinitivo sería *recepcionar.* La página 1739 del DRAE presenta los sustantivos *recepción, receptáculo, receptador* y *recepta* y el verbo *receptar,* pero no el verbo *recepcionar.* De donde usted puede deducir que no le están hablando en español correcto y que quizá debieron decirle ¡*anótese en la lista de turnos, por favor!,* ¡*inscríbase, por favor!* o cualquier otro parecido *por favor.* Total, la existencia del sustantivo *recepción* no hace lícito el uso del verbo *recepcionar.*

La identificación de los verbos no es tan irrelevante, pues no todo lo que termina en *-ar, -er* o *-ir* es verbo. *Deber* es sustantivo: ¿*ya hiciste tu deber para el colegio?,* además de verbo: *debo, debes, deberán, deberíais, debiera...* Existe el sustantivo *neceser,* que sirve para guardar el lápiz labial y el perfume, pero no para decir *neceso, neceses, necese* ni ninguna otra necedad. También existen las voces *zar, solar, muladar, canciller, ayer, doquier, faquir, tapir, emir,* y hasta *Omar, Ester, Vladimir,* que no por terminar en *-ar, -er, -ir* son verbos.

Adverbios

El adverbio es al verbo lo que el adjetivo es al sustantivo. Adverbio es la parte de la oración que modifica el verbo. Al escribir *ya estamos listos para empezar,* el verbo de esta oración es *estamos,* que está modificado por el adverbio de tiempo *ya.* Al escribir *Antonio besa tiernamente,* el verbo es *besa* y el adverbio de modo que lo modifica, *tiernamente.* Al escribir *Juan nos espera allá,* el verbo es *espera* y el adverbio de lugar que lo modifica, *allá.*

No todos los adverbios son de tiempo, lugar y modo. Hay también adverbios de cantidad, *bastante, mucho, muy;* de afirmación, *sí;* de negación, *no;* de duda, *acaso;* comparativos, *peor;* superlativos, *lejísimos;* diminutivos, *cerquita...* Y no siempre los adverbios modifican el verbo. Pueden también modificar un adjetivo, como en las frases *mucho loco, bastante rico,* donde los adverbios *mucho* y *bastante* no modifican verbos sino

Por Chato

— A VER, SEÑORITA, USTED LE DIO EL SÍ A ESTE SEÑOR Y AHORA NO SE QUIERE CASAR CON ÉL.

— NO, SEÑOR. YO NO LE DI EL SÍ SINO EL SI, PERO EL POBRE NO DISTINGUE ENTRE UN ADVERBIO Y UN SUSTANTIVO...

adjetivos *(loco* y *rico)*. Y también un adverbio puede modificar otro adverbio: *no mucho, más cerca.*

El DRAE identifica los adverbios con la abreviatura *adv*. Si usted busca en las páginas 2059 y 2060 la palabra *si*, encuentra cuatro, dos con tilde y dos sin tilde.

Uno es el pronombre *sí*, que usted usa cuando dice *lo hizo por sí mismo.* Otro es el adverbio. La abreviatura es *adv. afirm*. Este es el que usted usa cuando dice *yo sí estoy dispuesto a hacerlo.* Otro es la conjunción condicional de *voy a la reunión si me acompaña.* Y otro es el sustantivo correspondiente a la la última nota de la escala musical, formado por las iniciales de *Sancte Ioannes* (en latín *san Juan): Luis Gabriel dio muy bien ese si.*

Las abreviaturas con las que el DRAE identifica los adverbios son las siguientes: *adv.* (adverbio), *adv. afirm.* (adverbio de afirmación), *adv. c.* (adverbio de cantidad), *adv. correlat. cant.* (adverbio correlativo de cantidad), *adv. interrog. l.* (adverbio interrogativo de lugar), *adv.l.* (adverbio de lugar), *adv.m.* (adverbio de modo), *adv. neg.* (adverbio de negación), *adv. ord.* (adverbio de orden), *adv. prnl. excl.* (adverbio pronominal exclamativo), *adv. relat. cant.* (adverbio relativo de cantidad), *adv. relat. l.* (adverbio relativo de lugar), *adv. t.* (adverbio de tiempo).

Preposiciones, conjunciones e interjecciones

Las preposiciones y las conjunciones unen y relacionan entre sí los sustantivos, los adjetivos, los verbos y los adverbios.

Las preposiciones están identificadas con la abreviatura *prep*. Hay preposiciones suficientemente conocidas como *de, desde, en, entre, para, por...* y otras que todavía muchos no se acostumbran a ver como preposiciones, como *pro* y *extra*, útiles para hablar de *la colecta pro templo*, así como del *extra tiempo* que lo hizo trabajar en la semana de auditoría externa.

Las conjunciones, *y, e, ni, que...* están identificadas con la abreviatura *conj.*

Finalmente, las interjecciones, que son esas palabras sueltas que uno suelta cuando se le suelta la lengua porque se le suelta el martillo y le cae con todo su peso en el más indefenso de los dedos, están identificadas con la abreviatura *interj*. Son interjecciones *¡ay!, ¡oh!, ¡uf!* y muchas otras que prefiero no incluir aquí para que no suba la edad de clasificación del libro.

Cuarto, los significados

La siguiente información del *Diccionario* es el significado.¿Qué podrá ser más importante que el significado de la palabra cuando de entendernos se trata? Muchos asuntos legales se resuelven diccionario en mano, pues las cláusulas de un contrato pueden ser interpretadas de una u otra forma, pero el árbitro casi inapelable es el diccionario, que puede decir qué quedó expresado y, en consecuencia, cuáles son los compromisos de las partes, mediante esa palabra o esa frase, al pie de la cual hay rúbricas y sellos que hacen sagrado su cumplimiento.

Algunas voces tienen un solo significado, muy preciso, como *belicista: partidario del belicismo*. ¡Punto! En cambio, otras tienen numerosos significados: la preposición *de* tiene 27, pues no dice lo mismo en la frase *vaso de agua,* donde alude a la cantidad de agua; que en la frase *vaso de vidrio,* donde alude al material del vaso. El verbo *poner,* por su parte, tiene 44: establecer, como en *puso un negocio;* bautizar o nominar, como en *lo pusieron Alberto;* ocultarse debajo del horizonte, como en *ya se puso el sol...*

Le ofrezco una pequeña degustación de significados; diez, como de costumbre en este libro.

ante- anti- Este prefijo significa 'anterior'. El día anterior a ayer es *anteayer*. No es igual que *anti-,* que significa 'contrario', como en *antídoto, antibiótico, antinarcóticos* o *antiaéreo*. El comando antiaéreo es el que combate a la fuerza aérea y no el anterior a la fuerza aérea. De ahí que los dinosaurios no son animales *antidiluvianos* (contrarios al Diluvio) sino *antediluvianos* (anteriores al Diluvio).

descrestar Aparte de su significado directo, 'quitar la cresta', este verbo indica, en sentido figurado, 'engañar a alguien'. He oído últimamente que se usa con el sentido equivocado de 'asombrar' o 'deslumbrar', a tal punto que una periodista de mi emisora favorita le preguntó hace poco al ganador de un premio científico cómo había descrestado al jurado calificador. ¡Qué barbaridad!

genro Así llamaban al esposo de la hija los padres de ella. Mejor dicho, es forma antigua de *yerno*. El DRAE del 2001 eliminó esta voz, que figuró hasta la edición de 1992.

in- Hay dos prefijos *in-*. Uno significa *dentro,* como en ***inclui-do*** o ***intitulado***. Otro significa negación o privación, como

Aunque 'desapercibido' e 'inadvertido' tiende a asimilarse, le recomiendo que utilice la segunda palabra para expresar que alguien no se notó. "Fulanita pasó inadvertida", mejor que "pasó desapercibida". Esta última expresión puede entenderse también como 'pasó sin nada'. Todo lo contrario, si lo piensa bien...

en *in*soportable (no es soportable), *in*maculado (no tiene mácula o mancha), *in*deleble (no es deleble, no se borra).

lívido Este es un curioso adjetivo que significa dos cosas opuestas: por un lado es *amoratado* y, por otro, *intensamente pálido*. Mejor dicho, la palabra originalmente significó *amoratado,* pero quizá a causa de un uso irónico terminó por significar lo contrario. No hay duda de que hoy, cuando una mamá dice que su hijo está lívido, quiere significar que está muy pálido. Máxime si agrega *¡blanco como un papel!* No vaya usted a confundir este adjetivo con el sustantivo *libido,* que así se llama en sicología el impulso sexual y es palabra grave de género femenino, mientras que *lívido* es esdrújula.

pingües Este adjetivo significa *abundantes*. Si su novio le dice que obtuvo pingües utilidades durante el último año, ¡échele el lazo! No vaya a hacer como una amiga mía que dejó a su novio cuando le dio la noticia de que las ganancias del año habían sido *pingües*. Ella lo dejó, porque *pingües* le sonó a poco y no quería tener relaciones con alguien en quiebra.

rentar En español *rentar* es dar o producir renta. Una inversión *renta*, es decir, *da o produce*, una utilidad anual. *Mis acciones petroleras rentan el 20 por ciento. Tiene una*

Rentar un carro

No diga *voy a rentar un automóvil para ir de Quito a Guayaquil*. Lo correcto es: *voy a alquilar un auto...* Otra cosa es que al dueño del automóvil, este le *rente,* es decir, le deje una utilidad envidiable.

casa que le renta lo necesario para vivir. Los bonos oficia-
les rentan menos que los particulares. No es sinónimo de
alquilar o *arrendar.*

rol

La Academia se resistió durante muchos años a aceptar
la palabra *rol*, con el sentido de 'papel que cumple alguien'. Eso en contra del uso popularizado por sicólogos
y sociólogos, por una parte, y por gente del mundo del
espectáculo, por otra.
En efecto, sicólogo que se respete habla del rol que
usted desempeña en su empresa, del rol que tiene en su
hogar, del rol que le han asignado sus amigos. Y revista
de televisión que se respete habla siempre del rol que
desempeña la diva del momento en la telenovela del
momento, del rol secundario de Fulanito de Tal en tal o
cual serie...
El DRAE 2001 recoge por fin esta palabra proveniente
del inglés *role* y del francés *rôle*, aunque conserva el
otro *rol*, el que había aparecido siempre en el DRAE, que
viene del catalán *rol* y del latín *rotulus*, 'rollo', y significa
'lista' o 'nómina'... y nadie usa.
Así pues, ya usted puede incluir en la lista de palabras
afines a *papel*, *función*, *labor*, *trabajo*, *responsabilidad*, el
vocablo *rol*, que ya es castizo, y que no hay que escribir
en cursiva.

sofisticada

Hasta la edición de 1984, el DRAE solo recogía los significados tradicionales de *sofisticado* y *sofisticada,* es decir,
los que se derivan de su raíz *sofisma,* que no es otra
cosa que falsedad o engaño. De tal manera que una mujer sofisticada sería tanto como una mujer falsa o falsifi-
cada. No hay peligro de carterazo en el ojo o de humillante bofetada si usted le lanza a una chica el piropo de
sofisticada, pues no lo entenderá como falsa sino como
elegante o refinada, que son los nuevos significados con
que el DRAE ha enriquecido estos términos.

vagabundo

Es quien anda de un lado para otro dedicado al ocio. Y
¡ojo! No olvide que hay un ocio creativo. No llame *vaga-*
bundo con el mismo tono al marido que se va temprano
y llega tarde (si llega) que a Joan Manuel Serrat, que se
volvió vagabundo harto ya de estar harto y de preguntarle al mundo por qué y por qué...

Quinto, los usos

El Diccionario presenta después usos, es decir, frases y expresiones clásicas que incluyen la palabra previamente definida. Vea los diez ejemplos siguientes.

dar gato por liebre
En la voz *gato* está esta conocida expresión, que significa 'engañar en la calidad de una cosa por medio de otra inferior que se le asemeja'.

disco compacto
En la voz *disco* figuran el *disco duro,* el *intervertebral,* el *magnético,* el *rígido,* ¿Por qué algunos hispanohablantes insisten en decir *compact disc,* si es tan sencillo y entendible *disco compacto?*

ese es de la acera de enfrente
Aparece en la voz *acera,* con el significado de 'ser del bando contrario'.

eso es de dominio público
Aparece en la voz *dominio* y significa que todo mundo lo puede usar.

hay moros en la costa
En la voz *moro* está esta expresión con la que se recomienda cautela.

no es la primera zorra que he desollado
Está en la voz *zorra* e indica experiencia para hacer algo con acierto.

perro

caliente
Está en la voz *perro,* con todo y su suculenta descripción.

propulsión a chorro
Procedimiento empleado para que un avión, proyectil, cohete, etc., avance en el espacio, por efecto de la reacción producida por la descarga de un fluido que es expulsado por la parte posterior. Esta explicación está en la voz *propulsión.*

tomar el pelo
En la voz *pelo,* que ocupa casi una página entera del DRAE, hay numerosas frases con la palabra *pelo.* Una de ellas es *tomar el pelo,* que es 'bromear o hacer chanzas a alguien'. Es útil aclarar que la expresión correcta es esa, es decir, que al conjugarla debe decirse *me tomaron el pelo, le tomé*

el pelo, ¿me está tomando el pelo? y no como se oye a veces *me tomaron del pelo, lo tomé del pelo, ¿me está tomando del pelo?*

**vaso de
agua**
Esta frase a cuya validez se han dedicado numerosas páginas, ardientes debates y más de una dura represión, está
en la voz *de,* como ya dije y, por si fuera poco, también
está en la voz *vaso,* con el mismo significado: cantidad de
líquido. No se rompa más la cabeza en esa discusión inútil
sobre si debe decirse *vaso de agua* o *vaso con agua* o ambas o ninguna de las dos: *un vaso de agua* son, por así decirlo, 200 y pico de mililitros de agua, como *medio vaso de
agua* son más o menos 100 mililitros. En cambio, *un vaso
con agua* es expresión imprecisa, además de rebuscada,
que puede referirse al mismo *vaso de agua* o a un vaso
escasamente húmedo.

Sexto, la fonética

Lo ideal sería que el diccionario trajera como anexo un casete con la
parte fonológica, esto es, las normas de pronunciación, para que usted
pudiera escuchar los sonidos tal como deben ser pronunciados. Esta
parte de la gramática tiene una terminología técnica poco conocida y a la
cual casi nadie se le mide. Cuando uno lee que la *ge* antes de las vocales
i y *e* tiene un sonido de articulación velar fricativa sorda, como la de la
jota... uno prefiere olvidarse de la frase *articulación velar fricativa sorda* y
quedarse sólo con la última parte de la información: *como la de la **jota.***
Así, al leer *cónyuge,* no pronunciará erróneamente *cónyugue* (con el sonido *gue* de *guerra*), sino correctamente *cónyuje* (con el sonido *je* de *jefe*).

Al comienzo de cada letra se describe su sonido. En la página 1103 está
esa explicación sobre los sonidos de la *ge,* que no es igual ante *i* y *e* que
ante las demás vocales. En los primeros casos se pronuncia gutural
como la *jota* y en los segundos nasal. Lea en voz alta y compare *genio,*
que suena *jenio,* con *gato* que no suena *jato.*

A continuación, algunos otros ejemplos de pronunciación.

cónyuge No se pronuncia *cónyugue,* con el sonido *gue* de *sigue,* sino
cónyuge, con sonido *ge* de *gerente.*

casete En esta palabra, todas las letras suenan; ninguna es muda. No
es correcto pronunciarla *caset* o *casé,* como no se pronuncian
billet, toret, taburet, las palabras *billete, torete, taburete.*

cigüeña La *u* es sonora, como en toda combinación *güe* y *güi* con diéresis.

gnomo La *ge* de esta palabra es muda. Si se escribe, no se pronuncia. Es válido también no escribirla: *nomo*.

guitarra La *u* es muda en esta palabra, como en toda combinación *gue* y *gui,* sin diéresis.

halar La *hache* es muda. No se escribe *hale* y se lee *jale,* aunque también es válido escribir y pronunciar *jale*.

mexicano La *equis* (*x*) de esta palabra, como la de *texano, oaxaqueño, xalapeño*, se pronuncia como *jota* (*mejicano*).

psicología En esta palabra la *pe* no se pronuncia. También es correcta la escritura sin *pe: sicología*.

vaca ¡Quién no sabe pronunciar *vaca,* diría uno!, pero vea usted que no está tan claro el asunto. Hay por lo menos dos pronunciaciones: *baka* y casi *faka*. La segunda se da especialmente entre cantantes y locutores, o cualquier otra persona en trance de lucirse, por influencia del inglés, idioma en el que la *uve* es labiodental, a diferencia del español donde es labial, es decir, igual que en la *be*. Así que *vaca* se pronuncia *baka*. El DRAE hace esa aclaración en la página 2054.

wagneriano Se pronuncia *bagneriano* y no *uagneriano*, como se hace con la *uve doble* (*w*) en toda palabra proveniente del alemán.

Séptimo, las figuras

Los grandes aciertos de los grandes escritores clásicos, esas frases que parecen inspiradas por los dioses, esos descubrimientos de la poética y la eficacia que de vez en cuando se dan, se convierten con el tiempo en figuras universales de uso familiar. Si ayer lo dijo en forma original un genio del lenguaje, hoy se repite de polo a polo como lugar común.

Andar manga por hombro, en la voz *manga,* 1434. *Bailar en una pata... meter uno la pata... otra pata que le nace al cojo... poner de patas en la calle...* están con otros más en la voz *pata,* 1698. *Por la puerta grande,* en la voz *puerta,* 1858. *Tener uno malas pulgas,* en *pulga,* 1860. *Hacer uno lo que le da la gana,* voz *gana,* 1114. *Con bombos y platillos,* voz *bombo,* 339.

Una clarísima diferencia generacional en el lenguaje es el uso de figuras por parte de los mayores y su desconocimiento o rechazo por parte de los menores. La abuela habla con figuras —*más vale tarde que nunca... tanto va el cántaro al agua que al fin se rompe... a caballo regalado no se le mira el colmillo...*— y el nieto, lejos de entender sus expresiones, simplemente cree que ella delira... Pero, por encima de todo, las figuras, adagios, refranes y proverbios y demás frases hechas o tópicos constituyen un patrimonio cultural inmenso y han servido para transmitir ideas a varias generaciones. Por eso están en el diccionario.

Octavo, descripciones

Usted me dirá que ya estoy exagerando, que además de todo lo dicho no puede haber también descripciones en un diccionario. Pero, créame: las hay. Solo como degustación le voy a trascribir la de la pomarrosa, que está en la página 1636 del DRAE: "Fruto del yambo, semejante en su forma a una manzana pequeña, de color amarillento con partes rosadas, sabor dulce, olor de rosa y una sola semilla".

Dígame si no es hasta poética... Imagínese las descripciones del colibrí, la anaconda, el abedul, la naranja, el perrito caliente...

En la página 1592, el DRAE describe así la *novela por entregas:* "Novela de larga extensión que, en el siglo XIX y buena parte del XX, se distribuía en fascículos periódicos a los sucriptores; desarrollaba en general peripecias melodramáticas de personajes contemporáneos, y frecuentemente carecía de calidad literaria". Aquí se sobra el Diccionario, pues a la simple descripción le añade la franca crítica.

Noveno, posibilidades creativas

La edición del 2001 del DRAE ofrece 88.431 palabras, pero no son esas todas las palabras. Usted puede crear muchas otras a partir de esas 88.431.

Por ejemplo, no están todos los adverbios terminados en *-mente,* pero es válido que usted los cree a partir de un adjetivo, así como de *sola* sale *solamente* y de *audaz* deriva *audazmente.* No están los aumentativos ni los diminutivos, que usted puede formar a partir de sustantivos o adjetivos a los que les añada el respectivo sufijo: de *carro* salen *carrrito, carrico, carrazo, carrote;* de *perro* salen *perrito, perrico, perrillo, perrilla, perrazo, perrote, superperro, miniperro.*

Con el prefijo *xero-* puede hacer *xerocopias,* volverse *xerofóbico* o *xeroaficionado,* obtener *xerografías,* ofrecer *xeroservicios,* y *xerografiar* en todos los tiempos, formas y personas. El sufijo *-ísimo* puede ir con cuanto adjetivo lo necesite: *buenísimo, malísimo, carísimo, pobrísimo...*

De manera que las 88.431 palabras no son más que las formas básicas y a partir de ellas y de su combinación es lícito crear todo un léxico a gusto de quien habla o escribe, siempre que no se armen lexemas absurdos.

Décimo, lo que no tiene

En el DRAE no hay nombres propios de personajes, países, hechos históricos, estilo enciclopedia. Tampoco están los verbos conjugados, lo que ha dado lugar a la proliferación de diccionarios de verbos, o diccionarios de conjugación, que resuelven esas dudas del estilo de *forzo* o *fuerzo, temple* o *tiemple, podrido* o *pudrido, licuo* o *licúo, satisfizo* o *satisfació...* que, por lo explicado en las páginas anteriores, excede el alcance de un diccionario convencional.

Tampoco hay palabras incorrectas, porque no es un diccionario de incorrecciones, que también los hay. Esto, que parece una verdad de Perogrullo, no sobra decirlo, pues es importante subrayar que las voces incluidas en el diccionario son las correctas o, como frecuentemente se dice, las castizas, del idioma. En esa línea, es claro que no hay anglicismos, ni galicismos, ni americanismos, ni cubanismos, ni argentinismos... pues a veces se interpretan las abreviaturas así. Se lee *Amer.* y se cree que es un americanismo, es decir, un mal uso en América, cuando lo que pretende esa abreviatura es señalar que la voz en cuestión es usada en América y no que sea incorrecta.

La palabra *chévere* está registrada en la página 524 del DRAE. Tiene entre otras las abreviaturas *Col.* y *Venez.,* que no deben interpretarse como *colombianismo* y *venezolanismo,* sino como una localización que hace el DRAE cuando la palabra no es universal sino que su uso se restringe solo en uno o algunos países. Incluso, en muchos casos, el DRAE especifica que es uso propio de Andalucía, de Galicia, de Valladolid... o de cualquier otra región española.

La próxima edición del DRAE

La labor de las Academias no terminó en el 2001. No crea usted que estarán descansando hasta el 2010 ó 2011, cuando aparecerá la vigésima

Si usted lee *one billion dollars* en inglés de los Estados Unidos y traduce *un billón de dólares* al español, agrega sin querer tres ceros a la cifra. Por eso, hay que tener mucho cuidado al traducir del inglés estadounidense al español la palabra *billion*.

1.000.000.000 = *one billion* (inglés estadounidense) = *un millardo* (español).

1.000.000.000.000 = *one trillion* (inglés estadounidense) = *un billón* (español)

Vea las normas respectivas en el Capítulo 9 de este libro.

tercera edición del DRAE. El trabajo continúa día a día. No sólo el que se realiza en Madrid, España, sino el que se realiza en todos los países donde hay academia correspondiente. Y no sólo el que realizan los académicos, sino el que realizamos todos los hispanohablantes, pues es nuestro uso el que de manera definitiva va motivando los cambios del DRAE. Y no crea que es simple retórica. Usted puede entrar a la página www.rea.es en internet, y proponer sus propias palabras.

No se haga demasiadas ilusiones, porque su propuesta entrará a ser evaluada concienzudamente antes de ser aceptada, pero quién quita que le suene la flauta y se convierta usted en orgulloso coautor de la próxima edición de nuestro libro normativo por antonomasia, el *Diccionario de la lengua española*.

El infaltable Larousse

En las páginas precedentes le mostré algo de lo mucho que se puede consultar en el diccionario, pero me referí solo al *Diccionario la lengua española,* Espasa Calpe, Madrid, 2001, edición de bolsillo, que en varios párrafos identifiqué simplemente como DRAE, Diccionario de la Real Academia Española. ¿Por qué no hablé de otros diccionarios? ¿Por qué no mencioné siquiera el Larousse, sin duda el más popular de los diccionarios? Porque, como lo explicamos al comienzo de este capítulo, el diccionario oficial de nuestro idioma es ese, en cuya elaboración participan las 22 academias españolas del mundo.

Hecha esa salvedad, ¡bienvenidos todos los diccionarios! De todos los demás hay que saber que no son la voz oficial de la Academia, pero no por ello son menos creíbles ni necesariamente menos completos, ni menos útiles. El famoso *Pequeño Larousse Ilustrado,* por ejemplo, es un libro elaborado por el profesor Ramón García-Pelayo, como diccionario de uso, es decir, no como norma sino como reflejo de lo que se habla y se escribe más frecuentemente. En consecuencia, este diccionario incluye numerosas voces inglesas y francesas, especialmente estas últimas, puesto que se trata de un diccionario elaborado por una casa francesa, la Larousse. Así lo admite y lo justifica el autor en la Introducción.

Abra usted la página 959 del *Pequeño Larousse Ilustrado.* Ahí encuentra *sleeping, standard, stock...* de tal manera que en la primera columna es mayor la presencia de voces de otros idiomas que de voces españolas. Y su inclusión no es caprichosa, pues tales voces se usan todos los días entre hispanohablantes. Sin embargo, si de *español correcto* se trata, es preciso acudir más a la norma que al uso.

El *Pequeño Larousse Ilustrado* tiene, pues, palabras de uso habitual, sean estas españolas o no. Además, trae algunas tablas de verbos conjugados, ventaja siginificativa sobre cualquier otro diccionario estándar; ilustraciones supremamente útiles, como la de la palabra *cine,* que deja muy claramente expresado el proceso de filmación y la correcta terminología; unas páginas rosadas con numerosas expresiones latinas y sus correspondientes traducción y explicación, y una parte enciclopédica donde se encuentran minibiografías de hombres importantes en la historia e información condensada sobre lugares. Estos son los servicios que presta el Larousse.

Norma, Sopena, Planeta... La lista de diccionarios es inmensa, sin entrar en los específicos por materias, por regiones, etimológicos, para niños, para crucigramistas, para traductores... Todos son útiles; unos más, otros menos..., pero su consulta debe ser hábito y no actividad esporádica y clandestina, como lo caricaturicé al comienzo de este capítulo.

Otros manuales

Aparte de los diccionarios, existen otros libros de gran utilidad para resolver en forma rápida las dudas gramaticales cotidianas.

En primer lugar, es interesante hablar del Departamento de Español Urgente, de la agencia española de noticias *Efe.* La *Efe* no es ni la más grande, ni la más influyente, ni la mejor organizada agencia informativa del mundo, pero en el contexto de las grandes agencias es la representante más importante de nuestra lengua. Por eso, se ha preocupado más que cualquier otro medio de comunicación por mantener la unidad de la lengua española y salvarla por un lado de las constantes intromisiones del inglés, el francés, el árabe, el chino, el ruso y, por otro, del mal gusto de los mismos hispanohablantes.

El Departamento de Español Urgente está íntimamente unido a la Real Academia Española, pues varios de sus más consultados asesores son académicos de número. Y como su nombre lo promete, da respuesta casi inmediata a los periodistas de la agencia o a sus abonados en todo el mundo sobre la forma de escribir en español una expresión de origen inglés, un nombre de origen árabe o un modismo de origen ruso. Fruto de todo ese trabajo, con el que usted y yo nos podemos beneficiar, es la publicación del *Manual de español urgente,* cuya décima edición apareció en 1994; y el *Vademécum de la lengua española,* del cual acabo de recibir la edición de 1995. El primero resume la gramática actual en pocas y funcionales palabras, con numerosos ejemplos. El segundo presenta en orden alfabético expresiones usadas todos los días en la redacción de noticias, con su respectiva explicación y, si es del caso, el consejo de remplazarla por otra más adecuada. Es muy posible que cuando usted indague por estas dos publicaciones, existan ediciones posteriores a las que aquí le menciono. Procure adquirir la de más reciente aparición. También puede consultarlas en internet, en la página de la agencia Efe.

Usted y las noticias

Pero yo no escribo noticias, ¿para qué me sirven esos libros?, me dirá usted. Le respondo: yo tampoco escribo noticias o solo lo hago muy de vez en cuando y más como ejercicio pedagógico que con otro fin, pero las recomendaciones sobre la correcta forma de escribir noticias definitivamente me interesan porque en las noticias está reflejada la vida. Las noticias hablan de casi todo lo que hay en el mundo: ciencia, educación, medicina, arte, música, literatura, cine, televisión, política, religión, economía, vivienda, ecología, deporte, tecnología, informática, negocios, mercadeo, inversiones, aviación, narcotráfico, siniestros, ocio... Por eso, las precisiones que se hagan sobre la terminología de la información son definitivamente aplicables a todos los demás campos de la actividad humana.

Con muy parecida estructura a los dos textos de *Efe,* existe *el Libro de estilo* del diario *El País,* de Madrid, undécima edición, 1996; el *Manual de Redacción* del diario *El Tiempo,* de Santa Fe de Bogotá, 1995; el *Manual de estilo,* de la Sociedad Interamericana de Prensa, SIP, elaborado por José Luis Martínez Albertos, Indianápolis, Indiana, Estados Unidos, 1993; el *Manual de estilo y referencia* de la *United Press International, UPI,* elaborado por Abel Dimant, Nueva York, 1981, por mencionar solo algunos.

Y con un alcance más universal, es decir, sin referirse específicamente a la redacción de noticias, hay numerosos diccionarios de dudas, como el de Manual Seco, Espasa, 1996, o el de Fernando Corripio, Larousse, 1988; y manuales de gramática accesible y funcional como *Dudas del idioma español* de Editorial América, de Miami, 1985; el *Manual de gramática española* de Manuel y Rafael Seco, Aguilar, 1975; o el famosísimo *Curso de Redacción* de Gonzalo Martín Vivaldi, cuyas ediciones se suceden año tras año, ahora actualizadas por sus herederos.

Capítulo 4
Naturaleza de las palabras

· ·

En este capítulo

▶ Qué es sustantivo y qué son los pronombres

▶ Qué es adjetivo y qué es el artículo

▶ Qué es verbo. Cuándo es transitivo. Cuándo es intransitivo

▶ Qué es adverbio

▶ Qué es preposición

▶ Qué es conjunción

▶ Qué es interjección

· ·

Es muy importante, para hablar y para escribir correctamente, tener muy claramente definidas las funciones de las palabras y saber así qué clase de palabra es cada una. Distinguir con precisión un sustantivo de un adjetivo o un pronombre de un artículo no es irrelevante y no siempre se tiene total claridad en estos asuntos.

Si alguien le pregunta qué es la palabra *la,* supongo que usted le contestará que es un artículo. Y tiene razón, *la* es artículo cuando determina el sustantivo: *la xerocopia, la luciérnaga, la hamaca...,* pero también *la* es pronombre: *la anoté, la amaba más que a nadie, la perdí en el taxi...* Y como pronombre puede serlo también al final del verbo: *tráigamela, mírala, descúbrela.*

Y, ¿qué es *estándar?* Bueno, usted puede decir que es sustantivo y está en lo cierto: *el estándar de vida, el estándar de ventas...,* pero yo le puedo demostrar que también es adjetivo: *las piezas estándar del automóvil, las medidas estándar de la camisa...* Hay numerosas palabras que cumplen funciones diversas, según el contexto: *Informe* puede ser verbo o sustantivo según el contexto: *Dígale que le informe* (verbo) *cuando entregue el primer informe* (sustantivo).

Entremos pues en este apasionante mundo de las palabras y su naturaleza.

Qué es sustantivo

Sustantivo es el vocablo que identifica personas, animales o cosas reales o irreales. Imagínese usted al clásico Adán poniendo nombres: *tierra, agua, río, nube, hambre, sed, mujer...* su trabajo fue arduo: inventar sustantivos. Recuerde ahora a un niño de pocos meses; sus primeras manifestaciones orales de comunicación son el llanto y algunas sílabas que poco a poco van formando sustantivos: *mamá, papá, teté...*

Es posible que en alguna situación extrema, uno pueda sobrevivir a punta de sustantivos: *¡agua!, ¡pan!, ¡piedad!*

Los sustantivos se pueden referir a personas reales, *niño, dama, Pedro, Eloísa, celador, papá...*; personas irreales, *don Quijote, Supermán...*; animales reales, *cebra, caimán, zarigüeya;* animales fantásticos, *unicornio, pegaso...*; cosas reales y tangibles, *restorán, hamburguesa, peinilla, nailon, alcohol...*; cosas intangibles, *concepto, idea, utopía, bienaventuranza, maldad...*, en fin, a todo lo existente o inexistente, posible o imposible, real o ficticio.

En caso de duda sobre el carácter de sustantivo que pueda tener una palabra, agréguele artículo. Si lo admite, es sustantivo. Haga la prueba con las siguientes palabras: *banano, luche, venga, amar y loco.* ¿Cuáles de ellas admiten artículo? *...el banano es muy sabroso, el amar requiere paciencia y el loco se fue para las Antillas...* ¿Cuáles no lo admiten? *...luche* y *venga,* pues no cabe decir *el luche* ni *el venga.*

¿'Amar' es sustantivo?

Quizá usted quiera discutir el carácter de sustantivo de *amar* y de *loco.* Dirá: ¿Y no he sabido toda la vida que *amar* es verbo y que *loco* es adjetivo? Sí. *Amar* es verbo si usted lo conjuga: *amo mi trabajo, Romeo amaba apasionadamente a Julieta...*, pero así, en infinitivo, *amar* no es otra cosa que el nombre del verbo, es decir, un sustantivo. Y en cuanto a *loco,* usted no está ni loco, ni medio loco, pues efectivamente *loco* es adjetivo: *ese muchacho tan loco va a chocar su motocicleta...*, pero, como muchos otros adjetivos, se puede sustantivar: *Aquel loco se escapó del manicomio.*

No crea que distinguir sustantivo de adjetivo es cosa de volverse loco. Unos párrafos más adelante, de seguro, el asunto estará más claro que el agua.

Entonces, ¿los pronombres son sustantivos?

¿Sustantivo y pronombre cumplen la misma función? Y si ello es así, ¿sustantivo y pronombre son la misma clase de palabra? ¿Ambos son sustantivos?

La gramática dice que sustantivo es toda palabra que puede cumplir en la oración el oficio de sujeto o de objeto directo sin necesidad de ningún otro elemento.

Vamos a desentrañar toda la sustancia que hay en esa aseveración. Tomemos un par de oraciones cualesquiera:

Nosotros habíamos hablado ya.
Yo estaba francamente asustado.

No hay duda: *Nosotros* y *yo* son sujeto, sin necesidad de ningún otro elemento, luego son sustantivos.

Otro par de oraciones:

¡Pregúntale!
¡Salúdalo!

La primera es la forma breve y cómoda de *Tú pregunta a él,* donde el sujeto es *tú,* el verbo *pregunta* y el objeto directo *a él,* reemplazado en la oración por *le,* al final del verbo: *pregúnta**le**.* La segunda proviene de *Tú saluda a él,* donde *a él* es objeto directo y se convierte en *lo* (salúda**lo**).

Entonces, no solo los pronombres tónicos *yo, tú, él...,* sino también los átonos *lo, la, le...* son sustantivos (En el capítulo 6 encontrará todo lo relativo a palabras tónicas y átonas).

Son sustantivos los pronombres personales:

Primera persona: *yo, mí (conmigo), me, nosotros, nosotras, nos.*

Segunda persona: *tú, ti (contigo), usted, vos, te, vosotros, vosotras, ustedes, os.*

Tercera persona: *él, ella, ello, ellos, ellas, sí (consigo), lo, la, le, los, las, les, se.*

No diga que pronombre es la parte de la oración que se refiere a personas, pues, además, puede referirse a animales y a cosas.

Aunque el correcto uso de los pronombres varía de región en región, como sucede con las demás normas de urbanidad, cortesía, protocolo y etiqueta, evite tratar de *tú* o de *vos* a aquellas personas con las cuales debe mantener distancia de respeto, de subordinación o de cortesía. No se le ocurra presentarse a la primera entrevista en busca de trabajo y decirle al sicólogo: —*pues, vos verás, decíme lo que te parezca...* El tratamiento más recomendable y menos problemático es el de *usted*. Si es del caso, su mismo interlocutor le dirá: —*tráteme con confianza, hábleme de tú*. Mientras no suceda eso o usted no esté seguro de los grados jerárquicos o posición social de sus interlocutores, use el *usted*.

¿Los pronombres se refieren solo a personas?

Muchos creen que *pronombre* es la parte de la oración que representa personas. No. El pronombre, que es un sustantivo, puede representar persona, animal o cosa, como cualquier otro sustantivo. Si usted dice **yo** *quiero pizza,* el pronombre *yo* sí se refiere a persona, a usted. Si le dice a su mascota *mire perrita cuánto* **la** *queremos,* el pronombre *la* se refiere a su mascotica, por lo tanto, a un animal. Si dice *compré un lápiz;* **lo** *tengo en mi pupitre,* el pronombre *lo* se refiere al lápiz, por lo tanto, a una cosa.

Eso, aparte de que en las fábulas los animales y las cosas actúan como personas. El aguacate le puede decir a la rosa: *qué pálida estás* **tú.** Y la rosa puede contestarle: *es la palidez del amor, que* **tú** *no conoces.* Entonces, puede aparecer un colibrí y decirles: **yo** *creo que ni* **tú,** *rosa, eres tan pálida; ni* **tú,** *aguacate, tan ignorante...*

Género y número del sustantivo

Los sustantivos tienen variación de género: masculino *(alumno),* femenino *(alumna),* común *(gerente)* o ambiguo *(terminal).* En muchos casos, masculino y femenino se diferencian: *niño, niña; perro, perra; texano, texana; español, española; emperador, emperatriz; toro, vaca; gallo, gallina.* En otros casos, el mismo sustantivo sirve para los dos géneros, es decir, es de género común: *el gerente, la gerente; el modelo, la modelo; el artista, la artista; el economista, la economista; el periodista, la periodista; el testigo, la testigo.*

El género ambiguo corresponde a palabras que pueden ir en masculino o en femenino, según el uso o el significado. Por ejemplo: *el mar,* masculino, es uso común; *la mar,* femenino, es uso poético. *El terminal,* masculino, es el extremo de un cable; *la terminal,* femenino, es la estación de autobuses intermunicipales.

Hay casos en los cuales el género no se maneja con corrección. En muchas regiones se dice *la calor,* forma incorrecta puesto que el sustantivo *calor* es masculino. Debe decirse *el calor, un calor, los calores, unos calores.* Algo parecido sucedía con la palabras *maratón* y *color,* masculinas en el Diccionario, pero femeninas en el uso de algunos lugares, lo que hizo admitir su uso como sustantivos femeninos también. Es decir, hoy es válido decir *el maratón* y *la maratón, el color* y *la color.*

Los sustantivos femeninos que comienzan con *a* tónica: *ala, aya, hampa, agua, hada, área...* tienen régimen especial. Observe (¡oiga!) que en todas ellas el acento va en la *a* inicial. *La aya* o *una aya* forman cacofonía o mal sonido por la repetición de *aes.* Por eso, para estos sustantivos femeninos el artículo singular precedente es masculino: *un ala, el ala, un aya, el aya...,* pero cualquier otro adjetivo que los acompañe debe ser femenino: *hampa peligrosa* (no *peligroso*), *agua fría* (no *frío*). Esta norma se aplica, incluso cuando el artículo debe ir en masculino y otro adjetivo en femenino: *el hada madrina, un área cómoda.*

No sucede lo mismo cuando el sustantivo empieza con *a* átona, es decir, sin acento: *la alcaldesa* (no *el alcaldesa*), *una aldea* (no *un aldea*).

Un billetico, sumercecito

Una de las variaciones más comunes en América Latina es el diminutivo. Los sustantivos se suelen convertir en diminutivos y no necesariamente porque sean de menor tamaño o de menor importancia. Cuando en la plaza de mercado se oye *déme ese billetico, sumercecito, que ahí le di sus*

En muchos casos, si usted cambia de género la palabra, cambia de objeto: *correa* no es el femenino de *correo* y *plaza* no es el femenino de *plazo.*

No todos los casos de género son regulares, es decir, cosa de escribir *o* final o *a* final, según sea masculino o femenino: el femenino de *hombre* no es *hombra* y el de *gallo* no es *galla.*

El idioma parece machista, pues muchos femeninos son peyorativos: qué tal *conseja* comparado con *consejo,* o *mujer pública* con *hombre público...*

buenas papitas y su yuquita bien escogidita... no están hablando dos pigmeos, sino dos personas de tamaño normal sobre billetes de tamaño normal, papas de tamaño normal y yuca de tamaño normal.

Aquí no siempre se cumple que el diminutivo sirva para expresar menor tamaño o importancia. Académicamente, *mesita, sillita* y *camita* son miniaturas de mesa, silla y cama... pero en ámbitos determinados del mundo hispanohablante pueden perfectamente ser una mesa para catorce personas, una silla para alguien obeso y una cama doble para gigantes inquietos. En esa misma línea, *Julito* no necesariamente es un chico de ocho años de edad, sino que puede ser un veterano conductor de programas de radio para mayores.

En el extremo contrario de estos sustantivitos, están los superlativos. He aquí algunos ejemplos: *pepazo, grandulón, supermercado, papazote...*

Adjetivo y artículo

Adjetivo es el vocablo que modifica el sustantivo.

Tome usted algún sustantivo. Por ejemplo: *cruasán...*

Vea ahora cómo puede modificarlo. Lo puede determinar: *el cruasán;* puede indicar su cantidad: *un cruasán, diez cruasanes;* puede indicar posesión: *mi cruasán, su cruasán, nuestro cruasán...;* puede calificarlo: *cruasán doradito, cruasán sabroso, cruasán inigualable...* Todas esas palabras que van antes y después del *cruasán* son adjetivos, porque modifican el sustantivo. Así que *el, un, diez, mi, su, nuestro, doradito, sabroso, inigualable* y cualquiera otra modificación que usted quiera para su cruasán *(crudo, blando, grande, suave, dulce, relleno, costoso, económico, barato, viejo, caliente...)* son adjetivos.

Ya veo que quiere discutir la calidad de adjetivo de las palabras *el* y *un,* que usted ha sabido toda la vida que son artículos; y *mi* y *nuestro,* que le parece que son pronombres... De acuerdo, *el* y *un* son artículos, pero los artículos son adjetivos, pues no hacen otra cosa que modificar el sustantivo. El mismo oficio que cumplen las palabras *gran, buen, nuestro* antes de un *pionono,* para cambiar ya de vianda, lo cumplen *el* y *un: gran pionono, buen pionono, nuestro pionono, el pionono, un pionono.* La gramática actual clasifica los artículos dentro de los adjetivos, ¡que eso son!, sin necesidad de darles capítulo aparte, como en la antigüedad.

En cuanto a *mi* y *nuestro,* que usted dice que son pronombres, sí, efectivamente son pronombres cuando remplazan el sustantivo, por ejemplo:

*Ese pionono es más dulce que el **nuestro,** que fue preparado por **mí** mismo.* Ahora bien, si no remplazan el sustantivo sino que lo modifican, son adjetivos: **Mi** *pionono es tan sabroso como **nuestro** cruasán.*

¿Se puede escribir sin adjetivos?

Por una frecuente visión inexacta e incompleta de la gramática, se suele reducir el concepto de adjetivo, al calificativo... y, en consecuencia, se hacen análisis literarios donde el crítico dice: "estamos ante un magnífico texto de nuestro Nobel de Literatura... un texto que no tiene adjetivo alguno"... Imagínese usted un texto sin adjetivos... Lo que quizá quiere expresar este crítico es que el libro no tiene adjetivos valorativos, estilo *maravilloso, insondable, despampanante...,* porque mediante una rica descripción logra que el lector vea lo maravilloso, insondable y despampanante del objeto o del sujeto descritos. Ese logro es imposible sin el uso de adjetivos descriptivos, como *agridulce, cenizo, ginebrino... flagrante, disponible, armonioso... magra, femenil, escuálida...*

En manuales de redacción periodística y en cursos universitarios para comunicadores, se suele sentar este principio: "la redacción informativa no debe acudir a los adjetivos". ¡Lo dicho! No se puede escribir sin adjetivos. Si usted redacta una noticia que dice, entre otras cosas, *...el avión panameño tocó suelo costarricense al mediodía, entre los vivas e himnos de los copartidarios del candidato, mientras los asesores internacionales preparaban la transmisión orbital...,* y aplica el principio de quitar los adjetivos, el texto se reduce a: *...avión tocó suelo a mediodía, entre vivas e himnos de copartidarios de candidato, mientras asesores preparaban transmisión...* ¡No queda más que el esqueleto!

A mediados de los años 80, el Ministro de Comunicaciones del presidente colombiano Belisario Betancur expidió un decreto en el cual se prohibía a los noticieros de televisión utilizar adjetivos. La intención del Ministro era claramente imponer una velada censura para evitar comentarios contrarios a la administración de turno y exigir una presentación escueta de las noticias, pero su formulación era gramaticalmente incorrecta: ¡eliminar los adjetivos!

La primera reacción fue la del presentador del noticiero de las 7 de la noche, que habituado a saludar, *¡Buenas noches, amables televidentes!,* dijo en esta ocasión en cumplimiento del decreto y no sin justificar enseguida su nuevo saludo: *¡Noches, televidentes!*

...El decreto cayó al día siguiente...

Sustantivo y adjetivo no son lo mismo

A ver. Usted tiene un sustantivo cualquiera: *almohada*.
Ahora, verá frases en las cuales la *almohada* se va modificando:
Mi almohada favorita...
Nuestra almohada roja...
Aquella almohada árabe...
La almohada washingtoniana...
Una almohada chévere...
Vuestra gran almohada ergonómica...
Su indescriptible almohada azul...
Nuestra nunca olvidada almohada superconfortable...

Todas, absolutamente todas las palabras de estas frases distintas de
almohada son adjetivos. Casi siempre el adjetivo es una sola palabra: *mi,
su, olvidada, azul...*, pero el ingenio literario convierte frases en adjetivos: *nuestra nunca olvidada...*

No olvide la clave dada renglones atrás: el sustantivo admite artículo: *el
loco, un revólver, la cacerola, una locura, los discos, las mañas, unos ministros, unas tejas.* Así, cuando una misma palabra tenga la posibilidad de
desempeñarse como sustantivo y como adjetivo, usted puede distinguir
su oficio, en cada caso, según admita o no artículo.

El estándar de ventas es alto.
El formato estándar debe ser diligenciado antes de pagar.

En la primera de estas oraciones, la palabra *estándar* es sujeto de la oración y está precedida de artículo, por lo tanto, es sustantivo. En la segunda, no está precedida de artículo, sino que acompaña el sustantivo *formato* (este sí está precedido de artículo), lo modifica, lo califica: es adjetivo.

Género y número del adjetivo

Como el sustantivo, el adjetivo también tiene variaciones de género y de
número: *bueno, buena, buenos, buenas.* Y, en consecuencia, deben hacer
concordancia con sus sustantivos: *perro callejero, perra callejera, perros
callejeros, perras callejeras.*

Un error frecuente es añadir el adjetivo *automotriz* a sustantivos masculinos: *taller automotriz, servicio automotriz, parque automotriz, sector auto-
motriz.* Lo correcto es *taller automotor, servicio automotor...*, pues *auto-
motriz* debe calificar solo sustantivos femeninos: *revista automotriz,
fábrica automotriz, operaria automotriz.*

Algunos adjetivos son de género común: *verde* (no hay *verda*), *cortés* (no hay adjetivo *cortesa*), *joven, virgen, común, beige, especial, hipócrita, feliz, sutil...: toro común, vaca común; pantalón beige, gabardina beige; actor feliz, actriz feliz; recurso sutil, ayuda sutil...*

Algunos adjetivos no varían en el plural: *triángulo isósceles, triángulos isósceles; formato estándar, formatos estándar; ojo alerta, ojos alerta; apartamento modelo, apartamentos modelo; palabra clave, palabras clave...*, aunque a veces este uso se produzca más por comodidad que por regla gramatical: *autobús fucsia, autobuses fucsia...*

Apócopes, comparativos y superlativos

Algunos adjetivos se apocopan, es decir, pierden una o más letras, cuando van antes del sustantivo. Así, *ciento* se vuelve *cien (cien gallinetas)*, *bueno* se vuelve *buen (es un buen hombre)*, *santo* se vuelve *san (san Telmo no comió queso)*.

Los adjetivos tiene gradación. Hay comparativos: *mejor, peor, mayor, menor.* Hay superlativos: *óptima, superbuena, requetebuena, buenísima.* ¡Atención! Lo superlativo es aquello por encima de lo cual no hay nada más. Por eso, si usa el superlativo, no le agregue *más,* por ejemplo, *esa muchacha es más buenísima. Más* sirve en oraciones comparativas, como *Luisa es más buena que Catalina,* que equivale a *Luisa es mejor que Catalina.*

En los superlativos hay algunos adjetivos cultos, que son más propios de poemas clásicos que de la conversación callejera o de la redacción noticiosa: *bonísimo* en vez de *buenísimo, paupérrimo* en vez de *pobrísimo, certísimo* en vez de *ciertísimo, crudelísimo* en vez de *cruelísimo...* Es bueno, o buenísimo, saber que las dos formas son correctas, pues así no se verá usted en la difícil situación de tener que utilizar una forma culta que en su ambiente suene demasiado rebuscada.

Verbo

Verbo es la palabra que sirve para expresar acción *(escribo),* pasión (me *duele)* o movimiento *(corren).*

Ya quedó dicho que los infinitivos no son propiamente verbos, puesto que no expresan acción *(pienso),* ni pasión *(soy amado),* ni movimiento *(córrete),* sino que son los nombres de los verbos: *escribir, doler, correr, pensar, amar...*

Hay verbos transitivos e intransitivos. Los primeros son aquellos cuya acción pasa, transita, de un sujeto activo a un sujeto pasivo u objeto; por ejemplo, en *Juan saluda a Pedro,* la acción de saludar pasa del sujeto activo, Juan, al sujeto pasivo, Pedro. Los intransitivos son aquellos cuya acción se queda en el sujeto; por ejemplo, en *Juan duerme,* la acción de dormir no pasa a nada ni a nadie, no transita, se queda en Juan.

En todo diccionario se encuentra en lugar destacado esta información sobre cada verbo, si es transitivo o intransitivo. Esta característica, en apariencia intrascendente, es importantísima para una correcta expresión oral o escrita. Vea por qué. Los verbos transitivos requieren un objeto directo, que normalmente responde a la pregunta *qué,* mientras los intransitivos no tienen tal objeto, pero pueden estar complementados con un circunstancial cualquiera, por ejemplo, de materia, complemento que puede responder a la pregunta *de qué.*

Entonces, mientras usted debe decir y escribir *pienso que es mejor pagar mañana* (y no *pienso de que),* porque el verbo *pensar* es transitivo, debe decir y escribir *hablaron de que es más ventajoso pensar hoy* (y no *hablaron que),* porque el verbo *hablar* es intransitivo. Y el manejo de un transitivo como intransitivo o de un intransitivo como transitivo lleva al famoso *dequeísmo,* por un lado, y a la cada vez más frecuente *dequefobia,* por otro.

En busca del verbo preciso

Pero no solo eso, pues al fin y al cabo quien cae en el dequeísmo como quien cae en la dequefobia está expuesto al llamado de atención o a la burla… El asunto es más grave cuando se entra en el terreno de los significados. Por ejemplo, usted escribe *se acordó de que había que reajustar el precio.* Con esa oración alude a algún desmemoriado que por fin recuerda hacer algo. Bien. Pues en esa oración es muy posible que alguien, con el ánimo de corregirla, le quite el *de.* Queda, entonces, *se acordó que había que reajustar el precio,* oración que alude a una junta que llega a un acuerdo y no a ningún desmemoriado, porque al pasar el verbo intransitivo a transitivo, usted no corrigió, sino que cambió el significado.

Y en este terreno de la semántica, es decir, de los significados, hay mucho que decir sobre el verbo, pues muchas veces se expresa una idea con un verbo que significa lo contrario o poco menos de lo que se quería decir. Se lee a veces *la contabilidad adolece de soportes,* cuando lo que se quiso decir fue *…carece de soportes.* Y los verbos *carece* y *adolece* lejos de ser sinónimos expresan más bien ideas opuestas: *carece* es *'no tiene'* y *adolece* es *'tiene' un defecto.* Se dice que se *filman* eventos cuando en

Dice la profesora a sus alumnos:

—No, niños. No se dice andé, sino anduve...

Juanito asimila muy bien la lección y, al día siguiente, narra:

—Pues, le cuento, señorita, que en vacaciones fui al campo y anduve y anduve por los prados y las cañadas y luego naduve y naduve en el río...

realidad se *graban;* que se *rentan* automóviles cuando en realidad se *alquilan;* que se *presta* dinero cuando en realidad se *pide;* que se *trastoca* un mueble cuando en realidad se *trastroca*...

En este problema son pródigos los noticieros. Cuando dicen que una patrulla policial fue *emboscada* están expresando que fue *asaltada,* cuando dicen que una banda de delincuentes *deshuesa* automóviles quieren decir que los *desguaza*...

¿Usted aprieta o apreta?

Ahora bien, uno de los problemas más sentidos en este terreno es el de la regularidad y la irregularidad de los verbos, pues hay tres modelos clásicos, según los cuales se conjugan los demás, *amar, temer* y *partir.* Así que cuando a usted le dicen que *pegar,* terminado en *-ar,* es verbo regular, ya sabe que las terminaciones son las mismas del verbo *amar:* am**o** = peg**o**, am**as** = peg**as**, am**aría** = peg**aría**, am**ara** = peg**ara**, am**ante** = peg**ante**... De igual manera se procede con los verbos regulares terminados en *-er,* que se conjugan como *temer;* y los terminados en *-ir,* que se conjugan como *partir.*

El verdadero problema está en los irregulares. ¿Usted *apreta* o *aprieta* a su pareja? ¿*Andó* o *anduvo* por el parque? ¿*Satisfació* o *satisfizo* a sus clientes? ¿*Licúa* o *licua* el café? En fin, las variaciones son muchas. De ahí la importancia de tener siempre a la mano un diccionario de conjugación. Por lo pronto, en el capítulo 22 de este libro le doy algunas recomendaciones sobre el correcto manejo de algunos verbos habituales.

Tiempos y modos verbales

Aunque en la vida real no se usen muchas de las inflexiones verbales, no está de más tener un panorama completo de la complejidad de un verbo.

Cada verbo se puede conjugar en los siguientes modos: Indicativo *(creo)*, subjuntivo *(creyera)*, imperativo *(¡crea!)*, gerundio *(creyendo)* y participio *(creído)*.

Además, el modo indicativo tiene 10 tiempos, a los que la Academia da un nombre y Andrés Bello, otro. Cada tiempo tiene al menos seis variantes, que corresponden a las tres personas del singular (yo, tú, él) y a las tres del plural (nosotros, vosotros, ellos). A continuación se indican los tiempos con variable nominativa de Bello: Presente *(soy)*, pretérito imperfecto o copretérito *(marcábamos)*, pretérito perfecto simple o pretérito *(picaste)*, futuro *(tocaremos)*, condicional o pospretérito *(rezarían)*, pretérito perfecto compuesto o antepresente *(han cazado)*, pretérito pluscuamperfecto o antecopretérito *(habían izado)*, pretérito anterior o antepretérito *(hubieron ligado)*, futuro perfecto o antefuturo *(habrá jugado)* y condicional pefecto o antepospretérito *(habrías fingido)*.

El modo subjuntivo tiene 6 tiempos: Presente *(finjamos)*, pretérito imperfecto o pretérito *(fraguaran o fraguasen)*, futuro *(pagáremos)*, pretérito perfecto o antepresente *(hayamos fiado)*, pretérito pluscuamperfecto o antepretérito *(hubiera bogado o hubiese bogado)* y futuro perfecto o antefuturo *(hubiere ido)*.

Si nuestra aritmética no falla, cada verbo en español tiene 57 formas distintas. Aunque para sobrevivir no se necesitan tantas terminaciones (un neófito del idioma puede decir *yo querer un sándwich y necesitar tomar agua...* y se le entiende, aunque no se tome el trabajo de conjugar los verbos), las pocas que se utilizan todos los días deben ser correctamente usadas.

Errores más frecuentes de conjugación

Entre los más frecuentes errores está el de agregar una *ese* en las segundas personas: *vinistes, entrastes, subistes, bajastes, perdistes, te fuistes...* Las formas correctas son *viniste, entraste, subiste, bajaste, perdiste, te fuiste*.

Cada vez se nota más entre las nuevas generaciones el combinar en la misma charla una y otra persona, por ejemplo, *Usted está muy bonita. ¿Me das tu teléfono?* Una oración está en tercera persona *(está)* y otra en segunda *(das)*. Debe expresar todo en tercera *(está y da)* o todo en segunda *(estás y das)*.

Se suelen pluralizar los pronombres enclíticos *me* y *se*, en vez de los verbos. Formas incorrectas: *tráigamen, siéntesen, óigamen, váyasen...* Formas correctas: *tráiganme, siéntense, óiganme, váyanse.* Observe que la *ene* del plural va en el verbo *(traigan, sienten, oigan, vayan)* y no en el pronombre *(me, se).*

Cada vez es más frecuente el error de pluralizar el verbo *haber* en oraciones impersonales: *habían muchos ministros, habrán nuevos horarios, iban a haber premios.* En estos casos, el verbo *haber* debe ir en singular aunque el complemento sea plural: *había muchos ministros, habrá nuevos horarios, iba a haber premios.* Las formas plurales de este verbo son válidas únicamente cuando actúan como auxiliares de otro verbo: *habían creído..., habrán suspendido..., hubieron de regresar...*

Un error propio de literatos y periodistas es usar el pretérito del subjuntivo con función de pretérito del indicativo. Conviene aclarar, antes de ver los ejemplos, que los tiempos del indicativo expresan lo real *(canto, juré, jugaré...)* y los del subjuntivo, lo irreal *(canten, jurara, jugare...).* Veamos la siguiente oración: *Juan Sastoque, quien **fuera** ministro de Estado, acaba de ser elegido Gobernador... Fuera* es pretérito del subjuntivo, es decir, sirve para expresar algo irreal *(si yo **fuera** rico).* Lo correcto es escribir *que **fue** ministro de Estado.* Y para modernizar el texto un poco más, el inciso puede quedar así: *ex ministro de Estado.*

Verbo amar, modelo para los terminados en -ar

Las terminaciones están en letra cursiva. Por ejemplo, en *tú amas,* la terminación es *-as,* que es igual en todos los verbos regulares terminados en *-ar: cantas, bailas, compras, platicas...* En este cuadro se presentan los pronombres, que en los otros dos *(temer, partir)* se obvian.

Modo indicativo

Presente: yo am*o;* tú am*as;* vos am*ás;* usted, él, ella am*a;* nosotros, nosotras am*amos;* vosotros, vosotras am*áis;* ellos, ellas, ustedes am*an.*
Copretérito: yo am*aba;* tú, vos am*abas;* él, ella, usted am*aba...*
Pretérito: yo am*é;* tú, vos am*aste;* él, ella, usted am*ó;* nosotros, nosotras am*amos;* vosotros, vosotras am*asteis;* ellos, ellas, ustedes am*aron.*
Futuro: yo am*aré;* tú, vos am*arás;* él, ella, usted am*ará...*
Condicional: yo am*aría;* tú, vos am*arías;* él, ella, usted am*aría...*
Antepresente: yo he am*ado;* tú, vos has am*ado;* él, ella, usted ha am*ado...*
Antecopretérito: yo había am*ado;* tú, vos habías am*ado;* él, ella, usted había am*ado...*
Antepretérito: yo hube am*ado;* tú, vos hubiste am*ado;* él, ella, usted hubo am*ado...*
Antefuturo: yo habré am*ado;* tú, vos habrás am*ado;* él, ella, usted habrá am*ado...*
Antepospretérito: yo habría am*ado;* tú, vos habrías am*ado;* él, ella, usted habría am*ado...*

Modo subjuntivo

Presente: yo am*e;* tú am*es;* vos am*és;* él, ella, usted am*e...*
Pretérito: yo am*ara* o am*ase;* tú, vos am*aras* o am*ases;* él, ella, usted am*ara* o am*ase...*
Futuro: yo am*are;* tú, vos am*ares;* él, ella, usted am*are...*
Antepresente: yo haya am*ado;* tú hayas am*ado,* vos hayás am*ado;* él, ella, usted haya am*ado...*
Antepretérito: yo hubiera o hubiese am*ado;* tú, vos hubieras o hubieses am*ado;* él, ella, usted hubiera o hubiese am*ado...*
Antefuturo: yo hubiere am*ado;* tú, vos hubieres am*ado;* él, ella, usted hubiere am*ado...*

Modo imperativo

am*a* tú, am*á* vos; am*e* él, ella, usted; am*emos* nosotros, nosotras; am*ad* vosotros, vosotras; am*en* ellos, ellas, ustedes.

Modo gerundio

Am*ando*

Modo participio

Am*ado*

Verbo temer, modelo para los terminados en -er

En este y en el siguiente cuadro *(partir)* se obvian los pronombres y se presentan solo las formas verbales, siempre con la terminación en cursiva. Esta terminación es igual para todos los verbos regulares terminados en -er. Así, si en *temeremos,* la terminación es *-eremos,* en todos los demás verbos del grupo es igual: *correremos, beberemos, creeremos, barreremos...*

Los *ante-* (antepresente, antepretérito, antefuturo...) se conjugan con el auxiliar *haber* y el participio pasado *(temido, bebido, barrido...).* En el cuadro se indica este participio solo al final de cada grupo, pues en todos es igual.

Modo indicativo

Presente: tem*o,* tem*es,* (vos) tem*és,* tem*e,* tem*emos,* tem*éis,* tem*en.*
Copretérito: tem*ía,* tem*ías,* tem*ía,* tem*íamos,* tem*íais,* tem*ían.*
Pretérito: tem*í,* tem*iste,* tem*ió,* tem*imos,* tem*isteis,* tem*ieron.*
Futuro: tem*eré,* tem*erás,* tem*erá,* tem*eremos,* tem*eréis,* tem*erán.*
Condicional: tem*ería,* tem*erías,* tem*ería,* tem*eríamos,* tem*eríais,* tem*erían.*
Antepresente: he, has, ha, hemos, habéis, han tem*ido.*
Antecopretérito: había, habías, había, habíamos, habíais, habían tem*ido.*
Antepretérito: hube, hubiste, hubo, hubimos, hubisteis, hubieron tem*ido.*
Antefuturo: habré, habrás, habrá, habremos, habréis, habrán tem*ido.*
Antepospretérito: habría, habrías, habría, habríamos, habríais, habrían tem*ido.*

Modo subjuntivo

Presente: tem*a,* tem*as,* (vos) tem*ás,* tem*a,* tem*amos,* tem*áis,* tem*an.*
Pretérito: tem*iera* o tem*iese,* tem*ieras* o tem*ieses,* tem*iera* o tem*iese,* tem*iéramos* o tem*iésemos,* tem*ierais* o tem*ieseis,* tem*ieran* o tem*iesen.*
Futuro: tem*iere,* tem*ieres,* tem*iere,* tem*iéremos,* tem*iereis,* tem*ieren.*
Antepresente: haya, haya, (vos) hayás, haya, hayamos, hayáis, hayan tem*ido.*
Antepretérito: hubiera o hubiese, hubieras o hubieses, hubiera o hubiese, hubiéramos o hubiésemos, hubierais o hubieseis, hubieran o hubiesen tem*ido.*
Antefuturo: hubiere, hubieres, hubiere, hubiéremos, hubiereis, hubieren tem*ido.*

Modo imperativo

tem*e* tú, tem*é* vos, tem*a* él, tem*amos,* tem*ed,* tem*an.*

Modo gerundio

Tem*iendo.*

Modo participio

Tem*ido*

Verbo partir, modelo para los terminados en -ir

Como en los dos cuadros precedentes, las terminaciones están en cursiva. Esa terminación es igual en todos los verbos de este grupo. Por ejemplo, si en el cuadro está *partieron*, cuya terminación es *-ieron*, se escribe igualmente *salieron* (de *salir*), *vivieron* (de vivir), *cubrieron* (de *cubrir*)...

Para la conjugación de los tiempos compuestos, los llamados *ante-* (*antepresente, antepretérito...*), tenga en cuenta la observación anotada en el cuadro anterior.

Modo indicativo

Presente: part*o*, part*es*, (vos) part*ís*, part*e*, part*imos*, part*ís*, part*en*.
Copretérito: part*ía*, part*ías*, part*ía*, part*íamos*, part*íais*, part*ían*.
Pretérito: part*í*, part*iste*, part*ió*, part*imos*, part*isteis*, part*ieron*.
Futuro: part*iré*, part*irás*, part*irá*, part*iremos*, part*iréis*, part*irán*.
Condicional: part*iría*, part*irías*, part*iría*, part*iríamos*, part*iríais*, part*irían*.
Antepresente: he, has, ha, hemos, habéis, han part*ido*.
Antecopretérito: había, habías, había, habíamos, habíais, habían part*ido*.
Antepretérito: hube, hubiste, hubo, hubimos, hubisteis, hubieron part*ido*.
Antefuturo: habré, habrás, habrá, habremos, habréis, habrán part*ido*.
Antepospretérito: habría, habrías, habría, habríamos, habrías, habrían part*ido*.

Modo subjuntivo

Presente: part*a*, part*as*, (vos) part*ás*, part*amos*, part*áis*, part*an*.
Pretérito: part*iera* o part*iese*, part*ieras* o part*ieses*, part*iera* o part*iese*, part*iéramos* o part*iésemos*, part*ierais* o part*ieseis*, part*ieran* o part*iesen*.
Futuro: part*iere*, part*ieres*, part*iere*, part*iéremos*, part*iereis*, part*ieren*.
Antepresente: haya, hayas, haya, hayamos, hayáis, hayan part*ido*.
Antepretérito: hubiera o hubiese, hubieras o hubieses, hubiera o hubiese, hubiéramos o hubiésemos, hubierais o hubieseis, hubieran o hubiesen part*ido*.
Antefuturo: hubiere, hubieres, hubiere, hubiéremos, hubiereis, hubieren part*ido*.

Modo imperativo

part*e* tú, part*í* vos, part*a* él, part*amos*, part*id*, part*an*.

Modo gerundio

Part*iendo*.

Modo participio

Part*ido*.

Adverbio

Adverbio es la parte de la oración que modifica un verbo, un adjetivo u otro adverbio. En la frase *también canta,* el adverbio *también* modifica el verbo *canta.* En la frase *también sucio,* el adverbio *también* modifica el adjetivo *sucio* y en la frase *también allá* el adverbio *también* modifica el adverbio *allá.*

Hay adverbios de tiempo, como *ahora, hoy, ya, antes, ayer, después...* Un novio decepcionado se quejaba de que su novia siempre le decía un adverbio de tiempo distinto. Lo entusiasmó con *hoy.* Lo conquistó con *ya.* Le tomó el pelo con *pronto...* y lo tiene aburrido con un inacabable *mañana.* Él está en la etapa de los adverbios de duda: si *acaso* sigue así, *quizá...* y puede llegar muy pronto al adverbio de negación *no,* en vista de que nunca escuchó de ella el anhelado adverbio de afirmación *sí.*

Hay adverbios de lugar. Son los que usa el ama de casa cuando le ordena a la empleada del hogar que barra. Barra *aquí,* barra *allá,* barra *adentro.* Luego viene la evaluación con los adverbios de modo: ¿barrí *bien?* Barrió *mal* y barrió *lentamente.* Pero la empleada se justifica con los adverbios de cantidad: barrí *mucho,* barrí *demasiado...*

En el lenguaje cotidiano, no siempre se ve la posición del adverbio como modificador del verbo. En la oración *le dijo que sí* no se ve un verbo al que esté modificando este adverbio *sí.* No se ve, pero se refiere a un verbo. Hay que descubrir en el contexto qué verbo modifica ese *sí: ...sí lo mató, ...sí firmará el acta, ...sí se casó, ...sí pagó sus deudas, ...sí trotaba rápido, ...sí estaba chiflado.*

No rompa la unidad verbo-adverbio

Al escribir, conviene que el verbo y su adverbio estén cercanos. Si se escribe **hoy** *el presidente de la comisión arbitral* **dará** *su veredicto,* quedan el verbo *dará* y el adverbio *hoy* tan distantes que se alcanza a sospechar su desconexión. Pero no. No están desconectados. El adverbio *hoy* se refiere al verbo *dará.* Es más claro el texto, si se escribe *El presidente de la comisión arbitral* **dará hoy** *su veredicto.*

Además de las voces clasificadas como adverbios, hay expresiones de dos o más palabras que cumplen exactamente la misma función: *a bordo, a través, sin fin, a oscuras, sin más ni más, de cabo a rabo...* Son las llamadas frases adverbiales o locuciones adverbiales. Su manejo debe ser el mismo que el de los adverbios simples: *...***habló sin ton ni son** *sobre sus actividades juveniles* y no **habló** *sobre sus actividades juveniles* **sin ton ni son.**

Los adverbios pueden variar en diminutivos, aumentativos y superlativos. El administrador de la granja le dice al peón: —Llegó *tardísimo*, hermano, usted que vive aquí *cerquitica*... Y el peón le contesta: —*Cerquitica* no, mi jefe, *lueguito* le cuento, porque *ahorita* tengo *muchísimo* trabajo.

Preposición

La preposición es un elemento de relación, es decir, una palabra que no tiene función por sí misma sino como conector entre sustantivos, adjetivos y verbos.

Las principales e indiscutibles preposiciones actuales son dieciséis: *a, ante, bajo, con, contra, de, desde, en, entre, hacia, hasta, para, por, sin, sobre, tras*. Las demás entran en el terreno de la discusión.

Por un lado están las que han caído en desuso, como *cabe* y *so*, pues ya nadie dice *cabe el parque está mi casa*, sino *mi casa está junto al parque*. Y *so* se utiliza únicamente en expresiones arcaicas de tipo jurídico, como *está prohibido botar basura en este lugar, so pena de cárcel*. La preposición *cabe* significa 'junto a' o 'cerca de' y la preposición *so* significa 'bajo'.

Por otro lado están las preposiciones modernas, como *pro* y *extra*. **Extra** *de su compromiso, el gerente dirigió la colecta* **pro** *damnificados*. Estas preposiciones no cumplen la función clásica de toda preposición que es relacionar dos palabras, pero figuran en el DRAE, 2001, como tales, y la última, *pro,* es mencionada por diversas gramáticas, incluida la Gramática de la Real Academia Española, 1994, como nueva preposición.

Cuando su hijo le pida un ejemplo con las preposiciones *cabe* y *so,* para su tarea escolar, no vaya a decirle: *So bruto, ya no le cabe ni un cuaderno más en la maleta.* En tal ejemplo, *so* es adjetivo y *cabe* es verbo.

Por si acaso, le doy un ejemplo de la preposición *cabe:*

La yegua era ligera,
muy abundante pasaba,
fasta llegar cabe un río,
adonde una barca estaba.

Los cuatro versos pertenecen al poema del siglo XIII *El rey moro que perdió Valencia*. En él aparece además de la preposición *cabe,* la preposición *fasta,* que es nuestro actual *hasta*.

En cuanto a **según,** que queda por fuera de las diecisiéis y no clasifica ni como arcaica ni como moderna, la *Gramática de la lengua española,* 1994, aclara que no es preposición puesto que es la única tónica de la lista. A ver. ¿Cómo así? Pues oiga usted cualquier frase en la cual haya una preposición y advierta que las preposiciones no tienen acento, es decir, que se pronuncian como una sílaba más de la palabra siguiente. Haga la prueba con la frase *de plata.* Si usted está pidiéndole a alguien que aporte, le dice *dé plata* y su oración tiene dos acentos, el del verbo *dé* y el del sustantivo. Si usted está indicando el material del que está hecha una bandeja *(bandeja de plata),* al pronunciarlo sólo hay un acento. Se pronuncia *deplata,* con un único acento en la sílaba *pla.* Es decir, la preposición *de* no tiene acento. Puede hacer la misma prueba con cualquiera de las demás preposiciones. Obervará que al pronunciar en *Panamá, con Gonzalo, por favor,* es como si dijera, porque así debe sonar, *enpanamá, congonzalo, porfavor.* (Resalto el único acento que debe oír usted al pronunciar). Sin embargo, *según* figura en el DRAE 2001 como preposición.

Si se cuentan todas, son más de veinte preposiciones.

No sobra advertir que la preposición tiene una función semántica, es decir, da un significado. Si yo le digo: *siéntese en la mesa,* usted debe sentarse sobre la mesa o reírse de mí. Si le digo *siéntese a la mesa,* usted no osará sentarse sobre la mesa ni reírse de mí. Usar *a* o *en,* que parece asunto sin importancia, es definitivo para el cabal sentido del texto. Si la televisión nos informa sobre un siniestro acaecido **al** *norte de Caracas,* debemos imaginar que fue en La Guaira o en el mar Caribe o en Cuba o en Miami... todo eso queda al norte de Caracas. En cambio, si el locutor nos dice que fue **en** *el norte de Caracas,* no hay duda. Fue en Caracas, en último caso, en el más extremo de sus suburbios, pero, sin duda, ¡en Caracas! (¿Preposición *al*? No. Contracción de la preposición *a* y el artículo *el).*

La preposición *a* y el artículo *el* se contraen en *al.* No hacerlo es error. No es correcto *va a el centro.* Lo correcto es *va al centro.* Por supuesto, se exceptúan los casos donde no es *el* sino *El,* es decir, donde el artículo es parte del nombre propio. Por ejemplo, *va a El Comercio, diario de Quito.*

Hasta

Otra serie de errores se origina en el mal uso de la preposición *hasta,* que siempre indica término. Me sucede con frecuencia. Llego a las 6:50 de la mañana a dirigir un taller de capacitación en una empresa. El cela-

No diga *me caso hasta que esté segura de su amor* si lo que quiere proponerse a sí misma es todo lo contrario: *No me caso hasta que esté segura de su amor.*

Hasta indica término. En este caso, término de no casarse; término de su soltería.

dor, único empleado que ha llegado a esa temprana hora, me dice: —*Puede entrar hasta las 7.* Como yo soy profesor de lenguaje y difícilmente puedo despojarme de tal investidura en segundos, le digo: —*Gracias, señor...* y hago el ademán de seguir. Ahí es cuando el celador se apresura a aclararme que no puedo entrar.

Entonces, yo identifico una contradicción: primero me dice que *puedo entrar hasta las 7,* es decir, en el lapso de esos diez minutos que faltan para las 7. ¡Hay que aprovecharlo! Luego me dice que no. En este punto recuerdo que no solo soy profesor de lenguaje sino también padre de familia que debe responder por la cuota alimentaria de sus hijos. Entonces, mejor que hacer entrar en razón al celador sobre una realidad semántica, acudo a mis recursos persuasivos, le muestro copia del contrato, le explico que debo seguir, le solicito que busque el memorando de autorización que de seguro reposa en su carpeta y finalmente entro, cuando faltan 2 minutos para la hora de inicio.

No me sucedería si siempre dirigiera mis talleres en la misma empresa, pero lo hago en sitios distintos y, por lo general, a primera hora de la mañana. Por eso, los diez minutos de divergencia y acuerdo con el celador de turno hay que programarlos en el cronograma diario. Pues bien, lo que el celador debe decir es *no puede entrar hasta las 7.*

Tengo numerosos recortes de prensa con disparates como este: *hasta el domingo próximo se conocerá la alineación del equipo nacional,* como si por arte de birlibirloque el domingo próximo hubiera un ataque colectivo de amnesia y todo mundo olvidara la alineación. El cronista deportivo debió escribir: *hasta el domingo próximo* **no** *se conocerá la alineación,* que es todo lo contrario de lo que escribió.

Conjunción

La conjunción, como la preposición, tiene como fin relacionar sustantivos, adjetivos, verbos y adverbios. La más conocida de todas las conjunciones es *y*, al final de una enumeración: *trabaja, estudia y duerme; Juan, Jorge y María; amarillo, azul y rojo...* Tan común, que hay un error llamado iotaísmo, consistente en su excesivo uso: *y fui y me dijeron que no y yo que sí y ellos que no y yo me iba poniendo morado y ellos ya no sabían qué hacer...* Esta conjunción se llama copulativa porque sirve para unir o reunir en una unidad elementos análogos. Cuando a ella sigue una palabra que empieza por *i-* o por *hi-*, se cambia por e para evitar la cacofonía o asonancia: *Pedro e Inés; aguja e hilo.* Este cambio no se hace cuando la palabra empieza por *hie-: soda y hielo; frutas y hierbas.* La otra conjunción copulativa es *ni: No tiene ni goma ni babas; Ni raja ni presta el hacha.*

Otras conjunciones son las disyuntivas: *o y u.* Normalmente se usa *o: ¿Quiere una cazuela de mariscos o un filete de róbalo?* Y cuando la palabra que sigue empieza por *o-* se usa *u: Puede pedir un bistec u otra carne cualquiera.* Y finalmente, las adversativas *pero, mas y sino,* que indican restricción, *vino a la librería, pero tarde; estaba lloviendo, mas no mucho;* o incompatibilidad: *no quiere whisky, sino brandy.*

Aparte de estas conjunciones claramente identificadas como tales, hay expresiones que adquieren carácter conjuntivo, como *además, sin embargo, no obstante, aunque...* Por lo demás, se ha puesto muy de moda últimamente una forma conjuntiva tomada del inglés: *y/o.* Los gramáticos la condenan, pero aparece cada vez más en contratos, en libros técnicos y hasta en charlas académicas. Salvo que usted considere estrictamente indispensable usar ese anglicismo, es preferible que lo evite al expresarse en español.

Interjecciones

Las interjecciones son la parte más simpática del inventario idiomático. Casi nada tienen que ver con sustantivos, adjetivos y verbos. Van, por así decirlo, por su lado. Funcionan solas. Y hago énfasis en lo de *funcionan.* Porque qué hay más efectivo que un *¡ay!* a máximo volumen para movilizar policía, bomberos, ambulancia y curiosos. ¿Qué es un *¡ay!* para provocar semejante alboroto? Pues, solo eso, una interjección.

Hay interjecciones onomatopéyicas, es decir, que simplemente reproducen el sonido de aquello que se evita describir. Mire usted cómo opera este *¡zas!* de Camilo José Cela: *El hombre estaba... sin meterse con nadie... cuando de repente, ¡zas!, llega el camión y lo deja como una oblea.* En esta colección de interjecciones caben el *tictac* del reloj; el seco *paf* del matamosquitos; el *¡zape!* de mi cuñada, que odia los gatos; el *rin rin* del timbre; el *gluglu* de mi amigo que casi se ahoga en la piscina por estar flirteando. En fin, todo lo que usted quiera.

¡Oievenacá!

Hay interjecciones apelativas, que son las que pretenden llamar la atención del interlocutor: *¡hola!, ¡chao!, ¡ey!, ¡oye!* Alguna vez me encontraba dictando una conferencia en el hotel Capilla del Mar en Cartagena de Indias. Al terminar una explicación menor sobre el tema que desarrollaba, una de las participantes me dijo con decisión: *¡oye ven acá!* Claro que escrito así, quizá no expresa realmente lo que ella dijo. Para acercarme más a su expresión, habría que escribirlo así: *¡oievenacá!* Yo me le acerqué para resolver su posible problema y ella, más asustada que sorprendida, me dijo que qué hacía fuera de mi tarima. Me explicó que no me estaba pidiendo que me acercara, sino simplemente que le prestara atención para formular su pregunta. Desde entonces, cuando regreso a la costa caribe y oigo el famoso *¡oye ven acá!*, sé que no es más que una interjección apelativa.

Las interjecciones sintomáticas son ideales para expresar el estado de ánimo: *ah, ajá, ay, bah, carajo, caramba, caray, ea, huy, ja, oh, ojalá, olé, ps, puf, uf...*

Por lo demás, cada quien utiliza sustantivos, adjetivos o verbos como interjecciones, según necesite expresar uno u otro sentimiento: *¡jolín!, ¡madre mía!, bueno, bien, ¡vaya, vaya!, ¡la leche!, ¡la releche! ¡miércoles!*

Parte II:

La ortografía no ha sido jubilada aún

En esta parte...

En abril de 1997, se reunió en Zacatecas, México, el *Primer Congreso de la Lengua Española*. ¡Vaya título! Me imagino que ese mismo nombre lo han tenido multitud de Congresos... Yo creo haber asistido a más de uno... En fin, no hubo periódico que dejara de dedicarle titulares, comentarios y espacios noticiosos a este congreso, sobre todo por el discurso de Gabriel García Márquez, el escritor latinoamericano de mayor éxito en estos años (mis amigos periodistas dicen 'el que más moja prensa'). García Márquez, o Gabo, como lo llaman sus amigos, tomó la conocida historia de la simplificación ortográfica, de la cual vamos a hablar en esta parte del libro, elaboró con ella un sugestivo discurso y puso al mundo entero a hablar sobre este tema, que él llamó 'jubilación de la ortografía'. A partir de entonces, todos aludimos a la tal jubilación de la ortografía. Si alguien confunde una *be* con una *uve* o una *ge* con una *jota*, es carne de cañón para que le disparen el comentario burlón de que ya jubiló la ortografía, como Gabo.

Lo que hizo Gabo fue 'alborotar el avispero' retomando la ya muy conocida propuesta de simplificar la ortografía de una vez por todas. Tal simplificación consiste en escribir con *ka* todos los sonidos *ka*, incluidos los que actualmente se escriben con *ce* y con *cu* (*kontinente, keso,* en vez de *continente, queso*); eliminar la *uve*, pues *be* y *uve* tienen el mismo sonido en español (*baka* en vez de *vaca*); escribir con *jota* todos los sonidos *jota*, incluso los que actualmente se escriben con *ge* (*jerente* en vez de *gerente*); escribir con *ese* todos los sonidos *ese*, muchos de los cuales actualmente se escriben con *equis*, con *ce* o con *zeta*, al menos fuera de España (*ausilio, Sesilia, sapato* en vez de *auxilio, Cecilia, zapato*); eliminar las *haches* mudas (*uella, alaraca* en vez de *huella, alharaca*) y, finalmente, reducir el uso de las tildes.

En realidad, la evolución del idioma ha ido haciendo lenta y paulatinamente varios de esos cambios. Observe usted que hoy se escribe *caballo, arpa, alelí, imagen* que antes se escribían *cavallo, harpa, alhelí, imágen*. Es decir, el cambio se va dando poco a poco. De siglo en siglo se pierde una *hache* o se elimina una tilde. Pero, aunque ni Gabo ni nadie puede de un plumazo jubilar la ortografía, se debe aceptar su evolución natural condicionada especialmente por los cambios fonéticos.

En esta parte, pues, vamos a hablar en primer lugar de la acentuación, tema ortográfico especialmente difícil para la mayoría de los escribientes, pero sensiblemente apasionante cuando se conoce con todas sus minucias... Después, en el capítulo 9, las infaltables normas sobre el uso de la *be*, la *uve*, la *ge*, la *jota*, la *hache*, la *ce*, la *ese*, la *zeta*, la *equis*... y cómo escribir los números.

Capítulo 5

¡Dé el martillazo donde es! Todo lo que usted siempre quiso saber sobre la tilde y nunca se atrevió a preguntar

● ●

En este capítulo

▶ La historia de la tilde

▶ Diferencia entre acento fonético y tilde

▶ Vocales débiles y vocales fuertes

▶ Diptongos, triptongos y hiatos

● ●

Para muchas personas que escriben, transcriben, copian, diseñan... el problema ortográfico número uno lo constituye la marcación de la tilde. Algunos lo evaden mediante el recurso de escribir sus textos en mayúscula fija. Otros dejan toda la responsabilidad de las tildes al programa de corrección ortográfica de su computador. No pocos creen que la tilde es un adorno sin importancia y sin consecuencias en el significado. Y no falta quien sencillamente desconoce la existencia de esta virgulilla del español llamada *tilde*, *acento* o *acento ortográfico*.

En contraste, el sistema de marcación de tildes en español es casi perfecto, y difícilmente se encuentra un caso irresoluble, es decir, una palabra donde usted no pueda aplicar alguna de las diez reglas de acentuación existentes y resolver así la duda ortográfica. O la palabra es aguda terminada en vocal y por eso debe llevar tilde (*maní*), o es grave terminada en *ene* y por eso debe ir sin tilde (*examen*), o tiene un hiato (*prohíbe*), o es monosílaba (*fue*), o requiere acento diacrítico (*aun, aún*), o es compuesta con predominio del primer componente (*tráigamelo*), o es compuesta con predominio del último componente (*veintidós*)... En fin, es casi imposible encontrar un vocablo del cual se diga que no hay una norma aplicable para resolver clara y definitivamente su acentuación escrita. Es decir, si usted se inventa una palabra ahora mismo y la escribe, ya existe una norma clara, precisa, definida, que le dice si lleva tilde o no.

Historia de la tilde

No siempre hubo en español la claridad que hoy existe para el uso de la tilde. Al principio no se marcaban tildes y luego se comenzaron a usar acentos graves, agudos y circunflejos en palabras de dudosa pronunciación. Ya cuando la Academia entró a dar normas sobre su uso, definió como única tilde la aguda, pero usó demasiadas tildes, como se ve en el *Diccionario de Autoridades*, donde todas las palabras agudas la llevan (*azúl, perfíl*), aunque no terminen ni en vocal, ni en *ene*, ni en *ese*. En la *Ortografía* de 1763 aparecen tildadas palabras como *márgen, vírgen* y *crísis*, que por ser graves terminadas en *ene* y en *ese* hoy no se tildan. La *Gramática* de 1820 presenta los apellidos graves terminados en *zeta* sin tilde (*Perez, Sanchez, Fernandez*), que hoy sí se tildan. En el DRAE de 1869 aparecen sin tilde *oido, dia, mio, tio, rio,* que por ser hiatos hoy llevan tilde en la *i*. En 1845, el venezolano Andrés Bello propone un sistema de tildes más preciso que el de la Academia, y por la misma época otros gramáticos comienzan a cuestionar también el sistema acentual oficial.

La *Gramática* de 1874 esboza el sistema actual y ya en 1880 la norma es en líneas generales la actual. Una mínima reforma hecha en 1911, más la no tan mínima de 1952, dejaron clarísimo el sistema y con muy poca probabilidad de que no estén previstas todas las posibilidades. Su perfección es exaltada por diversos autores, que sostienen que es el mejor sistema de acentuación de las lenguas cultas vigentes en el mundo.

La tilde, entonces, no se marca ni se deja de marcar según capricho del inventor de la palabra o de su trascriptor. Aquí me hace falta que este libro tenga sonido, pero si usted me sirve de parlante pronunciando en voz alta los siguientes ejemplos y dándole mayor fuerza a las sílabas resaltadas, vamos a dejar más claro el asunto. Pronuncie **cor**tes y cor**tes,** acentuando la sílaba resaltada. Oiga la clara diferencia entre uno y otro sonido. Si los oye iguales, alargue la sílaba resaltada: *coooooooooooooor*tes, en el primer caso, y *corteeeeeeeeeeees*, en el segundo. La norma es clara e incontrovertible: la primera de estas dos voces se escribe sin tilde (*cortes*) y la segunda se escribe con tilde (*cortés*): *En las Cortes hay que ser muy cortés. El vendedor de cortes de paño no es cortés. Hernán Cortés quemó las naves para no regresar a las Cortes españolas.*

La norma que se aplica en este caso es la que ordena tildar las voces agudas terminadas en *ese* (*cortés*) y prohíbe tildar las graves terminadas en *ese* (*cortes*). Es tan definitiva e incuestionable la norma, que si no existiera una de las dos voces que estoy comparando, la norma sería aplicable a una sola de ellas. Con estas consideraciones iniciales, quiero resaltar que la tilde no es de libre marcación, o sea, a gusto del escritor; que obedece al sonido, ya que el lenguaje es oral antes que escrito; que aunque la palabra tenga acento, no necesariamente tiene tilde; y que la ausencia de una tilde cambia el sonido de la palabra, lo que puede tener consecuencias semánticas, es decir, de significado.

No es de libre marcación

La marcación u omisión de la tilde no son capricho del escritor. Fulano escribe *examen* sin tilde, Sutano lo escribe con tilde y Mengano dice que las dos formas son válidas. De estos tres, Fulano dice la verdad y, con todo mi respeto, Sutano y Mengano están absolutamente equivocados. La única escritura correcta es *examen*, sin tilde.

La libre marcación de la tilde solo se da en los pronombres *este, ese, aquel* y sus femeninos y plurales... y en el adverbio *solo* cuando no se refiere a masculino singular. De resto, la opción de escribir *fútbol* o *futbol* está determinada por la pronunciación. No es que la pronunciación *fútbol* se pueda escribir *futbol*, sino que son igualmente válidas las dos pronunciaciones y consecuentemente las dos escrituras.

Con los nombres propios sucede lo mismo. Yo puedo llamar a mi hijo, a mi perro, a mi invento como quiera, pero al escribir esos nombres debo seguir las normas de acentuación haciendo corresponder la escritura con la pronunciación que yo me inventé. Así, si bautizo a mi hijo *Andrés*, con el acento en la última sílaba, en *-drés*, debo escribirlo con tilde, porque es una palabra aguda terminada en *ese*. Si caprichosamente digo: "mi hijo se llama **Andrés,** pero se escribe sin tilde", sencillamente dejo de llamarlo **Andrés** para llamarlo **Andres**, con el acento en la primera sílaba, como **antes, Andes, hambre**... Resalto la sílaba que lleva el acento para que usted pronuncie cada palabra en voz alta y oiga la diferencia. Le recomiendo aplicar el sistema ya propuesto: Diga *AAAAAAndres* y *Andreeeeeeeeeeees* y así sucesivamente, alargando la sílaba resaltada, que es la predominante o acentuada.

Si mi perro se llama *Tarzán* no puedo escribir en su plato *Tarzan*. Si mi invento se llama *disparatolina* no puedo escribir *disparatoliná*. En todos los casos, la pronunciación debe reflejarse en la forma escrita del nombre. Otra cosa es que el nombre no sea español, sino inglés (*Harrison*), francés (*Janeth*), italiano (*Stella*) o alemán (*Helmut*), casos en los cuales es lícito prescindir de las tildes que exige el español (*Hárrison, Hélmut*) y escribir los nombres sin tilde, como corresponde a su idioma propio.

El acento

Con frecuencia se hace la aclaración: tiene acento, pero no tilde. Eso es cierto en una gran cantidad de palabras. A decir verdad, en la mayor parte de ellas. Por eso, es importante aclarar de entrada qué es el acento de una palabra, para después aclarar cuándo ese acento exige tilde en la escritura.

El acento es una característica fonética, de sonido, de pronunciación. Las palabras tienen generalmente varias sílabas y una de ellas predomina sobre las otras, es decir, se pronuncia más fuerte. Esa mayor fuerza de voz es lo que se llama acento o acento prosódico. No se me asuste con la palabra *prosódico,* que no es otra cosa que fonético, o sonoro. El título de este capítulo tiene ese sentido: cuando usted pronuncia una palabra, debe 'dar el martillazo' donde es, es decir, pronunciar más fuerte la sílaba correcta, pues de no hacerlo así, no se entiende lo que dice o se entiende otra cosa. Consecuencia de este manejo sonoro, fonético, ortológico, es el correcto uso de la tilde... y de la diéresis que es el otro signo de acentuación de nuestro idioma.

En este tema voy a hablar de última, penúltima y antepenúltima sílaba. Resultaría menos complicado decir primera, segunda y tercera sílaba, pero como no todas las palabras tienen el mismo número de sílabas, es más preciso decir última, penúltima y antepenúltima, según el siguiente cuadro.

ANTEPENÚLTIMA SÍLABA (si el acento va aquí, se llama **esdrújula**)	PENÚLTIMA SÍLABA (si predomina esta, se llama **grave)**	ÚLTIMA SÍLABA (si esta es la más fuerte, se llama **aguda**)
pé	ta	lo
sín	co	pe
e	ter	no
te	te	ro
an	ti	faz
Re	den	tor

Al pronunciar las palabras *pétalo* y *sín*cope, usted acentúa, da más fuerza, a las sílabas *pe* y *sin*, que son las antepenúltimas de esas palabras, por eso se llaman esdrújulas.   Al pronunciar *eterno* y *tetero*, las que mandan la parada y suenan más fuerte son *ter* y *te*, que son las penúltimas, por eso se llaman graves. Al pronunciar *antifaz* y *Redentor*, da el martillazo en las sílabas *faz* y *tor*, que son las últimas, razón por la cual esas palabras se llaman agudas.

Voy a tomar una palabra con varias sílabas: *esternocleidomastoideo*. Esta palabra tiene nueve sílabas: *es-ter-no-clei-do-mas-toi-de-o*. De las nueve, una se pronuncia más fuerte: la penúltima (*de*). Ahí está su acento. Resalto la sílaba acentuada: *esternocleidomastoideo*. Pronúnciela en voz alta e identifique la mayor fuerza de voz, el predominio, el acento, en esa sílaba *de*.

Otros ejemplos: *arroz* (el acento va en la última sílaba: *a-rroz*), *carne* (el acento va en la penúltima sílaba: *car-ne*), *plátano* (el acento va en la antepenúltima sílaba: *plá-ta-no*), *prohíbe* (el acento va en la *i*: *pro-hí-be*). Identifique acentos, es decir, mayor fuerza de voz, en las sílabas resaltadas y observe que tal acento se da aunque no haya tilde, o mejor, independientemente de que la sílaba acentuada lleve tilde o no.

No es más acento el que lleva tilde que el que va sin ella

Le he oído a más de una persona el siguiente argumento para la marcación de la tilde: esa palabra lleva tilde ahí porque uno pronuncia más fuerte esa parte. Por ejemplo, *vándalo* lleva tilde porque se pronuncia más fuerte *van* que *da* y que *lo*. Nada mejor intencionado, pero a la vez falso, porque con ese argumento, todas las palabras llevarían tilde. Diga *imagen* y oiga cómo se acentúa la sílaba *ma*, entonces hay que escribir *imágen* (¡error!). Diga *Uruguay* y oiga cómo suena más fuerte la sílaba *guay*, específicamente la *a* de esa sílaba; entonces, hay que escribir *Uruguáy* (¡error!). Diga *duro* con toda la fuerza que pueda y no tendrá duda acerca del acento; entonces hay que escribir *dúro* (¡error!).

Entonces, *imagen, Uruguay* y *duro* tienen cada una su sílaba predominante y no llevan tilde, porque la tilde no significa que esa sílaba o esa letra que la lleva deba pronunciarse más fuerte que otros acentos sin tilde. Con ese recurso de identificar la sílaba predominante no se resuelve el problema de la tilde, pero es un primer paso útil para resolverlo, porque si usted identifica esa sílaba predominante, puede establecer si la palabra es esdrújula, grave o aguda; si hay hiato o diptongo; si predomina la fuerte o la débil, etc.

Separación silábica

Paso previo para identificar la sílaba predominante es identificar las sílabas de la palabra. Por ejemplo, ¿cuántas sílabas tiene *océano*? ¿Tres? ¿Cuatro?

Tiene cuatro: *o-cé-a-no*. En esta palabra *ce* y *a* son sílabas distintas, porque *e* y *a* son vocales fuertes. ¿Cuántas sílabas tiene *aire*? ¿Dos? ¿Tres? Tiene dos: *ai-re*. En esta palabra *a* e *i* forman diptongo, es decir, constituyen una sola sílaba porque una es débil (*i*) y otra fuerte (*a*) y esta última predomina.

Vocales débiles y fuertes

Entonces, ¿hay vocales fuertes y débiles? Sí. Las fuertes son *a, e, o*. Las débiles son *i, u*. Y se llaman así porque es más fuerte el sonido de las fuertes que el de las débiles. De hecho, usted puede pegar ahora mismo un grito con *e* y otro con *u* y su vecino vendrá a preguntarle por qué gritó *e*. El grito con *u* no lo alcanzará a escuchar. Sin embargo, fuerte no significa que dentro de la palabra predomine. Por ejemplo, *maní, millo, Ciro, Seúl...* son palabras en las que hay una vocal fuerte y otra débil, pero en todas ellas predomina la débil.

¿Y no se llamaban abiertas y cerradas? Sí. Se siguen llamando abiertas las fuertes (*a, e, o*) y cerradas las débiles (*i, u*), porque para pronunciar una abierta usted abre más la boca y para pronunciar una cerrada, no propiamente la cierra, pero sí la abre menos. Por esto, la terminología de cerrada no es muy precisa que digamos, y muchos gramáticos prefieren llamarlas semiabiertas. Vaya al espejo más cercano. Grite *aaaaaaaaaaa* y observe cómo tiene bien abierta la boca. Después, grite *uuuuuuuuuuuuu* y observe que su boca está mucho menos abierta, realmente semiabierta o casi cerrada.

También se llaman vocales centrales (*a, e, o*), porque se pronuncian con la parte central de la boca, y extremas (*i, u*) porque se pronuncian con las partes extremas de la boca. Compruebe todo esto ante el espejo. Al decir *ooooooooooo* está trabajando el centro de su boca. Al decir *iiiiiiiiiiii* están trabajando las comisuras, los extremos, de sus labios.

RECUERDE

Las vocales fuertes son *a, e, o*.

Las débiles son *i, u*.

Diptongos y hiatos

¿Qué consecuencias tiene todo eso de las fuertes, abiertas o centrales y de las débiles, cerradas, semicerradas o extremas, en el problema de las tildes? Pues, como le venía diciendo, esto determina la separación silábica: dos vocales fuertes unidas siempre constituyen sílabas distintas: *lea, océano, aéreo, caerá, pateará, Baena* se dividen silábicamente así: *le-a, o-cé-a-no, a-é-re-o, ca-e-rá, pa-te-a-rá, Ba-e-na;* y no así: *lea, o-céa-no, aé-reo, cae-rá, pa-tea-rá, Bae-na.*

En cambio, una fuerte y una débil pueden formar diptongo, es decir, una sola sílaba: *doy, soy, pie, dial, cual, fuel* no se dividen *do-y, so-y, pi-e, di-al, cu-al, fu-el.* Son monosílabos, es decir, tienen una sola sílaba. *Jaime, cliente, fuete, vacia, fotocopia* se dividen silábicamente así: *Jai-me, clien-te, fue-te, va-cia, fo-to-co-pia.* En esas palabras, *Jai, clien, fue, cia* y *pia* son diptongos, es decir, una sola sílaba formada por una vocal fuerte y una débil.

En definitiva, hay veintiún diptongos

De manera que los posibles diptongos en español, es decir, las combinaciones de dos letras que se cuentan como una sola sílaba son las siguientes veintiún (tenga en cuenta que en todas estas sílabas predomina la vocal fuerte, es decir, *a, e, o*): *ia, ie, io, ua, ue, uo, ui* (que también se puede escribir *uy*), *iu, ia, ie, io, ua, ue, uo, ai* (o *ay*), *ei* (o *ey*) , *oi* (u *oy*), *au, eu, ou, uu...*

En la lista no figuran *iy, yy,* ni *ii.* Las dos primeras porque no existen, es decir, ninguna palabra española tiene dos *íes* así escritas; y la última (*ii*) porque nunca es diptongo, sino hiato, es decir, cada *i* constituye sílaba distinta, por ejemplo, *tiito, diita* o *chiita.*

No sé si a estas alturas usted se esté preguntando algo así como en qué quedamos por fin, ¿los diptongos se tildan o no se tildan? Si acaso esa es su inquietud, le diré que a veces se tildan y a veces no. Lo cierto es que cuando usted divida silábicamente la palabra para aplicar las normas de acentuación acertadamente, debe tener muy claro si dos vocales forman diptongo o no, para que esta división silábica sea correcta. Para ello, le

La unión de una vocal fuerte predominante y una débil forman diptongo, es decir, una sola sílaba.

voy a dar algunos ejemplos de cada uno de los diptongos que hay en español.

En la lista que sigue, va a encontrar una clasificación no muy conocida y, en la práctica, no muy importante. Hay diptongos *crecientes*, *decrecientes* y *homogéneos*. Los crecientes son aquellos en los cuales el sonido del diptongo va creciendo, pues la vocal predominante está al final, por ejemplo, *estableció*. Si usted pronunciara muy deeeespaaaaciiiioooo, como en cámara lenta, esa palabra, advertiría que la última sílaba, *ció*, va creciendo, el sonido es ascendente. Los decrecientes tienen la vocal predominante primero, por ejemplo, *bonsái*. En esta palabra, la sílaba *sái* comienza con la vocal fuerte acentuada y el sonido va decreciendo. Y los homogéneos son aquellos en los cuales ninguna de las dos vocales que lo forman predomina, por ejemplo, *cuidado*. En la sílaba *cui* de esta palabra, las dos vocales tienen la misma fuerza. Vea, entonces, la lista de diptongos españoles.

Diptongos crecientes

Comienzo con los llamados *diptongos crecientes*, que son los que tienen primero la vocal débil y luego la fuerte, o dos débiles, la última de las cuales lleva el acento. En estos casos, se llama *semiconsonante* la inicial del diptongo.

ia: va tildado en *ciá-ti-ca* (esdrújula) y no en *fa-mi-lia* (grave)
    Ninguno de los miembros de mi familia adolece de ciática.

ie: va tildado en *ten-tem-pié* (aguda) y no en *clien-te* o *es-pe-cie* (graves)
    Esta especie de clientes no acepta un frugal tentempié.

io: va tildado en *cam-bió* (aguda) y no en *an-sio-so* u *o-fi-cio* (graves)
    Juanito está ansioso desde que cambió de oficio.

ua: va tildado en *cuán-ti-ca* (esdrújula) y no en *pi-ra-gua* o *a-dua-na* (graves)
    La teoría formulada por Max Planck se llama cuántica. Me lo contó
    el agente de aduana cuando íbamos por el río en la misma piragua.

ue: va tildado en *cuén-ta-me* (esdrújula) y no en *te-nue* o *cue-ros* (graves)
    Cuéntame cómo te parecieron los cueros de color tenue.

uo: va tildado en *men-guó* (aguda) y no en *con-ti-nuo* o *i-ni-cuo* (graves)
    Aunque el robo continuo menguó, sigue siendo un procedimiento inicuo.

ui: va tildado en *lin-güís-ti-ca* (esdrújula) y no en *fui* (monosílabo) o *fui-mos* (grave)

No fuimos a estudiar filosofía y yo fui solo a estudiar lingüística.

iu: va tildado en *vein-tiún* (aguda) y no en *triun-fo* (grave)
> *Gracias a su triunfo, obtuvo veintiún puntos.*

Diptongos decrecientes

Sigo con los llamados *diptongos decrecientes*, que son los que tienen primero la vocal fuerte y luego la débil, o dos débiles, la primera de las cuales lleva el acento. En estos casos, se llama *semivocal* la final del diptongo.

ai: va tildado en *bon-sái* (aguda) y no en *bai-le* o *pai-sa-no* (graves) o en *hay* o *ay* (monosílabos)
> *Hay un bonsái que su paisano compró para el baile. ¡Ay, no lo dañe!*

ei: va tildado en *ag-nus-déi* (aguda) y no en *em-pei-ne* o *vie-seis* (graves)
> *Si vieseis su empeine desnudo, recitaríais el agnusdéi.*

oi: va tildado en *ói-go-los* (esdrújula) y no en *boi-co-te-ar* o *es-toy* o *con-voy* (agudas) o en *hoy* o *voy* (monosílabos)
> *Óigolos decir "Hoy voy a boicotear el convoy". Estoy preocupado.*

au: va tildado en *áu-li-cos* (esdrújula) *y no en ba-laus-tra-da* (grave)
> *Detrás de la balaustrada del balcón estaban el rey y sus áulicos.*

eu: va tildado en *éus-ti-lo* (esdrújula) y no en *eus-que-ra* o *deu-da* (graves)
> *En el eustilo del capitolio me saludó en eusquera y me pagó la deuda.*

ou: solo se ve en las historietas de terror y en la palabra *bou* (monosílabo)
> *Te invito a pescar en bou.*

ui: nunca va tildado, y se ve en voces como *des-cui-da* (grave) o *muy* (monosílabo)
> *La casa estaba muy descuidada.*

iu: va tildado en *nu-llíus* y nunca va sin tilde.
> *No tienen propietario: son bienes nullíus.*

No olvide que estos diptongos decrecientes tienen su acento en la primera vocal. La aclaración apunta a los dos últimos, en los cuales le digo que *ui* nunca lleva tilde, mientras *iu* siempre la lleva, pero vea los dos últimos de la lista de diptongos crecientes, donde sucede lo contrario: hay *uí* y *iú*. Depende entonces de que el diptongo sea creciente o decreciente.

Diptongos homogéneos

Hay también *diptongos homogéneos*, en los cuales el acento no crece ni decrece, sino que es igual en las dos vocales. Siempre son vocales débiles.

ui: nunca va con tilde, *cui-da-do, pi-tui-ta-ria*
  El médico me dijo que tuviera mucho cuidado con mi glándula pituitaria.

iu: nunca va con tilde, *ciu-dad*
                Me voy a vivir a otra ciudad.

uu: nunca va con tilde, *duun-vi-ra-to, wa-yuu.*
            *En la cultura wayuu, Guajira colombiana, no hay gobierno
                        de duunvirato.*

Los siete triptongos

Otra realidad que se debe tener en cuenta en la separación silábica es la existencia de *triptongos*. Se trata de tres vocales que forman una sola sílaba. Solo se presenta esta situación cuando una vocal fuerte va precedida de una débil y seguida de otra débil, de manera que los triptongos son solo siete: *iai, iei, iau, ioi, uai* (que también se puede escribir *uay*), *uei* (o *uey*) y *uau*. Vea ejemplos de cada uno, muchos de los cuales solo oirá en conversaciones coloquiales entre españoles, pues corresponden a verbos conjugados en segunda persona del plural (*vosotros*).

iai: siempre con tilde, *a-pre-ciáis, i-ni-ciáis, des-per-di-ciáis* (agudas)
    Desperdiciáis y no apreciáis vuestro tiempo, ni iniciáis tareas positivas.

iei:siempre con tilde, *a-pre-ciéis, co-piéis* (agudas)
          Acertaréis cuando apreciéis y copiéis a vuestros maestros.

iau: solo el gato hace este triptongo, siempre sin tilde: *miau* (monosílabo)
          Oí el miau de mi gato por los contornos de la alacena.

ioi: siempre sin tilde, en voces científicas como *dioi-co* (grave)
        Fue clasificado en el herbario como dioico, por la forma de sus hojas.

uai: con tilde en *ac-tuáis* (aguda) y sin tilde en *Pa-ra-guay* (aguda: las agudas terminadas en *i griega* no se tildan)
            Si actuáis en Paraguay seréis muy aplaudidos.

uei: con tilde en *a-ve-ri-güéis* (aguda) y sin tilde en *buey* (monosílabo)
          Os lo diré cuando averigüéis el paradero de vuestro buey.

Vocal fuerte predominante precedida y seguida de débil forman triptongo, es decir, una sola sílaba.

uau: solo el perro hace este triptongo, siempre sin tilde: *guau* (monosílabo)
Cuando mi perro dice guau es porque tiene hambre.

Hiato

No siempre fuerte y débil constituyen diptongo, o sea, forman una sola sílaba. Pueden también formar hiato, que no es otra cosa que dos sílabas distintas: *día* (*dí-a*), *vía* (*ví-a*), *reúne* (*re-ú-ne*), *búho* (*bú-ho*).

Entonces, ¿cómo distingo diptongo de hiato? Pues muy sencillo. El diptongo y el hiato se parecen en que en ambos hay una vocal fuerte y una débil y se diferencian en que en el diptongo predomina la fuerte y en el hiato predomina la débil. Pronuncie en voz alta *paisano* y *países*. Quédese con el sonido de *pai* en la primera y *paí* en la segunda. Advierta que en el *pai* de *paisano* suena más fuerte la *a,* mientras que en el *paí* de *países* suena más fuerte la *i*. El *pai* de *paisano* es diptongo (una sola sílaba: *pai*) y el *paí* de *países* es hiato (dos sílabas: *pa-i*). Grabe las dos palabras muy bien pronunciadas en voz alta y fuerte, y oiga la grabación para establecer esa clara diferencia. Compare *pues*, donde predomina la fuerte y es diptongo, con *púas*, donde predomina la débil y es hiato (*pú-as*); *vial* (diptongo) y *vías* (hiato: *ví-as*); *Lucio* (diptongo *cio*) y *Lucía* (hiato *cí-a*).

Los hiatos siempre van acentuados y son doce, seis crecientes, con la débil acentuada al comienzo (*ía, íe, ío, úa, úe, úo*), y seis decrecientes, con la débil acentuada al final (*aí, eí, oí, aú, eú, oú*). Como la *hache* es muda, el hiato puede perfectamente llevar una *hache* en medio de las dos vocales que lo forman (*ahí, prohíbe*). Vea ejemplos de cada uno. Tenga en cuenta que en estos casos no tiene ninguna importancia que la palabra sea esdrújula, grave o aguda, ni que termine en *equis, ye* o *zeta*. Todo hiato lleva tilde y esta norma prima sobre la norma general de los polisílabos.

La unión de vocal débil y fuerte forma diptongo cuando predomina la fuerte (*dio, vio, fue, pie, soy, hoy, ley, jueves, viernes, vienes, suave, tiene, luego, cuerno...*) y hiato cuando predomina la débil (*Raúl, Eloísa, baúl, búho, María, licúa, efectúe...*)

Hiatos crecientes

ía: María, día, prohibía
>   *Según recuerdo, María me prohibía algo cada día.*

íe: fíe, ríe, fíele, ríete
>   *Si cuando te fíe el mercado se ríe, ríete tú también, pues su
>   eslogan dice: "fíele a su vecino y perderá el dinero".*

ío: lío, período, frío
>   *¡Qué lío tan tremendo en este período frío!*

úa: cacatúa, actúa, Marandúa
>   *Ese tipo que actúa como una cacatúa vino de por allá, de Marandúa.*

úe: fluctúe, atenúe, licúe
>   *Aunque el precio del café fluctúe, atenúe su entusiasmo y licúelo bien.*

úo: dúo, sitúo, búho
Me sitúo aquí, al lado del búho, para escuchar mejor el dúo de boleristas.

Hiatos decrecientes

aí: ahí, caída, país
>   *Cuando fui a ese país, sufrí una caída cuando pasé por ahí.*

eí: leí, creí, reí
>   *Leí todo el libro porque creí que era divertido, más no reí.*

oí: oí, oído, prohíbe
>   *No sé si lo oí el lunes o el martes, pero he oído que allá
>   se prohíbe fumar.*

aú: aúlla, Raúl, Esaú
>   *Esaú y Raúl dicen que cuando ese animal aúlla hay luna llena.*

eú: reúnen, feúcho, Seúl
>   *Cuando las niñas de Seúl se reúnen a conversar dicen que soy feúcho.*

oú: prácticamente no existe, salvo en voces tan rebuscadas como mohúr
>   *Con un mohúr se podía comprar un buen mercado en la India.*

Otros hiatos

Para efectos prácticos, no lo voy a complicar con más hiatos. Con los doce señalados es suficiente. Sin embargo, por si este libro cae en manos de la Academia de la Lengua, aclaro que hay muchas otras combinaciones que también se clasifican como hiato, por ejemplo *oi* en *prohibir, prohibido, prohibitivo...* Solo que en estos casos el problema de la tilde queda resuelto al aplicar las normas generales de acentuación: *prohibir* no lleva tilde por ser palabra aguda terminada en *ere*; *prohibido* y *prohibitivo* tampoco, por ser palabras graves terminadas en vocal. Es decir, estos otros hiatos son como para que algún estudiante de Lengua elabore una tesis sobre ellos. A usted y a mí nos basta saber que los doce hiatos de nuestra lista siempre llevan tilde y no nos interesa complicarnos la vida con los demás —con los demás hiatos, aclaro—.

La separación mecanográfica

Lo dicho en los párrafos anteriores puede llevar a alguien a interpetar que, en la presentación mecanografiada de un texto, es lícito separar una vocal de otra, es decir, que si en el renglón no cabe completa la palabra *simpatía*, se puede escribir *simpatí-* y en el siguiente renglón *a*. Bueno, estoy exagerando, porque donde cupo el guión cabe la *a*, pero eso en todo caso es incorrecto. La norma mecanográfica, no la gramatical, exige dejar juntas las vocales seguidas de una palabra, aunque formen sílabas distintas.

Hoy por hoy casi nunca se requiere separar palabras, pero cuando se hace, por ejemplo, en los periódicos, cuyo ancho de columna es mínimo, o en cartas escritas en máquina de escribir tradicional, deben respetarse unas normas.

Separe silábicamente las siguientes palabras:

anatomía	recuerdo	mexicano	día
Boada	buenísima	lengua	pío

Respuesta: a-na-to-mí-a, re-cuer-do, me-xi-ca-no, dí-a, Bo-a-da, bue-ní-si-ma, len-gua, pí-o.

Se pueden separar palabras que no quepan en un renglón, teniendo en cuenta las siguientes diez normas.

1. La separación debe ser por sílabas completas: *caracte-rística,* pero no *caract-erística,* ni *caracter-ística.*

2. Nunca se separan vocales, aunque formen sílabas distintas: *tardía-mente,* pero no *tardí-amente; releá-moslo,* pero no *rele-ámoslo.*

3. Si hay *ce* y *hache* seguidas, quedan juntas: *multirre-chazo,* pero no *multirrec-hazo.*

4. Si hay doble *ele,* no se separa una *ele* de otra: *anti-llano,* pero no *antil-lano.*

5. Si hay dos *ces,* cada una va en sílaba distinta: *resurrec-ción,* pero no *resurre-cción.*

6. Si hay dos *enes,* cada una va en sílaba distinta: *sin-número,* pero no *sinn-úmero,* ni *si-nnúmero.*

7. Si hay *erre,* los dos caracteres de la *erre* van juntos al comienzo de su sílaba: *ferroca-rril,* pero no *ferrocar-ril; auto-rrealización,* pero no *autor-realización.*

8. También es válido separar por elementos componentes claramente identificables, aunque se separen sílabas: *des-ordenado,* como también es válido *desor-denado; super-intendencia,* como también *superin-tendencia.*

9. No deben quedar una o dos letras en un renglón: *gramati-calmente,* pero no *gramaticalmen-te; ocupa-dísimo,* pero no *o-cupadísimo.*

10. El guión de separación va al frente y no debajo: *flumi-nense,* pero no *flumi nense.*

Cómo determinar el acento

Hecha la separación silábica, usted debe determinar cuál de las varias sílabas de la palabra tiene el acento. *Venezuela* tiene cuatro sílabas: *Ve-ne-zue-la.* ¿Cuál de ellas lleva el acento? Hay un recurso muy divertido para establecerlo en forma clara y distinta, como diría Descartes. Pronúnciela en las cuatro posibles formas acentuadas en que se puede pronunciar: acentúe la sílaba *Ve.* Diga **Ve**nezuela. Mejor, alargue esa sílaba: *Veeeeeeenezuela.* Use su mayor volumen de voz para este ejercicio. Cuando logre oír que esa no es la pronunciación correcta, pase a la siguiente sílaba: *Ve**ne**zuela.* Oiga cómo suena ese *ne.* Alargue su sonido: *Veneeeeeeeezuela.* Tampoco. Ahora póngale toda la fuerza a la siguiente sílaba (*zue*). En este momento tiene que oír la pronunciación correcta. Claro, siempre y cuando en esta sílaba pronuncie más fuerte la *e* que la *u*. Ya está claro. La sílaba que lleva el acento es la penúltima (*zue*).

En *tambor* hay dos posibles acentos: *taaaambor* y *tamboooor.* ¿Cuál es el correcto? Óigase bien. Si es preciso y posible, grabe su voz y oiga la grabación con atención: ***támbor,*** con el acento en la penúltima sílaba, es incorrecto. *Tambor,* con el acento en la última sílaba, es correcto. Dé el martillazo donde es.

Mejor me olvido de las tildes

Esto se está complicando mucho y a la hora del té una tilde de más o una tilde de menos no importa; además, el computador me resuelve ese problema... ¡Un momento! No claudique tan rápido. Una tilde de más o de menos puede cambiar completamente el significado de la palabra.

Vea este caso: *cálculo, calculo* y *calculó.* No solo son tres escrituras ligeramente distintas, por la tilde, sino que son tres conceptos distintos. *Cálculo* es un sustantivo: *El médico le descubrió un cálculo más grande que la piedra de Guatapé. El buen cálculo de fuerzas evitará que el puente se caiga. Estoy haciendo el cálculo de mis gastos mensuales.* La segunda forma, *calculo,* que se acentúa en la sílaba *cu* y no se tilda, es un verbo. Exactamente, la primera persona del presente de indicativo del verbo *calcular: Yo calculo eso más rápido que tú. Calculo que a las tres de la tarde estoy llegando. Se desespera porque yo no calculo rápido.*La última, *calculó,* es la tercera persona del pretérito de indicativo del mismo verbo: *Él calculó mal el efecto de sus palabras. No coincide con lo que ella calculó ayer. El Alcalde calculó mal el tiempo para pavimentar las calles.*

Seleccione la sílaba acentuada en cada una de las siguientes palabras.

Car-ta-ge-na	rio-pla-ten-se	Cuer-na-va-ca	Li-ma
Re-cór-cho-lis	gra-ma-ti-cal	pro-so-po-pe-ya	Ca-li

Respuesta: Carta**ge**na, riopla**ten**se, Cuerna**va**ca, *Li*ma, Re**cór**cholis, gramati**cal**, prosopo**pe**ya, *Ca*li.

Hay muchos casos como este. La omisión de una tilde puede hacerlo decir a usted algo completamente distinto de lo que quiso decir. *Cante* no es lo mismo que *canté*; ni *preste* lo mismo que *presté*; ni *hacia* lo mismo que *hacía*; ni *saco* lo mismo que *sacó*.

El computador me resuelve ese problema

No siempre el computador le va a resolver las dudas sobre tildes. Si usted escribe *Ángeles* sin tilde, muy posiblemente el computador se lo hace saber, porque no existen las palabras *Angeles*, ni *Angelés*. Pero si usted escribe *vienes* en vez de *vienés*, el computador no le dirá nada porque *vienes* y *vienés* son palabras correctas en español, solo que una nada tiene que ver con la otra.

Si tu vienes bailo, sin tilde alguna, bien puede ser la frase que le dice una quinceañera a otra después del baile de gala, en la Escuela de Caballería de Viena, como respuesta a su queja por la poca habilidad de su edecán para la danza: *...si tu vienés bailó... si tu edecán vienés sí bailó... No te quejes tanto, si tu edecán vienés sí bailó bien...* O puede ser la condición que pone una chica para ir al baile. Le dice por teléfono a su potencial acompañante: *si tú vienes bailo... si tú vienes por mí, yo sí bailo...* (Aunque para este ejemplo haya tenido que hacerle una trampa con la coma).

¿Y las mayúsculas se tildan?

Los mismos argumentos de los párrafos anteriores demuestran la necesidad de tildar las palabras que lo requieren, aun en los casos en que estén escritas en mayúscula fija. Si usted escribe *HABITO* y no se preocupa por la tilde, pues, según le ha dicho alguien, "las mayúsculas no se tildan", no se sabe si es *HÁBITO, HABITO* o *HABITÓ*.

Se lo voy a demostrar sin trampas. Si usted escribe LUCHO LUCHO CON EL PAPA, sin tildes, existen por lo menos las siguientes posibilidades de interpretación: o Luis, familiarmente llamado Lucho, es un muchacho rebelde, que se enfrentó a su padre (LUCHO LUCHÓ CON EL PAPÁ o LUCHÓ LUCHO CON EL PAPÁ) o es un teólogo de rueda suelta ad portas de la excomunión, que se enfrentó al Sumo Pontífice (LUCHO LUCHÓ CON EL PAPA o LUCHÓ LUCHO CON EL PAPA).

Pero, ¿cómo hago para marcar esas tildes si mi computador no las tiene? Es el menos convincente de los argumentos. Todo computador tiene forma de marcar tildes mayúsculas, si no, ¿cómo las marqué en este texto que usted está leyendo? Puede ser que no estén en el teclado y deba acudir a algún código particular, según su programa sea uno u otro, pero siempre se pueden marcar.

Y ¿si estoy escribiendo a mano? Pues con más razón. Ahí no hay disculpa válida para no escribir la tilde. Y ¿si tengo una máquina de escribir y no un computador? ¡Ah! Ahí sí me mató. A veces esas tildes quedan tachando la letra tildada, con lo cual es peor el remedio que la enfermedad. Déjela sin tilde y consiga un computador a la primera oportunidad... o, si es usted una persona paciente y meticulosa, cuando termine su página, afloje el rodillo, ajuste medio milímetro más arriba la hoja, y ahora sí marque las tildes que quedaron faltando.

Otros signos de acentuación

La única tilde que existe en español es la aguda, que se marca de arriba abajo de derecha a izquierda (*á*). En francés y en portugués existen esta misma tilde y otras más: la grave, que se marca de arriba abajo de izquierda a derecha (*à*); la circunfleja, que es como una combinación de las dos y forma como un gorrito, por lo que en francés se llama *chapeau*, gorro (*â*); la nasal, llamada *til* en portugués, que es como la virgulilla de nuestra eñe (*ã*), aparte de la diéresis (*ü*) y sin contar otros signos, que no son acentos, como el apóstrofo (') y la cedilla de la *ce* (*ç*).

Vea diez palabras francesas con tilde aguda: *musée* (museo), *entrée* (entrada), *étudiants* (estudiantes), *médecin* (médico), *médicament* (medicamento), *nausée* (mareo), *décembre* (diciembre), *économique* (económico), *matinée* (mañana), *celui-là* (ese). Ahora, vea diez palabras francesas con tilde grave: *où* (dónde), *siège* (silla), *chère* (costosa), *très* (muy), *à* (a), *antiquités* (antigüedad), *bibliothèque* (biblioteca), *près* (cerca), *kilomètres* (kilómetros), *bière* (cerveza). Y en seguida, diez palabras francesas con tilde circunfleja: *même* (mismo), *plâit* (favor), *tôt* (temprano), *coûter* (costar), *huîtres* (ostras), *gâteau* (torta), *pêche* (durazno), *vêtements* (ropa), *tête* (cabeza), *impôts* (impuestos).

En portugués hay tilde aguda, grave, circunfleja y nasal, además de apóstrofo y, también, *ce con cedilla*. Vea diez casos de aguda: *sábado, sétimo, lá* (allá), *atrás, aérea, emprésteme* (présteme), *guaraná, é* (es), *há* (tiene), *café*. Y diez casos de circunfleja: *ônibus, metrô, você* (usted), *agência, insônia, pêra, pêlo, porquê* (causa), *astrônomo, tônico*. La tilde grave solo va en algunos usos de la preposición *à*. Y la nasal va en palabras como las siguientes diez: *observação* (observación), *exceções* (excepción), *promoção* (promoción), *cinturão* (cinturón), *limão* (limón), *lã* (lana), *sutiã* (sostén), *pão* (pan), *feijão* (fríjoles), *grão de bico* (garbanzos).

En inglés no hay tildes.

La diéresis

En español hay otro signo de acentuación, llamado diéresis o crema, que son dos puntos horizontales sobre la letra que lo lleva. Esto de crema no pasa de los libros de gramática y los diccionarios. Si usted le dice a su secretaria *¡póngale la crema!* no entenderá una orden gramatical sino una petición culinaria. La palabra más común para llamar este signo es diéresis.

La diéresis en español solamente se usa en las sílabas *güe* (*bilingüe, nicaragüense,¡güepa je!*) y *güi* (*agüita, Itagüí, güisqui*).

Poetas y músicos la usan, además, para indicar separación silábica necesaria para el ritmo o musicalidad del texto, cuando tal separación contradice la gramatical. Fray Luis de León, uno de los más representativos vates de la literatura española del siglo XVI, escribió un famoso poema, llamado *Vida retirada*, que comienza así:

> *¡Qué descansada vida*
> *la del que huye del mundanal rüido*
> *y sigue la escondida senda por donde han ido*
> *los pocos sabios que en el mundo han sido!*

Usted ve que la palabra que usa el poeta es *rüido* y no *ruido*. Esta escritura pretende que el declamador no diga *rui-do*, en dos sílabas, sino *ru-i-do*, en tres. La diéresis sobre esa *u* indica que debe leerse separándola silábicamente de la *i*. ¿Y para qué tanta complicación? Hoy casi no se escribe poesía con métrica, que es la medida que debe tener cada verso para que se den la rima y la musicalidad. En tiempos del buen fraile, era

Cuando esté escribiendo a máquina o en su computador, no marque tildes graves en palabras españolas (*bonsài, vendiò, dè*). La única tilde que existe hoy en español es la aguda (*bonsái, vendió, dé*).

exigencia de las normas de composición literaria lograr ese tipo de exactitudes: que cada verso tenga tantas sílabas y no sobre una ni falte una. Entonces, existía ese recurso para ajustar algún verso cojo.

Pero todo esto dejémoslo como curiosidad de la historia de la literatura y concretemos el asunto a lo actual. La diéresis se usa hoy en español únicamente para las combinaciones *güe* y *güi*. En ambos casos suenan todas las letras. Concretamente, suena la *u*. Si usted escribe *pingüino* (correcto), suena la *u*; si escribiera *pinguino* (incorrecto) no sonaría la *u*. Usted me dirá que nadie va a reparar en tan pequeña falta y cualquier lector terminará pronunciando *pingüino* donde usted escribió *pinguino*. De acuerdo, porque todo mundo conoce la palabra *pingüino*. Pero, ¿qué pasa si la palabra no es conocida o si las dos formas son válidas? Por ejemplo, *Itagüí* es el nombre de un municipio colombiano. Si se escribe sin la diéresis en un cable noticioso, el locutor de cualquier país distinto a Colombia, leerá *Itaguí*, sin pronunciar la *u*. Hay muchas personas de nombre *Guido*, pero también existen los *Güido*, como el célebre periodista de la radio latinoamericana Güido Lombardi. Son casos en los que la omisión de la diéresis puede crear graves problemas.

La diéresis se usa también en catalán (*qüestió*); en asturiano (*güeyos*), lengua en la cual va a veces sobre la equis (*xastre*); y en francés (*Citroën*).

La diéresis es muy frecuente en alemán, donde se llama *unlaut*, y puede ir sobre *u, o* y *a: Frühling* (primavera), *Fraülein* (señorita), *zwölf* (doce), *Manschettenknöpfe* (mancornas), *Diät* (dieta), *Gepäck* (equipaje).

El apóstrofo

El apóstrofo es como una tilde o como una comilla sencilla y se usa para indicar que se quitó un pedazo de la palabra. Los gramáticos no lo dicen así, sino que hablan de la elisión de la palabra. Por ejemplo, si alguien me dice *Oiga, pa qué sirve este libro*, y no dice *para* sino *pa*, y yo quiero transcribir la frase tal como él la pronunció, escribo *Oiga, pa'qué sirve este libro*. Según eso, nunca se necesitará ese signo en una carta seria, en un discurso, en un ensayo... Pero si estoy escribiendo un cuento y algu-

RECUERDE

Se escribe diéresis en las combinaciones *güe* y *güi*, como en *agüero, antigüedad, pingüino, agüita.*

no de los personajes es un pintoresco representante de algún grupo social inculto, sus diálogos irán llenos de apóstrofos, porque se comerá los finales de muchas palabras.

Antiguamente era lícito usar el apóstrofo en textos serios, especialmente en poesía. Usted puede ver en algún texto del siglo XIII expresiones como estas: *d'aquel* (de aquel), *qu'es* (que es) y *d'el* (de el). De esta última forma quedó la contracción *del* (de el), que hoy debe hacerse cuando en la frase queden seguidas la preposición *de* y el artículo *el*.

En inglés, en francés y en italiano se usa el apóstrofo. En inglés sirve para indicar posesión: *Fernando's papers* es *los papeles de Fernando*. *Cristina's show* es *el programa de Cristina*. En francés y en italiano tiene el mismo uso que tenía en español: indicar la elisión (supresión) de una o varias letras, al unirse dos palabras: *magasin d'antiquitès* (anticuario en francés), *Dov'è il bagno, per favore?* (¿dónde es el baño, por favor?, en italiano).

Otros signos o adornos de las letras son la virgulilla de la *eñe*, que como ya le dije es igual al acento nasal del portugués, y la cedilla de la *ce* (ç), frecuente también en francés y en portugués. La escritura en estos dos idiomas latinos es, en comparación con la del español, mucho más abigarrada. En una misma oración puede haber tildes graves, agudas, nasales y circunflejas, además de apóstrofos y cedillas. En español hay pocas tildes agudas, poquísimas diéresis y solo en la eñe su característica virgulilla.

¡Qué cantidad de palabras tan raras!

¡Quién lo creyera! El tema de la acentución parecía resolverse en tres o cuatro palabras. Por ejemplo las palabras tilde, aguda, grave y esdrújula. Pero resulta que aquí le he hablado de hiato, de diptongo, de triptongo, de creciente, de decreciente... Y eso no es nada, le tengo tres palabras bien raras, para que se divierta con ellas y desconcierte a su profesor de gramática: *oxítona*, *paroxítona* y *proparoxítona*.

Y, ¿eso qué es? Sencillamente *aguda, grave* y *esdrújula*. Las palabras agudas se llaman también *oxítonas*, palabra de origen griego, que no quiere decir otra cosa que *agudo tono* o, mejor, *tono agudo*, es decir, *acento agudo*. Las graves se llaman también llanas o *paroxítonas*. Nada del otro mundo. Simplemente se le agregó la sílaba *par* que acaso signifique *paralelo*, es decir, *acento paralelo al agudo*. Total, no es otra cosa que *acento grave*. Y, finalmente, las *proparoxítonas*, otra voz de origen griego, a la que simplemente se le agregó el prefijo *pro*, que significa *antes de*. Su significado es obvio: *acento antes del grave*, en nuestro lenguaje sencillo, *acento esdrújulo*.

En portugués existen también las palabras agudas, graves y esdrújulas, pero nuestros hermanos latinos las llaman precisamente oxítonas, paroxítonas y proparoxítonas, quizá porque las palabras *grave* y *aguda* las necesitan para otra función: para distinguir los nombres de sus tildes, la grave que es la contraria a la tilde española (à), y la aguda que es la misma nuestra (á).

Así, pues, el tema de la acentuación es importante, digo, importantísimo, y, aunque haya una que otra palabra rara, hay normas muy precisas, que le voy a ir enunciando y detallando en esta Parte II.

Capítulo 6

Los monosílabos

Cuántas veces no hemos oído decir a una madre de su hija o a una novia de su novio: *Sólo contesta monosílabos,* o peor aun: *¡No dijo ni mu!* Una exageración , sin duda, para resaltar que su comunicación casi no pasa de *sí* y *no.* Pues esos son los monosílabos, palabras que se pronuncian en un solo golpe de voz, como dicen las gramáticas antiguas (y los antiguos gramáticos).

Monosílabos son los que se oyen en los programas de televisión en los que un personaje es sometido a la *máquina de la verdad*: sólo puede responder *sí* o *no.* A monosílabos reducen los jóvenes de hoy muchas palabras bi o trisílabas: en vez de *papá* dicen *pa* y en vez de *mamá, ma.* Monosílabos son algunos sustantivos sabrosos, como *ron, sol, pan, flan*; algunos técnicos, como *bit, chip, clip*; algunos salados, como *sal, mar.* Monosílabos son algunos verbos, como *pon, sal, ven, ten.* Monosílabos son algunos adjetivos, como *san, gran, mal.*

Buena parte de las preposiciones son monosílabas: *a, con, de, en, ex, por, sin, so, tras.* Todos los pronombres clíticos son monosílabos: *le, lo, la, les, los, las, se, me, te, nos, os.*

Se puede escribir una oración con sólo monosílabos: *Ya se ve que tú no vas a ir.* Ahí tiene usted nueve monosílabos que forman una oración y expresan una idea completa.

Muchas personas tienen por nombre un monosílabo: *Nel, Paz, Luz, No.* Quién no recuerda al famoso doctor *No,* de las películas de James Bond. Un periódico español tiene por nombre un monosílabo: *Ya.* Un río italia-

Una pareja con biorritmos diferentes dialoga:

— ¿Sí?   — Que sí.

— ¡No!   — ¡Ta bien!

— Síííí...   (Vea usted lo efectivos que pueden llegar a
                                          ser los monosílabos).
— Que no.

no: *Po.* Las siete notas musicales: *do, re, mi, fa, sol, la, si.* La interjección para que el caballo se detenga: *¡so!;* para expresar sorpresa: *¡oh!;* dolor o placer: *¡ah!*

En fin, la palabra definitiva para la vida de muchos de nosotros; palabra que muchas anhelan y muchos temen pronunciar; palabra sagrada que se dice ante testigos y se celebra con champaña y vals, es un simple pero trascendental monosílabo: *¡sí!*

Cuáles son los monos y cuáles son los polis

Para aplicar las normas de acentuación y marcación de la tilde, una primerísima distinción que debemos hacer es entre monosílabos (palabras con una sola sílaba) y polisílabos (palabras con dos, tres o más sílabas).

Todos los ejemplos hasta aquí mostrados en este capítulo (destacados en *cursiva*) son monosílabos, pero son monosílabos con una sola vocal. Eso podría llevarlo a usted a concluir apresuradamente que los monosílabos son solamente los vocablos que tienen una sola vocal. Y, aunque esos son los más numerosos y los más característicos, es decir, los más fáciles de identificar, no son los únicos.

Las palabras que tienen una sola vocal son monosílabas, pero no son las únicas palabras monosílabas.

El diptongo

Entonces, ¿hay monosílabos con dos vocales? Sí. Verbos como *fue, dio, vio*; sustantivos como *Juan, miel, riel*; adjetivos como *buen, seis, cien*. Entonces, ¿toda palabra con dos vocales unidas es monosílaba? No. Sólo lo es si una de las vocales es débil (*i, u*) y la otra fuerte (*a, e, o*) y la fuerte predomina. O si hay dos débiles. Estas combinaciones se llaman *diptongo*.

Son monosílabas las palabras que tienen sólo dos vocales unidas, siempre que ambas sean débiles o que una de ellas sea fuerte (*a, e, o*) predominante y la otra débil (*i, u*). Esta combinación de vocales se llama diptongo.

Óigase

Pronuncie en voz alta las siguientes palabras destacadas en cursiva y establezca la diferencia de sonido:

1. *pues* (es monosílabo porque predomina la fuerte, la *e*)

2. *púas* (es bisílabo porque predomina la débil, la *u*: *pú-as*)

3. *lee* (es bisílabo porque hay dos vocales fuertes: *le-e*)

4. *ley* (es monosílabo porque predomina la fuerte, la *e*)

5. *leí* (es bisílabo porque predomina la débil, la *i*: le-í)

Si no ha logrado establecer una clara diferencia fonética al pronunciar las anteriores palabras, identifique mejor el sonido —siempre en voz alta— dentro de contextos. En el mismo orden, cada palabra va aquí dentro de una oración:

1. *No tengo ni un dólar,* **pues** *hasta hoy no me han pagado mi quincena.*

2. *El alambre de* **púas** *evita que el ganado pase a la hacienda vecina.*

3. *Catalina* **lee** *con gusto todos los escritos de Vargas Llosa.*

4. *La* **ley** *es dura, pero debe ser acatada por todos.*

5. *Ayer* **leí** *el capítulo 4 de este libro.*

Lea tantas veces como lo considere necesario para establecer la clara diferencia fonética entre *pues* y *púas*; y entre *lee, ley* y *leí*. Diferencia

Un excursionista alemán, que ha venido a Latinoamérica a perfeccionar su español, llega a una vereda y le pregunta a su eventual contertulio campesino:

— Cómo se dice ¿*pos* o *pues*?

El campesino le contesta con dos lacónicos monosílabos:

—Pos, *pues*.

fonética que no se reduce al sonido vocálico, sino que va más allá: la mayor intensidad de voz sobre una de las vocales —que eso es el acento— y la consecuente separación silábica. Usted debe oír que *ley* se pronuncia en un solo golpe de voz, mientras que *leí* se pronuncia en dos tiempos: *le-í*.

La vocal y

Uno de los más controvertidos temas gramaticales es el referente a la letra *y*. Esta letra es a veces vocal y a veces consonante. Cuando es vocal se llama *i griega*, y cuando es consonante se llama *ye*. La diferencia no es solo de nombre, sino de sonido. La palabra *ley* suena *lei*, pero si esta palabra pasa a plural, *leyes*, no se pronuncia *leies*, como si la *y* fuera vocal. En la forma plural hay dos sílabas: *le-yes*. La última sílaba (*yes*) se pronuncia muy marcada en Argentina y Uruguay. Es un sonido más cercano a *ches* que a *ies*.

No pretendo que los hispanohablantes de países distintos de Argentina y Uruguay pronuncien esta consonante como se hace en estos dos países, pero sí que se tome consciencia de que la letra *y* tiene funciones y sonidos distintos según sea *i griega* o *ye*.

Y, ¿cómo se sabe si es vocal o consonante? Muy sencillo. Siempre que va sola o al final de la palabra es vocal. En otra posición es consonante.

La letra *y* tiene dos nombres, funciones y sonidos distintos. Se llama *i griega* y suena como la vocal *i* cuando va sola o al final de la palabra. Se llama *ye* y suena como consonante en las demás posiciones.

Por lo general, la *i griega* (y) no va al comienzo o en medio de palabra española. No escriba *naylon,* sino *nailon.* (En inglés es *nylon*).

Vea y pronuncie en voz alta estos ejemplos de *y* como vocal: *doy, soy, ley, rey* y *voy.*

Vea y pronuncie en voz alta estos ejemplos de *y* como consonante: *yo, mayo, Ayala, yegua.*

Es claro que palabras como *Leyva, Myriam, Sylvia, Sonya, naylon* no corresponden a la morfología española. En español estas voces se deben escribir *Leiva, Míriam, Silvia, Sonia* y *nailon.*

Dicho esto, no cabe ninguna discusión sobre si la *y* es vocal o no... que porque en el colegio me dijeron que las vocales son la *a,* la *e,* la *i,* la *o* y la *u...* y no me dijeron que también la *i griega...* que patatín, que patatán... No hay duda. Esta letra, cuando no es consonante *ye,* es vocal *i.* De hecho, muchas veces preguntamos si tal o cual palabra se escribe con *i griega* (y) o con *i latina* (*i*). Si se formula esta pregunta es porque en la práctica no se distingue el sonido de una y otra. *Bonsái* y *Paraguay* tienen en la práctica el mismo sonido vocálico final, a pesar de escribirse una con *i latina* y la otra con *i griega.* Algún alumno quiso contradecirme con este argumento: "Aquí, en el diccionario, dice que la *y* es semivocal y usted dice, profesor, que es vocal". Hombre, se llama semivocal toda débil que va después de fuerte en la conformación del diptongo. De manera que la *u* y la *i* son tan semivocales como la *y* cuando van en esa posición... Nada que hacer.

Por lo tanto, en este capítulo seguiré aludiendo a la *i griega* como una vocal cualquiera, con la que se pueden construir diptongos y triptongos sin ningún problema.

La célebre actriz venezolana Sonya Smith protagonizó en 1996 la telenovela colombiana *Guajira.* Su personaje se llamaba Sonia. Muchos televidentes decían que coincidían el nombre de la actriz y el nombre del personaje. Ahora ya sabemos que no hay tal: Sonya (Sonya) no es lo mismo que Sonia (So-nia).

El triptongo

Tenemos, pues, que hay monosílabos de una sola vocal (*par, haz, flor*) y monosílabos de dos vocales unidas que forman diptongo (*Luis, fuel, hoy, pie*).

¿Algo más puede ser monosílabo? Sí. Hay una tercera posibilidad: el *triptongo*. El buey.

Observemos detenidamente la conformación de la palabra *buey*. Hay tres vocales: primero una débil (*u*), luego una fuerte predominante (*e*) y al final una débil (*y*).

Léala en voz alta: *buey*. Advierta que la pronuncia en un solo golpe de voz. Usted no dice: *bu-e-y*, en tres sílabas, sino *buey*, en una sola. Este es el típico *triptongo*.

No toda combinación de tres vocales forma triptongo. El triptongo está conformado por una vocal fuerte (*a, e, o*) en medio de dos débiles (*i, u*). Con una condición infaltable: que la fuerte predomine, es decir, que el acento o mayor fuerza de voz recaiga sobre la fuerte.

Triptongo es la unión de tres vocales que forman una sola sílaba, siempre en el siguiente orden: débil inicial (*i, u*), fuerte central predominante (*a, e, o*) y débil final (*i, u*). Ejemplo: *buey*.

No son muchos los monosílabos conformados por triptongo: *buey, guau, miau* y pocos más. Pero hay polisílabos, alguna de cuyas sílabas es triptongo, por ejemplo, *estudiáis*. Esta forma verbal, segunda persona del plural, tiene tres sílabas (*es-tu-diáis*), la última de las cuales es triptongo:

En una escuela antillana, preguntó la maestra al alumno:

—¿Qué es triptongo?

Y el muchacho sin vacilar le respondió:

—Trijtongo, jeñorita, ej como cuando a uno no le dan moneda loj turijta: uno queda muy *trijtongo*.

diáis. Camagüey, nombre geográfico cubano, es trisílabo (*Ca-ma-güey*) y la última sílaba es triptongo: *güey*.

Tres tipos de monosílabos

En resumen, son monosílabos los vocablos que tienen una sola vocal (*pez, rol, más*), los que tienen sólo dos vocales unidas que formen diptongo (*quien, dio, ¡ey!*) y los que tienen sólo tres vocales unidas que formen triptongo (*buey*).

La u muda

En los ejemplos del párrafo anterior ve usted un caso (*quien*) donde hay tres vocales y está clasificado como diptongo. ¿Por qué? Porque la *u* de esta palabra es muda, en consecuencia, aunque hay tres vocales escritas, solo dos de ellas tienen valor fonético, solo dos de ellas se pronuncian. *Quien* no se lee *kuien,* sino *kien*.

Tenga en cuenta, pues, esta circunstancia: la *u* es muda en las combinaciones *gue, gui, que* y *qui*, en palabras como *guerra, guitarra, queso* y *quisiera*.

¿Siempre es muda la *u* en estos casos? Veamos. Para que suene la *u* en las dos primeras de estas combinaciones, debe escribirse con diéresis: *güe* y *güi*, como se hace en *bilingüe* y en *pingüino*. En las dos últimas, nunca suena la *u*. Curiosamente la palabra *quiz* (pronunciada *kuiz* y no *kiz*) nunca ha sido admitida por la Academia, porque en esta combinación de letras la *u* es muda. Habría que escribir *cuiz* o *kuiz,* formas gráficas que nunca saldrían del Diccionario a la pizarra o al cuaderno. Hay que ser realistas.

En consecuencia, al identificar un diptongo o un triptongo, hay que tener en cuenta que la *u* no se cuenta en estas cuatro combinaciones: *gue, gui, que* y *qui*.

En este punto, usted tiene claro qué es un monosílabo.

La letra *u* es muda en las combinaciones *gue, gui, que* y *qui.*

Sólo suena en las dos primeras cuando se le marca la diéresis: *güe, güi.*

I. Identifique los monosílabos del siguiente párrafo.

No es necesario que siempre lea las llamadas de pie de página. Hágalo un día sí y uno no. Para qué complicarse la vida.

II. Identifique los diptongos del siguiente párrafo.

Cuando llegaron las vacas lecheras al hato, la ordeñadora mayor dijo que quería separar las preñadas de las paridas. Quién sabe para qué. Yo doy fe de que nunca se había hecho esa discriminación.

III. Identifique los triptongos del siguiente párrafo.

Estabais más cuerdos cuando os envié por primera vez a difundir la música española. Entendíais mejor mis palabras en esa época. Estaríais mejor de los oídos. Ahora ya no estudiáis mis instrucciones ni escucháis mis peroratas. Soy como un buey para vosotros.

Respuestas

I. No, es, que, las, de, pie, de, un, sí, y, no, que, la.

II. Cuan (en *cuando*), quién, doy, ción (en *discriminación*).

III. diáis (en *estudiáis*), buey.

Ahora, tome nota de la primera norma de acentuación: los monosílabos no se tildan. Pero, ojo, ¡hay 12 excepciones de uso frecuente!

Las 12 excepciones más frecuentes

Doce excepciones son demasiadas excepciones, pero como toda norma tiene su excepción, esta no podía ser la excepción.

La tilde diacrítica

La mayoría de las tildes son fonéticas, es decir, indican un sonido distinto. Por ejemplo, si usted escribe *papa*, debe dejar la palabra sin tilde, porque el acento va en la penúltima sílaba. Léala en voz alta, acentúe la sílaba en negrilla y óigase: **pa**pa, como cuando dice *quiero **pa**pa a la francesa*. En cambio, si escribe *papá*, debe tildarla, porque el acento va en la última sílaba. Léala en voz alta, acentúe la sílaba en negrilla y óigase: *pa**pá***, como cuando dice *mi **papá** trabajó en el Banco Central*.

Esto quiere decir que la tilde, generalmente, indica una diferencia fonética (¡y en consecuencia semántica!): si tiene tilde se pronuncia de una manera; si no tiene tilde se pronuncia de otra. Aquí, en estas 12 excepciones, no vamos a encontrar diferencias propiamente fonéticas, sino más que todo de función de la palabra dentro del texto. Si usted quiere pronunciar distinto *te* de *té,* así, sin contexto, no puede hacerlo, como sí lo puede hacer con *papa* y *papá.* Dentro de un contexto sí puede establecer la diferencia entre *te* y *té*: **Te** *invito a un* **té.** El primer *te* es pronombre átono, es decir, sin acento, y el segundo *té* es sustantivo tónico, es decir, con acento.

Consecuentemente, hay una diferencia gráfica: el pronombre *te* no se tilda y el sustantivo *té* sí. Por lo pronto, no se preocupe usted por establecer la diferencia fonética. Establezca la función de la palabra en la oración y téngala en cuenta para tildarla o no.

A continuación están, pues, las anunciadas 12 excepciones más frecuentes. Si es del caso, retome en el capítulo 4 los conceptos *artículo, adjetivo, sustantivo, verbo, preposición...*

1. Él y el
Se tilda el pronombre y se deja sin tilde el adjetivo (Vea en el capítulo 4 cómo los adjetivos incluyen los artículos):

Pronombre: ***Él*** *me dejó sin cinco.*
                       Este regalo es para ***él.***

Adjetivo (artículo):   ***El*** *burro rebuzna.*
                       Me gusta más ***el*** *gordito, mija.*

Pronombre y adjetivo en la misma balada: *Y cómo es* ***él***
                       en qué lugar se enamoró de ti
                       Pregúntale:
                       a qué dedica ***el*** *tiempo libre...*

2. Mí y mi
Se tilda el pronombre y se deja sin tilde el adjetivo.

Pronombre: *Las canicas rojas son para* ***mí.***
                       Lo hice por ***mí*** *mismo.*

Adjetivo: ***Mi*** *novia es la mujer más linda del mundo.*
                       Déjalo sobre ***mi*** *escritorio.*

Pronombre y adjetivo en la misma discusión fraterna:

—*Este helado es sólo para* **mí**, *Guillo.*
—*No me venga a hacer fieros, que yo también tengo* **mi** *platica.*

3. Tú y tu

Se tilda el pronombre y se deja sin tilde el adjetivo.

Pronombre: *Tú, sólo tú, eres causa de todo mi llanto...*

Adjetivo: *Tu guitarra tiene un sonido más metálico que la de Alicia.*

Pronombre y adjetivo en el mismo bolero: *Únicamente* **tú**
eres el todo de mi ser
porque al faltarme **tu** *querer*
me lleno de inquietud...

4. Sí, sí, si y si

Llegamos al monosílabo *si,* que tiene cuatro funciones, en dos de las cuales se tilda.

Se tilda el pronombre: *Se desmayó a las tres y volvió en* **sí** *a las cuatro.*

Se tilda el adverbio: **Sí** *hizo la dieta hiperproteica, pero no parece...*

No se tilda el sustantivo: *Alumnos de música, este es el* **si** *bemol y este otro,*
el **si** *sostenido.*

No se tilda cuando es conjunción: *Me lo tomo* **si** *tiene azúcar.* **Si** *no, no.*

Los cuatro en el mismo concierto:

—*Qué problema, esta fanática* **sí** *quedó bien desmayada, ¿no?*   (adverbio)

—*Cántale, Carlos, a ver* **si** *revive.*   (conjunción)

—*Do, re, mi, fa, sol, la,* **si**...   (sustantivo)

—*Mírala, mírala, ya está volviendo en* **sí**.   (pronombre)

5. Dé y de

Se tilda el verbo y se deja sin tilde la preposición.

No diga *me desmayé y tres horas después volví en sí,* pues *sí* es tercera persona. En tal caso, *volví en mí.*

Verbo: *Dé la información correcta y no dé tanto rodeo.*

Preposición: *Me tomé una pastilla de ácido acetilsalicílico con un vaso de agua, porque tenía un severo dolor de cabeza.*

Verbo y preposición en la misma instrucción: *Dé un giro a la perilla de la derecha, y luego dé más presión al botón rojo de abajo, para que le dé el resultado.*

6. Sé y se

Se tilda el verbo y se deja sin tilde el pronombre.

Verbo: *Yo sé que soy una aventura más para ti...*

Pronombre: *Se informa a los interesados, que las inscripciones se abrirán el próximo 7 de septiembre.*

Verbo y pronombre en el mismo chisme político: *Se dice que yo sé quién es el conspirador, pero no se dice que él es muy amigo del que se propone el derrocamiento y yo lo sé de primera mano...*

7. Té y te

Se tilda el sustantivo y se deja sin tilde el pronombre.

Sustantivo: *Durante el té canasta, nos dieron un delicioso té inglés, que tomamos al lado de un sembrado de té.*

Pronombre: *Cuando yo tuve, yo te tuve, te mantuve y te di; hoy no tengo, ni te tengo, ni mantengo, ni te doy.*

Sustantivo y pronombre en la misma zafada: *¿Te acuerdas de lo que te dije cuando me invitaste a té? Sobre lo que te dije aquella vez, te tengo que aclarar que el té estaba delicioso, pero que ya no te quiero más...*

8. Más y mas

Se tildan el sustantivo y el adverbio y se deja sin tilde la conjunción.

Sustantivo: *Todos sabemos que cuatro más cuatro son ocho, pero esa propuesta suya tiene sus más y sus menos.*

Adverbio: *Corra lo más que pueda y dígale al señor más alto que si le puede prestar más.*

Conjunción: *Disparó, mas no le dio al blanco, sino al negro.*

Sustantivo, adverbio y conjunción en la misma nostalgia: *Sabía sumar uno más uno y hasta algo más de matemáticas, mas nunca dio pie con bola en la vida.*

9. Qué y que

Se tilda cuando es pronombre interrogativo o admirativo y se deja sin tilde cuando es pronombre relativo o conjunción.

Pronombre interrogativo: *No sé **qué** dijo Clinton.*

Pronombre admirativo: *¡**Qué** cantidad de idioteces se oyen en el camellón!*

Pronombre relativo: *Al **que** le caiga el guante...*

Conjunción: *Ojalá **que** te vaya bonito...*

Los cuatro en el mismo discurso: *Compañeros, ninguno de ustedes ha dicho **qué** lo trajo a esta manifestación, con **qué** cantidad de banderas rojas, pero todo el **que** vino sabe **que** yo no le voy a prometer lo imposible...*

10. Quién y quien

Se tilda cuando es pronombre interrogativo o admirativo y se deja sin tilde cuando es pronombre relativo.

Pronombre interrogativo: *Por **quién** doblan las campanas.*

Pronombre admirativo: *¡**Quién** fuera Supermán!*

Pronombre relativo: *Puede participar **quien** así lo desee.*

Los tres en la misma cantaleta: *No me diga que **quien** lo acompañó a cine es su hermana, porque yo sí sé con **quién** andaba usted, y **quién** sabe con qué mentiras me va a salir ahora...*

11. Cuál y cual

Se tilda cuando es pronombre interrogativo o admirativo y se deja sin tilde cuando es pronombre relativo.

Pronombre interrogativo: *El Banco establece **cuál** es el máximo cupo.*

Pronombre admirativo: *¡**Cuál** no sería mi sorpresa!*

Pronombre relativo: *¿Sí ve que en este retrato quedó tal **cual** es?*

Los tres en la misma telenovela: *—Arturo, aún no sé **cuál** es el objetivo real de esas palabras tuyas que tan hondo han penetrado en mí...*

*—Eloísa, ¡**cuál** no será mi alegría cuando escuche de ti el sí definitivo y convencido!*

*—Ese sí, ese anhelado sí, amado Arturo, es un sí por el **cual** tendrás que esperar hasta el próximo capítulo...*

12. *La conjunción o*

Se tilda cuando está al lado de un número arábigo, para que no se confunda con el cero.

Con tilde: *Tenemos 10 **ó** más participantes, de 3 **ó** 4 ciudades.*

Sin tilde: *La* u *o* la i *van tildadas en el hiato, según los capítulos VIII **o** IX, que estudié ayer **o** antier con Bibiana **o** con Charito... No lo recuerdo bien.*

De estas 12 excepciones, las primeras 11 son casos de acento diacrítico, es decir, de tildes que no cumplen otra función que la de diferenciar el oficio de la palabra en la oración. Y la última, la de la conjunción *o*, es un caso de acento visual o tipográfico, no diacrítico, pues la *o* siempre es conjunción. Esta tilde aclara el significado de textos como *30 ó más*, cuya lectura no puede ser *trecientos más*, sino *treinta o más*. La falta de la tilde podría llevar al error.

En los siguientes párrafos me voy a detener en algunos de las más frecuentes errores de escritura referidos a la acentuación de monosílabos.

Tildes eliminadas en 1952 y 1999

A algunas personas les resulta sorprendente saber que en 1952 se eliminaron numerosas tildes que sus profesores veinte, treinta o cincuenta años después de esa fecha les enseñaron a marcar. En lo que tiene que ver con monosílabos, fueron expresamente eliminadas las tildes de *fue, fui, dio* y *vio*, que hasta ese año se escribían *fué, fuí, dió* y *vió*. Y, aunque las *Nuevas normas de prosodia y ortografía* de ese año no lo digan expresamente, también desde entonces se eliminaron las tildes de *á, pié, fé* y otros monsílabos que acostumbraban llevarlas.

No falta quien acude a su nebulosa memoria, en busca de algún argumento que cree haber oído en su época de estudiante, para justificar alguna de esas tildes pasadas de moda: que *fe* se tilda cuando es la fe religiosa, que *dio* se tilda cuando es pasado, que *fue* se tilda cuando es verbo... En fin, simples patadas de ahogado, pues resulta que la *fe*, sea religiosa, laboral, conyugal, filosófica; sea poca, inestable, profunda, inquebrantable; sea la del teólogo graduado en Roma o sea la del simple carbonero, siempre es sustantivo, es decir, no hay adjetivo *fe*, verbo *fe* , adverbio *fe*, preposición *fe* o conjunción *fe*, con la que se pueda confundir. Por eso, nunca lleva tilde. ...Que *dio* se tilda porque es pasado: sencillamente no hay ni ha habido norma que diga que los pasados se tilden o dejen de tildarse. Hay pasados con tilde (*canté, cantó*) y hay pasados sin tilde (*cantaste, cantaron*). ...Que *fue* se tilda cuando es verbo: ¡siempre es verbo! O corresponde al verbo *ser* (*Enriquito fue pajecillo*), o corresponde al verbo *ir* (*Enriquito fue a la boda*), pero siempre es verbo.

En 1999 se eliminaron las tildes de *guion* y *Sion*, aunque la Academia admite de momento también las formas tildadas, *guión* y *Sión*.

Solo cuatro pronombres monosílabos se tildan

Observe que en la lista de las 12 excepciones solamente hay cuatro pronombres: los personales *tú* y *él* y los reflexivos *mí* y *sí*. No hay más. Los dos primeros son fácilmente identificables. *Tú* siempre es sujeto de la oración: *Tú estás guapísima. Tú sí eres un auténtico pedazo de alcornoque.* A veces va como sujeto en oraciones subordinadas: *Lo planeamos así, para que tú pudieras participar activamente. Ese es el resultado del negocio, que tú habías proclamado perfecto.*

Él puede ser sujeto de la oración o término de preposición: *Él cambio mis planes, pero ya no puedo vivir sin él.*

Los otros dos pronombres son siempre término de preposición: *Lo hice por mí mismo. Catalina lo compró para mí. Que lo resuelva por sí mismo. Se convenció a sí mismo de que ese era su destino.*

Al decir 'término de preposición' no quiero decir 'después de preposición', pues también el adjetivo *mi* puede ir después de preposición (*tra-*

bajo para mi tío), pero no ser término de ella. Cuando usted escribe *El róbalo apanado es para mí*, este *mí* es el término de la preposición, y reemplaza su nombre, o sea, es pronombre. En cambio, cuando escribe *El róbalo apanado es para mi cuñada*, este *mi* no es el término de la preposición; el término de la preposición es *mi cuñada*, es decir, este *mi* es el adjetivo que modifica (determina) el sustantivo *cuñada*.

Le insisto en que son solo cuatro pronombres monosílabos los que llevan tilde, y mi insistencia va dirigida casi exclusivamente a señalar que el pronombre *ti* no se tilda. La tilde de *él, tú, mí* y *sí* permite distinguirlos de los adjetivos *el, tu, mi* y de la conjunción *si*. En cambio, una tilde en *ti* es inútil e inoficiosa, por cuanto no hay *ti* adjetivo, ni *ti* verbo, ni *ti* adverbio, ni *ti* conjunción...

El último argumento que me han dado para justificar la tilde *ti* es el apasionado amor que el corresponsal Romeo siente por su Julieta. Me dicen que si escriben todos los *tis* de sus esquelas amorosas sin esa tilde llena de fuego, que simboliza la saeta lanzada por el inquieto Cupido, la incrédula Julieta advertirá indecisión, frialdad o engaño en la ausencia de esa fogosa tilde. Pues, por más fogosa que sea la carta, cada *ti* que ella contenga debe ir con un simple punto o, si quiere, con un corazón que reemplace a este, pero nunca con una lanza incadescente que reemplace a aquella.

Ya está. Que viva ese amor y que muera esa tilde.

Cómo distinguir un si de un sí

Distinguir un *si* de un *no* es fácil, pero distinguir un *si* de un *sí*...

Una de las dificultades más frecuentes en la acentuación ortográfica de los monosílabos surge de no distinguir con claridad un *si* de otro. El me-

---

Marque tildes cuando corresponda

1. Juega tenis, basquetbol y ping-pong, deportes que despiertan verdadera pasion en el.

2. Nunca en la vida ha hecho algo por si mismo. Para todo pide ayuda: a veces a ti; a veces a el.

3. Sin ti no podre vivir jamas/ y pensar que nunca mas/ estaras junto a mi. / Sin ti no hay clemencia en mi dolor,/ la esperanza de mi amor,/ te la llevas por fin...

Respuesta: 1. ...pasión en él. 2. ...por sí mismo... a veces a él. 3. ...podré... jamás... nunca más... estarás junto a mí.

nos usual de todos es el sustantivo. El nombre de la séptima nota en la conocida escala *do, re, mi, fa, sol, la, si*. Este *si* no lleva tilde, por más que lo esté cantando Lucciano Pavarotti con toda la fuerza de su majestuosa voz. El siguiente *sí*, en orden de menos a más usado, es el pronombre. Este *sí* lleva tilde. Su única ubicación, según lo expliqué en los renglones anteriores es como término de preposición (*en sí, por sí, para sí*) y sus equivalentes en inglés son *himself, herself* e *itself*.

Un poco más frecuente en su uso es la conjunción *si*. Se trata de una conjunción condicional, por ende, reservada a frases en las cuales se planteen condiciones: *No escribo la novela si no me ayuda. Si viene más temprano, le muestro mi proyecto arquitectónico*. Este *si* es *if* en inglés. Y el más usual de los cuatro es el adverbio *sí*, que lleva tilde y, como adverbio que es, tiene como función modificar el verbo. Este *sí* es el opuesto de *no*: *sí preparó el ponche. Patricio sí trotaba por las mañanas. Le dije que sí estaba listo el pollo*. No olvide que muchas veces los verbos son tácitos o sobrentendidos, por lo que, aunque usted no vea el verbo, sabe a qué verbo se refieren oraciones como *sí, señor* o simplemente *¡sí!* Sin duda, tan lacónicas respuestas corresponden a *¿me trajo los cigarrillos?, ¿ya lavó el carro?, ¿encontraste cupo?*... En las respuestas se obvian los verbos *traje, lavó* o *encontré* y queda el escueto adverbio *sí*. Este *sí* es *yes* en inglés.

¿Por qué le di la equivalencia inglesa de los tres últimos *sí*? Porque si usted maneja el inglés y le es fácil relacionarlo con el español, puede encontrar dificultad en distinguir un *si* de otro, pero nunca va a confundir *if, himself* y *yes* entre sí. Usted puede relacionar el *si* dudoso con su equivalente en inglés y ratificar su escritura o corregirla.

Las notas musicales

No sé si alguna vez se ha preguntado usted de dónde salen los nombres de las notas musicales. Todos hemos cantado o, al menos, recitado *do, re, mi, fa, sol, la, si*. Lo hemos hecho en la clase de música y canto, en la

En caso de duda, compare con el inglés, donde no hay ocasión de duda.

Sí pronombre (con tilde) = *himself, herself, itself*.

Si conjunción (sin tilde) = *if*

Sí adverbio (con tilde) = *yes*

I. *Identifique el si de la oración. Indique si es pronombre (P), adverbio(A) o conjunción(C).*

1. Si Pancracio me invita, téngalo por seguro, ¡sí voy!   ____ y ____

2. Analizó todo el proceso desde sí mismo.   ____

3. En sí, es un estilo enjuto y didascálico.   ____

4. Voy si él va, para que vea que sí lo quiero.   ____ y ____

5. Si cobra el córner como siempre, mete gol.   ____

II. *Marque tildes en los si que corresponda*

6. Si no está de acuerdo, ¡dígalo honestamente!

7. ¿Por qué?¡Porque si, porque si y porque si!

8. Cuando volvió en si, pidió agua con azúcar.

9. Entre que si y que no, ya no se sabe qué piensa.

10. Si obrara por él mismo, saldría adelante en la vida.

Respuestas: 1. <u>C</u> y <u>A</u>. 2. <u>P</u>. 3. <u>P</u>. 4. <u>C</u> y <u>A</u>. 5. <u>C</u>. 6. y 10. (No se tildan). 7. 8. y 9. (se tildan todos).

de solfeo, en la de español... y hasta hemos oído aquel piropo formado por tres de ellas: *si mi sol* (en realidad, *sí, mi sol).*

Pues el autor de estos nombres es Guido Aretino, que los tomó de la primera estrofa del himno de san Juan Bautista, que dice así (en latín):

Ut queant laxis
Resonare fibris
Mira gestorum
famuli tuorum
solve polluti
labii reatum...

Si toma usted las primeras sílabas de cada verso, tiene: *ut, re, mi, fa, sol, la...* Como este himno va *in crescendo,* el comienzo de cada verso se canta una nota más arriba que el anterior. Gracias a esa coincidencia, Aretino estableció los famosos nombres de la escala musical. Tiempo después, *ut* pasó a ser *do*... Y ya le conté que *si* corresponde a las iniciales de san Juan en latín: *sanctae Ioannes*.

Véalas en el pentagrama

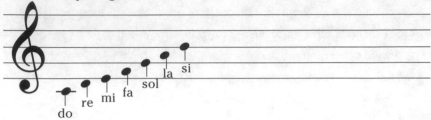

Solo dos verbos monosílabos se tildan

De las 12 excepciones solo dos son verbos: *dé* y *sé*. Ningún otro verbo monosílabo lleva tilde. Ya no se tildan *fue, fui, dio, vio*..., como se hizo hasta 1952. Al escribir esta última observación, reconozco mi no tan sutil ironía, pues no es más que revisar cualquier carta, uno que otro aviso de prensa y hasta algún libro no suficientemente corregido, para ver en ellos la pesada inercia ortográfica: siguen apareciendo *fué, fuí, dió* y *vió*... Estos verbos ya no llevan tilde.

La situación es clara. Cualquier inflexión verbal monosilábica, distinta de *dé* y *sé*, va sin tilde. No llevan tilde *da, dar, dan, den, di*... No se tildan tampoco *ser, es, son*...

En cuanto a la excepción *dé* no hay mayor problema: o es tercera persona del imperativo: *dé limosna; dé información;* o es primera persona del presente del subjuntivo: *cuando dé limosna no alardee; aun cuando dé información, algo habrá que no se sepa.* Por su parte, *sé* puede ser inflexión de *ser* o inflexión de *saber*. En el primer caso, sirve como segunda persona del imperativo: *sé más persuasivo, hijo mío; sé fiel a tus principios;* en el segundo caso (verbo *saber*), actúa como primera persona del presente de indicativo: *Yo sé que tú eres Batman; cuando le digo que lo sé, es porque de verdad lo sé*...

En los ejemplos que le he dado del verbo *sé* como inflexión de *saber*, he usado este verbo en su significado de tener un conocimiento, pero hay otro significado de *saber* que es el de tener sabor. Si me estoy comiendo un pastel, digo *este pastel **sabe** a manzana*. Con este mismo significado, puedo decir *este pastel de manzana **sabe** rico*. He estado echándole cabeza al manejo de este verbo con este último significado y la posibilidad de conjugarlo en primera persona del presente de indicativo. Se me ocurre que una novia en plan de seducción le podría decir a su pareja: *Amor,*

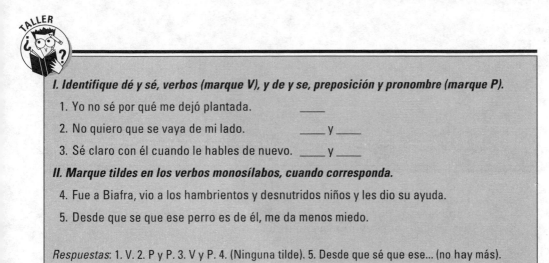

bésame, que yo sé al elíxir más preciado de los dioses. Admito que es un *sé* bastante rebuscado, pero supongo que en algún momento de la vida sea posible usarlo... y hasta puede resultar eficaz.

Solo se tilda el té Lipton

Decir que se tilda *té* cuando es sustantivo puede resultar peligroso, pues en realidad se tilda solo el *té* derivado de la palabra china *tasch,* es decir, el nombre de la planta (mata de *té*), de su fruto (*té*), de sus preparados (bolsa de *té* Lipton), de la infusión que con él se prepara (*té* en agua) de las reuniones en las que esta infusión es protagonista (*té* canasta)... y ¿acaso hay más tés? Sí. Mire usted a los estudiantes de primer semestre de arquitectura. Llegan todos con su regla te al hombro. Y fíjese que este te, el de la regla, no lleva tilde, porque este es el nombre que deriva de la forma de su característico instrumento de trabajo, que es la de la letra te... y vea usted que el nombre de esta letra no lleva tilde. Por eso, si de ser precisos se trata, hay que excluir de la norma que pide tildar el sustantivo *té,* el nombre de la letra, el nombre de la regla y, el de Mario Barackus, personaje cinematográfico, conocido como Míster Te —¡sin tilde!—.

Hay un solo mas sin tilde

Las dudas que se puedan presentar con *mas* son de fácil solución. En realidad, el único *mas* que no se tilda es la conjunción, y ese *mas* tiene el

Tilde *té* cuando corresponda.

1. ¿Te quieres tomar un te?

2. Préstele su regla te, para que pueda terminar la plancha de dibujo técnico.

3. Ese es el mismísimo Míster Te, que está tomando te. ¿Te has dado cuenta?

Respuestas: 1. ¿Te...té? 2. (No se tilda). 3. Míster Te...tomando té... Te has...

mismo oficio de la conjunción *pero* en la oración. Así que si usted puede cambiar *mas* por *pero* y se mantiene el sentido del texto, va sin tilde; si no, téngalo por seguro: va con tilde.

Vea este caso: *No hay más que verle la cara para saber que es de Pénjamo.* Si usted cambia ese *más* por *pero*, resulta un disparate: *No hay pero que verle la cara para saber...* El cambio no funciona, luego ese *más* es con tilde. Y ahora vea este otro caso: *Ha estado amenazando con disparar, mas no se atreve a apretar el gatillo.* Si en ese contexto usted escribe *...pero no se atreve...*, el significado no cambia. Por lo tanto, ese *mas* es conjunción, y va sin tilde.

En definitiva, se tildan el sustantivo (*dos más dos*) y el adverbio (*corrió más*) y no se tilda la conjunción (*habla, mas no muy bien*).

I. Identifique mas conjunción (escriba C) y más sustantivo (escriba S) o adverbio (escriba A) de cantidad.

1. Había más ciclistas en la carretera que en el velódromo. _____

2. Todo negocio tiene sus más y sus menos. _____

3. Miguel Ángel tuvo más respaldo que los demás artistas. _____

4. Llovía con persistencia, mas no tanto como yo esperaba. _____

II. Marque tildes en más cuando corresponda.

5. No se sabe quién es mas tonto, el que presta un libro o el que lo devuelve.

6. Por mas que le echo cabeza al asunto, no encuentro mas solución que esa.

7. Sume cuatro mas ocho y mire el resultado, mas no se tarde mucho porque hay mas cosas que hacer.

8. ...mas no olvides que nadie te querrá mas que yo.

Respuestas: 1. A. 2. S. 3. A. 4. C. 5. más. 6. más y más. 7. más, mas y más. 8. mas y más.

No es cuando es pregunta sino cuando son interrogativos

Una confusión frecuente se presenta con la acentuación ortográfica de los pronombres *que, quien* y *cual.* Si usted relee las excepciones 9, 10 y 11, observará que no dice "se tilda cuando es pregunta". No se tilda cuando es pregunta, ni cuando es respuesta, por ser pregunta o por ser respuesta. Quizá la pregunta incluya uno de estos pronombres interrogativos, como puede ser que los incluya la respuesta. Es preciso quitarse de la cabeza esa falsa norma según la cual "se tildan cuando es pregunta". Le voy a dar como ejemplo una preguntas donde hay *que, cual* y *quien* sin tilde.

1. *¿Dijeron **que** había que ir de corbata?*

2. *¿Dejaron el baño tal **cual** lo encontraron?*

3. *¿Es con usted con **quien** tengo que hablar para inscribirme en el curso?*

No vaya a concluir apresuradamente que cuando *que, cual* y *quien* no están al comienzo de la pregunta se exceptúan de la norma que exige tildarlos. Vea los siguientes tres ejemplos de oraciones interrogativas y admirativas, donde *que, cual* y *quien* están al comienzo, pero tampoco llevan tilde.

1. *¡**Que** viva yo!*

2. *¿Lo dejo así?, ¿**cual** si fuera un desarrapado?*

3. *¿**Quien** se inscriba ya tiene derecho al descuento?*

Los seis ejemplos anteriores no pretenden llevarlo a la conclusión de que ahora ya no se tildan *que, cual* ni *quien* cuando es pregunta, sino subrayar que la razón por la cual estas tres palabras pueden llevar tilde es distinta a que la oración en la que estén sea pregunta. Se tildan cuando son pronombres interrogativos o admirativos, situación que puede darse en oraciones afirmativas, interrogativas o negativas. Vea los siguientes ejemplos.

1. *¿**Qué** quiere **que** le diga cuando me pregunte **qué** hizo ayer?*

2. *No sabemos si se debe a **que** es verano o a **qué** otra posible causa.*

3. *Los lectores ya saben **qué** hacer cuando ven el ícono **que** está ahí.*

4. *En el comité se determina **quién** es el ganador y **cuál** es el premio.*

5. *¡**Quién** sabe **qué** cosas pasaron ni **cuál** fue la causa de tal hecatombe!*

Tan no tiene que ver que sea pregunta o no para que estas palabras lleven tilde o no, que una misma oración puede ser enunciativa, interrogativa o admirativa y las tildes de *que, cual* y *quien* van en todas, cuando deben marcarse, o no van en ninguna, cuando deben omitirse. Véalo en los siguientes grupos de ejemplos, y procure establecer la clara diferencia que hay en su dramatización, es decir, en su lectura en voz muy alta.

1. *No tiene ni idea de **qué** pasó.* (Enunciado con *qué* interrogativo).

   *¿No tiene ni idea de **qué** pasó?* (Pregunta con *qué* interrogativo).

   ¡No tiene ni idea de qué *pasó!* (Exclamación con *qué* interrogativo).

2. *Ya sabes lo **que** decidieron y a quiénes escogieron.* (conjunción *que*).

   *¿Ya sabes lo **que** decidieron y a quiénes escogieron?* (conjunción *que*).

   *¡Ya sabes lo **que** decidieron y a quiénes escogieron!* (conjunción *que*).

3. *Eligio sabe por **qué** mi hijo entró a ese colegio **que** queda allá.*

   *¿Eligio sabe por **qué** mi hijo entró a ese colegio **que** queda allá?*

   *¡Eligio sabe por **qué** mi hijo entró a ese colegio **que** queda allá!*

Estos son los ejemplos de este libro que requieren una lectura en voz alta, para que usted establezca la diferencia fonética en cada caso. Estos tres grupos de tres oraciones tienen pronombre interrogativo *qué* (tildado) y conjunción *que* (sin tilde). No varía la acentuación cuando es un simple enunciado, cuando es una pregunta y cuando es una exclamación. Está claro que la tilde no depende de ello. Sin embargo, hay una clara diferencia en el propósito que tiene cada una de estas oraciones y en su forma de entonarlas. Por eso le pido que, más que leerlas en voz alta, las dramatice. Si es preciso que imagine el contexto, el escenario, la situación, en la cual está inserto cada uno de los ejemplos. No suena lo mismo *¡él es quien me acusa!* que *¿él es quien me acusa?,* pues la primera puede ser una frase que grito señalando con vehemencia y agresividad a mi acusador, mientras mi mirada llena de odio y de fuego intentan acabarlo. La segunda es una pregunta.que hago, quizá con indiferencia, con inseguridad o con duda, hasta con el debido respeto hacia quien posiblemente no tenga velas en el entierro, por lo que de seguro bajaré el tono de voz y la pronunciaré con la debida cautela.

En definitiva, no se tildan *que, cual, quien* cuando es pregunta, sino cuando cumplen el oficio de pronombres interrogativos o admirativos, en cualquier oración, sea pregunta o no.

Una situación bastante clara es que cuando se escriben frases u oraciones explicativas que empiezan con *el que, la que, lo que, las que* o *los que*, esos *que* son relativos y, por eso, nunca llevan tilde.

Examine las palabras en cursiva y márqueles tilde cuando corresponda.

1. ¿*Quien* quiere *que* le diga *quien* es el nuevo jefe?

2. Todavía no sabemos *cual* es el próximo truco.

3. ¡*Que* viva el glorioso partido de mis antepasados!

4. No le dije por *que* lo extraño, sino por *que* lo amo.

5. ¡No es justo *que* él no sepa *quien* fue el que lo atacó!

Respuestas: 1. quién, que, quién. 2. cuál. 3. Que. 4. qué, qué. 5. que, quién.

Excepciones infrecuentes

Y bien. Llegamos al final de este capítulo en el que quedaron claras dos cosas: la primera, que los monosílabos no se tildan. La segunda, que esa norma tiene doce excepciones frecuentes. Usted habrá advertido que al hablar de esa docena no he dicho taxativamente son doce y nada más, sino que le he dorado la píldora diciéndole que son las doce más frecuentes. Con todo derecho, usted se habrá preguntado si después de esas doce frecuentes habrá alguna infrecuente o algunas, o muchas, o, como en un pozo sin fondo, una multitud de monosílabos infrecuentes que sí llevan tilde, pero de los cuales solo podemos conocer la docena que sale a la superficie y el resto constituye dominio de los oráculos inaccesibles de la Academia. Pues, mire, para su tranquilidad, le quiero decir que a estas alturas, usted y yo sabemos más sobre los monosílabos que casi todos los académicos. Y, como mal de muchos es consuelo de tontos, es decir, de *dummies*, consuélese con saber que yo tengo la misma sensación suya: que después de esas claras doce excepciones hay o puede haber más.

Le voy a contar, por ahora, que hay tres infrecuentes, pero no pongo mi mano sobre la candela a que no hay más. Quizá mañana aparezca otra y no quiero quedar manco. He aquí tres infrecuentes casos de acento diacrítico en monosílabos: *cuán, dó* e *hí*.

Se tilda *cuán* cuando es pronombre admirativo o interrogativo y no se tilda cuando es pronombre relativo. A la única persona que le he oído decir *cuan*, sin tilde, es a mi mamá, en una oración muy gráfica: *cayó cuan largo era*. En cambio *cuán,* con tilde, solo me lo he oído a mí mismo cuando me veo obligado a dar un ejemplo de esta infrecuente excepción:

¡cuán grande es mi amor por ti! (admirativo) y para evitar hernia cerebral, véalo en función interrogativa: *Dime cuán grande es tu amor por mí.* Mejor dicho, para usar esta palabra hay que estar perdidamente enamorado, ser poeta o estar escribiendo un libro para *dummies.*

Dó, apócope de *dónde,* se tilda cuando es pronombre interrogativo o admirativo y se deja sin tilde cuando es pronombre relativo. En cuanto a *do,* sin tilde, lo recuerdo en la novena de Aguinaldo de la madre Ignacia, muy popular en algunos países de Latinoamérica, donde se oye por época de Navidad: *do su Niño vean en tiempo cercano...*Y *dó,* con tilde interrogativo o admirativo, apócope de *dónde,* no le he visto ni en el DRAE, que da ejemplo del *do* sin tilde, pero no del *do* con tilde. Hay, pues, que inventarlo: *¿Dó estará el buen Cid? ¡Dó no ha estado nuestro héroe!*

Finalmente, *hí* es un adverbio de lugar antiguo (lo antiguo no es el lugar sino el adverbio), que significa *en ese lugar,* y se tilda para distinguirlo de *hi,* sustantivo común desusado, que significa *hijo,* pero, ¡un momento!, no se usaba propiamente en expresiones cariñosas, como *mi hi querido y bienamado,* sino para injurias como *hi de cualquier madre...* ¡Lo que hay que escribir para explicar un monosílabo!

Capítulo 7
Los polisílabos

*B*ajo el nombre genérico de *polisílabos* están agrupados los vocablos que tienen más de una sílaba, es decir, todos aquellos de los cuales no resolvimos ya su acentuación en el capítulo anterior y para los que rige la famosa norma de esdrújulas, graves y agudas. Pero no se haga demasiadas ilusiones; cuando domine las normas de acentuación de los monosílabos (capítulo 6) y de los polisílabos (capítulo 7) le faltará conocer las normas especiales para polisílabos cuya acentuación no tiene nada que ver con que sean esdrújulos, graves ni agudos.

El español, un idioma grave

Cuando les digo a mis alumnos que el español es un idioma grave, ellos no pierden la oportunidad de hacer algún chascarrillo. Anotan que efectivamente *es grave* y que ellos también *están graves* y que definitivamente la situación es sumamente *grave*... y a punto de volverse *aguda*. Chascarrillos aparte, el español es una lengua de acentuación grave, pues la mayoría de sus voces llevan el acento en la penúltima sílaba.

Haga usted un rápido repaso de sustantivos y oiga su pronunciación para establecer su acento grave, es decir, en la penúltima sílaba (resalto la sílaba acentuada, que hace grave la palabra): *te-cho, pi-la, ta-za, li-bro, car-pe-ta, te-cla-do, al-ma-na-que, en-ci-clo-pe-dia, ar-gen-ti-nis-mo, es-ter-no-clei-do-mas-toi-de-o*. Oiga ahora una decena de adjetivos: ***blan*-ca, *ne*-**

*gra, **li**-bre, **nues**-tra, sol-**te**-ra, ca-**sa**-da, es-pan-**to**-sa, trans-gre-**di**-da, ma-ra-vi-**llo**-sa, in-dis-cu-**ti**-ble.* Y remate con una docena de verbos: ***trai**-ga, **sal**-ga, **ven**-ga, **su**-ba, **tuer**-za, des-**cri**-ba, in-**clu**-ya, de-sac-**ti**-ve, in-ha-bi-**li**-te, de-sa-con-di-**cio**-ne.*

Aunque solo le doy diez ejemplos de cada grupo, es fácil ampliar las listas y advertir que la mayor parte de los vocablos españoles son graves. Además, observe que todos los de estas tres listas terminan en vocal. De donde usted puede sacar otra conclusión: la mayor parte de los vocablos españoles termina en vocal. Ya hay dos características comunes: graves y terminadas en vocal.

También en plural

Ahora, pase a plural esas treinta palabras y siga oyendo su acento: ***te**-chos, **pi**-las, **ta**-zas, **li**-bros, car-**pe**-tas, te-**cla**-dos, al-ma-**na**-ques, en-ci-clo-**pe**-dias, ar-gen-ti-**nis**-mos, es-ter-no-clei-do-mas-toi-**de**-os; **blan**-cas, **ne**-gras, **li**-bres, **nues**-tras, sol-**te**-ras, ca-**sa**-das, es-pan-**to**-sas, trans-gre-**di**-das, ma-ra-vi-**llo**-sas, in-dis-cu-**ti**-bles; **trai**-gan, **sal**-gan, **ven**-gan, **su**-ban, **tuer**-zan, des-**cri**-ban, in-**clu**-yan, de-sac-**ti**-ven, in-ha-bi-**li**-ten, de-sa-con-di-**cio**-nen.* ¿Qué observa? Que todas siguen siendo graves y unas, los sustantivos y los adjetivos, terminan en *ese,* y otras, los verbos, terminan en *ene.* Conclusión: la mayoría de palabras del idioma español son graves terminadas en vocal, en *ene* y en *ese.*

Pues bien, como esa es la característica más común (grave, terminada en vocal, o en *ene,* o en *ese*), la norma de acentuación ortográfica excluye de tilde todas las palabras que tienen esta forma. Vuelva a las sesenta palabras arriba presentadas y observe que ninguna tiene tilde. ¿Por qué? Porque cualquier norma sobre uso de tildes debe procurar, en primer lugar, que las palabras con tilde sean la minoría y no la mayoría.

Entonces, una primera consecuencia de ello es que las agudas que tengan esas mismas características sí se tildan. Así, si no se tildan *mar*-co, i-ma-gi-**na**-ran, **vie**-nes, que son graves terminadas en vocal, en *ene* y en *ese,* consecuentemente hay que tildar *mar-**có**, i-ma-gi-na-**rán**, vie-**nés**,* que son agudas terminadas en vocal, en *ene* y en *ese,* pues de otra manera no se distinguirían. Por cierto, ¿las distingue usted? Por si acaso no, le doy un contexto para esas seis palabras: *Mi amigo **vienés Marco marcó** el número telefónico para que los sospechosos **imaginaran** que tenía muchos amigos, y dijo: —Si **vienes** por mí, ellos **imaginarán** que soy coronel del Ejército.*

Lo primero, distinguir graves de agudas

El resto es consecuencia lógica: que las demás graves (las que no terminan ni en vocal, ni en *ene,* ni en *ese*) sí se tilden y que las demás agudas (las que terminen en consonante distinta de *ene* o *ese*) no se tilden, porque finalmente la norma de acentuación busca en primera instancia distinguir graves de agudas. En consecuencia, si la palabra tiene la misma escritura y dos posibilidades de acento, se tilda solo en alguno de los casos: o cuando es grave o cuando es aguda; nunca en ambos. Se tilda el *papá* (aguda) del muchacho y no se tilda la *papa* (grave) frita; se tilda el *plató* (aguda) de la telenovela y no se tilda el *plato* (grave) de lentejas; se tilda el *revólver* (grave) de seis tiros y no se tilda el *revolver* (aguda) el chocolate con el molinillo; se tilda el *maná* (aguda) que comieron los israelitas comandados por Moisés y no se tilda el *mana* (grave) agua de la roca; no se tilda el *pase* (grave) que le hacen a Bebeto para que anote su gol y sí se tilda el me la *pasé* (aguda) toda la tarde rascándome la cabeza.

Establecida esa distinción entre agudas y graves, las demás, las pocas esdrújulas que hay, se tildan todas.

No olvide que la separación silábica exige contar como una sola sílaba los diptongos y triptongos, y contar como sílabas distintas las vocales fuertes unidas. Por ejemplo, en *vuel-ta, suel-to, U-ru-guay, es-tu-diáis, Ruiz,* son sílabas *vuel, suel, guay, diáis, Ruiz,* porque son diptongos (*vuel, suel, Ruiz*) o triptongos (*guay, diáis*). En cambio, en *le-o, ve-an, o-cé-a-no,* no hay diptongo, ni triptongo, por lo que cada vocal constituye, sola o con sus respectivas consonantes, sílaba independiente. Sobre la conformación de diptongos y triptongos vea lo dicho en el capítulo 6.

CLAVE

Las coplas o trovas, características del folclor de muchos de nuestros países, se componen con cuatro versos de ocho sílabas, haciendo rimar palabras graves en el segundo y el cuarto verso. Ejemplo:

Para Lupe y Petronila

Para Jorge y Sinforoso

Una rica gaseosa

el refresco delicioso.

Recítela y oiga cómo la rima se logra en la coincidencia de *Sinforoso* y *delicioso,* ambas graves.

Esdrújulas o proparoxítonas

Voy a comenzar con las esdrújulas, también llamadas proparoxítonas. Estas palabras son las más escasas del español. Hay muy pocas y todas llevan tilde.

> Se llaman esdrújulas las palabras que llevan el acento en la antepenúltima sílaba, esto es, en la tercera hacia atrás. Todas las esdrújulas se tildan.

Doña Pánfaga y el sanalotodo

La colección más completa de palabras esdrújulas la hizo el poeta colombiano Rafael Pombo (1833-1912), en su fábula *Doña Pánfaga*. Vea cómo empieza:

*Según **díceres públicos**, doña **Pánfaga hallábase hidrópica**,*
*o pudiera ser **víctima** de **apoplético** golpe fatal;*
*su exorbitante **estómago** era el más alarmante **espectáculo**,*
***fenómeno volcánico** su incesante jadear y bufar.*
*Sus **fámulos adláteres** la apodaban **Pantófaga omnívora**,*
***gastrónoma vorágine** que tragaba más bien que comer,*
*y a veces **suplicábanle** (ya previendo inminente **catástrofe**):*
*"Señora doña **Pánfaga, véase** el buche, **modérese** usted".*

En estas dos primeras estrofas hay ya veintidós palabras esdrújulas (que señalé en negrilla), lo que es extraño a un texto español, pues entre graves y agudas aparece muy de vez en cuando una esdrújula, salvo que se busque expresamente, como en este caso, la abundancia de estas voces.

Más adelante, doña Pánfaga come, come y come...

*hasta que, **levantándose** de una **crápula clásica, opípara**,*
*sintió **cólico** y **vértigo**, y "¡el doctor!" exclamó la voraz.*

Entonces, aparece el sanalotodo, de nombre Saltabancos Farándula,

*home-**alópata-hidrópata-nosomántico** cuadridoctor*
*con **cáfila** de **títulos** que constaban en muchos **periódicos**,*
*y **autógrafos** sin **número** declarando que él era el mejor.*
*Gran **patólogo ecléctico**, fabricante en ungüentos y **bálsamos**,*
*que al **cántaro octogésimo** reintegraban flamante salud...*

Parece bajar la dosis de esdrújulas, pero espere a que empiece a formularle remedios a doña Pánfaga. Ahí sí se desbordan las proparoxítonas:

**Cañafístula, zábila, ésula, ámbar, sucínico, alúmina,
eléboro, mandrágora,** *opio,* **acónito, lúpulo, argémone,
cánfora, álcali, gálbano, tártago, ánime, pímpido, albúmina,
tártaro emético, ínola, ásaro, ísico, láudano, anémone...**

y varios renglones más de sustancias, cuya aplicación prescribe así:

bébase, úntese, tráguese, adminístrese, sóbese *y* **friéguese.**

Y para que no se quede sin saber el final de esta interesante historia, le transcribo el desenlace:

Pero... la erró el **oráculo***; ¡a los cinco minutos murió!*
Mil rasgos **necrológicos***, mil sonetos y* **párrafos lúgubres***,*
mil **láminas** *y* **pésames** *dio la prensa en tan triste ocasión,*
y hoy, con dolor de **estómago***,* **léese** *aún en su* **lápida** *el* **rótulo***:*
"Yace aquí doña **Pánfaga***. ¡*Véase *en este espejito el glotón!*

Verbos compuestos y algunos sustantivos

Entre las pocas esdrújulas españolas hay algunos sustantivos, como *lí-ne-a, o-cé-a-no, pe-tró-le-o, cré-di-to, es-pé-ci-men,* algunos adjetivos, como *límpido, cándido, vándalo, fétido, ínclito,* y verbos en primera persona del plural del copretérito del indicativo (*go-zá-ba-mos, pen-sá-ba-mos, es-tá-ba-mos, na-dá-ba-mos, so-ñá-ba-mos, des-man-te-lá-ba-mos*), del pretérito del subjuntivo (*go-zá-se-mos, pen-sá-ra-mos, es-tá-se-mos, na-dá-ra-mos, so-ñá-se-mos, des-man-te-lá-ra-mos*) y del futuro del subjuntivo (*go-zá-re-mos, pen-sá-re-mos, es-tá-re-mos, na-dá-re-mos, so-ñá-re-mos, des-man-te-lá-re-mos*). Estos últimos, los futuros del subjuntivo, son escasísimos en la vida real. No creo que los use nadie, salvo al escribir algún poema un tanto anacrónico.

Son esdrújulas *kilómetro, hectómetro, centímetro* y *milímetro,* pero no *kilolitro, kilogramo, hectolitro, hectogramo, centilitro, centigramo, mililitro* y *miligramo,* que son graves.

Aparte de ello, se convierten en esdrújulos los verbos graves a los que se les agregan los pronombres clíticos *me, te, se, nos, os, lo, la, le, los, las, les:* el verbo *es-cri-be* (grave) más pronombre enclítico queda *es-crí-be-me, es-crí-be-te, es-crí-be-nos, es-crí-be-lo, es-crí-be-la, es-crí-be-le, es-crí-be-los, es-crí-be-las, es-crí-be-les.* También pueden volverse esdrújulos verbos agudos a los que se les agreguen dos enclíticos: *dis-pón* (agudo) más *se* y *la* queda *dis-pón-se-la.*

En cambio, los sustantivos y adjetivos compuestos no pasan a ser esdrújulos, porque el acento de la palabra compuesta es el del componente final: *por-ta* y *re-tra-to* no pasa a ser *pór-ta-rre-tra-to* sino *por-ta-rre-**tra**-to*, con el acento en la sílaba *tra*, es decir, grave. Y en esa línea es importante señalar que los números ordinales muchas veces se escriben mal: cuando *décimo* y *tercero* se unen, no pasan a ser *décimotercero*, como lo he visto escrito en clásulas contractuales y en nombres de concursos y ferias, sino *decimotercero*, sin tilde, con el acento en la sílaba *ce*, es decir, grave, porque se conserva el acento del último componente y se pierde el del primero. Así, no se escribe *décimocuarto, décimoquinto, décimosexto, décimoséptimo* ni *décimoseptimo*... sino *decimocuarto, decimoquinto, decimosexto, decimoséptimo, decimoctavo* y *decimonoveno*. A partir de *vigésimo primero*, se escriben separados los ordinales. Y ya que estamos hablando de números ordinales, recuerde que no existen los números *decimoprimero* y *decimosegundo*, sino *undécimo* y *duodécimo*.

Hay palabras y frases latinas que de vez en cuando aparecen en el lenguaje técnico, especialmente jurídico, y pueden ser esdrújulas: *há-be-as corpus, cu-**rrí**-cu-lum*...

RECUERDE

Los ordinales que siguen a *décimo, undécimo* y *duodécimo*, se escriben así: *decimotercero, decimocuarto, decimoquinto, decimosexto, decimoséptimo, decimoctavo, decimonoveno, vigésimo*. Y separados a partir de *vigésimo primero*.

Los sufijos -mente e -ísimo

A veces se mencionan los adverbios terminados en *-mente* como esdrújulos. Veamos qué tan cierto es. Tome usted el adjetivo *audaz*. Es agudo, porque lleva el acento en la última sílaba (*daz*). Agréguele el sufijo *-mente*, que lo convierte en adverbio. Queda *audazmente*, con el acento en la misma sílaba *daz*. Parece esdrújulo: *au-**daz**-men-te*. Sin embargo, si usted lo lee en voz alta, bien alta, podrá oír que también tiene visos de grave: *au-daz-**men**-te*. Aunque, me dirá usted, no parece propiamente grave, sino más bien esdrújulo y grave a la vez. Hay un acento en *daz* y otro menos fuerte en *men*. Parecen en realidad dos palabras: *audaz* (aguda) y *mente* (grave).

Pues bien, por ahí va la solución. En la práctica, concretamente en lo referido a la marcación de la tilde, *audazmente* son dos palabras: una aguda terminada en *zeta*, sin tilde (*audaz*), y otra grave terminada en *e* (vocal), también sin tilde (*mente*), solo que unidas en la escritura. El tema está más ampliamente analizado en el siguiente capítulo. Por lo pronto, queda claro que los adverbios terminados en *-mente* no se convierten en esdrújulos. Son esdrújulos los que nacen de un adjetivo esdrújulo: *únicamente* (de *única*); *prácticamente* (de *práctica*).

Los que sí convierten en esdrújulas todas las palabras a las que se unen son los sufijos *-ísimo, -ísima, -ísimos, -ísimas,* porque ellos mismos ya son esdrújulos: *riquísimo, feísima, buenísimo, rapidísimas.* A diferencia de lo que pasa con los adverbios terminados en *-mente*, donde el sufijo no elimina el acento de la raíz, en este caso sí se elimina el acento de la raíz y queda solo el del sufijo. Entonces, sin lugar a dudas, todos los superlativos terminados en *-ísimo* son esdrújulos.

Palabras griegas que originan esdrújulas españolas

Algunas palabras griegas originan sufijos, es decir partículas finales compositivas de la palabra, en algunos vocablos esdrújulos españoles. Es el caso de *ánthropos,* que significa *hombre,* y da lugar a voces esdrújulas como *filántropo* y *misántropo.* El *filántropo* es el que por su amor al hombre realiza en forma desinteresada obras benéficas. El *misántropo,* el que permanece virtualmente escondido o encerrado, por su temor al trato con los demás. En crudo laconismo, el *filántropo* ama al hombre; el *misántropo* odia al hombre.

Amigo en griego es *philós.* Este vocablo origina el sufijo español *-filo,* que aparece en esdrújulas como *bibliófilo,* que viene a ser *amigo de los libros. Phorós, el que lleva* en griego, origina el sufijo *-foro* de esdrújulas como *fósforo,* que no es otra cosa que *el que lleva la luz,* y *semáforo,* claramente *el que lleva la señal.*

La palabra griega *drómos,* que significa carrera, da lugar al sufijo *-dromo* de palabras esdrújulas como *hipódromo, canódromo, aeródromo,* donde respectivamente corren caballos, canes (perros) y aviones. También a esta familia pertenece la voz *palíndromo,* que etimológicamente es *carrera de nuevo.* Así se llama la palabra o frase que se lee igual al derecho y al revés, como *anilina* o *amor a Roma.*

En cuanto a los amigos *monógamos, bígamos* y *polígamos,* aparte de que tienen una, dos o varias mujeres, llevan el sufijo *-gamo,* originado en la voz griega *gámos,* que significa *unión sexual.*

Por Chato

— ¿EL GAMO TIENE CUERNOS, PROFE?
— DEPENDE: SI ES MONÓ-GAMO, TAL VEZ NO... PERO SI ES BÍ-
GAMO O POLÍ-GAMO, SEGURAMENTE SÍ.

Palíndromos

Aunque usted no lo crea, al lado de quienes apenas ahora vienen a enterarse de la existencia de los palíndromos, hay fanáticos de tal juego o figura literaria, que los crean, los investigan, los coleccionan, los intercambian y los exaltan como máxima expresión de la creatividad —¿o de la insólita casualidad?—. El escritor colombiano Daniel Samper Pizano ofrecía en su columna *Sopa de letras*, del número 5 de la revista *Credencial*, Bogotá, abril de 1987, una surtidísima colección de palíndromos, en la que se ven desde sencillas palabras hasta complejos poemas. Aquí le presento una muestra 'fusilada' del citado artículo.

Sé verlas al revés

Anita lava la tina

Dábale arroz a la zorra el abad

Amigo, no gima

Anás usó tu auto, Susana

Sacude y educas

A la moda, dómala.

Pasando de la zoología —por aquello de *gamo*— a la geometría, la palabra griega *gonía* significa ángulo y da lugar a esdrújulas que tiene el sufijo *-gono: isógono, polígono, pentágono*. Aunque usted relacione este último con un ministerio estadounidense, no es más que el nombre de una figura de cinco lados. La esdrújula *catástrofe* tiene el sufijo *-strofe*, del griego *strophé*, que significa *vuelta*; y la esdrújula *átomo* tiene el sufijo *-tomo*, del latín *tómos*, que significa *sección*.

I. Subraye las palabras esdrújulas de las siguientes oraciones.

1. Las líneas de crédito de estos almacenes son óptimas.

2. El océano Pacífico es el escenario del futuro desarrollo mundial.

3. Álvaro, Ángela, Óscar y Édgar viajaban a Los Ángeles.

II. Marque tildes cuando corresponda.

4. En el Africa hay regiones deserticas.

5. La undecima clausula es contundentemente clara.

6. La fecula es buena para alimentar a los parvulos.

Respuestas: 1. líneas, crédito, óptimas. 2. océano, Pacífico. 3. Álvaro, Ángela. Ángeles. 4. África, desérticas. 5. undécima, cláusula. 6. fécula, párvulos.

Las graves, llanas o paroxítonas

Ahora corresponde hablar de las graves, llanas o paroxítonas, es decir, de las que llevan el acento en la penúltima sílaba, que son la mayoría de las palabras españolas. Estas palabras solo se tildan cuando no terminan en vocal, o en *ene* o en *ese*.

Son graves la mayoría de los sustantivos singulares, *Pa-tri-cia*, *Pé-rez*, *Ve-ne-zue-la*, *za-po-te*, *re-su-men*, *clí-max*, *em-pa-re-da-do*, *li-bro*, *cum-ple-a-ños*, *ca-ries*. ¿*Cumpleaños*, singular? ¿*Caries*, singular? Sí. Aunque *cumpleaños* y *caries* terminen en *ese*, son singulares, pues cuando a usted lo felicitan por un año más de vida, es *su cumpleaños*, no *sus cumpleaños*. Y cuando se pica un diente por una sola cara, hay en él una *caries*, no una *carie*. También en plural hay muchos sustantivos graves, *com-pu-ta-do-res*, *crua-sa-nes*, *pio-no-nos*, *al-ca-ra-va-nes*, *em-pa-re-da-dos*, *di-rec-tri-ces*, *puer-tas*, *za-ri-güe-yas*, *ca-ries*, *cum-ple-a-ños*. Cuando no es una sola picada sino varias picadas en varios dientes, son varias *caries*, no *carieses*. Y cuando son varios *cumpleaños*, el del año antepasado, el del pasado y el de este, son mis tres últimos *cumpleaños*, no mis tres últimos *cumpleáñosos* ni mis tres últimos *cumpleáñoses*.

La mayoría de los adjetivos singulares son graves, *os-cu-ra*, *gran-de*, *di-mi-nu-to*, *chár-ter*, *a-cu-rru-ca-do*, *des-con-cer-ta-do*, *nues-tra*, *san-ta*, *do-ña*, *ca-ta-cal-dos*. Se equivocó, porque incluyó *catacaldos* entre los singulares. No, señor; o no, señora. *Catacaldos* es singular, pues si Juanillo va por la vida comenzando todo y terminando nada, Juanillo es un *catacaldos*, no un *catacaldo*.

También son graves muchos adjetivos en plural, *ri-gu-ro-sos*, *des-con-cer-tan-tes*, *a-ma-ri-llos*, *ja-mai-qui-nos*, *e-cua-to-ria-nos*, *lis-bo-e-tas*, *nues-tras*, *san-tas*, *sos-pe-cho-sos*, *ca-ta-cal-dos*. ¿Otra vez *catacaldos*? Por supuesto, pues si los que van por la vida comenzando todo y terminando nada son Juanillo, Tomillo y Luisillo, pues son tres impenitentes *catacaldos*, no tres impenitentes *catacaldoses*.

Se llaman graves las palabras que llevan el acento en la penúltima sílaba, o sea, en la segunda hacia atrás. Las palabras graves se tildan únicamente cuando no terminan en vocal, o en *ene* o en *ese*.

Y son graves también la mayor parte de los verbos. Muchos presentes, *cre-o*, *es-ta-mos*, *vi-ven*; muchos pretéritos, *im-par-tie-ron*, *re-gre-sa-ron*, *ma-no-se-a-ba*, y algunos futuros, *par-ti-re-mos*, *fa-lla-re*, *si-guie-re*. Todos los gerundios, que son más adverbios que verbos, son graves, *ca-mi-nan-do*, *re-pa-san-do*, *le-yen-do*.

Tenga especial cuidado con las expresiones latinas que aún se usan en el lenguaje técnico y culto. Algunas son graves terminadas en *eme*, por lo que van con tilde: *re-fe-rén-dum*, *ul-ti-má-tum*...

Ya leyó usted en las primeras páginas de este capítulo que el español es un idioma grave. Los lexemas de nuestro idioma son en su gran mayoría graves. Así que esta lista podría extenderse más, pero, dicho lo dicho, resulta innecesario.

Carácter siempre es grave

La palabra *carácter* constituye una de las dudas más frecuentes en cuanto a acentuación. La duda se presenta tanto al hablar como al escribir. He oído a prestigiosos profesores decir los siguiente: la palabra *carácter* (grave) se usa para referirse a los rasgos de personalidad de alguien; a su turno, la palabra *caracter* (aguda, con el acento en *ter*) se usa para referirse a los tipos de una imprenta, es decir, un *caracter* es la forma escrita de una letra. Y el plural de ambas es caracteres. ¡Ojo! El *Diccionario de la lengua española* no incluye la palabra *caracter* (aguda, con el acento en *ter*), sino *carácter* (grave) con doce significados, de los cuales le voy a transcribir el número 2 y el número 6, tomados de la página 445 de la edición de bolsillo de 2001.

Carácter: "2. Signo de escritura o de imprenta. Ú.m.en pl." (esa abreviatura significa 'úsase más en plural').

Carácter: "6. Conjunto de cualidades o circunstancias propias de una cosa, de una persona o de una colectividad, que las distingue por su modo de ser u obrar, de las demás. *El carácter español. El carácter insufrible de Fulano*".

La palabra *caracter* (aguda, con el acento en *ter*), en cambio, no figura en el Diccionario. Algún obstinado insiste en que el lenguaje de las artes gráficas y el lenguaje de los computadores tienen esa palabra entre su léxico particular. De acuerdo —dicen—, no figura en el diccionario oficial, pero así lo decimos todos los días. Pues, ¡qué pena! Todos los días caen en el mismo error. El problema surge del plural culto que tiene la palabra *carácter*, pues tal plural no es *carácteres* (esdrújula, con el acento en *rac*), sino *caracteres* (grave, con el acento en *te*). Este plural no es común, no es regular. Cualquier palabra forma su plural sin cambiar el acento de sílaba. *Imagen* (con el acento en la sílaba *ma*, tiene como plural *imágenes*, con el acento en la misma sílaba *ma*). Lo mismo *pájaro, pájaros; revólver, revólveres, cantor, cantores*, cuyos acentos no cambian de sílaba al pasar de singular a plural. Esta irregularidad en el plural de *carácter* hace que muchas personas, por cuidar en forma esmerada y estricta ese plural, terminen por dejar el mismo acento del plural en el singular. Si hay que decir *caracteres* (grave, con el acento en *te*) pues digamos, entonces, *caracter* (aguda, con el acento en esa misma sílaba, *ter*). Y ahí está el error.

En definitiva, y con toda mi consideración por los profesores de artes gráficas, rotulación, sistemas e informática, debo decir que la palabra *caracter* (aguda, con el acento en *ter*) es errónea, y que la única forma correcta es *carácter* (grave, con el acento en *rac*).

Libido es grave

Otra palabra que suele presentar duda sobre su correcta acentuación es *libido*, sustantivo con el cual se conoce el impulso sexual... Muchas personas pronuncian esta palabra como esdrújula, *líbido,* quizá porque la confunden con *lívido*, que sí es esdrújula. Se trata de vocablos distintos. *Lívido* (esdrújula) es un adjetivo con el cual se expresa la excesiva palidez del rostro de alguien: *Mijo, qué le pasó, que lo veo más lívido que un papel...* En cambio, *libido* (grave, con el acento en *bi*) es un sustantivo médico y sicológico con el que se identifica el deseo sexual: *Gracias a su disciplina espiritual, ha logrado controlar bastante bien su libido.*

La frecuente acentuación errónea de este vocablo se suele justificar con el argumento de que es un término técnico, que en las escuelas de sicología se dice *líbido*, que en tratados de siquiatría se ve escrito *líbido*, que todos los profesores pronuncian *líbido*, que en los programas de radio y televisión dedicados a la orientación sexual se dice *líbido*. Pues, habrá que recordarles a sicólogos, médicos, siquiatras y asesores radiales y televisivos que pronuncien bien la palabra: no es *líbido* sino *libido*.

Elite

En la primera edición de este libro insistía en la importancia de respetar el carácter grave de esta palabra *elite*. Quería que en especial los locutores y en general todos los que pronunciamos la bendita palabra la dijéramos como era, grave, con el acento en *li*. Para ello acudí a los argumentos de todos los ortógrafos que tenía a la mano. Que viene del francés *élite*, donde el acento va en la penúltima sílaba, en *li*, y no en la antepenúltima, *é*, a pesar de esa tilde que se le marca en francés y que no indica el acento, etc.

Sin embargo, decía también que era más funcional que la Academia aceptara la alternativa esdrújula, *élite*, tal como la pronunciaba el 99% del mundo hispano, pues se convence más fácil a veintidós academias que a cuatrocientos cincuenta millones de hablantes.

Y eso sucedió. En la edición del 2001, el DRAE incluye las dos formas, la grave, *elite,* y la esdrújula, *élite*. Así que todo este espacio me quedó para contarle la historia, y para decirle que la palabra *élite,* 'minoría selecta', ya es válida en español.

Otra cosa distinta es el uso. *Élite* sigue siendo adjetivo y no sustantivo. Por eso, la observación que sí sigue vigente es la de que no se use en frases como *cuerpo élite de la policía*, *comando élite* o *jugador élite*, sino como sustantivo, *la élite de los jugadores*, *la élite de la industria* o, en frase adjetiva con preposición, *comandos de élite*, *auditores de élite*, *deportes de élite*.

Mitin

Mitin es palabra grave, a diferencia de *motín*, que es aguda. La primera viene del inglés *meeting*, 'reunión' o 'encuentro', y tiene el mismo acento de la palabra original. La segunda viene del francés *mutin*, 'rebelde', y significa 'movimiento desordenado de una muchedumbre'. Puede ser que en la vida real un mitin termine en motín, pero no debe usted confundir la acentuación de lo uno con lo otro.

Joven, margen, imagen

Como los plurales *jóvenes*, *márgenes*, *imágenes*, son esdrújulas, muchas personas tienden a escribir con tilde los singulares *joven*, *margen*, *imagen*. Recuerde que estos últimos son graves y no llevan tilde.

Desoxirribonucleico

Las palabras más largas del idioma tienden a ser graves. Eso pasa con *desoxirribonucleico*, ocho sílabas, cuyo acento va en la sílaba *clei*. Y lo mismo pasa con *decimotercero*, acento en *ce*; *decimocuarto*, acento en *cuar*; *sesquicentenario*, acento en *na*; *esternocleidomastoideo*, acento en *de*... son graves. Como terminan en vocal, no llevan tilde.

Chiita es grave y debe ir sin tilde

Otro alegato de la primera edición de este libro versaba sobre la ortografía de la palabra *chiita*, que siendo grave, *chi-i-ta*, acento en la penúltima sílaba, terminada en vocal, aparecía con tilde en el DRAE de 1992. El error fue enmendado en el DRAE 2001.

Después de todo, me enteré de que ahora las agencias de noticias prefieren *chií* a *chiita*, igual que *israelí* a *israelita* y *saudí* a *saudita*. Entonces, *chiita* es grave terminada en vocal, sin tilde, y *chií*, que es lo mismo, es aguda terminada en vocal, con tilde.

Son palabras graves sin tilde *joven, margen, imagen, chiita, esternocleidomastoideo, desoxirribonucleico, decimoquinto*.	Desde el 2001 se puede escribir indistintamente *élite*, esdrújula, o *elite*, grave.

Incluido, incluida y otros ui

En el capítulo 8 verá usted en detalle el caso de las palabras que tienen la combinación vocálica *ui*. Por lo pronto, le anticipo que *incluido, incluida, incluidos, incluidas* y otros participios pasados verbales como esos son graves terminados en vocal o en *ese* y por eso no llevan tilde. La advertencia es importante porque se les marcó tilde hasta 1952 y equivocadamente se sigue haciendo hoy, más por inadvertencia que por consciente desobediencia.

El colon grave y otros casos

Un error frecuente al escribir es tildar las palabras *volumen, imagen, joven* y otras parecidas. Es posible que el error surja de haber visto los respectivos plurales, *volúmenes, imágenes, jóvenes,* con tilde, que la llevan por ser esdrújulas. Los singulares de esas tres voces son graves terminadas en *ene* por lo que no llevan tilde.

También es frecuente ver con una tilde errónea palabras graves terminadas en *on*, por ejemplo, *cantaron, vinieron, estuvieron*. Estos verbos pretéritos son graves; el acento está en *ta, nie, vie*. Puede ser reflejo de numerosas agudas terminadas en *on*, como *televisión, razón, cordón*, pero basta pronunciarlas para establecer la diferencia entre estas, que son agudas, y esas, que son graves. Este error resulta más injustificado que cualquier otro, pues aquí, si se escribe *cantarón, vinierón, estuvierón,* se están marcando tildes donde no van los acentos. Algo así como lo que sucede en francés, idioma donde la tilde no necesariamente señala la acentuación de la palabra. No olvide que estos pretéritos plurales no se tildan, porque son graves terminadas en *ene*: *regresaron, despotricaron, gozaron, entregaron, chequearon, estandarizaron, optimizaron, atendieron, previeron, xerocopiaron.*

A quienes escriben tal disparate les he oído dos argumentos: que todas las terminadas en *on* llevan tilde y que todos los pretéritos llevan tilde. Ninguna de las dos aseveraciones es cierta. Hay esdrújulas terminadas en *on*, como *épsilon*, que sí lleva tilde, pero no precisamente en la sílaba *on*; y graves, como *colon*, no el que descubrió América, Colón, que ese sí es con tilde, sino el que se irrita con el exceso de picante en la comida, que es un *colon* grave terminado en *on*. En cuanto a pretéritos, ya le he mostrado en páginas anteriores la cantidad de ellos que van sin tilde. Es verdad que muchos pretéritos llevan tilde, *canté, jugó, lanzó*, pero igualmente cierto que muchos otros no la llevan, *cantaste, cantaron, jugaste, jugaron, lanzaste, lanzaron...*

Que todas las palabras terminadas en *on* llevan tilde. Falso.

Que todos los pretéritos llevan tilde. Falso.

¿Y las tildes diacríticas?

En el capítulo 8 verá usted algunas palabras graves terminadas en vocal o en *ese* que, en contra de la norma, van con tilde. Son casos de acento diacrítico, es decir, tildes que distinguen la función de palabras iguales en su escritura, pero distintas en su oficio y significado. Ahí aparecerán *sólo, cómo, cuándo, cuánto, dónde, quiénes, cuáles, éstos, ésos, aquéllos...* Es patente que estas tildes no se requieren para la correcta pronunciación de estas palabras, pero se usan —algunas en forma opcional— con carácter diacrítico, en algunos casos muy concretos.

I. Subraye las palabras graves de las siguientes oraciones.

1. No todo lo que brilla es oro.

2. Tiene el carácter propio de la elite de su tierra.

3. Quizá esa noche de luna llena tenía la libido más alborotada.

II. Marque las tildes que falten en las siguientes oraciones.

4. Bolivar nació en Caracas y murió en Santa Marta.

5. Su oficina duplex, de gran volumen, refleja su imagen personal.

6. El arbol de su jardín tiene tantos años como él.

Respuestas: 1. todo, brilla, oro. 2. Tiene, carácter, propio, elite, tierra. 3. esa, noche, luna, llena, libido, alborotada. 4. Bolívar. 5. dúplex. 6. árbol.

Graves terminadas en ese que sí llevan tilde

Según le expliqué, la palabra estándar en español es grave y termina en vocal o en *ene* o en *ese*, pero voy a matizar algo que se deduce de todo lo dicho sobre el tema. Se trata de palabras graves terminadas en vocal (*casa, loro, venga, cante*) y de sus plurales (*casas, loros, vengan, canten*), lo que podría llevarnos a formular la norma con la siguiente precisión: no se tildan las palabras graves terminadas en vocal, o en vocal y *ene*, o en vocal y *ese*. Mejor dicho, no se tildan las palabras graves terminadas en vocal , ni las terminadas en *an, en, in, on, un, as, es, is, os, us*. Y, ¿para qué nos enredamos la vida con esas precisiones? Porque existen palabras graves terminadas en *ese* que sí llevan tilde, pues la tilde no se exige cuando la palabra termina en *ene* precedida de vocal, o en *ese* precedida de vocal, pero sí cuando termina en *ese* precedida de consonante. Los ejemplos que suelen dar los libros de gramática son *bíceps, tríceps, tetráceps, fórceps, siémens, trémens.* Parece que no existe ninguna grave terminada en *ene* precedida de consonante, pero ya sabe usted que, cuando se inventen alguna palabra con esas características, tal palabra irá con tilde.

Graves terminadas en y

No parece muy clara la situación de las graves terminadas en *i griega*. Cuando la *i griega* va al final de diptongo en palabra grave, aparece tildada: *yóquey*. Entonces, uno pregunta por qué esa tilde. Y los gramáticos contestan que esa tilde va porque la *i griega* se cuenta como consonante para efectos de tilde. Uno queda tranquilo: la *i griega* no es consonante al final de palabra, pero se cuenta como tal para efectos de tilde. Listo. Pero encuentra uno después que *whisky* y *brandy*, graves terminadas en *i griega*, no llevan tilde, entonces ¿aquí sí se cuenta la *i griega* como vocal? Sin duda, así es. Y, ¿por qué la diferencia? ¿Porque en el caso de *yóquey* es final de diptongo, es decir, semivocal, y en el caso de *whisky* y *brandy* es la única vocal de la última sílaba, es decir, vocal plena? Esta última no parece ser la razón, pues en *bonsái* y *samurái*, la *i latina* es semivocal y eso no impide que se marque la tilde.

Mejor dicho, parece que la inclusión de estas nuevas palabras en español —*whisky, brandy, yóquey*— no ha sido definitivamente resuelta. Aquí viene entonces a cuento la necesidad de tomar el DRAE como norma unificadora, y estar pendiente de posibles ajustes que se vayan haciendo en los próximos años.

En resumen y sin mayores razones, las graves terminadas en *i griega* llevan tilde en unos casos —*yóquey*— y no la llevan en otros —*whisky, brandy*.

Raíces griegas que se vuelven graves

El español es un idioma grave por herencia del latín. Muchas voces de origen griego que no son graves llegan al latín y se vuelven graves y así quedan en español. Es lo que sucede con las terminadas en *-gogo, -goga* y *-gogia,* como *demagogo, demagoga* y *demagogia.* Lo mismo, *pedagogo* y *pedagoga,* pero no *pedagogia,* que es *pedagogía.* Esta terminación viene del griego *ágein,* que significa *conducir,* y *agogé,* que significa *conducto* o *canal.* El *pedagogo* es el que conduce al niño, pues *peda-* es niño, como bien se sabe por la palabra *pediatra.*

Otro sufijo griego es *-arca,* de *arché,* que significa *principio,* con el que se construyen las palabras españolas graves para designar al gran jefe pluma blanca, según el origen y características de su poder. Así, el que manda puede ser *jerarca,* como un obispo; *monarca,* como el rey Juan Carlos de Borbón, u *oligarca,* como tal cual millonario que usted y yo conocemos. Por su parte, *krátos* es *autoridad,* de donde vienen más voces graves igualmente relacionadas con el arte de gobernar, como *burocracia, aristocracia, democracia...*

Kardía es *corazón* en griego, *kéle*, *tumor*, y *kephalé*, *cabeza*. De ahí otra serie de palabras españolas graves —en todo sentido *graves*— habituales en la jerga médica: *endocardio, miocardio,* que vienen a colación, cuando la colación tiene demasiado colesterol; *varicocele*, lesión exclusivamente masculina, y *cefalea*, nombre de la bendita jaqueca producida por el excesivo calor, la adolescencia de los hijos o el acoso de los acreedores.

Otros términos médicos graves como *rinoplastia, hemorragia* y *blenorrea*, se forman con los sufijos griegos *-plastia, -rragia* y *-rrea*, que vienen de las palabras griegas *plastós, rhegnynai* y *rheîn*, que significan *modelado, brotar* y *fluir*, respectivamente. Entre los más temidos exámenes clínicos está la *endoscopia,* que como sus hermanas, la *creneoscopia*, la *microscopia* y todas las demás *-copias*, viene de griego *scopeo*, que significa observar.

Otro par de sufijos griegos que originan palabras graves en español son *-fobia* y *-faiga*. El primero viene de *phóbos*, que es *miedo* o *aversión* y el segundo, de *phageîn*, comer. Uno suele tener sus *fobias* y sus *fagias*. Dígame si no se necesita tener *projimofobia,* aversión al prójimo, para practicar la *antropofagia,* ingestión de personas. Por mi parte, padezco de *claustrofobia*, agudizada por ahí a partir de las cinco de la tarde, y combato la *xenofobia*, cualquiera que sea el color del pasaporte.

La palabra griega *grámma* significa *escrito, trazado* o *línea.* ¡Cómo no recordar el diario cubano *Granma*! De ella proviene el sufijo *-grama* que origina palabras españolas graves, como *pentagrama*, las famosas cinco líneas sobre las que se han escrito desde las más sublimes himnos hasta la más prosaica música rapera; *telegrama*, adefesio literario que las nuevas generaciones desconocen gracias al actual telefax, y varias voces más, como *crucigrama, diagrama, cardiograma...* Y a propósito de *pentagrama, melodía.* Esta es la única palabra con el sufijo *-odia* que no es grave. El musical sufijo viene del griego *oide*, que significa *canto*, y sirve para formar voces graves, como *rapsodia, parodia, prosodia.*

La palabra griega *eîdos*, que significa *en forma de*, origina el sufijo *-oide,* que va en palabras graves como *asteroide, alcaloide, planetoide. Ópsia*, que significa *visión*, da lugar al sufijo *-opsia*, presente en graves como *biopsia, autopsia.*

Las agudas u oxítonas

Vistas las esdrújulas y las graves, voy a hablarle ahora de las agudas u oxítonas. Son las que llevan el acento en la última sílaba. Se tildan solo cuando terminan en vocal o en *ene* o en *ese.*

Se llaman agudas las palabras que llevan el acento en la última sílaba. Se tildan cuando terminan en vocal, o en *ene* o en *ese*.

Hay sustantivos agudos, *can-**ción**, di-rec-**ción**, pa-**pel**, rep-**til**, man-**tel**, bon-**sái**, ma-**ní**, Be-a-**triz**, Or-**tiz**, a-ves-**truz***; también algunos en plural: *bon-**sáis**, ma-**más**, ten-tem-**piés**...* Los infinitivos que no sean monosílabos (*ver, dar, ser, ir*) son agudos: *a-**mar**, te-**mer**, par-**tir**, de-sin-**flar**, op-ti-mi-**zar**, su-pe-**rar**, a-**sir**, pre-**ver**, pro-ve-**er**, e-xal-**tar**.* Hay adjetivos, *a-**quel**, tem-po-**ral**, su-**til**, man-**dón**, re-men-**dón**, au-**daz**, ca-**paz**, re-gu-**lar**, es-pec-ta-cu-**lar**, an-te-**rior**.* Hay verbos, especialmente pretéritos singulares, *man-**dé**, xe-ro-co-**pié**, ro-**bó**, ex-co-mul-**gó**,* y futuros, *des-cu-bri-**rá**, en-con-tra-**ré**, vol-ve-**rás**, re-sol-ve-**rás**, ha-bla-**rán**, de-ci-di-**rán**...*

Las agudas terminadas en zeta no se tildan

Con frecuencia veo tildes erróneas en palabras agudas terminadas en *zeta, Beatríz, Ortíz, Falquéz, audáz...*, que llevarían tilde si terminaran en *ese* (*Beatrís, Ortís, Falqués, audás...*). Lo correcto es *Beatriz, Ortiz, Falquez, audaz...*, sin tilde.

Existen homófonas, es decir, palabras con el mismo sonido pero diferente ortografía, como *Cortés* y *Cortez*, dos apellidos muy frecuentes en Latinoamérica, el primero bastante común en México y el segundo, en Argentina. El primero es agudo terminado en *ese* y por eso lleva tilde. El segundo es agudo terminado en *zeta* y por eso no la lleva.

No tilde las palabras agudas terminadas en *zeta*, como *Ortiz, Beatriz, audaz*.

Agudas terminadas en ene o ese que no se tildan

Como le mostré en líneas anteriores, la norma de acentuación matizada es: se tildan las palabras agudas terminadas en vocal o en *an, en in, on, un, as, es, is, os, us*, es decir, no simplemente terminadas en *ene* o *ese*, sino terminadas en *ene* o *ese* precedida de vocal. Esta acalaración es importante para palabras como *Isern, Calsals, Orleans, baobabs, blocs, robots,* que (aunque sean agudas terminadas en *ene* y en *ese*) no llevan tilde, porque la *ene* y la *ese* van precedidas de otra consonante.

Las agudas terminadas en i griega no se tildan

El uso propio de la *i griega* se da en final de diptongos y triptongos: *estoy, Paraguay, Sibundoy.* Observe que estas voces son agudas. Pronúncielas en voz alta y oiga que acentúa las sílabas, *toy, guay* y *doy.* Son agudas terminadas en vocal, pero no llevan tilde, porque la *i griega* se cuenta como consonante para efectos de acentuación.

I. Subraye las palabras agudas de las siguientes oraciones.

1. La quise con todo mi corazón y ella me dejó por un auténtico majadero.

2. Fui a Ecuador y me tomé una fotografía en la mitad del mundo.

3. Estoy en el rincón de una cantina, oyendo una canción que yo pedí.

II. Marque las tildes que falten en las siguientes oraciones.

4. La buena redaccion es la llave para entrar al mundo del éxito.

5. Un bonsai que compre en Paris se me quedo en Miami.

6. Me perdi sin un dólar en el bolsillo.

Respuestas: 1. corazón, dejó. 2. Ecuador, tomé, mitad. 3. Estoy, rincón, canción, pedí. 4. redacción. 5. bonsái, compré, París, quedó. 6. perdí.

¿Existen las sobresdrújulas?

Le he hablado en este capítulo de esdrújulas, graves y agudas, y ¿dónde están las sobresdrújulas? Pues las sobresdrújulas no están en ninguna parte, porque sencillamente no existen. Entonces, ¿por qué existe la palabra *sobresdrújula?*, ¿por qué en el colegio me enseñaron que había palabras sobresdrújulas?, ¿por qué ahora usted me viene a decir que no?, ¿desaparecieron hace poco?, ¿existieron alguna vez?

Ya le dije atrás que el idioma español es grave y que hay algunas voces agudas y una que otra esdrújula. Ningún sustantivo, ni ningún adjetivo, ni ningún verbo es sobresdrújulo. Por lo menos, ninguno que aparezca en el DRAE.

La clasificación de sobresdrújulo solo es válida para verbos con enclítico. Por ejemplo, *cante* es grave. Si le agrego el enclítico *me*, el acento queda donde el verbo solo lo llevaba y se tilda por su pronunciación esdrújula: *cánteme*. Si a ese verbo con el enclítico *me* le agrego el enclítico *las*, el acento sigue en el verbo y la voz compuesta se sigue tildando: *cántemelas*. Pero, fíjese usted que esa situación se da con tres componentes, que mantienen su carácter de verbo, el primero, y de pronombres, los últimos. La lengua portuguesa es más clara en esa distinción, pues el enclítico se escribe separado del verbo con guion: *usa-se,* en vez de nuestro *úsase*. Si en español se aplicara el criterio portugués, se escribiría *cante-me-las*, escritura en la cual el verbo seguiría sin tilde, pues sigue siendo grave terminado en vocal. Es preciso aceptar que las sobresdrújulas *cántemelas, escríbaselo, deténgamela* llevan tilde solo por evitar la pronunciación grave que se le daría al leerlas sin tilde, pero que en estricto sentido son graves con un par de enclíticos átonos al final, que no afectan su acentuación.

Regímenes y especímenes

Una buena prueba de que las palabras sobresdrújulas son extrañas a la morfología léxica española nos la da la palabra *régimen*, cuyo plural sería sobresdrújulo: *régimenes,* pero por no existir ningún otro sustantivo sobresrújulo, a este no le quedó más remedio que cambiar su acento natural en el plural, correrlo una sílaba y quedar esdrújulo: *regímenes*. Lo mismo le pasa a la palabra *espécimen*, cuyo plural natural sería sobresdrújulo, *espécimenes*, mas por la razón expresada no le queda otro remedio que correr su acento y quedar *especímenes*, para no constituirse en un espécimen raro dentro del léxico español.

Las siguientes afirmaciones son ciertas, pero si no tiene usted paciencia y buen humor para leerlas y analizarlas puede terminar más enredado que un bulto de anzuelos.

1. La palabra *grave* es grave, pero la palabra *aguda* no es aguda.

2. La palabra *esdrújula* es esdrújula, pero la palabra *sobresdrújula* no es sobresdrújula.

3. La palabra *acento* tiene acento, pero la palabra *tilde* no tiene tilde.

4. La palabra *diptongo* no tiene diptongo y la palabra *hiato* no tiene hiato.

5. La palabra *hiato* tiene diptongo, pero la palabra *diptongo* no tiene hiato.

Porque y porqué, confusión no tan peregrina

Entre los más frecuentes errores al escribir está el originado por la confusión de *porque* (grave) y *porqué* (aguda), asunto que se complica aun más si se tiene en cuenta que esas voces se confunden con las expresiones *por que* y *por qué*. Mejor dicho, aquí hay una cuádruple confusión de grave con aguda y de monosílabos con polisílabos, y créame que hasta entre los mejores redactores surge la duda. Mejor dicho, se lo voy a decir con nombre propio. Gabriel García Márquez tiene una colección de relatos que se llama *Doce cuentos peregrinos*. El prólogo de la primera edición, Oveja Negra, Bogotá, 1992, se titula *Porqué doce, porqué cuentos y porqué peregrinos*. Tal título, a no ser que haya una oculta razón heterográfica, debió escribirse así: *Por qué doce, por qué cuentos y por qué peregrinos*. Si tal problema se presenta en una obra de tan connotado escritor, qué no pasará en revistas, periódicos, textos escolares y avisos publicitarios...

Nota: Para esta edición de *Español correcto*, revisé ediciones recientes de *Doce cuentos peregrinos* y, tal como lo sospechaba, está corregido el error: *por qué doce, por qué cuentos y por qué peregrinos*.

Voy a explicarle, entonces, cada una de estas cuatro formas.

Por qué

Dos palabras, una preposición (*por*) y un pronombre interrogativo (*qué*), que cumplen función interrogativa, en oraciones afirmativas (*Juan sabe por qué se mató Julieta*), negativas (*no sé por qué se desesperó Romeo*) o interrogativas (*¿por qué se odiaban los Montescos y los Capuletos?*).

Porque

Una palabra grave (con el acento en la sílaba *por*), que actúa como conjunción causal, es decir, al comienzo del complemento de causa, como respuesta a la pregunta *por qué: porque leyó a Shakespeare... porque ella se veía muerta... porque tenían viejas deudas...*

Por que

Forma muy poco frecuente, que en vez de ir en el complemento de causa, va en el de finalidad, o sea, equivale a *para que: hace sus plegarias, por que no lo vayan a herir en la refriega.*

Porqué

Es la sustantivación de *por qué*. Como todo sustantivo, va unido (*porqué* y no *por qué*), y como mucho sustantivo, va precedido de artículo (*el porqué, un porqué*) y puede pasar a plural (*los porqués, unos porqués*). No es muy frecuente su uso o lo es sólo cuando se sofistica la expresión, y en vez de decir *¿por qué don Quijote enloqueció?*, se dice algo así como *me gustaría saber el porqué de la locura del caballero andante*. Normalmente usted y yo decimos *¿por qué no me paga?* y no *deseo saber el porqué de su tardanza en pagarme*. Sin embargo, en el lenguaje escrito académico, político, de ensayo sesudo, se suele usar esta forma. Hay que usarla, en consecuencia, correctamente. *El porqué* puede equipararse con *la causa, el motivo, la razón...*

Escriba *por que, por qué, porque* o *porqué*, según corresponda.

1. Hago votos _____ tenga usted un feliz viaje a Australia.

2. ¿Está demorado el vuelo _____ hay neblina?

3. El _____ de su viaje es un misterio para sus hijos.

4. ¿_____ no averiguas el verdadero _____ de su decisión?

5. Estoy por creer que tomó esa decisión _____ su situación económica no le daba alternativa.

Respuestas: 1. por que. 2. porque. 3. porqué. 4. Por qué...porqué. 5. porque.

Capítulo 8

Las normas especiales de acentuación

• •

En este capítulo

▶ El hiato

▶ El diptongo *ui*

▶ Acentuación de palabras compuestas

▶ Acentuación de *este, ese, aquel* y sus femeninos y plurales

▶ Acentuación de *solo*

▶ Palabras de doble acentuación

▶ Otros casos de acento diacrítico

▶ La diéresis

• •

Ya le había advertido páginas atrás que una vez dominara la acentuación de monosílabos y de polisílabos, quedaría pendiente una buena lista de excepciones. En este capítulo le voy a hablar de todas esas reglas que se apartan de la norma general y priman sobre ella.

En primer lugar, el hiato.

El hiato

En términos amplios, hiato es la unión de dos vocales que no forman diptongo, pero, en este libro, hiato es, para lo que nos interesa a usted y a mí, la unión de una vocal fuerte (*a, e, o*) y una débil (*i, u*), con predominio de la débil. Se diferencia del diptongo en que en este predomina la fuerte. Diptongo es una sola sílaba. Hiato son dos sílabas. Una explicación más detallada y una lista de todas las posibilidades de hiato, con ejemplos, está en el capítulo 5.

Se tildan todos los hiatos formados por vocal débil predominante y vocal fuerte, excepto *aun* cuando no es adverbio de tiempo.

Aquí me voy a centrar en la norma de acentuación, que es muy sencilla: todos los hiatos formados por vocal débil predominante y vocal fuerte llevan tilde, excepto la palabra *aun* cuando no es adverbio de tiempo.

Para aplicar esta norma, usted debe seguir los siguientes pasos: primero, detenerse en las palabras donde haya unión de fuerte y débil; segundo, oír la palabra (debe pronunciarla en voz alta); tercero, establecer si tal unión de fuerte y débil constituye diptongo o hiato; cuarto, tildar si su examen dio como resultado que era hiato.

Espero que usted haya oído hablar de la cantante española Rocío Durcal, y que haya oído canciones interpretadas por ella y compuestas por el mexicano Juan Gabriel, como *Amor eterno, e inolvidaaableeeeee...* Bueno, el ejercicio consiste en decirle a Rocío que le cuente un cuento. Aunque usted siempre ha querido decirle *Rocío, cante,* por hoy le va a decir *Rocío, cuente.* No se lo susurre al oído. Gríteselo: ¡*Rocííío, cueeeente*!

Oiga bien. Cuando usted grita *Rocío*, la vocal que predomina es la *i*, que va pegada a una *o*, es decir una débil al lado de una fuerte. Claramente se trata de un hiato, pues predomina la débil. Hay tres sílabas: *Ro-cí-o*. Ahora, oiga bien su pronunciación de *cuente*. Predomina la *e*, que va al lado de la débil *u*: es un diptongo, es decir, *cuen* es una sola sílaba. Esta palabra tiene dos sílabas: *cuen-te*. La palabra *Rocío* lleva tilde, por ser hiato. La palabra *cuente* no la lleva por ser grave terminada en vocal.

Ahora, dígale a Juan Gabriel, el compositor de cabecera de Rocío, que actúe tal como lo hace en sus conciertos. Dígaselo en voz muy alta: *Juan Gabriel, actúe.* Si está gritando, debe sonar así: ¡*Juan Gabrieeel, actúúúe*!

Deténgase en la palabra *Juan*, que no está sonando suficientemente alto. Grite solo *Juan*. Debe sonarle *Juaaan*. Ahí está resuelto el caso: en *Juan* predomina la *a;* por lo tanto, es un diptongo; en consecuencia, es una palabra monosílaba, razón por la cual no se tilda. En *Gabriel* predomina la *e;* es una palabra de dos sílabas (*Ga-briel*); aguda terminada en *ele;* no lleva tilde. En *actúe* predomina la *u*; hay tres sílabas (*ac-tú-e*); hay, pues, hiato; debe tildarse.

Ya sabe que cuando hay *hache* entre la fuerte y la débil, también existe la posibilidad de que haya diptongo o hiato. Por ejemplo en *ahí, búho, prohíbe*, también es preciso tener en cuenta la unión de fuerte y débil, por ser la *hache* una consonante muda.

Aun, la excepción

La única excepción es *aun*, palabra que lleva tilde cuando es adverbio de tiempo y no la lleva cuando es conjunción o preposición.

Aún (adverbio de tiempo), con tilde:
> Son las cinco de la tarde y aún no nos han traído el té.
> Aún existen verdaderos patriotas dispuestos al sacrificio.
> El vuelo a Cancún no ha salido aún, por baja visibilidad.

Aun (conjunción), sin tilde:
> Aun cuando lea y lea, solo aprende si analiza lo leído.
> No volverá a casa, aun cuando le llores y te le arrodilles.

Aun (preposición), sin tilde:
> Aun las más veteranas estaban medio coquetonas.
> Todos pagaron; aun los más pobres.

Observe que *aún*, con tilde, se parece al adverbio de tiempo *todavía*. Y *aun*, sin tilde, se parece a *incluso* o *hasta*, es decir, es preposición, a no ser que vaya en la frase *aun cuando*, donde se parece a *aunque*, es decir, es conjunción.

Analice la palabra *aun* en las siguientes oraciones, y tíldela cuando se deba.

1. Me parece que aun no han llegado ni Marta, ni Berta, ni Mirta.

2. Estaba escuchándolo, aun cuando no con total atención.

3. Todos tenían miedo en Ciudad Gótica; aun los amigos de Batman.

4. Aun me quedan unos dólares para los gastos de mañana.

5. Aun cuando viví en Madrid, aun hablo sin zetas, aun en la embajada de España.

Respuestas: 1. aún (adverbio de tiempo). 2. aun (conjunción). 3. aun (preposición). 4. Aún (adverbio de tiempo). 5. Aun, aún, aun.

Recuerde, entonces, que los hiatos se tildan. Estas tildes siempre van en la *i* o en la *u*. No olvide las de sustantivos como *Eloísa, Raúl, Saúl, Esaú, María, García, galería, estantería, droguería, búho*; ni las de verbos como *reúne, reúnen, reúna, reúnan, devalúe, actúen, atenúa, oí, oíste, sonría*.

La palabra griega *agogé*, que significa *conducto*, da pie a la terminación española *-ogía*, de palabras como *analogía* y *pedagogía*, que tienen hiato, aunque también las hay sin hiato como *demagogia*, que es grave, con el acento en *go*. La palabra griega *phoné*, que significa *sonido*, origina palabras españolas con hiato, como *sinfonía, telefonía, homofonía*.

Gréphein, que en griego significa *escribir*, también da lugar a palabras españolas con hiato, como *grafía, ortografía, caligrafía*. La voz griega *lógos*, que puede traducirse como *tratado, ciencia* o *doctrina*, deriva en palabras españolas con hiato, como *mineralogía, geología, arqueología*. El verbo griego *némein*, que equivale a los españoles *gobernar* o *regir*, da lugar a voces con hiato, como *autonomía, economía, agronomía*. A su turno el sustantivo griego *opós*, que significa *ojo*, produce términos españoles con hiato, como *miopía, hipermetropía, ambliopía*.

Encuentre y tilde los hiatos de las siguientes oraciones.

1. Aun estoy esperando a Emilio, que llega hoy de Rumania.

2. Rufino José Cuervo vivió en Francia, donde comenzó su *Diccionario de construcción y régimen de la lengua castellana*.

3. La película *Acompáñame* fue protagonizada por el mexicano Enrique Guzmán y la española Rocio Durcal.

4. Cuando se reunan los de mi salón, voy a presentarles a mi novia.

5. Raul Garcia Buendia fue algún dia a Alejandria y aprendió geografia, filosofia, economia y alguna que otra melodia

Respuestas: 1. Aun. 2. (ninguno). 3. Rocío. 4. reúnan. 5. Raúl García Buendía, día, Alejandría, geografía, filosofía, economía, melodía.

El diptongo ui

En 1952, las *Nuevas normas de prosodia y ortografía* eliminaron muchas de las tildes que se marcaban en las palabras con *ui*. A continuación, le voy a explicar esta norma, que es una de las menos conocidas popularmente, razón por la cual se siguen marcando tildes eliminadas hace ya casi medio siglo.

La norma dice algo muy sencillo: el grupo de vocales *ui* se considera diptongo en todos los casos, para efectos de acentuación escrita. En otras palabras: el grupo *ui* se cuenta siempre como una sola sílaba y, hecha la separación silábica, se aplican las normas generales, es decir, si es monosílabo se deja sin tilde y si es polisílaba se aplican las normas de esdrújulas, graves y agudas.

Procedamos.

Monosílabos con ui

Tomemos las palabras *fui* y *huy*, con las que se puede hacer todo un cuento: *fui a la cueva de la bruja, grité '¡huy!' cuando la vi, y salí despavorido*. El *fui* de este cuento es monosílabo en fonética. Pronúncielo y advertirá que va en una sola sílaba (no *fu-í*, sino *fui*) en diptongo creciente, es decir, con un acento que va creciendo de la *u* a la *i*. Ninguna novedad. Claramente es monosílabo y por eso va sin tilde. El *huy* del cuento, que debe ser tremendo grito lleno de horror, también es monosílabo, solo que a diferencia del anterior es decreciente: el acento va decreciendo de la *u* a la *y*. También va sin tilde. Todos los monosílabos van sin tilde (¡ah! , hay excepciones, pero ninguno de estos está en la lista de excepciones).

Hasta aquí, el asunto es sencillo.

Graves con ui

Tomemos palabras polisílabas. Por ejemplo, *jesuitas*, *fluido* e *incluido*. Digamos que *tres jesuitas fueron a revisar el fluido eléctrico y miraron detenidamente todos los interruptores, incluidos los del colegio*. Los *jesuitas* pueden ser trisílabos o tetrasílabos según los pronuncie una u otra persona. Hay quienes dicen *je-sui-tas* y hay quienes dicen *je-su-i-tas*. En todo caso, cualquiera que sea la pronunciación, al aplicar la norma de *ui* nos queda de tres sílabas, pues *sui* debe contarse como una aunque no lo sea. Ahí ya puede usted aplicar la norma de esdrújulas graves y agudas. Si oye bien la palabra, advertirá que es grave y llegará rápidamente a la conclusión de que no lleva tilde por terminar en *ese*.

Luego viene el *fluido*. No importa que se pronuncie *flui-do* o *flu-i-do*, pues al aplicar la norma (el grupo *ui* se cuenta siempre como una sola sílaba) quedará bisílabo: *flui-do*. El acento va en la penúltima sílaba; es grave terminada en vocal; no lleva tilde. Y sigue *incluidos*, que todo mundo pronuncia correctamente en cuatro sílabas (*in-clu-i-dos*), pero debe separar en tres para efectos de la marcación de la tilde, según lo exige esta norma. Entonces no se separa *in-clu-i-dos*, sino *in-clui-dos*, y tras confirmar su acentuación advertirá usted que es grave, con el acento en la sílaba *clui*, por lo que no llevará tilde, como no la lleva ninguna grave terminada en *ese*.

Todavía se ven muchas tildes en participios pasados como *incluido, incluida, incluidos, incluidas, destruido, destruida, destruidos, destruidas, fluido, fluida, fluidos, fluidas*..., que por ser graves terminadas en vocal o en *ese* no llevan tilde. Por favor, usted no las marque más y dígales a sus amigos, compañeros, vecinos y primos que no lo hagan, que esa tilde se eliminó hace medio siglo.

Ahora bien, ¿por qué se marcaba? ¿Por qué se escribía *incluído, jesuíta, constituído*...? La norma decía: marque la tilde en la *i* para disolver el diptongo; para que no se pronunciara *inclúido, jesúita, constitúido*..., pero tal tilde quedó solo para los hiatos formados por vocal fuerte y débil predominante (*día, reúnen, caído*) y no para hiatos formados por dos vocales débiles. Además, así no se hubiera formulado esta norma (el grupo *ui* se cuenta como una sola sílaba para efectos de acentuación escrita), estas palabras son graves terminadas en vocal: *in-clu-i-do, je-su-i-ta, cons-ti-tu-i-do*. Observe que el acento de las tres palabras va en la *i*, que es en todas su penúltima sílaba. Así que, de todas maneras, son graves terminadas en vocal, y sus plurales, graves terminados en *ese*, por lo que no deben llevar tilde.

Esdrújulas y agudas con ui

Ahora tomemos palabras como *casuística, cuídalo, destruí, destruir*. El cuento puede ser que yo le di mi libro a mi hijo y le dije: *Aquí está toda la casuística gramatical. Cuídalo. Cuando era un joven inquieto no lo destruí. Tú tampoco lo vayas a destruir.* La *casuística* y el *cuídalo* de este cuento son esdrújulas: *ca-suís-ti-ca, cuí-da-lo*; todas las esdrújulas se tildan. *Destruí* y *destruir* son agudos: *des-truí, des-truir*. La primera termina en vocal; lleva tilde. La segunda termina en *ere*, consonante distinta de *ene* y *ese*, no se tilda, como no se tildan otros infinitivos (*amar, temer, partir, destruir, suponer, amasar, atraer, dirimir*...), que son agudos terminados en *ere*.

Entonces, para el grupo *ui* rige esta norma especial, según la cual estas dos vocales en este orden (*ui*) se cuentan como una sola sílaba, aunque sean dos, para efectos de marcación de tilde. De ahí en adelante, se aplican las normas generales de monosílabos o de polisílabos. La norma no dice, pues, que las palabras con *ui* siempre lleven tilde, ni que nunca lleven tilde. Lo único que señala es una especial separación silábica para aplicar las normas generales.

El grupo de vocales *ui* se cuenta, para efectos de marcación de tilde, como una sola sílaba, aunque sean dos.

Hui y huis

Desde la proclamación de la norma que exige contar el grupo *ui* como una sola sílaba para efectos de acentuación hasta 1999, las publicaciones de la Academia seguían mostrando las palabras *hui* y *huis* con tilde, *huí*, *huís*, en flagrante desobediencia a su propia norma, pues se trata de monosílabos. Monosílabos, técnicamente hablando, pues al pronunciarlo son bisílabos, *hu-í* y *hu-ís*.

En la primera edición de este libro alegué que no había justificación para esas tildes, pues si se aplicaba con todas sus consecuencias el criterio académico para el grupo *ui*, no había más remedio que contar *hui* y *huis* como monosílabos, y dejarlos sin tilde.

Según ello, habría que escribir *Yo* **hui** *del mundanal ruido hace años. Si vosotros* **huis** *también y seguís mi ejemplo, seréis felices.*

Cuando se publicó la *Ortografía de la lengua española* 1999 encontré con gran alegría que tenía razón. Aparecían las palabras *hui* y *huis* sin tilde, junto a otros monosílabos. Lamentablemente, mi alegría no duró mucho, pues unos renglones más adelante el texto advierte: "es admisible el acento gráfico, impuesto por las reglas de ortografía anteriores a estas, si quien escribe percibe nítidamente el hiato y, en consecuencia, considera bisílabas palabras como las mencionadas: *fié*, *huí*, *riáis*, *guión*, *Sión*, etc." (página 46, parágrafo 4.5.)

Y ya se dará cuenta usted, amable lector, del hueco infinito que se abre con esa tolerancia. En ese *etc.* cabe todo. Además, ¿quién podría no percibir con nitidez *huí* como bisílabo, claramente distinto de *huy*, monosílabo?

El tema no está resuelto, señores de la Academia.

Marque tildes en la *i* de la combinación *ui*, cuando corresponda.

1. El precio del reloj suizo es de cien dólares, incluido el impuesto.

2. Resuelva el test con cuidado, sin destruir la hoja de respuestas.

3. Juan Ruiz y Luis Blanco fueron a construir la jaula del buitre.

4. Es un tipejo ruin y sin valores. Yo no lo destrui.

5. Inclui una hoja con el diagrama del fluido.

Respuestas: 1. 2. y 3. (ninguna). 4. destruí. 5. Incluí.

Acentuación de palabras compuestas

Para palabras compuestas hay cuatro reglas distintas. En primer lugar, la general, se conserva sólo el acento del último componente. En segundo lugar, si hay guión, se conservan todos los acentos. En tercer lugar, para adverbios terminados en *-mente*, se conserva el acento de la raíz. En cuarto lugar, si se trata de un verbo con uno o varios enclíticos, se conservan siempre el acento y la tilde del verbo.

Vamos entonces a desmenuzar cada una de estas normas.

El decimosexto cortaúñas

La primera posibilidad es que dos o más palabras se unan para formar la compuesta, por ejemplo que *canta* y *autor* se peguen, para dar lugar a *cantautor*. Se pierde el acento del primer componente (*canta*) y se conserva el del último (*autor*). La palabra no queda con dos acentos, uno en la sílaba *can*, que la haría esdrújula, y otro en la sílaba *tor*, que la haría aguda, es decir una palabra *esdrujulaguda*, cosa que no existe, sino solamente aguda, pues la norma dice que el acento de palabras compuestas es el del último componente. Así, *can-tau-tor* es aguda terminada en *ere;* va sin tilde.

Ahora, ¿qué pasa si las palabras que se unen son *décimo* y *sexto*? Lo mismo: se pierde el acento del primer componente y queda solo el del segundo. La nueva palabra no es suprasobresdrújula (*dé-ci-mo-sex-to*),

En palabras compuestas se conserva el acento del último componente.

situación inexistente en español, idioma en el que ningún adjetivo ni sustantivo tiene el acento más atrás de la antepenúltima sílaba. Tampoco es una palabra con dos acentos, uno en *dé* y otro en *sex*, situación que solo se da cuando los componentes están separados con guion. El único acento de esta palabra es el del último componente (*sex-to*). *De-ci-mo-sex-to* es, pues, grave terminada en vocal; no hay tilde. Quizá usted haya visto otras escrituras de esta palabra: *décimosexto, décimo-sexto* o *décimo sexto*: ninguna de ellas es correcta.

¿Qué pasa cuando se unen *corta* y *uñas*? Observe que ambos componentes son graves (*cor-ta*, con el acento en *cor*, y *u-ñas*, con el acento en *u*), y que no hay ninguna tilde. Ahora, únalos: *cortauñas*. ¿De dónde salió esa tilde sobre la *u*? De la misma norma. La norma exige que el acento que predomine sea el del último componente. El acento va, pues, en la *u* de *uñas*. Al quedar esa *u* (vocal débil) al lado de una *a* (vocal fuerte), forma un hiato, pues predomina la *u*. Recuerde usted que todo hiato se tilda. Entonces, queda *cortaúñas*, con una tilde que no aparecía en ninguno de los componentes, pero aquí es necesaria para que no se altere el sonido correcto.

Un, dos, tres

Hay palabras compuestas como *cantautor*, que no tiene tilde, como no la tiene ninguno de sus componentes; como *decimosexto*, donde se pierde la tilde de uno de sus componentes, y como *cortúñas*, donde aparece una tilde que en el componente no existía. Esta última posibilidad se da con monosílabos que actúan como últimos componentes. *Un, dos, tres, seis* no tienen tilde por ser monosílabos, pero si actúan como componentes finales en *veintiún, veintidós, veintitrés, dieciséis, veintiséis*, quedan con tilde, porque estas palabras compuestas son agudas terminadas en vocal (*vein-tiún, vein-ti-dós, vein-ti-trés, die-ci-séis, vein-ti-séis*).

Muchas secretarias me preguntan por qué *así mismo* va con tilde y *asimismo* sin tilde. La respuesta es clara al aplicar esta norma. *Así* es palabra aguda terminada en vocal. Por eso lleva tilde. *Asimismo*, palabra compuesta, conserva el acento del último componente. Queda grave terminada en vocal (*a-si-mis-mo*, con el acento en *mis*). Va sin tilde.

En esto de hacer palabras compuestas —y aunque nada tenga que ver con la tilde— es importante tener en cuenta que si el primer componente termina en vocal y el segundo empieza con *ere*, hay que doblar la *ere* para que esta consonante mantenga su sonido fuerte. Así, *auto-* y realización dan *autorrealización* y no *autorealización*, pues en esta última forma pasa a suave el sonido fuerte original de la *ere*. Lo mismo que *caro* suena distinto de *carro*, *autorealización* suena distinto de *autorrealización*.

El conflicto árabe-israelí

Cuando hay guion entre las palabras que se unen, cada componente conserva su acento. Así, *árabe* e *israelí* unidos dan la expresión *árabe-israelí,* que conserva el acento y la tilde de *árabe*, que es esdrújula, y el acento y la tilde de *israelí*, que es aguda terminada en vocal. *García-Pelayo*, autor del famoso *Larousse*, no pierde la tilde del primer componente de su apellido, en virtud de esta norma. Así pues, *socio-económico, técnico-científico, Díez-Alegría, Fernández-Galiano*, conservan en esta forma compuesta los mismos acentos y tildes de sus respectivos componentes.

Cuando los adjetivos se vuelven adverbios

El tercer caso de palabras compuestas es el de adjetivos, *audaz, única, temporal, sola, fría...*, que se convierten en adverbios mediante la adición del sufijo *-mente*: *audazmente, únicamente, temporalmente, solamente, fríamente*. Estas palabras compuestas tienen, en realidad, dos acentos, el del adjetivo original y el del sufijo. Diga usted que en vez de estar pronunciando el adverbio se pronunciara una frase con adjetivo y sustantivo *audaz mente* (como *mente audaz*, o *inteligencia avanzada*), pues la pronunciación de *audazmente* es esa: *audaz mente*, con sus respectivos acentos en *daz* y en *men*. Entonces, ¿cuál de los dos acentos predomina? ¿*Au-daz-men-te* es esdrújula, con el acento en *daz*?, ¿o grave, con el acento en *men*?, o ¿ninguna de las anteriores? Pues, ninguna de las anterio-

Cuando hay guion en palabras compuestas, se conservan los acentos de cada uno de los componentes.

res, pues el sufijo -*mente* no se cuenta para efectos de acentuación. Solamente se tienen en cuenta la raíz del adverbio, es decir, el adjetivo *audaz*, que es palabra aguda terminada en *zeta*, razón por la cual va sin tilde. En otras palabras, *audazmente* no es esdrújula con el acento en *daz* (habría que escribirla con tilde, *audázmente;* ni grave, con el acento en *men*), sino aguda con el acento en *daz*.

Según ello, *únicamente* lleva tilde por ser esdrújula, no por ser suprasobresdrújula; *temporalmente* no lleva tilde por ser aguda terminada en *ele*, y no esdrújula, con el acento en *ral*; *solamente* es grave terminada en vocal, y no sobresdrújula; *fríamente* va con tilde por su hiato.

En otras palabras, todo adverbio terminado en -*mente* tiene la misma acentuación de su raíz. No se pierde, ni se agrega ninguna tilde. *Casual,* aguda terminada en *ele*, sin tilde, da *casualmente*, que sigue siendo aguda terminada en *ele*, puesto que -*mente* no existe para efectos de acentuación escrita; *triste*, grave en vocal, sin tilde, da *tristemente*, igualmente grave terminada en vocal e igualmente sin tilde; *candorosa*, grave terminada en vocal, sin tilde, da *candorosamente*, también sin tilde; *práctica*, esdrújula, da *prácticamente*, igualmente esdrújula, pues el sufijo -*mente* no se cuenta para efectos de marcación de tilde.

No todos los adverbios terminados en -*mente* aparecen en el Diccionario, pero usted los puede crear, según su buen sentido lógico y estético y ya sabe que su acentuación no varía respecto al adjetivo que le sirve de raíz. Si el adjetivo tiene tilde, la conserva en el adverbio; si no la tiene, no la adquiere.

Lo que no tiene ningún sentido, tal vez ni siquiera humorístico, es crear adverbios terminados en -*mente*, a partir de sustantivos. Uno oye por ahí tonterías como *automóvilmente*, supuesto adverbio derivado del sustantivo *automóvil*, o *aviónmente, bicicletamente* y *edificaciónmente*...

Verbos con enclíticos

El cuarto y último caso de palabras compuestas es el de verbos con pronombres enclíticos. La norma dice que se conserva la acentuación del verbo.

En los adverbios terminados en -*mente* se conserva inalterada la acentuación de la raíz y no se cuenta el sufijo.

Se llaman clíticos los pronombres átonos (sin acento), *lo, la, le, los, las, les, me, te, se, nos* y *os*. Estos pronombres reemplazan el objeto directo de la oración y van antes o después del verbo. Si van antes, se llaman proclíticos: *lo entendí, la resolvieron, le enviaron un antifaz, se informa que hoy pagan, os dijeron que erais muy majos*. Si van después, se llaman enclíticos: *páguen**me**, díga**nos**, uso**se** hasta el siglo XVIII, entregándo**la** oportunamente a sus clientes, quiero enmendar**me** y no pecar más...*

La norma se refiere a estos últimos casos. Como los pronombres clíticos son átonos, el acento de la nueva palabra (verbo y pronombre) no puede quedar en el último componente, el pronombre, que es átono, es decir, sin acento. Queda, entonces, en el verbo. Si usted une *lleve*, que es palabra grave terminada en vocal, sin tilde (*lle-ve*), con *me*, que es palabra sin acento, queda *lléveme*, esdrújula (*llé-ve-me*). Eso no tiene nada de raro. Toda esdrújula lleva tilde. Ahora, si usted une el verbo *usó* y el enclítico *se*, queda *usose*, que no lleva tilde, pues es palabra grave terminada en vocal. La regla exige mantener el acento, pero no necesariamente la tilde. Antes de 1999 era obligatorio conservar la tilde.

Enclíticos con infinitivos y gerundios

Los enclíticos se pueden agregar a cualquier forma verbal, incluso a infinitivos, *amarte, decirle, informarnos, extenderla...*, y a gerundios, *amándote, siguiéndolos, divirtiéndonos, desenpolvándolas...*Si son infinitivos sin tilde, al agregar el enclítico, una sílaba más, quedan graves terminadas en *ere* (*en-re-dar*, aguda: acento en *dar*; *en-re-dar-nos*, grave: acento en *dar*). Ningún gerundio lleva tilde, porque son graves terminados en vocal (*la-van-do, co-mien-do, dur-mien-do*, llevan el acento en *van, mien* y *mien*), pero la adquiere al agregársele el enclítico (*la-ván-do-me, co-mién-do-se, dur-mién-do-los*), porque se vuelven esdrújulos.

Lo que va de tirános a tiranos y de robálo a robalo

Los imperativos de *vos*, segunda persona del singular, *mové, luchá, bregá, mandá...*, no conservan la tilde al agregar un enclítico, *movela, movelo, movete, luchala, luchalas, bregale, bregales...* como tampoco las demás formas clásicas que llevan tilde antes del enclítico, como *dé, dele, deles, denos; mandó, mandome; libró, librola*. El pronombre *vos* es de uso frecuente en el lenguaje hablado de muchas regiones latinoamericanas. No figura en las tablas clásicas de verbos, quizá porque en España no se usa, pero es la forma más habitual de trato familiar en Argentina, Uruguay, Bolivia, Perú, Ecuador, parte de Colombia, parte de Venezuela y parte de América Central.

La forma clásica *tú eres un tipazo* se vuelve en estas regiones *vos sos un tipazo*. Los imperativos correspondientes a *tú* (*ven, canta, entra, lleva...*) resultan lejanos, algo sofisticados y nada familiares, por lo que suelen relegarse por los correspondientes a *vos* (*vení, cantá, entrá, llevá*). Si usted ve series costumbristas de la televisión argentina (*Grande Pa, Celeste*) o de la televisión colombiana (*Café, Higuita*) puede oír en los parlamentos de sus personajes este uso idiomático (*...dejame tranquila Sebastián; no me molestés más...*). Si detesta las telenovelas y las comedias, pero ve noticieros con entrevistas deportivas, oiga las respuesta de Maradona o a cualquier otro futbolista argentino y procure identificar en su léxico espontáneo ese voseo, que casi nunca se encuentra en libros, periódicos, ni revistas, pero que puede oírse a cualquier hora en el metro de Buenos Aires o en el de Medellín, en el estadio de Managua o en la discoteca de Cali (*...vos sos un bacán. Dejame que te dé un abrazo. Vení, hombre. No me dejés con las ganas de mostrarte todo mi afecto*).

A este fenómeno lingüístico, pocas veces tratado en los textos de gramática o tratado muy de paso, se aplica la presente norma de acentuación: *tirá* da lugar a *tirala, tirale, tiranos*; *tomá*, a *tomame, tomala, tomate*; *robá*, a *robame, robales, robalo*. La norma vigente hasta junio de 1999 exigía dejar las tildes (*tirános, tomáte, robálo*), lo que permitía distinguir estos verbos de sus sustantivos homófonos (*tiranos, tomate, robalo*) y de los verbos correspondientes al pronombre *tú* (*tíranos, tómate, róbalo*). Hoy se confía en que el lector sabrá leer "*ve, vos, ¡tomáte un jugo!*" donde dice "*ve, vos, ¡tomate un jugo!*".

Agréguele más enclíticos

A una forma verbal se le pueden agregar uno o dos enclíticos. El acento y la tilde siempre van en el verbo. Así, a *canta esa balada*, se le puede agregar el pronombre *nos*, *cántanos esa balada,* y reemplazar el objeto con el pronombre *la, cántanosla*. En esta última versión hay verbo (*canta*), pronombre enclítico que reemplaza a nosotros (*nos*) y pronombre enclítico que reemplaza a *la balada* (la): *canta-nos-la*. La palabra original es grave (*can-ta*, con el acento en *can*), la segunda es esdrújula (*cán-ta-nos*) y la tercera es sobresdrújula (*cán-ta-nos-la*).

Más que todo como experimento didáctico y no porque sea usual, puede agregarse un tercer enclítico: *comunique, comuníquese, comuníqueseme, comuníquesemeles*. La palabra original es grave terminada en vocal (*co-*

En palabras compuestas de verbo y pronombre enclítico, se conservan la acentuación del verbo.

mu-ni-que, con el acento en *ni*), la segunda es esdrújula (*co-mu-ní-que-se*), la tercera es sobresdrújula (*co-mu-ní-que-se-me*), la cuarta y última es suprasobresdrújula (*co-mu-ní-que-se-me-les*). Las primeras son fáciles de imaginar. Las últimas me traen a la mente a algún sargento de Hollywood, que ante el pelotón grita: *comuníqueseme toda novedad... comuníquesemeles a los visitantes que pueden ingresar ya... ¡retirarse, ar!*

Ya sabe usted que aquí se presenta la única posibilidad en el idioma español de pronunciar o escribir palabras sobresdrújulas o suprasobresdrújulas, pues las palabras simples, e incluso las compuestas que no sean verbos, son siempre monosílabas, agudas, graves y esdrújulas. Nada más.

En resumen, las palabras compuestas tienen cuatro normas: una general, (se conserva el acento del último componente), y tres variables para casos específicos: en palabras con guion, se conservan los acentos de cada componente; en adverbios terminados en *-mente*, se conserva la acentuación de la raíz, sin contar el sufijo; y en verbos con enclítico se mantiene siempre la acentuación del verbo.

Marque tildes donde falten.

1. Asimismo, ellas asistieron al decimoseptimo recital del cantautor.

2. Compré dieciseis cortauñas, veintidos portarretratos y seis láminas.

3. Seguramente no han tenido ingresos porque los Garcia-Perez cerraron la fábrica de implementos deportivos hace veintiseis semanas.

4. ¡Pasala, che! ¡Si sos lo máximo! ¡Metela, metela, que apenas vamos 5-0!

5. Ese sanalotodo se cree un sabelotodo, pero no es más que un correveidile y un entrometido catacaldos.

Respuestas: 1. decimoséptimo. 2. dieciséis cortaúñas, vintidós. 3. García-Pérez, veintiséis. 4. (ninguna). 5. (ninguna).

Acentuación de este, ese, aquel y sus femeninos y plurales

Antiguamente se decía que *este, ese, aquel* y sus femeninos y plurales debían tildarse cuando eran pronombres y dejarse sin tilde cuando eran adjetivos, para distinguirlos así mediante la tilde diacrítica de los pronombres. Esa norma dejó de ser obligatoria en 1952. En tal año, quedó opcional la norma de tildarlas cuando son pronombres. El DRAE incluye estos pronombres sin tilde. En la práctica, casi nadie tilda *ése, ésa, ésos, ésas, aquél, aquélla, aquéllos, aquéllas,* pero persiste la costumbre de tildar *éste, ésta, éstos, éstas,* incluso cuando no son pronombres sino adjetivos. También se ve con alguna frecuencia tildado *ésto,* que no debía tildarse ni siquiera en vigencia de la norma antigua. Este hecho demuestra poca claridad para distinguir pronombre de adjetivo y, también, poca claridad respecto a la norma y a su cambio de 1952.

Comienzo, entonces, por decirle que esta norma se refiere exclusivamente a doce palabras: *este, ese, aquel, esta, esa, aquella, estos, esos, aquellos, estas, esas, aquellas.* No están en la lista los neutros *esto, eso, aquello.* La norma pedía marcar tilde diacrítica en los doce pronombres para distinguirlos de los correspondientes adjetivos. Por ejemplo, si yo escribía *este burro anda con gran lentitud*, no debía tildar *este* porque en esta oración *este* es adjetivo. En cambio, si escribía *ese sí es veloz*, sí debía tildar *ese* porque es pronombre. El adjetivo modifica el sustantivo; en este caso, *este* modifica *burro*. El pronombre reemplaza el sustantivo; en este caso, *burro*. Tal norma ya no obliga. Los dos pueden quedar sin tilde, pues el contexto —la presencia o ausencia del sustantivo— es claro para diferenciar adjetivo de pronombre.

Es casi imposible que haya confusión

Ahora bien, la norma actualmente vigente dice que no es obligatoria la tilde, salvo que se preste a confusión. Pero, ¿podrá prestarse a confusión? En principio, es difícil que tal confusión se dé, pero usted ha visto ya que casi todo es posible en asuntos del idioma. Echándole cabeza puede uno dar con un caso en el cual francamente no sea clara la condición de pronombre de alguna de estas doce palabras y sea indispensable marcarle la tilde. En algún texto antiguo se ve el siguiente ejemplo, para decir que la tilde del pronombre es necesaria: *Aquél llevaba pistola y éste revólver*. El alegato dice que si no se le marca la tilde a *éste*, lo que indica que es otro sujeto (distinto de *aquél*), puede entenderse que *aquél* llevaba pistola y revólver, pues al escribir *este revólver* y no *éste revólver* parece que estuviera indicando cuál revólver (*éste* y no *ése*) y no que *éste* fuera otro individuo. Todo ello parece convincente, pero el problema es más bien de sintaxis. Si no hay coma después de *este*, la palabra *este* es claramente adjetivo, que modifica el sustantivo *revólver*. Si hay coma después de *este*, se trata de una coma elíptica, que reemplaza el verbo, en este caso, *llevaba*. Lo aclaro en seguida.

1) *Aquel llevaba pistola y este revólver* (sin coma).

Hay una sola oración. En ella un sujeto (*aquel*) llevaba pistola y este revólver, este revólver que les estoy mostrando aquí. La pistola estará por ahí perdida, pero el revólver está aquí, mírelo, es este. En esta historia hay una sola persona con dos armas.

2) *Aquel llevaba pistola y este, revólver* (con coma).

Hay dos oraciones. En la primera, un sujeto (*aquél*), relativamente lejano, llevaba pistola. En la segunda, otro sujeto (*este*), más cercano que al anterior, llevaba revólver. La coma elíptica reemplaza el verbo *llevaba* en la segunda oración. En este caso hay dos sujetos, cada uno con su respectiva arma. La tilde no se necesita. Lo que distingue significados es la presencia o ausencia de la coma elíptica. La tilde puede perfectamente eliminarse en el caso de verbo elíptico y, por supuesto, no puede aparecer en el caso que va sin coma.

Y ¿si sí hay confusión?

Un ejemplo bastante rebuscado, en el cual se requeriría la tilde, es el siguiente: *Luisa manda las cartas y esta llama por teléfono*. El arcaico comentario diría que si no hay tilde en la palabra *esta*, Luisa debe mandar las cartas y la llama (un mamífero rumiante apto para llevar carga ligera, muy conocido en Perú, Bolivia, Ecuador y Colombia), todo ello, por teléfono. En cambio, si hay tilde en *ésta*, *ésta* es alguien distinta de Luisa que va a hacer otra cosa; Luisa manda las cartas y la otra, que se puede llamar Petronila, o Débora, o Pascuala, pero que no es Luisa, hace las llamadas telefónicas. Tal confusión no se da, desde el momento en que cartas y llamas no son enviables por teléfono...

Los ejemplos de este tipo podrían crearse por simple diversión, aprovechando voces homófonas que puedan ejercer como sustantivos y como verbos. Hágalo usted con la palabra *informe*, o con la palabra *anexo*, que como otras pueden ser sustantivos, *el informe está listo y el anexo está pendiente*, o verbos, *informe de su dieta al médico y muéstrele la radiografía que le anexo*. Yo le ayudo con *informe* y usted hace la tarea con *anexo*: *Bote usted cartas viejas y este informe*. Si no hay tilde en *este* es porque le estoy dando la orden de botar a la basura todas las cartas viejas y el informe que le estoy señalando, este informe. Todo debe botarlo usted. No hay nadie más para este trabajo. Si, por el contrario, *éste* va tildado, usted tiene compañero de trabajo. Así que su labor se reduce a botar las cartas viejas y *éste*, un pobre diablo a quien ni siquiera se le conoce el nombre, le rinde a alguien un informe. Como ve, estos ejemplos hay que meterlos con calzador, pues no se los cree nadie.

Los 12 adjetivos casados

La realidad es que los adjetivos van con sustantivo y los pronombres lo remplazan. Lo que distingue un *este* adjetivo de un *este* pronombre es que el adjetivo va antes de su sustantivo, mientras el pronombre lo remplaza, es decir, el sustantivo no aparece por ahí. Le voy a mostrar ejemplos de estas doce palabras antes de sustantivo (le resalto el adjetivo y su sustantivo):

Este barrio era mejor en los viejos tiempos.

Me dijeron que ese caballo tenía preferencia por su propio chalán.

¿Sabe usted si aquel taxi está libre?

Tráigame unas rosas rojas para esta maravillosa mujer.

Canjeó esa enorme casa por un minúsculo apartamento.

Aquella preciosa niña me guiñó el ojo.

No tenemos noticia de que estos suéteres hayan salido defectuosos.

Cuando leí esos reportajes, quedé patidifuso.

No sabría decirle si son mejores aquellos cruasanes o los de aquí.

Compré estas lindísimas medias de nailon.

Pagué con esas tarjetas de crédito.

Me quedé con las ganas de comprar también aquellas blusas de seda.

En los doce casos precedentes, las palabras *este, ese, aquel, esta, esa, aquella, estos, esos, aquellos, estas, esas, aquellas* son adjetivos. Y son adjetivos, no porque no lleven tilde, sino porque van modificando, determinando, el sustantivo que sigue.

Los 12 pronombres viudos

Ahora, voy a hacer algo muy sencillo. Les voy a quitar a todos esos adjetivos sus sustantivos. Van a quedar viudos (el adjetivo está casado con el sustantivo). Al quedar viudos se van a convertir en pronombres. Véalos.

Este era mejor en los viejos tiempos.

Me dijeron que *ese* tenía preferencia por su propio chalán.

¿Sabe usted si *aquel* está libre?

Tráigame unas rosas rojas para *esta.*

Canjeó *esa* por un minúsculo apartamento.

Aquella me guiñó el ojo.

No tenemos noticia de que *estos* hayan salido defectuosos.

Cuando leí *esos,* quedé patidifuso.

No sabría decirle si son mejores *aquellos* o los de aquí.

Compré *estas.*

Pagué con *esas.*

Me quedé con las ganas de comprar también *aquellas.*

Las doce palabras resaltadas son ahora pronombres. No lo son porque tengan tilde. Vea que no la tienen. No dejan de serlo por no llevar tilde. Son pronombres porque no están modificando, acompañando o determinando un sustantivo, sino que lo están remplazando. Ahora bien, si quiere, puede tildarlos (aunque ya vio que no es necesario): *éste, ése, aquél, ésta, ésa, aquélla, éstos, ésos, aquéllos, éstas, ésas, aquéllas.*

Con los neutros no puedo hacer lo que hice con estos masculinos, femeninos y plurales. No puedo hacer una lista en la que *esto, eso, aquello* vayan antes de sustantivo, y después quitarles el sustantivo para que se conviertan en pronombres. No puedo escribir

Por *esto motivo* no pagué la cuenta.

Con *eso posibilidad* he soñado siempre.

Aquello profesor es mejor que *eso otro.*

Y luego quitar los 'adjetivos':

Por *esto* no pagué la cuenta.

Con *eso* he soñado siempre.

Aquello es mejor que *eso.*

Usted ve que solo los últimos tres son válidos, lo que quiere decir que *esto, eso* y *aquello* no requieren, ni admiten, el acento diacrítico de los otros doce pronombres aquí vistos. *Esto, eso, aquello* nunca llevan tilde.

Este, ese, aquel, esta, esa, aquella, estos, esos, aquellos, estas, esas, aquellas van sin tilde cuando son adjetivos, y pueden tildarse o no cuando son pronombres.

Pronombre, por nombre de persona, animal o cosa

Aunque ya lo dije en un capítulo anterior, los pronombres se refieren a persona, animal o cosa. Oigo mucho que pronombre es que el que refiere a persona. Muchas veces veo textos como el siguiente:

No fué por éste motivo que fué a resolverlo a donde éste abogado.

Después de demostrale al autor o a la autora que *fue* no lleva tilde, ni cuando es inflexión de *ser*, ni cuando es inflexión de *ir*, para lo cual hay que acudir a un diccionario de conjugación o a uno de dudas, sigue la pelea con *este*. Al primero le quitará la tilde después de media hora de discusión, cuando quede convencido, o convencida, de que tal palabra es adjetivo y es error marcarla, pero para quitarle la tilde al segundo *este* pasarán tres horas más de discusión, pues él, o ella, seguirá insistiendo en que es pronombre, puesto que se refiere a *abogado*, que es persona. No sé por qué extraña razón persiste en la mente de muchos escritores o escribientes tal idea. Y dicen, y repiten, y argumentan, que si se refiere a persona es pronombre. No. No. Y no. Es pronombre si remplaza al nombre, al sustantivo, que puede referirse a persona, animal o cosa. Y es adjetivo si lo acompaña.

Tan adjetivo es el *este* de *este árbol* (cosa), como el de *este sapo* (animal... aunque también puede ser persona) y el de *este magistrado* (persona). Tan pronombre es el *este* de *este ama a sus hijos* (persona), como el de *este rebuzna* (animal), o el de *este tiene motor de 1,6 litros* (cosa).

Para obviar cualquier dificultad, ya empresas, editoriales, colegios y grupos profesionales han optado por eliminar por reglamento interno la tilde de los pronombres *este, ese, aquel* y sus femeninos y plurales. Así nunca hay duda: si es adjetivo no puede llevar tilde y si es pronombre, caso en el cual la tilde es opcional, el organismo en cuestión opta por la

Nunca tilde *esto, eso, aquello.*

forma sin tilde y santo remedio. Hasta se puede programar el computador para que señale como erróneas tales palabras con tilde.

La acentuación de solo

La palabra *solo* puede actuar como adjetivo o como adverbio. Para distinguir una función de otra, en los casos en que se pueda confundir, se tilda el adverbio.

Muchas personas dicen que cuando *solo* equivale a *únicamente* se tilda y ya. Asunto resuelto. En efecto, cuando equivale a *únicamente*, o en reali-

I. Indique si es pronombre (escriba al frente P) o adjetivo (escriba A) la palabra en cursiva.

1. No hay en la ciudad muchas tiendas como *esta.* ____

2. *Aquella* me llama más la atención que *esta.* ____ ____

3. Me gustaría coger *esa* margarita y dársela a *esa* niña. ____ ____

4. ¡Quietos todos! ¡*Esto* es un asalto! ¡*Esta* arma no es de juguete! ____ ____

5. Fue *este* señor quien nos presentó a *ese* abogado. ____ ____

II. Marque tildes en las palabras en cursiva, cuando sea lícito, aunque no necesario.

6. Creo que por *eso* me dejó plantada.

7. *Este* es el mejor helado suizo. Me gusta más que *aquel.*

8. *Aquella* sicóloga me dio esta xerocopia y *este* opúsculo.

9. ¿Sabés por qué Mafalda no se quiere tomar *esta* sopa, che?

10. Me enteré ayer de que *estas* abarcas eran de puro cuero.

Respuestas: 1. P. 2. P.P. 3. A.A. 4. P.A. 5. A.A. 6. (no). 7. Éste, aquél. 8. (no). 9. (no). 10. (no).

dad a *solamente*, adverbio del cual es apócope, es decir, forma abreviada, se tilda, pero no siempre es necesario. Le voy a mostrar cuatro casos, de los cuales solo uno exige la tilde.

1. *Martín vino solo a tomar nota.*

2. *Martina vino solo a tomar café.*

3. *Martín y su hijo vinieron solo a tomar un taxi.*

4. *Martina y Verónica vinieron solo a tomar el pelo.*

En el primer caso, la oración puede significar que Martín no vino a otra cosa que a tomar nota, o que a Martín nadie lo acompañó. Eso depende de que *solo* sea adjetivo o adverbio. ¿Cómo sé si *solo* es adjetivo? Recuerde que adjetivo modifica sustantivo. El sustantivo al que puede modificar el adjetivo *solo* es *Martín*. Si lo que se quiere decir es que Martín está solo, salió solo, caminó solo, entró solo, es decir, sin compañía, sin pareja, sin amigos, sin guardaespaldas, *solo* es adjetivo (*Martín solo*). ¿Cómo sé si *solo* es adverbio? Recuerde que adverbio modifica verbo. En este caso, el verbo es *vino*. Si lo que se quiere decir en la oración es que Martín no vino a otra cosa, no vino a flirtear, no vino a comer, no vino a fumar, sino únicamente a tomar nota, *solo* es adverbio (*solo vino*).

Ahí está la posible confusión. Entonces, para evitarla, existe esta norma de acentuación: se tilda *sólo* cuando es adverbio, para distinguirlo del adjetivo. ¡Ojo! Para distinguirlo del adjetivo *solo*, pero no para distinguirlo de los adjetivos *sola, solos, solas*, puesto que con estos tres no puede confundirse.

Según ello, en los ejemplos 2, 3 y 4, sin ninguna duda y sin necesidad de ninguna tilde, la palabra *solo* es adverbio, es el apócope de *solamente*, no el antónimo de *acompañado*. En *Martina vino solo a tomar café* no puede significar que vino sin compañía, pues tal idea se expresaría como el

---

Solo o *sólo* (adverbio) es el apócope (forma abreviada) de *solamente*.

Solo (adjetivo) es el antónimo (contrario) de *acompañado*.

Ejemplos: *Sólo llueve en noviembre* o *solo llueve en noviembre* (significa que solamente llueve en noviembre; que no llueve en diciembre, ni en enero, ni en febrero... *Solo* o *sólo* es adverbio, apócope de *solamente*).

Juan está muy solo (significa que no está con el papá, ni con la mamá, ni con la hermana, ni con la tía, ni con la novia. Nadie lo acompaña. *Solo* es adjetivo, antónimo de *acompañado*).

adjetivo *sola*. Sin ninguna duda, este *solo*, el de Martina, es adverbio; significa *solamente*. Si usted quiere, puede marcarle tilde (*Martina vino sólo a tomar café*), pero la tilde sería inútil, pues no por la tilde la palabra pasa a ser adverbio y deja de ser adjetivo. No puede haber confusión entre *solo* y *sola*, como sí la hay, en el caso de Martín, entre *solo* y *solo*.

En los casos 3 y 4, los adjetivos serían *solos* y *solas*, que tampoco se pueden confundir con *solo*. Por eso, el único caso en el que *solo* requiere tilde es en el de Martín; en general, cuando se refiere a un masculino singular. En los demás casos esa tilde es absolutamente inútil. Por eso, en 1952 se quitó la obligatoriedad de marcar esa tilde y se dejó obligatoria solo para casos de posible confusión. Queda claro que tales casos se dan únicamente cuando se refiere a masculino singular.

Y ahora, ¡a jugar fútbol! ¿o futbol?

El fútbol (¿o futbol?) no falta en ninguna parte. Hay fútbol (¿o futbol?) en la radio, en la televisión, en las revistas, en los periódicos, en los parques, en los colegios, en las universidades, en las empresas. ¡Cómo podría faltar en los libros! Pues bien. Esta palabra tomada del inglés *football*, fue incluida por primera vez en el *Diccionario de la lengua española* en 1927. Esa edición usaba algo hoy desaparecido del *Diccionario*, los corchetes, para indicar que la palabra escrita entre ellos no estaba aún arraigada en el idioma de Cervantes y su inclusión en el lexicón académico tenía carácter provisional. Así que la palabra aparece así: *[fútbol]*.

En 1939, cuando la palabra española *fútbol* había cumplido sus primeros 12 años de vida, sufrió cambio de acento... suele pasar a los 12 años... Pasó a ser *futbol*. Dejó de ser grave (*fút-bol*, con el acento en *fut*) y pasó a ser aguda (*fut-bol*, con el acento en *bol*). Lo contrario de lo que les pasa a

---

*I. Identifique si 'solo' es adjetivo (escriba al frente **Adj.**) o adverbio (escriba al frente **Adv.**) en las siguientes oraciones.*

1. Agapito fue solo al centro y sólo compró naranjas. _____ y _____

2. Mi suegra viene solo cuando hay cumpleaños. _____

3. Panchita solo tiene una faldita. _____

Respuestas: 1. Adj. y Adv. 2. Adv. 3. Adv.

los muchachos a los 12 años, que pasan de voz aguda a voz grave... Esto
le sucedió a la pateada palabra, no por su adolescencia plena sino por
las críticas que originó en muchos países la decisión académica. Cartas,
llamadas telefónicas y comentarios de prensa decían que no se debía
escribir *fútbol*, grave, sino *futbol*, aguda. La Academia hizo caso.

En 1952, ya con 25 años, las *Nuevas normas de prosodia y ortografía* me-
tieron el segundo gol a favor de la voz grave *fútbol*. Nuevamente el balón
fue al centro del estadio, el árbitro pitó, y comenzó una fuerte ofensiva
de los partidarios de agudizar el deportivo vocablo. Este equipo estaba
integrado por lexicógrafos, lingüistas, locutores y cronistas mexicanos,
argentinos y cubanos, que se enfrentaban a los partidarios de la voz
grave *fútbol,* en su mayoría españoles y colombianos.

En 1956 sonó el pitazo final. Había empate. El *Diccionario* de ese año
incluía, en decisión más que salomónica, *fútbol* y *futbol*, ambas con los
mismos derechos de uso, ambas lícitas, ambas castizas... y así han aparecido las dos, en fraterna convivencia, en todas las ediciones posteriores del *Diccionario de la lengua española*.

Pero no crea usted que esta es una excepción. Hay muchas otras palabras que tienen dos acentuaciones válidas, una de las cuales puede en
algunos casos sonar terriblemente mal en países donde no se usa. Por
ejemplo, qué tal decir en España *chofer*, palabra aguda con el acento en
fer. Terrible. Tan terrible como pronunciarla grave en América (*chófer*,
con el acento en *cho*). Las dos formas de esta palabras son correctas
Ambas están en el DRAE. Una se usa en España. Otra en América. Y listo.

Hay casos en los cuales la diferencia es más sutil: *período, periodo, gladíolo, gladiolo; paradisíaco, paradisiaco*. Parece no haber diferencia fonética, pero desde luego que sí la hay. En *período* hay hiato; predomina la
vocal *i* (*pe-rí-o-do*), mientras que *periodo* es palabra grave (*pe-rio-do*, con
el acento en el diptongo *rio*). Igual en los otros dos casos: *gla-dí-o-lo* y *pa-
ra-di-sí-a-co* tienen hiato, mientras que *gla-dio-lo* y *pa-ra-di-sia-co* son graves, con el acento en los diptongos *dio* y *sia*.

En la lista donde le presento las más habituales de estas palabras de
doble acentuación, encontrará solamente sustantivos. Le aclaro que hay
palabras como *mamá* y *mama*, que no son inflexiones verbales (*el terne-
ro mama la leche*), sino sustantivos (*mi mamá me mima*); o como *maná* y
mana, que no son desinencias del verbo *manar* (*mana agua de la roca
cuando Moisés la toca*), sino sustantivos (*Mientras avanzaron detrás de
Moisés, comieron maná caído del cielo*). En cuando a *papá* y *papa*, esta
doble acentuación es válida cuando se refiere a padre (*mi papá me invitó
al circo*) y no cuando se refiere al alimenticio tubérculo (*mi papá compró
una porción de papa a la francesa...*, no *de papá a la francesa*). *Dominica*

Por Chato

— ¡FÚTBOL, FÚTBOL!
— ¡FUTBÓL, CHE, FUTBÓL!

y *domínica*, son palabras litúrgicas con las que se designa el *domingo*, por ejemplo, *domínica de Resurrección, dominica de Pentecostés*. No tienen nada que ver con las religiosas de la orden de santo Domingo de Guzmán, ni con las niñas de República Dominicana, unas y otras se llaman *dominicanas*, no *dominicas*. La pareja *cártel, cartel* es válida para la palabra de origen alemán, que se refiere a un conglomerado comercial de negocios lícitos o, como más frecuentemente se usa, ilícitos, *el cártel de la droga* o *el cartel de la droga*, no al letrero pegado en la pared, palabra de origen italiano, que siempre es *cartel* y nunca *cártel*.

En resumen, hay palabras de doble acentuación. Una tiene tilde y otra no. Las dos formas son correctas.

Lista de las más usuales palabras de doble acentuación
(las dos formas son correctas y el significado es idéntico).

Adonaí o Adonay
aeróbic o aerobic
afrodisíaco o afrodisiaco
aeróstato o aerostato
áloe o aloe
alveolo o alvéolo
amoníaco o amoniaco
areola o aréola
atmósfera o atmosfera
aureola o auréola
austriaco o austríaco

balaustre o balaústre
beréber o bereber
bimano o bímano
bosniaco o bosníaco

cantiga o cántiga
cardiaco o cardíaco
cártel o cartel
cartomancia o cartomancía

celtíbero o celtibero
chófer o chofer
cíclope o ciclope
cleptomaníaco o cleptomaniaco
cóctel o coctel
cuadrumano o cuadrúmano

demoníaco o demoniaco

hidromancia o hidromancía
hipocondriaco o hipocondríaco
hipomaníaco o hipomaniaco
homeóstasis u homeostasis

íbero o ibero
icono o ícono
ilíaco o iliaco

Jeremíaco o jeremiaco

mama o mamá
maná o mana
maníaco o maniaco
medula o médula
metempsicosis o metempsícosis
meteoro o metéoro
misil o mísil
monomaníaco o monomaniaco

necromancia o necromancía
nigromancia o nigromancía

olimpiada u olimpíada
omoplato u omóplato
orgía u orgia

pabilo o pábilo
papa o papá
paradisíaco o paradisiaco

(Continúa)

dinamo o dínamo

dionisíaco o dionisiaco

dipsomaníaco o dipsomaniaco

domínica o dominica

egilope o egílope

egipcíaco o egipcíaco

elefancia o elefancía

elefancíaco o elefanciaco

elegíaco o elegiaco

élite o elite

elíxir o elixir

endósmosis o endosmosis

exegesis o exégesis

exegeta o exégeta

fárrago o farrago

fríjol o frijol

fútbol o futbol

gladíolo o galdiolo

hemiplejía o hemiplejia

hemorroísa o hemorroisa

heteromancia o heteromancía

paraplejía o paraplejia

pelícano o pelicano

pentagrama o pentágrama

período o periodo

policíaco o policiaco

policromo o polícromo

polígloto o poligloto

quiromancia o quiromancía

reptil o réptil

reuma o reúma

róbalo o robalo

sicomoro o sicómoro

sólo o solo

termóstato o termostato

utopía o utopia

várice o varice

zabila o zábila

Zodiaco o Zodíaco

Otros diez casos de acento diacrítico

Retomando todas las normas de acentuación, hemos visto 28 casos de acento diacrítico: los once monosílabos usuales (*él, mí, tú, sí, dé, sé, té, más, qué, quién, cuál*) y los tres inusuales (*cuán, dó, hí*) ; los adverbios *aún* y *solo*, y los pronombres *este, ese, aquel* y sus femeninos y plurales. Para completar esta lista, aquí tiene diez más: *quiénes, cuáles, cuándo, cuánto, cuánta, cuántos, cuántas, dónde, adónde* y *cómo*. Estas palabras llevan tilde cuando son pronombres o adverbios interrogativos y admirativos y no la llevan cuando son pronombres o adverbios relativos. A continuación le presento ejemplos. Observe en ellos que la tilde va no cuando es pregunta, como suele decirse, sino cuando el pronombre es interrogativo o admirativo.

Quienes relativo (sin tilde):
    Pueden participar quienes así lo deseen.
    ¿También pueden participar quienes perdieron?
    No pueden participar quienes se inscriban, sino quienes paguen.

Quiénes interrogativo (con tilde):
> *Ya tenemos claro quiénes eran los godos.*
> *¿Para quiénes es este disco compacto?*
> *No se han enterado aún de quiénes fueron los responsables del robo.*

Cuales relativo (sin tilde):
> *Sean cuales sean sus problemas, esta es su casa. Quédese.*
> *¿Son ellas las muchachas con las cuales debo hablar?*
> *...ninguna de las cuales era peruana.*

Cuáles interrogativo (con tilde):
> *María Clara sí estaba segura de cuáles eran los números.*
> *¿Ya saben cuáles son los guayos más baratos?*
> *Nunca hemos sabido cuáles son los interruptores de la zona social.*

Cuando relativo (sin tilde):
> *Me llegó un nieto cuando menos lo pensaba.*
> *¿Podría regresar cuando haya terminado las tareas?*
> *Esto no es para que lo haga cuando pueda, sino ya.*

Cuándo interrogativo (con tilde):
> *Dígame cuándo puedo pasar por mi cheque.*
> *¿Para cuándo quiere libre el departamento?*
> *Ni idea. No sé cuándo dejó dejó el alcohol, ni por qué.*

Cuanto, cuanta, cuantos, cuantas relativos (sin tilde):
> *Cuantas más manos se metan en esto, peor.*
> *¿Les regalamos casetes a cuantos visitantes entren?*
> *No significa que cuanto más pegue será mejor atendido.*

Cuánto, cuánta, cuántos, cuántas interrogativos o admirativos (con tilde):
> *¡Cuánto la amaba! ¡Sólo tenía ojos para ella!*
> *¿Cuánta plata quiere que le pague por esa corbata de nailon?*
> *No sé ni cuánto bebió, ni cuántos dólares perdió, ni cuántas lágrimas*
>   *derramó su sufrida esposa.*

Donde y *adonde* relativos (sin tilde):
> *Lo encontraré donde quiera que esté, señor Seismuertos.*
> *¿Estará donde nos dijo ese cazarrecompensas?*
> *No llegará en su campero adonde llegó Lorenzo en su motocicleta.*

Dónde y *adónde* interrogativos (con tilde):
> *Lo invitaremos a un tequila. Ya sabemos adónde fueron a comprarla.*
> *¿Me podría informar dónde consigo leche malteada?*
> *Nunca sabrán dónde pernoctan esos guerrilleros.*

Cómo relativo (sin tilde):
> *Está ahí aparcado, tal como se lo dijo el agente de tránsito.*
> *¿Como quien dice que ya me puedo ir al club?*
> *No me huele como a anís, sino como a vainilla.*

Cómo interrogativo o admirativo (con tilde):
> *Tenga la bondad de informarme cómo llego al bulevar de los olmos.*
> *¿Que cómo nos enteramos de su regreso a Panamá?*
> *¡Cómo que no hay ningún bulevar de olmos en la ciudad!*

Debo hacerle una advertencia sobre el correcto uso de las palabras *adonde* y *adónde*. Estas dos expresiones, que también se pueden escribir *a donde* y *a dónde*, deben reservarse exclusivamente para verbos que indiquen movimiento: *voy adonde me lleve el gentío, pues no sé ni para dónde voy*. Es incorrecto, y en algunas regiones bastante frecuente, el uso de estas voces con verbos que no indican movimiento: *estoy adonde venden flores, pues adónde más iba a estar*. En estos casos lo correcto es *donde* y *dónde*.

Los 38 casos de acento diacrítico

En los capítulos 6 y 8 le he ido mostrando casos de acento diacrítico, es decir, casos donde debe marcarse la tilde, no porque lo exijan las normas generales de esdrújulas, graves, agudas y monosílabas, sino para distinguir el oficio de palabras homófonas y homógrafas en la oración. De estos casos le he mostrado hasta aquí 38. ¿Qué le parece si los vemos todos en una sola lista? Aquí están.

Marque las tildes diacríticas que hagan falta en las siguientes oraciones.

1. ¿A quienes presentaron hoy en el programa de don Francisco?

2. Cristina dijo que eran parejas no convencionales y no sé cuantas cosas más.

3. ¿Donde lo oíste, en la CNN o en Univisión?

4. Como ya os lo había informado, el próximo domingo sabréis quienes son los nuevos diáconos de esta parroquia.

5. No se ha decidido aún quienes son delanteros y quienes mediocampistas.

Respuestas: 1. quiénes. 2. cuántas. 3. Dónde. 4. quiénes. 5. quiénes, quiénes.

Llevan tilde	*No llevan tilde*
14 monosílabos (11 usuales y 3 inusuales)	
él (pronombre)	el (artículo o adjetivo)
mí (pronombre)	mi (adjetivo)
tú (pronombre)	tu (adjetivo)
sí (pronombre y adverbio)	si (conjunción y sustantivo)
dé (verbo)	de (preposición)
sé (verbo)	se (pronombre)
té (sustantivo)	te (pronombre)
más (pronombre y adverbio)	mas (conjunción)
qué (interrogativo y admirativo)	que (relativo y conjunción)
quién (interrogativo y admirativo)	quien (relativo)
cuál (interrogativo y admirativo)	cual (relativo)
cuán (interrogativo y admirativo)	cuan (relativo)
dó (interrogativo)	do (relativo)
hí (adverbio)	hi (sustantivo)
1 hiato	
aún (adverbio)	aun (conjunción y preposición)
12 pronombres más, (tilde opcional)	
éste, ésta, éstos, éstas (pronombres)	este, esta, estos, estas (adjetivos)
ése, ésa, ésos, ésas (pronombres)	ese, esa, esos, esas (adjetivos)
aquél, aquélla, aquéllos, aquéllas (pr.)	aquel, aquella, aquellos, aquellas (adj.)

(Continúa)

Llevan tilde	*No llevan tilde*
1 adverbio más (tilde opcional, salvo confusión)	
sólo (adverbio)	solo (adjetivo)

Llevan tilde	*No llevan tilde*
10 interrogativos o admirativos más, los no monosílabos	
quiénes (interrogativo o admirativo)	quienes (relativo)
cuáles (interrogativo o admirrativo)	cuales (relativo)
cuándo (interrogativo o admirativo)	cuando (relativo)
cuánto, cuánta, cuántos, cuántas (interrogativos o admirativos)	cuanto, cuanta, cuantos, cuantas (relativos)
dónde, adónde (int. y adm.)	donde, adonde (relativos)
cómo (interrogativo)	como (relativo)

La diéresis

El otro signo de acentuación que hay en español es la diéresis. Solo se usa en palabras que tengan las sílabas *güe* y *güi*, como en las palabras *bilingüe* y *agüita*. Si la diéresis no se marca, la *u* de estas sílabas queda muda, como en las palabras *sigue*, inflexión del verbo *seguir*, y *guitarra*. Si la *u* muda se quita en *gue* y *gui*, la *ge* adquiere sonido *jota*, como en las palabras *genio* (que suena *jenio*) y *gitano* (que suena *jitano*).

Para eliminar la diéresis del español, habría que comenzar por eliminar el sonido *jota* de la *ge*, que se da siempre ante las vocales *e* e *i*. En tal caso, el *gerente* de su banco no le autorizaría un *sobregiro*, sino que el *jerente* le autorizaría un *sobrejiro*. Hecho ese cambio, sería innecesaria la *u* muda, con cuya ausencia, ya *Guevara* no *guiñaría* el ojo, sino que *Gevera giñaría* el ojo. Finalmente, no habría más *pingüiinos bilingües*, pues todos serían *pinguinos bilingues*. Como ve usted, las normas caerían como en el juego de naipes, donde al caer la primera ficha van cayendo sucesivamente las demás. En la vida real, muchos se apuntarían a la eliminación de la diéresis —ya varios lo hacen, sin demasiada conciencia de su omisión—, pero no muchos se arriesgarían a escribir en su hoja de vida: *soy un jenio de la jeolojía*, pues correría el riesgo de ser reprobado en la sola lectura de su presentación.

No corra, pues, riesgos. Siga marcando la diéresis en todos los sonidos *güe* y *güi*, que a decir verdad no son muchos en español: *güeldrés, güelfo, pingüe, Itagüí, argüir, chigüiro...* y pocas más. Pero no se pase de raya. No use diéresis en otras combinaciones como *gua* y *guo*, que no la requieren. No escriba, como en cierto establecimiento que queda en un barrio vecino al mío "Antigüa", donde venden antigüedades, pues en *gua*, la *u* siempre es sonora. Nada de *antigüa* ni *antigüo*. Lo correcto es *antigua* y *antiguo*, aunque haya que escribir *antigüedad* y *antigüito*.

La diéresis se marca únicamente en las sílabas *güe* y *güi*.

Las 10 normas de acentuación

Las normas de acentuación expuestas en esta Parte II del libro son diez, que le resumo a continuación.

1. Los monosílabos no se tildan.

    Excepciones (en total, quince):

    Catorce casos de acento diacrítico,

    > Once frecuentes (*él, mí, tú, sí, dé, sé, té, más, qué, quién, cuál*).

    > Tres infrecuentes (*cuán, dó, hí*).

    Un caso de acento visual (*ó*, sólo al lado de arábigo).

2. Los polisílabos pueden ser esdrújulos, graves y agudos.

    Esdrújulos: siempre se tildan.

    Graves: se tildan cuando terminan en consonante distinta de *ene* o *ese*.

    Agudos: se tildan cuando terminan en vocal, o en *ene*, o en *ese*.

3. Los hiatos formados por vocal fuerte y débil predominante siempre se tildan.

    Excepción: *aun*, preposición y conjunción.

4. El grupo *ui* se cuenta como una sola sílaba para efectos de acentuación ortográfica. Se plican las normas generales, 1 y 2.

5.1. En palabras compuestas, se conserva el acento del último componente.

5.2. Si hay guion, cada componente conserva su acento.

5.3. En los adverbios terminados en -*mente*, no se cuenta el sufijo para efectos de acentuación.

5.4. En verbos con pronombre enclítico, se conservan el acento y la tilde del verbo.

6. Los pronombres *este, ese, aquel* pueden llevar tilde diacrítica para distinguirse de los adjetivos. Es opcional... e inútil.

7. El adverbio *solo* puede llevar tilde diacrítica para distinguirse del adjetivo. Solo obliga si se refiere a masculino singular.

8. Hay palabras de doble acentuación.

9. Los pronombres interrogativos y admirativos *quiénes, cuáles, cuándo, cuánto, cuánta, cuántos, cuántas, dónde, adónde* y *cómo* llevan tilde diacrítica para distinguirse de los adjetivos.

10. Las sílabas *güe* y *güi* llevan diéresis.

La norma 6 no es obligatoria y la tendencia es eliminarla. La norma 7 es opcional cuando *solo* no se refiere a masculino singular. Las demás normas son obligatorias.

Ahora sí tiene usted visto todo lo que siempre quiso saber sobre la tilde y nunca se atrevió a preguntar, como reza el título del Capítulo 5 de este libro.

Capítulo 9

Las letras

• •

En este capítulo

▶ Las letras dudosas

▶ Palabras con dos o más grafías posibles

▶ Los números cardinales, los ordinales y los partitivos

▶ Los números romanos

• •

¿**P**or qué se confunden las letras al escribir?

Porque hay letras que suenan igual, o porque quien va a escribir las pronuncia igual siendo distintas, o porque al pronunciar las palabras se omiten sonidos, o porque no se advierten los diversos sonidos de una misma letra según su situación, o porque se confunden los sonidos españoles con los de otros idiomas.

Lo primero se da porque hay letras que tienen el mismo sonido: la *be* y la *uve* suenan igual siempre; la *ge* con *e* y con *i* suena igual a la *jota*; la *ce* con *e* y con *i* suena igual a la *zeta*; a la vez, este sonido es igual al de la *ese* fuera de España. La *ce* con *a, o* y *u* y la *cu* (*q*) con *e* y con *i* suenan igual a la *ka*. Además, la *hache* no suena sino cuando está precedida de *ce*...

Lo segundo, porque muchas veces los sonidos se alteran erróneamente al hablar. Hay quien dice *odjetivo* en vez de *objetivo*; *exenario* en vez de *escenario*, *cónyugue* en vez de *cónyuge*; *redtor* o *reptor* en vez de *rector*; *dotor, dodtor* o *doptor* en vez de *doctor*. Obviamente al querer escribir una palabra mal pronunciada se equivoca la letra correcta o, al menos, se duda de ella.

Lo tercero, la omisión de letras al hablar, es muy frecuente en las zonas bajas. Entre más cerca se está del nivel del mar, más letras se omiten. Digamos que a la altura de La Paz, Bolivia, cerca de 3.000 metros sobre el nivel del mar, hay más posibilidad de que se pronuncien todas las letras de *reloj, fósforos, conspiración, coordinador, pitahaya*..., mientras en las playas del Caribe, al nivel del mar, será posible oír *reló, fóforo, cospi-*

La mejor norma para resolver dudas ortográficas es: consulte su diccionario.

ració, cordinadó, pitaia. Para quien pronuncie así, con tal economía de letras, será aun más difícil encontrar al escribir todas esas letras perdidas al hablar.

Lo cuarto, el sonido múltiple de una misma letra, se da con la *ere* o *erre*, que tiene dos sonidos distintos: uno fuerte, al comienzo de palabra (*ratón, ruso*), entre consonante y vocal (*Enrique, Israel*) y cuando se escribe doble entre vocal y vocal (*carro, Curro*); otro suave, cuando se escribe una sola entre vocal y vocal (*caro, curo*). Algo similar sucede con la *ce*: suena *ka* antes de *a, o, u* (*casa, cosa, cura*) y *zeta* antes de *e* o de *i* (*cena, cita*). También la *ge* tiene dos sonidos: suena *jota* antes de *e* y de *i* (*genio, giro*) y suena *ge* en los demás casos (*gato, gozo, gusano*).

Lo quinto, la confusión de sonidos con otros idiomas, se da, por ejemplo, con la *jota*, que en otros idiomas, como inglés, francés e italiano, suena *ye*, lo que lleva muchas veces a que quien pronuncie *piyama, yoquei...* escriba *pijama, jockey...*

En fin, habría otra docena de razones... pero más que razones para entender los errores ortográficos, usted quiere que entremos ya en materia, que le diga en qué caso se usa cada letra. Ante todo, quiero recordarle lo que ya le dije en el capítulo 3 de este libro: las dudas ortográficas se resuelven en el *Diccionario de la lengua española*, pues muchas de las normas que habitualmente se dan tienen tantas excepciones como palabras cobijan. A pesar de ello, las normas existen y no son tan inútiles como pudiera pensarse. Vamos, pues, con ellas.

La be

Se escriben con *be*:

✔ Las formas *bi, bis* y *biz*, que significan doble o dos veces: *biznieto* (dos veces nieto), *bizcocho* (dos veces cocido), *bípedo* (con dos patas), *bicicleta, bizco, bisojo, binomio...*

✔ Las combinaciones *bla, ble, bli, blo, blu*, excepto que se trate de un nombre propio de origen ruso, como *Vladimir* o *Vladimiro*: *blanco, tiemble, biblia, bloque, blusa...*

Con frecuencia se indaga por la ortografía de la palabra *brasier.* Tal vocablo no figura en el DRAE, pero es de habitual uso en América. Se trata de la palabra francesa *brassière,* que las mujeres francesas han sustituido por *soutien-gorge,* quizá porque *brassière* se parece a *brasserie,* que significa *cervecería.*

✔ Las combinaciones *bra, bre, bri, bro, bru,* salvo que se trate de algún nombre propio de origen inglés, como *Chevrolet: bravo, brega, británico, bromuro, bruces...*

✔ Las terminaciones del copretérito: *cantaba, pasaban, rezábamos, imaginabais...,* incluidas las del verbo *ir: iba, íbamos, iban...*Por supuesto otros tiempos del verbo *ir* no: *vamos, vas, va...*

✔ El componente *bio-,* que significa *vida: biología* (tratado de la vida), *biológico, biodiversidad.*

✔ El prefijo *sub-,* que significa *bajo: subdirector* (director bajo, respecto a un director alto), *subrayar* (rayar debajo), *subtítulo* (título bajo, respecto a un título alto), *subtotal, subterráneo, subdesarrollado, subcutáneo...*

✔ Las palabras derivadas del latín *bellum,* que significa guerra: *beligerante, belicoso, bélico, rebelión, rebelde, debelar...*

Y muchas otras que, como le he dicho, conviene consultar en el diccionario.

La ce

Se escriben con *ce:*

✔ Palabras que empiezan con *cef-: cefalea, cefálico, cefalitis, céfiro...* y sus derivados: *encefalografía, bicéfalo...,* excepto *sefardí, sefardita.*

✔ Palabras que empiezan por *cel-: celada, celador, celda, celebridad, celestina, Celia, Celio, celuloide, celulosa...,* excepto *selección, selecto, selenio, selenita, selva* y derivados de estas.

✔ Los sustantivos y adjetivos usados en la clasificación biológica de plantas y animales que terminan en *-áceo: cetáceo, crustáceo, farináceo, gallináceo, herbáceo, plamáceo, violáceo...*

✔ Palabras que terminan en -acción, -ección, -icción y -ucción: *abstracción, coacción, licuefacción, protección, putrefacción, recolección, retrospección, selección, adicción, ficción, restricción, conducción, instrucción, reproducción, traducción...*

✔ Los sufijos -*cito*, -*cillo*, -*cita* , -*cilla*, que forman diminutivos: *avioncito, mamoncillo, calabacita, manecilla...* siempre que la palabra no tenga *ese* al final, pues, en tal caso, la conserva: *Teresa / Teresita, Andrés / Andresillo, Inés / Inesita / Doris / Dorisilla.*

✔ Los sustantivos relacionados con adjetivos que terminan en *zeta: audacia* (de *audaz*), *capacidad, capacitación, capacitar* (de *capaz*), *eficacia* (de *eficaz*), *falacia* (de *falaz*), *felicidad* (de *feliz*) *perspicacia* (de *perspicaz*) *velocidad, velocímtero* (de *veloz*), *voracidad* (de *voraz*)...*

✔ Los plurales de palabras terminadas en *zeta*, en las que esta *zeta* final pasa a ser *ce: capataz / capataces, coz / coces, timidez / timideces, voz / voces, luz / luces.*

✔ Las inflexiones de verbos terminados en -*zar* que tengan *e* enseguida de la *zeta: analizar: analice, analicemos* (se conserva la *zeta*, cuando siguen *o, a: analizo, analiza); realizar: realice, realicé, realizamos, realizáis...dramatizar: dramatice, dramaticemos...*

✔ La terminación -*ícito: implícito, explícito, solícito...*

✔ Palabras terminadas en -*ance*, -*ince: balance, alcance, avance, romance, trance, esguince, lince, quince...*

✔ Palabras terminadas en -*ancio*, -*ancia*, -*encia: cansancio, rancio, Venancio, abundancia, comandancia, inoperancia, repugnancia, vagancia, vigilancia, abstinencia, asistencia, concupiscencia, conveniencia, corpulencia, creencia, incompetencia, providencia, regencia, renuencia, truculencia, violencia, vivencia...*

✔ Palabras terminadas en -*cismo*, -*cinio: academicismo, anglicismo, catecismo, galicismo, ostracismo, romanticismo, latrocinio, lenocinio, patrocinio, raciocinio, vaticinio...* excepto: *narcisismo, parasismo, preciosismo, sismo, virtuosismo...*

✔ Palabras terminadas en -*icio*, -*icia*, -*ucio*, -*ucia: acomodaticio, alimenticio, crediticio, Patricio, Patricia, Alicia, Fenicia, Galicia, justicia, sevicia, Confucio, desahucio, Lucio, prepucio, sucio, argucia, astucia, fiducia, minucia...*

✔ Palabras terminadas en -*ice*, -*ícito: apéndice, artífice, cómplice, hélice, índice, óbice, Pontífice, várice, ilícito, solícito...*

Y muchas otras, sobre las cuales conviene consultar el diccionario.

Que todas las palabras terminadas en *ción* son con *ce*. ¡Falso!

Hay muchas que son con *ce*: *canción, redención, opción...*

Pero también hay muchas que son con *ese*: *misión, pasión, persuasión...*

Para resolver esta duda, lo mejor es consultar el diccionario.

No olvide que en algunas palabras hay doble *ce*: *aflicción, deducción, inyección.* Y que, por ejemplo, no es lo mismo *adicción* que *adición*. Con la primera se puede hablar de *adicción* a las drogas y con la segunda, de *adición (suma)* de un número.

Ya no son válidas *folklor* ni *folklore*, que hoy deben escribirse con *ce*: *folclor* y *floclore.*

Hay palabras que se pueden escribir con *ce* o con *zeta* y las dos grafías son correctas:

ácimo / azimo   *cenit / zenit*

ceda / zeda / celu / zeta   *cigoto / zigoto*

celandés / zelandés   *eccema / eczema*

cebra / zebra   *herciana / hertziana*

cedilla / zedilla   *neocelandés / neozelandés*

La confusión de *ce*, *zeta* y *ese* es frecuente en América, donde no se hace la distinción fonética. Las tres se pronuncian como *ese*. De ahí la famosa escena de Juancho y Pancho, dos vendedores de frutas y verduras, en el mercado del pueblo:

Se cae una zanahoria de la carreta de venta y se les oye este diálogo.

—¡Huy, hermano! ¡Se me cayó la zanahoria..!

—Eso es que lo están pensando por *ese*...

—Ah, sí, hermanito... Será la Cecilia.

La che

Como ya se lo dije en otro sitio de este libro, la letra *che* ya no existe: fue eliminada del alfabeto español en abril de 1994. La *che* es hoy entonces un dígrafo, digrama o grafema complejo, formado por la *ce* y la *hache*. Para efectos prácticos, todo lo que se escribía con *che* hasta abril de 1994, se escribe ahora con *ce* y *hache*. El sonido sigue siendo el mismo. Las palabras que empieza con *ch-*, ya no figuran en los diccionarios en un apartado distinto, sino dentro de la *ce*.

Hasta la edición de 1992, el DRAE incluía las palabras *chachachá* y *cha-cha-chá*, referidas al popular baile. La edición del 2001 sólo deja *chachachá*, sin duda más propia de la morfología léxica española.

La *ch* final de *Múnich*, forma española de la palabra alemana *München*, se pronuncia como *ka* (*Múnik*), por lo que Martínez de Sousa propone escribir más bien *Múnic* (*Diccionario de ortografía de la lengua española*, Paraninfo, 1996, página 110).

En la anterior edición de *Español correcto* alegaba que la palabra *chavo*, universalizada por Roberto Gómez Bolaños con su famosos Chavo del Ocho, debía figurar en el DRAE con el significado de 'muchacho', en vez de *chavó*, palabra de origen francés y mucho menos conocida. La Academia me hizo caso. Muchas gracias. La nueva palabra aparece como *chavo^2*, pues el primero no es el 'muchacho', sino una 'moneda de ocho centavos', un ochavo.

La ge

Se escriben con *ge*:

✔ Las inflexiones de los verbos terminados en *-gar*, pero interponiendo una *u* muda entre la *ge* y la vocal *e*: *vagar: vague, vaguen, vaguemos... tragar: trague, tragué, traguen... rogar: ruegue, roguemos, roguéis...*

✔ Las inflexiones de verbos terminados en *-ger* y *-gir*, cuando después de la *ge* sigan *e, i*: *coger: coge, cogemos, cogí, cogimos... dirigir: dirige, dirigen, dirigimos, dirigí...* En los demás casos, se cambia *ge* por *jota*, para mantener el sonido *jota*: *coger: coja, cojo, cojamos...* Observe que en estos casos la *ge* suena *jota*; se cambia la letra, pero se mantiene el sonido del verbo en todas las inflexiones.

✔ El prefijo griego *geo,* que significa 'tierra': *geología* (tratado de la tierra), *geografía, geoestacionario, geopolítica...*

CLAVE

Los posgrados universitarios llamados *master* en inglés, se llaman *maestrías* en español. El graduado de esta modalidad de estudios reci- be el título de *magíster,* si es hombre, y *magistra,* si es mujer.

Las palabras derivadas del latín *magister*, que significa *maestro*: *magisterio, magistral, magíster, magistra, magistrado...*

✔ La terminación *-gen* cuando no lleva el acento de la palabra: *aborigen, imagen, origen...*, pues cuando lleva el acento, se escribe con *jota*: *comején, jején...*

✔ Las terminaciones *-gio* y *-gia*, si no llevan el acento de la palabra: *adagio, plagio, hemorragia, antropofagia...*, pues si lo llevan, se escriben con jota: *bajío, lenjío, monjío.*

Y muchas otras que conviene ver en el diccionario.

Recuerde que se dice *cónyuge*. Suena *cónyuje* y no *cónyugue.*

No olvide que se escribe *garaje* y *menaje* y no como en francés *garage* y *menage.*

No confunda *ingerir*, que es *introducir en la boca*, con *injerir*, que es *meter una cosa en otra* (relaciónela con *injerto*). De esta última vienen *injerirse*, que es *entrometerse*, e *injerencia*, que es *intromisión*. No diga *ingerencia* de alimentos, sino *ingestión* de alimentos.

El inicio *gn-*, que aparece en algunas palabras de origen griego, se puede reducir a *n-*: *gnomo/nomo, gnoseología/noseología, gnosis/nosis...* ¡Pero solo el inicio! No vaya a escribir *dianóstico, incónita...* en vez de *diagnóstico, incógnita...*

La *ge* va al final de algunas voces españolas: *iceberg, ping-pong, zigzag, dong* (moneda vietnamita).

Hay algunas palabras que se pueden escribir con *ge* o con *hache*, y otras que se pueden escribir con *ge* o con *jota*, y las dos grafías son correctas:

cohollo/cogollo   *huaca/guaca*

genízaro/jenízaro   *huacal/guacal*

gineta/jineta (animal)   jibraltareño/gibraltareño

güero/huero   marihuana/mariguana

guisopo/hisopo   vaguido/vahído

La hache

Se escriben con *hache*:

✔ A pesar de que en griego no hay *hache*, llevan h los prefijos griegos:

hagio-, que significa *santo*: hagiografía, hagiográfico...

halo-, que significa *sal*: halógeno, haloideo...

hebdom-, que significa *semana*: hebdómado, hebdomadario...

hect-, que significa *ciento*: hectolitro, hectómetro, hectogramo, hectógrafo...

heli-, que significa *sol*: heliocéntrico, heliografía, heliógrafo, heliomotor...

Alguna vez escribí un artículo de prensa en el que usé la palabra *jiba*, para referirme a cada una de las jorobas del camello, a propósito de un uso muy extendido últimamente para referirse al trabajo (*camello*), al trabajador (*camellador*), al desempleo (*no hay camello*), a la dificultad de una labor (*camelludo*)... No pasaron más de dos días, cuando ya habían llegado al periódico cartas en las que lectores acuciosos preguntaban de dónde había salido tal palabra, pues el DRAE no la registraba. Tuve que escribir otra nota, esta dedicada a disculparme por haber caído en tan grave error, pues la escritura correcta es *giba*. Aproveché para hablar de la famosa propuesta que, desde Mateo Alemán en 1609 hasta García Márquez en 1997, han venido haciendo los maestros del idioma: escribir con *jota* todos los sonidos *jota*, con lo cual no se cometerían errores como el mío, pues de entrada ya el sonido me diría que *jiba* es con *jota*, pero también tendría que escribir *jerente*, *jenio* y *jenial*...

Lo que no dije en ese momento, porque no lo sabía, es que la grafía de la voz *giba* no ha sido siempre esa. De hecho, viene del latín *gibba*, con *ge*, y apareció como *giba* en la primera edición del Diccionario de la Academia, 1734. Así, *giba* con *ge* se repitió en las seis ediciones siguientes, hasta la de 1832. Se volvió *jiba*, con *jota*, en la octava edición, 1837, y así, con *jota*, se repitió en dos ediciones más, hasta la de 1852. En la undécima edición, 1869, volvió a ser *giba*, con *ge*, y así siguió hasta nuestros días. Ya sabe usted que hoy es *giba*, con *ge*... Así que yo hubiera podido alegar a mi favor que conocí esta palabra en libros editados antes de 1869 y eso me hubiera hecho sentir, si no inocente, sí menos culpable... solo que nadie me lo creería.

hem-, que significa *sangre: hemático, hematoma, hemofilia, hemoglobina...*

hemer-, que significa *día: hemeroteca...*

hemi-, que significa *medio: hemiciclo, hemiplejía, hemisferio...*

hepat-, que significa *hígado: hepático, hepatitis...*

hepta-, que significa *siete: heptagonal, heptasílabo, heptarquía...*

heter-, que significa *otro: heterodoxo, heterosexual...*

hex-, que significa *seis: hexagonal, hexágono...*

hidr-, que significa *agua: hidratación, deshidratación, hidrante, hidráulico, hidroavión, hidrocefalia, hidrofobia, hidrógeno, hidrología, hidropónico, hidroterapia, hidróxido...*

hier-, que significa *sagrado: hierático, hieratismo...*

hip-, que significa *bajo: hipodérmico, hipoglicemia...*

hip-, que significa *caballo: hipódromo, hípico, hipopótamo...*

hiper-, que significa *exceso* o *superioridad: hipermercado, hiperdulía...*

José Manuel Marroquín, gramático, poeta, miembro de la Academia y presidente de la República de Colombia, que vivió a finales del siglo XIX y principios del XX, escribió el libro *Tratados de ortología y ortografía de la lengua castellana.* El gran éxito de este libro, que tuvo múltiples ediciones y aún hoy se cita y se reproduce, radica en el ingenio con que versificó las normas ortográficas. Los versos dedicados a la *hache* son ciento doce. Le transcribo doce de ellos:

Han de ir con hache inicial
Ha y haba, hijastro, hormiguillo,
Hermoso, hereje, hiladillo,
Horchata, hélice, hospital...

Hércules, hibleo, heroida,
Hexámetro, hidria, horaciano,
Híspido, hogaza, herodiano,
Honorario y hemorroida.

Con hache no inicial han de escribirse
Cohorte, y ahuchando y exhibir,
Ahinco y ahorrado con bahía,
Exhausto con rehén y zaherir.

Aprehender, cohorte y alharaca,
Exhalación, truhán, desahuciar,
Almohada, anhelar, oh, retahíla,
Ahitado, vahido y azahar.

Aunque usted no lo crea, varias generaciones de estudiantes aprendieron de memoria estos versos y, cuando tenían alguna duda ortográfica, los repetían hasta encontrar la palabra incierta. Hoy habría que, por lo menos, hacer algunos ajustes, pues ya ve cómo en los versos aparecen *haches* que ya no son obligatorias y no aparecen tildes que sí lo son (*búho, vahído...*)

Para resolver la duda de *ha* con *hache* y *a* sin *hache*, siempre que siga un participio pasado (*hecho, consumido, aclarado, escrito...*) es *ha* con *hache*: *no ha hecho nada..., se ha consumido como veladora..., ya lo ha aclarado varias veces..., ha escrito varias novelas...* También cuando siguen preposición *de* e infinitivo: *Juan ha de regresar temprano... María ha de estar por aquí cerca...*

hipno-, que significa *sueño*: *hipnosis, hipnotizados...*

holo-, que significa *todo*: *holografía, holocausto, holograma...*

homeo-, que significa *semejante*: *homeopatía...*

homo-, que significa *el mismo*: *homófono, homónimo, homosexual...*

✔ Las palabras que empiezan por *ue*: *huella, huele, hueco, hueso, huevo...*

✔ Palabras de origen latino o germano con *efe*: *hacer* (de *facer*), *hoja* (de *foja*), *hijo* (de *filius*), *harpa* (de *farpa*; hoy *arpa*)...

✔ Palabras de origen árabe con sonido *jota* suave intermedio: *alheli* (de *al-jairi*), *alharaca, alhaja, alhamar, alhoimbra* (hoy *alfombra*).

✔ Las inflexiones del verbo *haber*: *Juan no **ha** hecho nada*, distinto de *Juan va **a** echar las cartas*.

✔ Las interjecciones *¡ah!, ¡bah!, ¡eh!, ¡oh!* y *¡uh!*, que son las únicas palabras con *hache* final.

Y algunas más, que conviene ver en el diccionario.

Hay palabras que se pueden escribir con *hache* o sin *hache* y las dos grafías son correctas:

albahaca / albaca *betlehemita / betlemita*

alhacena / alacena *bohardilla / boardilla*

No pretenda ser más elegante de lo necesario adicionando *haches* a nombres que no la llevan. No escriba *Esther, Ruth, Judith, Sarah, Goliath, Nazareth, Thailandia, Rhodesia, Maghreb, Bertha, Martha, Mhirta*. Todos estos nombres son sin *hache* en español.

CLAVE

En *Rayuela,* la célebre novela de Julio Cortázar, los personajes jugaban con las palabras que aparecían en la página 558 de Julio Casares: *hallulla, hámago, halieto, haloque, hamez, harambel, harbullista, harca, harija...* todas con *hache.* Y Horacio Oliveira, el protagonista, se sentía mejor cuando escribía *Horacio, Holiveira, Hasunto...* pues creía que la *hache* les daba a las palabras elegancia y categoría. Trascribo a continuación uno de esos párrafos de *Rayuela*:

En esos casos Oliveira agarraba una hoja de

papel y escribía las grandes palabras por las que iba resbalando su rumia. Escribía, por ejemplo: "El gran hasunto", o "la hencrucijada". Era suficiente para ponerse a reír y cebar otro mate con más ganas. "La hunidad", hescribía Holiveira. "El hego y el hotro". Usaba las haches como otros la penicilina. Después volvía más despacio al asunto, se sentía mejor. "Lo himportante es no hinflarse", se decía Holiveira.

(*Rayuela*, Julio Cortázar, Oveja Negra, Bogotá, 1984, página 377).

alhelí / alelí

barahúnda / baraúnda

batahola / batuola

harda / arda (ardilla)

hardido / ardido (valiente)

harmonía / armonía

harmónica / armónica

harmonioso / armonioso

harpa / arpa

harpía / arpía

harpillera / arpillera

desharrapado / desarrapado

harrapo / arrapo (harapo)

¡harre! / ¡arre!

comprehensivo / comprensivo

hacera / acera

¡hala! / ¡ala!

harrear / arrear

harriero / arriero

hético / ético (tísico)

hicaco / icaco

higuana / iguana

hológrafo / ológrafo

¡huf! / ¡uf!

hujier / ujier

hurraca / urraca

incomprehensibilidad / incomprensibilidad

sabihondo / sabiondo

La jota

Se escriben con *jota*:

✔ Las inflexiones de verbos que sin tener *ge* ni *jota* en el infinitivo tienen sonido *jota*: *conduje, condujo, condujiste...* (de *conducir*), *traje, trajo, trajiste...* (de *traer*), *dije, dijeron, dijeran...* (de *decir*).

✔ Las inflexiones de los verbos cuyo infinitivo lleva *jota*: *trabaje, trabajé, trabajemos...* (de *trabajar*), *cruje, crujía, crujían...* (de *crujir*), *teje, tejí, tejíamos...* (de *tejer*).

Sobre las terminadas en *je* o *ge*, es mejor consultar el Diccionario, pues la mayoría se escribe con *jota* (*espionaje, garaje, menjurje, conserje, empuje...*), pero en el DRAE hay más de treinta que se escriben con *ge*: *ambages, Jorge, cónyuge...*

La *jota* va al final de algunas palabras de origen árabe: *carcaj, reloj, troj...* En el DRAE de 1984 se incluyó la versión *reló* (*reloj*), pero en la de 1992 se eliminó: hoy hay que escribir *reloj*, con *jota*.

Algunas palabras se pueden escribir con *jota* o con *ye*, pero, aunque el significado es el mismo, el sonido cambia:

yaguar / jaguar	*coadyutor / coadjutor*
yérsey / jersey	*piyama / pijama*
judo / yudo	*soya / soja*

La elle

La *elle* corrió la misma suerte de la *che*: fue eliminada del alfabeto español en abril de 1994. Ahora no se considera letra sino dígrafo, digrama o grafema complejo. Las palabras que empiezan por *ll-* ya no figuran en los diccionarios en un apartado posterior al de la *ele*, sino dentro de este, donde alfabéticamente les corresponde.

Se escribe con doble *ele*:

✔ Las inflexiones del verbo *hallar*, sinónimo de *encontrar*: *hallo, hallas, halla, hallamos, hallan, hallé, halló...*, en oraciones como *se halla en la casa* (se encuentra en la casa), distinto de *cuando haya terminado el trabajo* (*haya*, del verbo *haber*).

✔ Sustantivos terminados en *-illo, -illa*: *alcantarilla, altillo, amarillo, anillo, arcilla, banquillo, baratillo, calzoncillo, capilla, Carrasquilla, carboncillo, Castilla, colmillo, ladrillo, manzanilla, martillo, parrilla, peinilla, potrillo, potrilla, tinterillo, tobillo, varilla, vinillo, zapatilla, zarcillo...*

Curiosidad fonética con la doble ele

Si al verbo *sal*, imperativo en segunda persona de *salir*, se le agrega el enclítico *le*, queda *salle*. Por supuesto, la pronunciación no es *salle* como en el Colegio de la Salle, sino *sal-le*, como en *salte* (sea del verbo *saltar* o del verbo *salir*). La duda nunca se plantea al hablar, pues en el campo de fútbol el capitán dice *¡salle duro!* (pronunciado *sal-le*), sino al escribir, pues la forma escrita da lugar a la pronunciación de esa doble *ele* como en *selle* de *sellar*, que no es la que corresponde en este caso.

La palabra *ballet* es francesa. Se debe escribir en cursiva, tal como aparece en el DRAE 2001. Se pronuncia *balé*.

La eme

Se escribe *eme*:

- ✔ Antes de *be* y de *pe*: *cambio, campo, Colombia, imborrable, imposible...*, excepto en nombres propios como *Gutenberg, Canberra...*

- ✔ Al final de las expresiones latinas *álbum, currículum, íbidem* (y su forma abreviada *ídem*), *referéndum, mare mágnum, ultimátum, desiderátum, vademécum, pandemónium.*

- ✔ En el plural de *álbum*: *álbumes*.

No es correcto escribir los nombres propios *Efraim, Belem, Jerusalem, Matusalem* con *eme* final, sino con *ene*: *Efraín, Belén, Jerusalén, Matusalén*.

La ere o erre

Esta letra tiene dos sonidos, uno suave y uno fuerte. Siempre es fuerte al comienzo de palabra (*rayo, reto, rico, rosa, ruleta...*), entre consonante y vocal (*Israel, enriquecer...*) y entre vocal y vocal cuando se escribe doble (*tarro, burro, cirrosis, barran, Curro...*). Es suave únicamente cuando se escribe sencilla entre vocal y vocal (*faro, cero, tiro, moro, pura...*).

Nunca se escribe doble, al comienzo de palabra: *rrector, rrelámpago...*

Nunca se escribe doble entre consonante y vocal: *Enrrique, isrraelí*

En palabras compuestas, donde la *ere* inicial del segundo componente quede entre vocal y vocal debe duplicarse, para mantener el sonido: *publirreportaje* (no *publireportaje*), *autorrealización* (no *autorealización*), *vicerrector* (no *vicerector*), *contrarreloj* (no *contrareloj*), *contrarrevolución* (no *contrarevolución*), *antirreligioso* (no *antireligioso*)...

En algunos casos, la Academia admite una o dos *eres*: *morocota* y *morrocota*; *harapo* y *harrapo*. Por supuesto, el significado en cada pareja es el mismo, pero la pronunciación es distinta. Lo inadmisible es bautizar un establecimiento *Fotorápida, Festiropa, Servirueda, Mercarápido*... y pretender que los clientes digan *Fotorrápida, Festirropa, Servirrueda, Mercarrápido*...

La ese

Se escriben con *ese*:

- ✔ Las palabras que tienen el prefijo *des-*, que generalmente significa privación: *desacierto, desalmado, descentralizar, descontaminar, desenfocar, desfigurar, desgastar, deshollinador, deshielo, desilusión, desinfectar, despenalizar, despotricar, desvestir, desyerbar...*

- ✔ Las palabras que tienen el prefijo *dis-*, que significa separación, privación o anomalía: *discapacitado, discernir, disciplina, disidente, disgusto, disonante, disociar, distraído, disuadir, disuasión, disyuntiva...*

- ✔ Las terminaciones del subjuntivo: *borrase, borrasen, bebiese, bebiesen, dijese, dijesen...*

- ✔ El pronombre enclítico *se*: *córranse* (verbo *corran* + pronombre enclítico *se*), *dense, ahórrense, descubrirse, inclinarse...*

- ✔ Gentilicios que tienen la terminación *-és*: *aragonés, bumangués, cordobés, japonés, tailandés, tirolés, vienés...*

- ✔ Gentilicios terminados en *-ense*: *ateniense, atlanticense, canadiense, complutense, costarricense, fluminense, guadalajarense, londinense, medellinense, rioplatense, tachirense...*

- ✔ Partitivos terminados en *-ésimo*: *billonésimo, cuadragésimo, septuagésimo, vigésimo.*

- ✔ Superlativos terminados en *-ísimo* e *-ísima*: *buenísimo, antiquísima, gravísimo, levísima, riquísimo, santísima, venerabilísimo...*

- ✔ Adjetivos femeninos terminados en *-esa, -isa*: *abadesa, alcaldesa, berlinesa, bumanguesa, condesa, diaconisa, duquesa, marquesa, papisa, poetisa, vampiresa...*

✔ Sustantivos terminados en *-ismo*: *abstencionismo, anacronismo, barbarismo, judaísmo, pesimismo, proselitismo, tomismo, totalitarismo, vandalismo, virtuosismo...*

✔ Sustantivos terminados en *-ista*: *accionista, activista, corista, idealista, legitimista, materialista, reformista, seminarista, trompetista, vocalista...*

✔ Sustantivos terminados en *-sis*: *análisis, apoteosis, crisis, dosis, énfasis, prótesis, simbiosis, trombosis, tuberculosis...* o en *-sura*: *agrimensura, basura, censura, clausura, comisura, donosura, tersura, usura...*

✔ Adjetivos terminados en *-oso, -osa*: *achacoso, amorosa, bochornoso, cosquillosa, estudioso, gelatinosa, leproso, lloroso, onerosa, populoso, sedosa, velloso, zarrapastrosa...*, o en *-sorio, -soria*: *accesorio, ilusoria, promisorio...*, o en *-sivo, -siva*: *abrasivo, corrosiva, oclusivo, regresiva, suspensivo, televisiva...*, excepto *lascivo, nocivo.*

La *ese* inicial seguida de consonante es impropia del español. Por eso palabras como *slogan, stereo, standard, stress...*, se han españolizado así: *eslogan, estéreo, estándar, estrés...*

La doble *ese* se eliminó del español en 1763, por eso palabras como *cassette, stress...* se españolizan así: *casete, estrés...* Incluso las combinaciones de verbo terminado en *ese* y pronombre enclítico comenzado por *ese*, es decir pronombre *se*, como *dábas-se-lo, decías-se-lo...*, que quedan *dábaselo, decíaselo...* Y palabras compuestas que quedarían con *doble ese* (*dissociar*, de *dis* y *sociar; dissociado, dissimilitud...*) se escriben con una sola *ese*: *disociar, disociado, disimilitud...*

Hay palabras que se pueden escribir con *ese* o con *equis* y las dos grafías son correctas:

escoriación / excoriación	*mixtificación / mistificación*
excoriar / excoriar	*mixtificador / mistificador*
expectable / espectable	*mixtificar / mistificar*

La palabra inglesa *cross,* incluida así, con doble *ese*, en el DRAE, debería escribirse *cros,* con una sola *ese,* así como sus derivados *bicicrós, motocrós...* En eso está de acuerdo la agencia de noticias *Efe*: *"Ciclocrós:* esta puede ser la forma castellana, con acento en la última *o* y con una sola *s"* (*El idioma español en el deporte*, Agencia *Efe*, Logroño, 1992).

Nota a la presente edición: El DRAE 2001 incluye aún la palabra *cross*, pero en cursiva, como voz inglesa. Todavía no acoge la versión *cros*.

espoliación / expoliación	*misto / mixto*
espoliador / expoliador	*mistura / mixtura*
espoliar / expoliar	*tlascalteca / tlaxcalteca*
espolio / expolio	*Tlascala / Tlaxcala*

Y otras se pueden escribir con *ese* o con *zeta*:

biscocho / bizcocho	*pasote / pazote*
bisnieto / biznieto	*pesuña / pezuña*
busarda / buzarda	*petiso / petizo*
cascarria / cazcarria	*sahína / zahína*
colisa / coliza	*sahinar / zahinar*
crisneja / crizneja	*sandía / zandía*
curasao / curazao	*sapote / zapote*
lesna / lezna	*sonso / zonzo*
mescolanza / mezcolanza	*suiza / zuiza*
mesnada / meznada	

Aunque hay un gran número de palabras que terminan en *-ción*, no olvide que muchas otras terminan en *-sión*: *agresión, ocasión, pasión, persuasión, procesión, regresión, inmersión, versión, visión...*

Tenga en cuenta que hay numerosas palabras que tienen la combinación *sc*: *absceso, adolescente, ascenso, asceta, concupiscencia, delicuescente, descendiente, descentralizado, escindir, incandescente, lascivia, piscicultura, Priscila, rescindir, víscera...*

La uve

Se escriben con *uve*:

✔ Los pretéritos con terminación *-uve* y sus derivados: *anduve, sostuve, anduviera, sostuviese...*, excepto *hube* (de *haber*) y sus derivados *hubimos, hubisteis...*

✔ Palabras que empiezan por *ad-*: *advenedizo, advenimiento, adventista, adverbial, adversario, adverso, advertencia, adviento, advocación...*

✔ Palabras que empiezan por *clav-*: *clavado, clavecín, clavel, clavícula, clavija...*

✔ Palabras que empiezan por *salv-*: *salva, salvaje, Salvador, salvedad, salvoconducto...*

✔ Palabras que empiezan por *div-*: *diva, diversidad, divino, divorcio, divulgar...*

✔ Los prefijos *vice-, viz-* y *vi-*, que significan *en vez de: vicealmirante, vicerrector, vicepresidente, vizconde, virreinato...*

✔ Las palabras que terminan en *-viro, -vira, -ívoro, -ívora: herbívoro, herbívora, omnívoro, omnívora, insectívoro, insectívora,* excepto *víbora.*

✔ Adjetivos que terminan en *-ava, -ave, -avo, -eva, -eve, -evo, iva, -ivo* tónicas: *octava, grave, dozavo, nueva, aleve, longevo, rectristiva, nocivo...*

La i griega y la ye

Se escriben con *i griega:*

✔ La conjunción *y* (*Juan y Lucía*).

✔ Palabras terminadas en *-ay, -ey, -oy: Uruguay, buey, rey, hoy, soy, doy...,* excepto *bonsái...*

✔ Al final de palabras nuevas derivadas del inglés: *brandy, whisky...,* aunque algunas han cambiado su *i griega* original por *i latina: dandi* (de *dandy*), *penalti* (de *penalty*)...

No es propio del idioma español que la *i griega* vaya en otra posición.

Cuando una palabra termina en *i griega* (*rey, buey, convoy...*) y se le agrega la sílaba *-es* para convertirla en plural, esta *i griega* pasa a ser *ye*, es decir, cambia su condición de vocal (*i*) por la de consonante (*ye*): *reyes,*

No siempre ha sido tan clara como hoy la escritura de la conjunción *y* con *i griega*. En tiempos no muy remotos alternaba con la *i latina* y los historiadores recuerdan que a principios del siglo XX, en Colombia, los liberales usaban una y los conservadores otra de las *íes* para escribir esta conjunción, lo que constituía una especie de manifestación pública de su militancia política...

bueyes, convoyes. En algunos de estos casos la *i griega* pasa a ser *i latina*: *guirigay* pasa a ser *guirigáis* en plural, *jersey* pasa a ser *jerséis*, *yoquey* a *yoqueis*, *samuray* a *samuráis*...

Se escriben con *ye*:

✔ Derivados de verbos terminados en *-uir*: *contribuyente* (de *contribuir*), *disminuye* (de *disminuir*), *influyó* (de *influir*), *restituye* (de *restituir*), *sustituyendo* (de *sustituir*)...

✔ Palabras derivadas del inglés que en ese dioma se escriben con *jota*: *yóquey* o *yoqui* (de *jockey*)...

Hay palabras que se pueden escribir con *ye* o con *hache* o con *hache i*, y las dos grafías son correctas:

desyerbar / desherbar	*yedra / hiedra*
yerbatero / herbatero	*yerba / hierba*
mayonesa / mahonesa	*yerbajo / hierbajo*

La equis

Se escriben con *equis*:

✔ El adjetivo *ex*: *ex gerente, ex director, ex marido*...

✔ El prefijo *ex-*: *exabrupto, exacerbar, excavación, exclusivo, exento, éxodo, expoliar, éxtasis, extremo, exudar*...

✔ La preposición *extra*: *extra tiempo, extra sueldo*...

✔ El prefijo *extra-*: *extracción, extradición, extrañeza, extraordinario, extravagancia, extraversión* (también es válido *extroversión*), *extravío*...

✔ Al final de algunas palabras, como *ántrax, bórax, clímax, cóccix* (que también se puede escribir *cóxis*), *fax, índex, telefax, Félix, fénix, flux, lux, Max, ónix, relax, tórax*...

Algunas palabras terminadas en *-xión*: *anexión, complexión, conexión, crucifixión, desconexión, flexión, genuflexión, inflexión, reflexión*..., pero no olvide que hay muchas otras que se escriben con *cc* (*redacción, tracción, imperfección, lección*...).

Dada la igualdad fonética de *equis* y doble *c*, es muy conveniente consultar el diccionario, en caso de duda.

La zeta

Se escriben con *zeta:*

✔ Las palabras que empiezan o terminan en *zoo: espermatozoo, proto-zoo, zoocriadero, zoología, zoológico, zootecnia...*

✔ Las palabras que empiezan por *zorr-* y *zurr-* : *zorra, zorrillo, zorro, zurrapa, zurrapiento, zurrar, zurriago, zurrón...*

✔ Palabras terminadas en *-azgo: almirantazgo, cacicazgo, comadrazgo, liderazgo, mayorazgo, noviazgo...*

✔ Palabras terminadas en *-anza: acechanza, adivinanza, alianza, ala-banza, chanza, lontananza, maestranza, mescolanza, templanza, venturanza...*

✔ Los golpes, aumentativos y despectivos terminados en *-azo: araña-zo, banderazo, buenazo, cuerazo, golazo, plumazo, picotazo, ramala-zo, retazo, zarpazo...,* pero también hay palabras terminadas en *-aso: acaso, vaso...*

✔ Sustantivos terminados en *-ez: acidez, adultez, desfachatez, juez, rapi-dez, vejez, viudez, vez, Álvarez, Enríquez, Fernández, Gómez, González, Gutiérrez, Hernández, López, Martínez, Pérez, Ramírez, Rodríguez, Sánchez, Téllez, Vásquez, Vázquez, Velásquez, Velázquez...*

✔ Sustantivos terminados en *-eza: agudeza, alteza, belleza, corteza, crudeza, gentileza, pobreza, sutileza, torpeza...*

✔ Sustantivos femeninos terminados en *-iz: actriz, adoratriz, automo-triz, cicatriz, codorniz, emperatriz, lombriz, raíz...* aunque también hay sustantivos femeninos terminados en *-is: amigdalitis, dosis, epi-dermis, parálisis, pelvis, sinusitis, tesis, tisis, tuberculosis...*

✔ La mayoría de los verbos terminados en *-izar: acuatizar, canalizar, dinamizar, extranjerizar, inmunizar, movilizar, particularizar, racio-nalizar, urbanizar, vulcanizar, vulgarizar...* excepto *alisar, avisar, bisar, decomisar, divisar, frisar, guisar, improvisar, irisar, pisar, repi-sar, supervisar, visar...* En todo caso, los verbos nuevos terminados en *-izar* serán con *zeta* (*amartizar, plutonizar, cibernetizar...* o cual-quier otro que haya de inventarse).

Los números

Todos los días escribimos números... giramos cheques, redactamos con-tratos, solicitamos cantidades específicas de algún producto, señalamos

un precio... y, paradójicamente, son muchos y muy frecuentes los errores ortográficos al escribir un número, sea este cardinal (veintiséis, un
millardo...), ordinal (vigésimo segundo, sesquicentésimo...) o partitivo
(un décimo, un milésimo...).

Los cardinales

Los cardinales son los números que normalmente usamos para contar
(*somos veinte, tengo cuatro perros...*), para indicar un precio (*dieciséis
dólares, cuarenta y ocho pesos, trece centavos...*), para solicitar algo
(*déme dieciséis libras de chocolate, quiero quince litros de leche...*), para
indicar una fecha (*trece de enero, mil novecientos noventa y nueve...*), o
una dirección (*calle quince, avenida diecisiete...*) o un teléfono (*cuatrocientos diecisiete - veinticuatro - catorce...*)...

El problema se obvia muchas veces acudiendo a los signos arábigos: 3,
15, 34, 1.000..., pero bien sabemos que algunos títulos valores, algunos
contratos, algunos textos literarios, exigen que las cifras estén escritas
en letras. Entonces, es preciso escribir bien esas palabras. Como norma
general, puede decirse que todos los números de *uno* a *treinta* se escriben en una sola palabra (*uno, dos, tres, quince, dieciséis, diecisiete, dieciocho, diecinueve, veinte, veintiuno, veintidós, veintitrés, veintinueve, treinta*). A partir de *treinta y uno* se escriben separados (*treinta y tres,
cuarenta y siete, ochenta y nueve, mil veinte, un millón cuatrocientos cincuenta y cinco...*), excepto los que terminan en cero (*cuarenta, cincuenta,
noventa, cien, mil, un millón*).

Las escrituras *diez y seis, diez y siete, diez y ocho y diez y nueve* son
incorrectas.

Bill Gates no es billonario sino millardario

No traduzca el *billion* del inglés de los Estados Unidos por la palabra
billón. La palabra *billion* en el inglés de los Estados Unidos es
1.000'000.000. En cambio, el *billón* en español es 1''000.000'000.000. La
diferencia es enorme. Con frecuencia se lee en periódicos y revistas escritos en español que, por ejemplo, Bill Gates tiene una fortuna de *veinticuatro billones de dólares*. Eso no es cierto. En español, Bill Gates tiene
una fortuna de *veinticuatro millardos de dólares*, o de *veinticuatro mil
millones de dólares*. La nomenclatura de pesos y medidas es una en el

inglés de los Estados Unidos y otra en el inglés de los demás países y en español. Esto es muy importante de tener en cuenta en las traducciones. En esa línea, el *trillion* de los Estados Unidos equivale al *billón* de los demás países y, en concreto, al *billón* del idioma español.

1.000.000.000 = *millardo*

La palabra *millardo* aparece por primera vez en el DRAE 2001, pág. 1506. El español era el único de los grandes idiomas del mundo que no tenía una palabra para designar la cifra 1.000.000.000, mil millones, que en francés es *milliard*; en italiano, *miliardo*; en alemán, *milliarde*; en inglés británico, *milliard*; en polaco, *miliard*; en húngaro, *milliárd*...

La palabra, por ahora, es poco conocida por lo nueva, y algunos manuales de reciente publicación la desestiman. Así, por ejemplo, el *Libro de estilo* del diario español *El Mundo* dice: **millardo** *No se empleará esta palabra, que significa 1.000 millones, aunque la ha admitido la Academia. Se seguirá hablando de miles de millones, hasta que se demuestre si el neologismo de inspiración francoitaliana cuaja de forma generalizada* (*Libro de estilo,* El Mundo, Madrid, 1996, página 249). El *Libro de estilo* de *El País* dice: **millardo**. *Mil millones. La Academia aprobó esta palabra en diciembre de 1995, a propuesta del presidente de Venezuela, Rafael Caldera, quien después la utilizó en sus discursos y originó así infinidad de chistes populares y dibujos humorísticos en la prensa de su país. Se trata de un término sin tradición en español, que sí existe en francés (milliard), en italiano (miliardo) y en inglés (billion). En El País se prefiere el uso 'mil millones' en lugar de 'millardo'; y de 'miles de millones' por 'millardos'* (*Libro de estilo,* El País, Madrid, 1996, páginas 404 y 405).

No me parece buena política la de estos dos diarios españoles. La prensa tiene un deber educativo, además de una influencia incuestionable. Si todos los diarios, o mejor, todos los medios de comunicación en español, en bloque, decidieran utilizar la palabra *millardo*, esta se impondría, a pesar de su falta de tradición, que señala el manual de *El País*. En todo caso, le reitero la recomendación de cuidar la traducción del *billion* del inglés estadounidense por *millardo* o, si sigue usted las recomendaciones de *El País* y de *El Mundo,* por la expresión *mil millones*.

Como complemento de este alegato, le presento a continuación algunas equivalencias entre el inglés estadounidense, el inglés británico y el español.

CIFRA	INGLÉS ESTADOUNIDENSE	INGLÉS BRITÁNICO	ESPAÑOL
1.000	thousand	thousand	mil
1.000.000	million	million	millón
1.000.000.000	billion	milliard	millardo
1 + 12 ceros	trillion	billion	billón
1 + 18 ceros	quintillion	trillion	trillón
1 + 24 ceros	septillion	quadrillion	cuatrillón

Enseguida le presento esas mismas cifras en otros idiomas.

CIFRA	ESPAÑOL	FRANCÉS	ITALIANO	PORTUGUÉS	ALEMÁN
1.000	mil	mille	mille	mil	tausend
1 + 6 ceros	millón	million	milione	milhão	million
1 + 9 ceros	millardo	milliard	miliardo	bilhão/bilião	milliarde
1 + 12 ceros	billón	billion	bilione	trilião	billion
1 + 18 ceros	trillón	trillion	trilione	quintilião	trillion
1 + 24 ceros	cuatrillón	qudrillion	qudrilione	septilião	quatrillion

Observará usted que el portugués y el inglés estadounidense coinciden entre sí y se diferencian de los demás idiomas. Ello obedece a que algunos países, como Portugal, Estados Unidos, Rusia y Ucrania, entre otros, no suscribieron el acuerdo de unificación de nomenclaturas, realizado en París en 1948, durante la Novena Conferencia de Pesos y Medidas.

No traduzca *one billion dollar* (del inglés estadounidense) por *un billón de dólares*, sino por *un millardo de dólares* o por *mil millones de dólares*.

Los números arábigos (1, 2, 3, 4, 5, 6, 7, 8, 9, 0) se llaman así porque fueron inventados por los árabes. Llegaron a Europa en el siglo VIII, cuando los árabes conquistaron el sur de Europa. Hasta entonces se usaban los números romanos: *II* (*dos*), *V* (*cinco*), *X* (*diez*)...

Los ordinales

Los números ordinales son los que indican orden: *primero, cuarto, décimo, undécimo, duodécimo, vigésimo*... El error más frecuente en esta serie es escribir *decimoprimero* y *decimosegundo*, en vez de *undécimo* y *duodécimo*, que son las formas correctas. Y, luego, escribir separados los que van unidos y viceversa. Aquí, la norma exige escribir en una sola palabra desde *primero* hasta *vigésimo* (*quinto, décimo, duodécimo, decimotercero, decimoctavo*...) y de ahí en adelante separados (*vigésimo primero, sexagésimo quinto*...) , excepto los que terminan en cero (*octagésimo, nonagésimo, billonésimo*...).

Normalmente, no se usan los ordinales después de diez. Fíjese usted que al hablar de reyes uno dice *Isabel Segunda, Carlos Quinto, Alfonso Décimo*...pero no *Luis Decimocuarto*, ni *Luis Decimoquinto*, sino *Luis Catorce* y *Luis Quince*. Lo mismo pasa con los papas. Se dice *Pío Quinto, Juan Pablo Segundo*, pero no *Pío Duodécimo*, ni *Juan Vigésimo Tercero*, sino *Pío Doce* y *Juan Veintitrés*. Y así, puede usted ver que pasa en el lenguaje natural cuando se refiere uno a los capítulos de un libro (*capítulo tercero, capítulo sexto... capítulo doce, capítulo catorce*...) o a las calles (*Quinta Avenida, calle sexta... calle ciento, calle ciento tres*...)

Los partitivos

Cuando algo se divide en varias partes, cada una de esas partes recibe un nombre que se expresa con números partitivos: *un quinto, un décimo, un onceavo, un veinteavo, un cuarentavo, un cincuentavo*... Estos números terminan siempre en *-avo*, excepto los diez primeros: *medio, tercio, cuarto, quinto, sexto, séptimo, octavo, noveno* y *décimo*... Observe usted que desde *cuarto* hasta *décimo* coinciden con los ordinales, por lo que ordinales y partitivos tienden a confundirse. No los confunda: si parto una *pizza* en cuatro, cada pedazo es *un cuarto* ($^1/_4$) de *pizza*. Si ordeno los capítulos de mi libro, el número cuatro será el capítulo *cuarto* (4o.).

A partir de once, *onceavo*, los partitivos no ofrecen ninguna dificultad, pues siempre terminan en *-avo: un setecientosavo de pizza, un ochocientosavo de cerveza, un novecientosavo de hacienda*...

Números cardinales, ordinales y partitivos

Algunos números, a partir de los cuales se pueden construir los demás.

CIFRA	CARDINAL	ORDINAL	PARTITIVO
0	cero		
1	uno	primero	
2	dos	segundo	mitad, un medio
3	tres	tercero	un tercio
4	cuatro	cuarto	un cuarto
5	cinco	quinto	un quinto
6	seis	sexto, seiseno	un sexto
7	siete	sétimo, séptimo , septeno	un sétimo, un séptimo, un septeno
8	ocho	octavo	un octavo
9	nueve	noveno	un noveno
10	diez	décimo, deceno	un décimo
11	once	undécimo, onceno	un onceavo, un onzavo
12	doce	duodécimo, doceno	un doceavo, un dozavo
13	trece	decimotercero, decimotercio, tredécimo, treceno	un treceavo, un trezavo
14	catorce	decimocuarto, catorceno	un catorceavo, un catorzavo
15	quince	decimoquinto, quinceno	un quinceavo, un quinzavo
16	dieciséis	decimosexto, dieciseiseno	un dieciseisavo
17	diecisiete	decimosétimo, decimoséptimo	un diecisieteavo
18	dieciocho	decimoctavo, dieciocheno	un dieciochoavo, un dieciochavo
19	diecinueve	decimonono, decimonoveno	un diecinueveavo
20	veinte	vigésimo, veintésimo, veinteno	un veinteavo, un veintavo, un veinteno, un veintésimo
21	veintiuno	vigésimo primero	un veintiunavo
22	veintidós	vigésimo segundo	un veintidosavo
23	veintitrés	vigésimo tercero	un veintitresavo
24	veinticuatro	vigésimo cuarto	un veinticuatroavo
25	veinticinco	vigésimo quinto	un veinticincoavo

26	veintiséis	vigésimo sexto	un veintiseisavo
28	veintiocho	vigésimo octavo	un veintiochoavo
30	treinta	trigésimo, treinteno	un treintavo
31	treinta y uno	trigésimo primero	un treintaiunavo
40	cuarenta	cuadragésimo	un cuarentavo
50	cincuenta	quincuagésimo	un cincuentavo
60	sesenta	sexagésimo	un sesentavo
70	setenta	septuagésimo	un setentavo
80	ochenta	octogésimo, ochenteno	un ochentavo
90	noventa	nonagésimo	un noventavo
100	ciento	centésimo, centeno	un céntimo, un centavo
101	ciento uno	centésimo primero	
200	doscientos, docientos	ducentésimo	
300	trescientos, trecientos	tricentésimo	
400	cuatrocientos	cuadrigentésimo	
500	quinientos	quingentésimo	
600	seiscientos	sexcentésimo	
700	setecientos	septingentésimo	
800	ochocientos	octingentésimo	
900	novecientos	noningentésimo	
1.000	mil	milésimo	
2.000	dos mil	dosmilésimo	
5.000	cinco mil	cincomilésimo	
10.000	diez mil	diezmilésimo	
100.000	cien mil	cienmilésimo	
1'000.000 millón		millonésimo	
1.000'000.000 millardo		millardésimo	
1''000.000'000.000 billón			
1'''000.000.000.000.000.000 trillón			
1 (+ 24 ceros)	cuatrillón		
1 (+ 30 ceros)	quintillón		
1 (+ 36 ceros)	sextillón		
1 (+ 42 ceros)	septillón		
1 (+ 120 ceros)	vigintillón		

Uno diría que hay ciertas cifras que no se usan nunca. No se entusiasme con tal idea. Bastaría que le preguntaran qué es *metro* y usted tendría que decir: *Es la diezmillonésima parte de la distancia que separa el polo norte del ecuador.* O mejor, *es la distancia que recorre la luz en una trescientosmillonésima fracción de segundo.* No digamos nada si usted incursiona en la cuántica y le piden definir un *cuanto,* que es 1/100.000.000.000.000.000.000.000.000.000 de milímetro... Ahí le dejo la inquietud.

Diez recomendaciones

1. No debe escribirse *los años sesentas,* sino *los años sesenta* o, mejor, la *década del sesenta.*

2. El número *uno* se apocopa en *un* cuando actúa como adjetivo antes de sustantivo masculino: *un periódico, un millón, un toro, un representante...* y se escribe en femenino cuando antecede a sustantivo femenino: *una gerente, una jefa, una gelatina...*

3. La palabra *ciento* se apocopa cuando precede a un sustantivo masculino: *cien disquetes, cien cruasanes, cien ópenes, cien eslóganes...*

4. Cuando la palabra *ciento* no va seguida de sustantivo, no debe escribirse *cien,* sino *ciento: ...noventa y ocho, noventa y nueve y ciento..., la calle ciento, ciento por ciento... más vale pájaro en mano que ciento volando...*

5. La frase *ciento por ciento,* no debe cambiarse por *cien por ciento,* ni por *ciento por cien.* También es correcto *cien por cien.*

6. Las fechas en español se escriben en el orden día, mes, año: *9 de enero de 1999* y no *Enero 9 de 1999,* como en inglés estadounidense.

7. En español, el signo decimal es la coma, no el punto. Así, lo que según la norma ASA, de los Estados Unidos, se escribe *14,768.50* (catorce mil setecientos sesenta y ocho dólares con cincuenta céntimos), según la norma ISO (norma internacional) y la Academia Española, se escribe *14.768,50.* También es válido suprimir el punto de mil (*14 768,50*), siempre que no se trate de un título valor y se dé pie con esa escritura a una adulteración fraudulenta de las cifras.

8. Los años y las páginas de un libro no se escriben con punto: año 2000, año 2002, página 1111, página 2167.

9. Los ordinales *primero* y *tercero* se apocopan en *primer* y *tercer* cuando preceden a un sustantivo: *primer período, tercer intento.* Y tienen su propio femenino para estos casos: *primera jornada, tercera parte.*

No diga *la primer vez, nuestra primer pregunta, mi tercer moto, su tercer novia...*, pues no hay concordancia de género. Diga *la primera vez, nuestra primera pregunta, mi tercera moto, su tercera novia...*

10. Escribir del uno al diez, o del uno al quince, o del uno al veinte, o del uno al treinta, o del uno al cuarenta en letras y los demás en arábigos es norma metodológica, que muchas veces se aplica a costa de la unidad. Por ejemplo, en una noticia, se escribe que *el ganadero perdió once vacas y 16 toros...*, cuando lo mínimo que pide el sentido común es unidad: *once vacas y dieciséis toros* u *...11 vacas y 16 toros...* Por lo demás, hay una lectura sicológica distinta en *...eran las seis de la tarde...* y en *...eran las 18:00 horas...* La primera forma me sitúa quizá en una novela, en una crónica, o en una carta informal; la segunda, en un informe castrente, en una relatoría jurídica, en un parte de la NASA... Lo metodológico no debe sacrificar el sentido común, el estilo, la unidad...

CLAVE

¿Por qué se dice *Las mil y una noches* y no *Mil una noches*?

Porque el título quiere expresar *muchas*. Es una figura literaria y no un número exacto: *mil una*.

Los números romanos

CLAVE

Algún rey se puso un día a hacer un reloj y, como no estaba bien asesorado, escribió IIII para las cuatro, con lo que violó la norma que exige no escribir una misma letra más de tres veces en la nomenclatura de los números romanos. Desde entonces, todos los relojes del mundo cuyo tablero indica las horas en números romanos repiten el legendario IIII, en vez del correcto IV, excepto el reloj del palacio de la independencia que reproduce el billete de cien dólares. Si usted mira con lupa el billete, encontrará que la cuarta hora está indicada con el signo correcto: IV.

Pues bien, para que no le pase a usted lo del rey, a continuación le recuerdo todo lo relativo a los números romanos: el uno se representa con la letra I; el cinco, con la letra V; el diez, con la letra X; el cincuenta, con la letra L; el cien, con la letra C; el quinientos, con la letra D y el mil, con la letra M.

Si dos cifras o tres son iguales y consecutivas se suman: XX = 20; XXX = 30; II= 2; III = 3; CC = 200; CCC = 300.

Si dos cifras son desiguales, se restan si la primera es menor que la segunda: IV = 4; IC = 99; XL = 40.

Si dos cifras son desiguales, se suman si la primera es de mayor valor que la segunda: VI = 6; XI = 11; LX = 60.

Si entre dos cifras hay una de menor valor, esta se resta de la última: XIV = 14; XIX = 19.

V, L y D no se repiten.

Entonces, XXIII es 23, XXXIV es 34, MCMXCIX es 1999 y MM es 2000.

Supongo que el comercio no constituyó el fuerte de nuestros antepasados de la época del Imperio Romano, pues era dificilísimo llevar contabilidades con esta nomenclatura. El verdadero progreso comercial llegó, sin duda, con la conquista árabe del siglo VIII, al implementarse los maravillosos números arábigos.

Parte III
Las frases, la oración y el párrafo

En esta parte:

Llegamos, amable lector, a la parte que quizá más motivó en usted la lectura de este libro: cómo redactar.

Cuando alguien va leyendo, va como por una avenida despejada y rápida, si el texto es fluido. De vez en cuando encuentra intersecciones que lo hacen detener un poco la marcha (incisos explicativos); señales que le dan paso, lo invitan a acelerar o le exigen disminuir la velocidad (signos de puntuación); flechas que le dicen hacia dónde sigue la vía (*sin embargos* y *así mismos*); luces que lo obligan a detenerse y reflexionar antes de seguir el camino (interjecciones). En fin, a veces incluso tiene que echar reversa (*sinos* y *peros*), para retomar más adelante la vía rápida... (la comparación no es originalmente mía; es clásica).

Por supuesto, si el texto es intrincado, caótico, confuso, el lector no irá por autopista, sino por carretera destapada, trocha o camino de herradura. Permanentemente se verá obligado a detenerse, volver atrás, releer, armar mentalmente lo desarmado del escrito...

Pues bien, en esta Parte voy a hablarle de cómo construir la avenida y de cómo ir ubicando las señales de tránsito, es decir, de cómo se arma una oración y cómo se manejan los signos de puntuación. Metáforas aparte, en estos capítulos le voy a hablar de cómo redactar un escrito. Aunque de eso habla todo el libro, en esta Parte le voy a hablar especialmente de ello, de la redacción del texto.

Capítulo 10

La estructura sintáctica de la oración

El nombre de este capítulo parece demasiado técnico. Parece más título de un libro de ingeniería que de un libro de español. Pero no es para asustarse. *Estructura* es simplemente la plantilla, la guía, con la que usted va a trabajar para escribir correctamente. Sobre esa guía podrá hacer las variaciones que a bien tenga, lo que significa que usted le dará al texto su propio estilo. Ahora bien, no se puede hablar de estilo personal si no se parte de la estructura básica, que le voy a ir mostrando a lo largo de las siguientes páginas. *Estructura sintáctica* es esa guía, esa plantilla, para construir oraciones y párrafos, pues la sintaxis estudia el orden de las frases, las oraciones, los párrafos, elementos primarios de toda comunicación escrita. *Estructura sintáctica de la oración* es el esquema para conectar una palabra con otra hasta expresar una idea completa.

En cuanto a *oración determinativa*, este es el nombre del esquema básico, inicial, para la expresión de una idea en esencia, sin hablar todavía de oraciones subordinadas, incisos explicativos, ni complementos circunstanciales, a los que les dedicaré amplio espacio en los capítulos siguientes. La oración determinativa es como el tronco sin ramas, ni flores, ni frutos, ni adornos. Mejor dicho, como diría un paisano mío, es la idea sin perendengues.

Oración. Frase

Oración es la palabra o conjunto de palabras con que se expresa una idea completa. Para terminar de aclarar la terminología, *oración* no es técnicamente lo mismo que *frase*. La *frase* es un conjunto de palabras entre dos signos de puntuación. En este sentido, cualquier cosa puede ser una frase: *sin embargo... no obstante... en un lugar de La Mancha... durante mi siesta de ayer... al otro lado del Pacífico...,* mientras que una oración es la expresión cabal de una idea. Una oración puede ser *¡Llueve!,* como también puede ser *No estoy en condiciones de decirle nada por ahora, pues desde hace tres días carezco de contactos informativos, tal como se habrá enterado usted por la radio.* La primera oración tiene una sola palabra, mientras la segunda tiene veintisiete. La primera es una frase; la segunda está constituida por tres frases. Tanto la primera como la segunda expresan una idea completa, es decir, las dos son oraciones.

RECUERDE

> *Oración* es la palabra o conjunto de palabras que expresan una idea completa.
>
> *Frase* es un conjunto de palabras entre dos signos de puntuación.

Como el merengue antillano

En esta parte, voy a hablarle de las normas básicas para escribir o redactar correctamente. Quiero que piense que si el libro hablara de cómo componer merengues, algún lector podría llegar con la idea de empezar a tocar la trompeta desde el primer renglón, pero, sin duda, el libro sobre composición de merengues empezaría por hablar de la música en general, luego hablaría de la música antillana y aterrizaría en la historia de este contagioso ritmo. Por ahí en el Capítulo 12, el libro de cómo componer merengues tendría unos pentagramas, con la clave de sol y una cantidad de corcheas, semicorcheas, fusas y semifusas, que tal vez asustarían al entusiasta aprendiz de merengue. Sin embargo, esa parte del pentagrama, con los espacios divididos para cada compás y las diversas notas que hay que ir escribiendo, es necesaria para registrar por escrito toda la música que el compositor tiene en su mente.

Lo más agradable de todo ese aprendizaje será oír la composición y, mejor aún, ver a un público que baile con entusiasmo la nueva creación musical, pero para llegar a ese punto hay que recorrer el camino del pentagrama e ir escribiendo sobre él, en espacios iguales para cada compás, las notas que expresan la melodía que hay en la mente. Es un paso necesario y no tiene por qué parecer tedioso o menos apasionante.

Pues al escribir prosa, lo mismo. Y yo, me dirá usted, solo escribo tal cual carta y tal cual memorando. ¿Eso también requiere pentagrama? ¡También! Sea un simple letrero, un ensayo, una novela o sus memorias en ocho tomos, es preciso conocer la estructura de la oración, pues el letrero puede ser una simple oración, y el ensayo, las novela y las memorias, oraciones, oraciones y más oraciones, que van una detrás de otra, expresando lo que la mente quiere decir, sea poco o sea mucho.

Pero, alegará usted, ¿no son distintos un memorando, una noticia, una relatoría, un acta, un informe de auditoría, un lección de historia, un himno? Sí. La metología de cada uno de esos documentos es distinta, pero la sintaxis es válida para cualquiera de ellos, pues memorando, noticia, relatoría..., con una u otra metodología de presentación, deben estar escritos con frases, oraciones y párrafos, y las leyes para escribir una frase, una oración, un párrafo, no son distintas según el tipo de documento, sino que corresponden a las normas básicas de la gramática, aplicables a los diversos tipos de comunicación escrita.

Esa rebuscada manera de escribir

He oído muchas veces decir que Fulano o Zutano *escribe como habla*, lo que puede ser indistintamente un insulto o un elogio. Depende de qué nivel de perfección tenga su expresión oral. Será insulto si de quien tal cosa se afirma es torpe para hablar; será elogio si de quien ello se predica es un magnífico conversador. Por mi parte, creo que casi nadie escribe como habla, pues cuando uno habla va directo al grano. Si acaso, una frase de introducción, *¿sabe qué?* y luego, la idea esencial, *Pedro chocó el carro de su papá.* Inmediatamente el contertulio preguntará cómo, cuándo, dónde, por qué... Entonces, a la idea principal se le agregarán las circunstancias, *lo chocó contra un árbol... hacia el mediodía... porque no sabía conducir...* En cambio, si se va a escribir sobre el siniestro, es muy posible que se anoten primero un par de circunstancias: *hacia el mediodía, contra un árbol, Pedro chocó el carro...*

Y esto sucede porque el lenguaje oral suele ser espontáneo, natural, mientras que el escrito suele ser demasiado elaborado, artificioso. A veces lo digo crudamente así: como usted escribe al revés, yo le voy a decir cómo puede escribir al derecho. Escribir al revés es comenzar con las circunstancias, mientras escribir al derecho es seguir un esquema que le voy a mostrar enseguida: empezar por el sujeto *(Pedro)*, agregarle el verbo (*chocó*) y continuar con el objeto (*el carro de su papá*). Escritos el sujeto, el verbo y el objeto, queda expresada la esencia de la idea. Enseguida se agregan los accidentes o circunstancias.

Y aquí ya estamos de lleno en el terreno de la sintaxis, que es la parte de la gramática que estudia la estructura de la oración.

La fórmula SVO

Para escribir —como para hablar también— existe ese esquema, esa falsilla, ese pentagrama, que puede servir en toda ocasión: sujeto-verbo-objeto. El sujeto es el que realiza la acción. El verbo, la acción misma. El objeto, aquel al que llega la acción del sujeto. Si usted saluda a su vecina, eso es una acción, y se puede expresar con el esquema que le estoy proponiendo: sujeto, *usted*; verbo, *saluda*; objeto, *a su vecina*. Ahí está la estructura básica para expresar una idea. La fórmula SVO, Sujeto, Verbo, Objeto: *usted saluda a su vecina.*

Maradona patea el balón. Ahí tiene usted una idea completa, en la que hay un sujeto (*Maradona*), un verbo (*patea*) y un objeto (*el balón*). Es la esencia de la idea. Después usted puede agregar circunstancias de tiempo, lugar, modo... *todas las mañanas, en el parque de su barrio, con sus vecinos.* La tendencia más generalizada al escribir es decirlo al revés: *Todas las mañanas, en el parque de su barrio, con sus vecinos, Maradona patea el balón.* Usted me dirá que es igual, que se entiende lo mismo. De acuerdo. Es igual y se entiende lo mismo, pero cuando todo un ensayo, todo un informe, toda una crónica, se redacta con todas las oraciones al revés, el resultado es un poco laberíntico y la lectura, inevitablemente complicada. Si cada oración —o al menos la mayoría— se escribiera en orden sintáctico, SVO, sujeto-verbo-objeto, el texto se dejaría leer más fácilmente, como quien dice, sería fluido, y las ideas quedarían más claramente expresadas.

¡Pero se volvería muy monótono! Bueno, quizá no tan monótono como escribir toda una novela con todas las oraciones al revés. Pongámonos de acuerdo en que debe haber variedad, pero no una monotonía patas arriba, con el simple fin de evitar otra patas abajo. En todo caso, insistiré en las próximas páginas en la conveniencia de comenzar todo escrito con este esquema, SVO.

SVO=sujeto-verbo-objeto

Recuerdo que en alguno de mis seminarios para secretarias, una de ellas se quejaba porque yo usaba una terminología muy rara... *sujeto, objeto...*

eso qué es. Yo no entiendo... Bueno, no descarto la posibilidad de que alguno de mis lectores, en este punto del libro, pueda manifestar la misma queja. Por eso, voy a detenerme en estas palabras, para demostrarle que, sencillamente, esta terminología no tiene nada de raro. Es de todos los días.

Voy a oír las noticias. El locutor dice: *Atención. Un sujeto, cuya identidad ha sido mantenida en reserva por razones legales, disparó varias veces. Su objetivo, al parecer, era un perro rabioso que venía asolando el barrio.*

¿Sí oyó? En esta noticia hay un sujeto que dispara y hay también un objetivo. Objetivo es lo mismo que objeto. La terminología de las noticias, tan habitual, pues todos oímos noticias en algún momento del día, es igual a la terminología que yo estoy utilizando aquí en estos capítulos dedicados a la sintaxis. En el caso concreto que acabo de oír por radio, el verbo es *disparó*. Ese verbo tiene un sujeto (y el locutor lo ha llamado así, *sujeto*), que es el agente, el actor del disparo, el quién. Luego hay un objetivo. El locutor dijo que su objetivo era el perro rabioso. O sea, el destinatario del disparo, el paciente, el que recibe la acción. Yo llamo *objeto*, lo que el locutor llama *objetivo*. Esa es toda la diferencia.

VERBO
(dispara)

OBJETO
(Objetivo)

SUJETO

Piense, por ejemplo, en un equipo de ventas. Se reúnen gerente, asesor y vendedores y dicen: *tenemos este producto nuevo, un gel para el pelo de los hombres. Nuestro objetivo es el público consumidor de 25 a 40 años.* Es decir, estos vendedores les van a disparar sus argumentos de venta a esos hombres a los que les interesa llegarles, convecerlos y venderles el gel. Ese su *objetivo*. Así lo llaman ellos. Yo lo llamo *objeto*, porque así lo llama la gramática, pero es lo mismo. ¿Ve usted? Terminología habitual y más o menos conocida.

Oí alguna vez a dos universitarias, sentadas en las gradas del edificio donde un rato después asistirían a clase:

—*...y ¿cuál es su objetivo, hermana?*

—*El profesor de matemáticas, mija.*

No oí lo que dijeron antes, ni sé lo que dirían después, pero ya podemos imaginar la novela completa. Ella, el sujeto, está interesada en el profesor de matemáticas. Es su objetivo. A lo Corín Tellado, *la estudiante ama al profesor.* El sujeto es *la estudiante*, el verbo es *ama* y el objeto (objetivo, en su propia terminología) es *el profesor de matemáticas.* Cada una de las escenas de esta novela tendrá sujeto, verbo y objeto: *La estudiante* (sujeto) *mira* (verbo) *al profesor* (objeto). *El profesor* (sujeto) *mira* (verbo) *a la estudiante* (objeto). *El grupo* (sujeto) *sospecha* (verbo) *de la pareja* (objeto). *Ella* (sujeto) *besa* (verbo) *al profesor* (objeto). *Él* (sujeto) *teme* (verbo) *represalias de las directivas* (objeto). Y así sucesivamente, siempre con sujeto, verbo y objeto.

Hay dos formas verbales que expresan esta estructura de sujeto-verbo-objeto: el participio presente y el participio pasivo o pasado. El participio presente es el agente, el que realiza la acción; el participio pasado es el paciente, el que recibe la acción. Los participios presentes terminan en *-ente* y los pasados, en *-ado* o *-ido*: *el gerente* (participio presente) *gerencia* (verbo) *al gerenciado* (participio pasivo); *el amante ama al amado; el asistente asiste al asistido.*

Los objetivos u objetos también pueden ser cosas, así: *el escribiente escribe lo escrito; el remitente remite lo remitido; el presidente preside lo presidido.*

Un agente de la policía no muy refinado en el hablar, pero ya iniciado en la terminología forense, respondía así cómo fue el beso de los acusados:

—Señor, el sujeto tomó a la sujeta por su jeta y la sujeta le rompió su jeta...

La fórmula SVO consiste en escribir primero el sujeto, después el verbo y enseguida el objeto. Es la forma más clara de expresar una idea en español.

En la vida real, uno no dice *el amante ama al amado* o *a la amada*, sino que le pone carne a ese esqueleto y dice *Luis Fernando de Santa María ama apasionadamente a la joven Lucrecia del Carpio...* Tampoco dice *el presidente preside lo presidido* sino *el presidente Bill Clinton gobierna un país de inmensas riquezas y posibilidades.* Pero el esquema, el esqueleto, es ese: *el cantante canta lo cantado.* Y esa relación, que se puede establecer al expresar cualquier idea, es la relación sujeto-verbo-objeto, con que estamos trabajando en esta parte del libro.

El verbo, la quintaesencia

En la expresión de toda idea, es decir, en toda oración, la esencia se expresa con el sujeto, el verbo y el objeto. Es lo que se llama parte determinativa de la oración, o, si la oración se reduce a esa parte, oración determinativa. Si usted escribe *Margarita obsequió claveles a Rosita, durante el paseo a Santa Fe, para congraciarse con ella*, en esta oración hay tres elementos claramente identificables: la parte determinativa (*Margarita obsequió claveles a Rosita*), un complemento circunstancial de tiempo (*durante el paseo a Santa Fe*) y un complemento circunstancial de finalidad (*para congraciarse con ella*). Si usted toma en forma independiente uno a uno estos tres elementos, advertirá que el único que expresa una idea completa es el primero (*Margarita obsequió claveles a Rosita*) es decir, la parte determinativa. Las otras dos, sin la primera, no expresan una idea completa.

Pues bien, si la parte determinativa es la esencia de la idea, el verbo es la quintaesencia. En esta oración, el verbo es *obsequió*. Y todos los demás elementos de esta oración están en función de él. El sujeto es el que obsequió; el objeto es lo que el sujeto obsequió; el primer circunstancial dice cuándo obsequió; el segundo circunstancial dice para qué obsequió. Todo gira en torno a *obsequió*. Si uno no escribiera como escribe, de izquierda a derecha, la forma de escribir posiblemente sería esta otra:

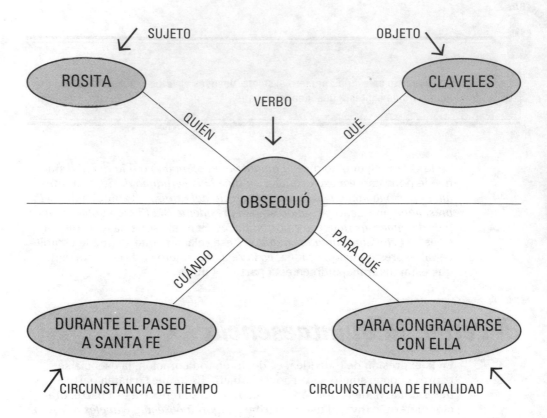

Sería una especie de sistema solar, en el cual el sol es el verbo y los planetas que giran alrededor de él son el sujeto, el objeto y las circunstancias. Ahora bien, no todos los planetas tienen la misma importancia. Digamos que hay planetas y planetoides. Los planetas están arriba; son el sujeto y el objeto. Los planetoides, menos importantes, están abajo; son las circunstancias de tiempo, de finalidad...

El hecho de no escribir con sistemas solares sino con renglones horizontales de izquierda a derecha, no significa que sea menos exacto el esquema del sistema solar. De hecho, cuando se construye una oración, hay un verbo, esencial e infaltable, y luego los demás elementos más o menos aleatorios, que matizan lo que ese verbo ya dijo sustancialmente. Más aun, la oración puede ser simplemente el verbo: *¡Llueve!... Murió... Ya llegó... Está nevando...* En cambio, un sujeto solo o un objeto solos, *El Secretario General de la OEA..., Mis primas de Oruro...,* no expresan ninguna idea completa. Menos todavía, los complementos circunstanciales. Un *ayer a las cuatro de la tarde,* o un *con todo el cuidado del caso,* no expresan nada mientras no haya un verbo al cual se refieran.

En consecuencia, para expresar una idea, o sea, para construir una oración, hay que partir del verbo, como núcleo de ella, e ir agregándole los demás elementos, hasta completar primero la esencia (parte determinativa) y luego la totalidad de la idea, con los detalles accidentales (complementos circunstanciales).

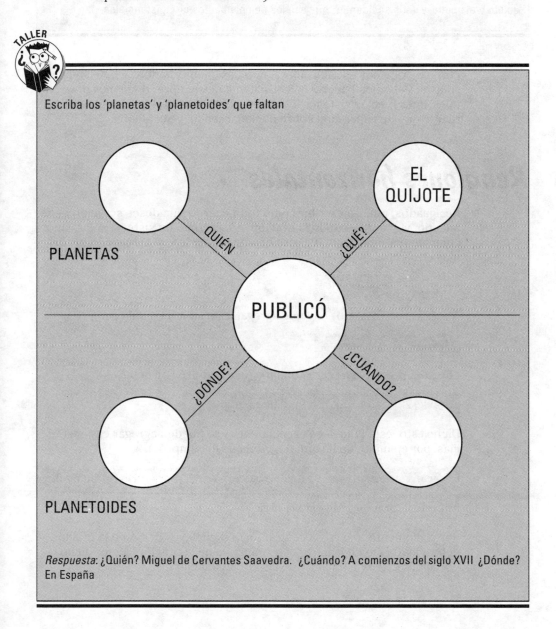

Escriba los 'planetas' y 'planetoides' que faltan

PLANETAS

EL QUIJOTE

QUIÉN

¿QUÉ?

PUBLICÓ

¿DÓNDE?

¿CUÁNDO?

PLANETOIDES

Respuesta: ¿Quién? Miguel de Cervantes Saavedra. ¿Cuándo? A comienzos del siglo XVII ¿Dónde? En España

En una oración hay un núcleo, que es el verbo; una esencia, que son ese mismo verbo más el sujeto y el objeto, y unos accidentes, que son los complementos circunstanciales.

Pero no podemos escribir libros, noticias, memorandos... con sistemas solares. Debemos hacerlo con el sistema de siempre: renglones horizontales. Pues bien, el sistema solar se vuelve horizontal, pero sin desvirtuar lo que he expresado sobre núcleo, esencia y accidentes.

Renglones horizontales

Resignados, pues, a escribir como todo cuerdo que desee ser leído debe hacerlo, voy a ir armando la oración, no ya como un sistema solar, sino como un texto horizontal. Parto de un verbo y le voy agregando los demás elementos.

compró

A este verbo (*compró*) hay que agregarle un sujeto (¿*quién* compró?)

Graciela	compró

Luego es preciso agregar el objeto (¿*qué* compró Graciela?)

Graciela	compró	un disco compacto

Dicho esto, está la idea en esencia. A ella se pueden agregar circunstancias, por ejemplo, de finalidad (¿*para qué* lo compró?)

Graciela	compró	un disco compacto,	para oírlo por la noche.

Ahí está la oración. Ahí está la idea.

Por el momento, me voy a centrar en la esencia, es decir, en la oración determinativa, o en la parte determinativa de la oración. Mejor dicho, por ahora no voy a hablarle de las circunstancias.

TALLER
¿?

Agregue sujeto, verbo u objeto, según el caso, para completar la oración.

1. _____libertó a Colombia, Venezuela, Ecuador y Panamá.

2. Romeo_____ a Julieta.

3. Plácido Domingo canta_____.

Respuestas: 1. Simón Bolívar (sujeto). 2. ama (verbo) o amaba, o amó apasionadamente... 3. ópera (objeto) o rancheras, o aires populares, o de todo un poco.

¡Suelte el verbo!

Cuenta la historia que los sofistas contemporáneos de Sócrates hablaban y hablaban y hablaban sin decir nada concreto. Era una especie de gimnasia retórica, en la que se hacía alarde del manejo de la palabra, pero no se expresaba ninguna idea concreta... Cansado de oír palabras bellas pero sin ideas, alguno de los oyentes le gritaba al orador de turno:
—¡suelte el verbo!

Ese *suelte el verbo* puede entenderse al menos en dos sentidos: *diga algo concreto*, más crudamente,*¡diga algo!*; así mismo, puede entenderse como *no siga diciendo circunstancias, no agregue más complementos circunstanciales y diga ya el verbo,* pues mientras no aparezca el verbo, no se ha expresado ninguna idea.

Inevitablemente este retazo histórico lo tengo que relacionar con la actividad de algunos de mis amigos periodistas. Cuando van a dar una noticia, dan vueltas y vueltas, diciendo circunstancias de lugar, tiempo, modo, causa, finalidad... y nada que sueltan el verbo. En vez de decir, *Pepsi Co. compró Pizza Hut, en una operación que sorpendió a los inversionistas neoyorkinos,* dicen: *El pasado 3 de julio, durante la última vuelta de la Bolsa, en una audaz operación, que sorprendió a los más avezados corredores e inversionistas de Nueva York, la prestigiosa cadena de restaurantes Pizza Hut fue adquirida por la sólida multinacional Pepsi Co.* Fíjese usted cuantas vueltas dan, para 'soltar el verbo' en el último renglón.

El Wall Street Journal lo hace así

En *The Wall Street Journal Americas* del día en que estoy escribiendo estas líneas aparecen noticias como las siguientes (copio el texto hasta el primer punto y entre paréntesis indico de qué elemento sintáctico se trata):

✔ *Las acciones de Netscape* (sujeto) *se tambalearon la semana pasada* (verbo y expresión adverbial de tiempo) *después de que la compañía advirtió que sus costos están subiendo* (complemento circunstancial de tiempo).

✔ *Nigeria* (sujeto) *prohibió* (verbo) *a los aviones de British Airways* (objeto indirecto) *que vuelen a este país* (objeto directo), *después de que el gobierno británico anunció que los vuelos de Nigeria no podrán aterrizar en Londres por cuestiones de seguridad aérea* (complemento circunstancial de tiempo y de causa).

✔ *Diez consorcios latinoamericanos* (sujeto) *han manifestado* (verbo) *su interés en participar en la privatización de la mitad chilena de la FCALP, empresa propietaria del ferrocarril que une Chile con Bolivia* (objeto).

✔ *Un consorcio encabezado por la empresa de energía Houston Industries, de EE.UU., y la venezolana Electricidad de Caracas,* (sujeto) *ganó* (verbo) *la licitación para comprar el 56,7 % de EPSA, empresa de energía colombiana* (objeto), *por US$498 millones* (complemento circunstancial de modo).

✔ *General Mortors Corporation* (sujeto) *se prepara* (verbo) *para ensamblar en Brasil el que promete ser uno de los automóviles más baratos del mundo* (objeto).

✔ *Los conciertos de rock en vivo por televisión* (sujeto) *regresan* (verbo) *al escenario* (objeto).

✔ *Microsoft* (sujeto) *lanzará esta semana* (verbo y expresión adverbial de tiempo) *una ambiciosa campaña para demostrar que el* hardware *y el* software *para computadores personales puede realizar hasta las labores más complicadas de los sistemas informáticos para empresas* (objeto).

¿Y las cartas también?

Posiblemente usted me dirá que las noticias sí se pueden escribir así, pero que las cartas necesariamente no. Todas deben empezar con circunstancias, como *por medio de la presente..., de acuerdo con nuestra conversación telefónica del pasado 8 de marzo..., en atención a su solicitud de la referencia...* Tengo aquí una carta que me llegó ayer de Santiago de Cali y su primer párrafo dice: *Coomeva* (sujeto) *se complace en informarle* (verbo) *que en este mes se está haciendo una revalorización de aportes sociales...*(objeto).

En el libro de Gastón Fernández de la Torriente y Eduardo Zayas-Bazán *Cómo escribir cartas eficaces* (Editorial Playor, Madrid, y Editorial Norma, Bogotá), leo los siguientes ejemplos de inicio de cartas:

✔ *Nuestro técnico* (sujeto) *nos ha presentado* (verbo) *un informe sobre su trabajo en La Paz* (objeto).

✔ *Le agradecemos* (verbo, con sujeto tácito) *por confiar en la esmerada atención de nuestro supermercado* (objeto).

En el libro de Donald H. Weiss *Cómo redactar fácil y efectivamente* (Editorial Aguilar, México, 1992), leo el siguiente inicio de su modelo de carta:

✔ *Le recordamos* (verbo, con sujeto tácito) *que es preciso que pague la cantidad anotada en la copia de la factura adjunta* (objeto).

No parece, entonces, que las cartas deban escribirse siempre con uno o varios circunstanciales al comienzo. Todo escrito, una noticia, un informe de auditoría, una tesis de grado, un memorando, un afiche..., puede tener sus oraciones en orden sintáctico: SVO, sujeto-verbo-objeto.

Identifique el verbo (núcleo de la idea) en las siguientes oraciones.

1. Las firmas comerciales más antiguas ofrecen garantías más confiables.

2. Sólo sé que nada sé.

3. Las secretarias que se habían inscrito el martes cancelaron su participación en el seminario de actualización administrativa.

4. El nuevo párroco del pueblo predica con gran entusiasmo.

5. El mandatario peruano Alberto Fujimori dirigió la operación de rescate de los rehenes de la embajada del Japón.

Respuestas: 1. ofrecen. 2. sé (el primero). 3. cancelaron. 4. predica. 5. dirigió.

La esencia y los accidentes

Voy a hacer otra consideración filosófica. En toda realidad se pueden distinguir la esencia y los accidentes, o lo esencial y lo accidental. Lo esencial es lo que hace que algo sea lo que es y no otra cosa. Dicen los filósofos que la esencia de un árbol es su arboreidad. Yo no sé si la palabra *arboreidad* exista, pero eso es lo de menos. La idea que quieren expresar los filósofos es que lo esencial del árbol es que sea árbol. ¡Qué bobada! No. No es una bobada. Es una idea simple y en las ideas simples está la sabiduría. Un árbol es en esencia árbol, es decir, desde cuando era un pequeño tallo hasta cuando tenga doscientos años de vida, cientos de ramas, miles de hojas y profundas raíces, es un árbol. Eso es lo esencial, diga usted, lo que no cambia: que es árbol. En cambio, el árbol tiene hoy un tamaño que hace cinco años no tenía, pues era más pequeño, y que dentro de cinco años no tendrá, pues será más grande. El árbol tiene hoy ciento treinta y ocho ramas, más de las que tenía hace un año y menos de las que tendrá dentro de ocho años... Estas características, el tamaño, el número de ramas... son los accidentes, son lo que cambia, son las circunstancias, que no afectan la esencia, pues con más o menos ramas, con más o menos altura, sigue siendo árbol; más aun, sigue siendo el mismo árbol.

¿Cuál es la esencia de Luis Miguel? Que es persona, que es hombre. ¿Cuáles son sus accidentes? Que es rubio, que canta, que es enamoradizo... La esencia no cambia. Los accidentes pueden cambiar: cuando pase el tiempo, será canoso, cantará mejor y será menos enamoradizo, pero seguirá siendo Luis Miguel.

En gramática, en sintaxis, al escribir una idea, hay también una parte esencial y otra accidental. Si yo voy a escribir una noticia y tengo entre mis datos que fue el ocho de julio en horas de la tarde; que fue en el encierro de la feria de San Fermín, en Pamplona, España; que fue en presencia de numerosos turistas llegados de los cuatro puntos cardinales; que la víctima era de nacionalidad uruguaya, tenía como cincuenta años y se llamaba Carlos Márquez; que la cornada no le interesó ningún órgano vital; que a esa hora estaban vendiendo pacharán; que el escritor Ernest Hemingway había descrito situaciones similares en su libro *Fiesta*... De todo ello debo tomar lo esencial para expresar la idea, en este caso, para dar la noticia: *El ciudadano uruguayo Carlos Márquez sufrió una cornada leve*. En estas nueve palabras está la esencia de la noticia. Lo que se ha escrito hasta ahí es un sujeto (*el ciudadano uruguayo Carlos Márquez*), un verbo (*sufrió*), un objeto (*una cornada leve*). Esta es una oración determinativa. A ella se pueden agregar después las circunstancias: el lugar, el momento, la gravedad, las consecuencias, la causa...

Por Chato

— HÁBLENOS DE LA ESENCIA

— ¿LA MÍA? ¡PALOMA PICASSO, PROFESOR! Y ¿LA SUYA?

Capítulo 11

La oración determinativa o la esencia de la idea

Oración determinativa

La esencia se expresa en la parte determinativa de la oración, o en la oración determinativa, que tiene, entonces, sujeto, verbo y objeto. Vea algunos ejemplos:

SUJETO	VERBO	OBJETO
Alcira	*compró*	*una paleta.*
Los policías	*persiguen*	*a los ladrones.*
Mi mejor amigo	*hablaba*	*de sus viajes ecológicos.*
Las muchachas	*prefieren*	*el agua de los manantiales.*
El Chavo del Ocho	*saludará*	*al profesor Jirafales.*

Casualmente los cinco ejemplos precedentes tienen como sujeto a personas, pero no crea por ello que el sujeto siempre es persona; muchas veces es animal o cosa. Vea los ejemplos que siguen.

SUJETO	VERBO	OBJETO
La vaca	*quiere*	*que la ordeñen.*
Este hermoso sauce llorón	*da*	*muy buena sombra.*
El editorial de hoy	*apoya*	*la ley de extradición.*
La telenovela de las diez	*plantea*	*un problema social.*

En los nueve ejemplos anteriores escribí verbos de una sola palabra, pero el verbo puede ser una frase conformada por varias palabras. Recuerde que verbo es la parte de la oración que indica acción, pasión o movimiento; y tal condición puede darse en una sola palabra (*voy, decidí, presentaré...*) como en una frase (*hemos decidido, ha venido sucediendo, han de estar...*). Observe los verbos de los siguientes ejemplos.

SUJETO	VERBO	OBJETO
Los vendedores de fármacos	*han venido reajustando*	*los precios.*
La Junta de Socios	*se llevó a cabo*	*en la Sala Azul.*
Los fabricantes de discos	*hicieron su agosto*	*en diciembre.*

Ahora bien, cuando decimos verbo, no podemos olvidar que el adverbio modifica el verbo. Entonces, el adverbio, en principio, debe ir con el verbo, es decir, no forma parte del sujeto ni del objeto, sino del verbo. Por eso, los adverbios (*hoy, ayer, sí, no, lentamente, virtualmente, poco, mucho...*) en esta estructura que estamos analizando, deben ir con el verbo. Vea los ejemplos que siguen, en los cuales le resalto los adverbios.

SUJETO	VERBO	OBJETO
Yo	***nunca** he ido*	*a Australia.*
El informe No. 4	***no** dice **definitivamente***	*que no vayan a pagar.*
Don Francisco	***sí** usó **ayer***	*el sombrero de cuernos.*
El Ministerio	*permitió **temporalmente***	*ese horario.*

I. Identifique los adverbios de las siguientes oraciones.

1. Los guerrilleros ya comunicaron sus propuestas de paz.

2. Nuestro modelo 99 funciona mejor.

3. Entre tú y yo no hay nada personal.

4. Doña Eloísa sí sigue vendiendo allá casetes de Carlos Vives.

5. Benitín y Eneas aún estaban hablando de Tobita cuando llegó la gata.

II. Reubique el adverbio en las siguientes oraciones.

6. Hoy el Pibe Valderrama marcó un golazo.

7. La Gerencia de Mercadeo aprobó el plan publicitario ayer.

8. Permanentemente las trabajadoras sociales visitan a los damnificados.

9. Emilio Alarcos Llorach presentó su Gramática en 1994.

10. No Mafalda toma sopa ya.

Respuestas: 1. ya. 2. mejor. 3. no. 4. sí, allá. 5. aún. 6. ...marcó hoy... 7. ...aprobó ayer... 8. ...visitan permanentemente... 9. ...presentó en 1994... 10. ...ya no toma...

El verbo rector y otros verbos

Para ilustrar en una forma más completa las diversas posibilidades, quiero advertirle que en el sujeto y en el objeto también pueden aparecer verbos, pero, ¡ojo!, una cosa es el verbo del sujeto o el verbo del objeto y otra cosa es el verbo de la oración, es decir, el verbo rector. En los siguientes ejemplos le resalto el verbo del sujeto, que no es en ningún momento el verbo de la oración.

SUJETO	VERBO	OBJETO
*Las secretarias que **hayan firmado***	*deben pagar hoy*	*la cuota.*
*Los que **no han visto** el noticiero*	*no conocen*	*al nuevo zar.*
*Los niños que **cantan** y **tocan***	*pueden inscribirse*	*en la banda.*
*Calles que **no han pavimentado***	*desajustaron*	*mi automóvil.*

También puede haber verbo en el objeto, sin que por ello pierda su carácter nuclear el verbo de la oración. Le resalto el verbo del objeto en las siguientes oraciones.

SUJETO	VERBO	OBJETO
Los Pérez	*ya encontraron*	*el tesoro que tanto **habían buscado.***
La calle	*deseduca*	*a niños que **no tienen** hogar ni escuela.*
Seismuertos	*ayudó*	*al amigo que **encontró huyendo.***

Por supuesto, en una oración puede haber varios verbos porque el sujeto tiene uno y el objeto tiene otro, pero siempre habrá un verbo rector, un verbo nuclear, que es el verbo de la oración. Vea un ejemplo, donde le resalto los verbos que no son el verbo de la oración.

SUJETO	VERBO	OBJETO
*Los que **llegan** tarde*	*no reciben*	*la información que se **da.***

En esta última oración, hay tres verbos —*llegan, no reciben* y *da*—, pero el verbo de la oración, el verbo nuclear, el verbo rector, es uno solo: *no reciben.*

La voz pasiva

Una idea se puede expresar tanto en voz activa como en voz pasiva. *Alcira posa para el fotógrafo* es una idea en voz activa, pues Alcira actúa, realiza una acción. *Alcira es fotografiada por el maestro* es una idea en voz pasiva, pues Alcira padece, recibe, la acción del fotógrafo. La misma idea está expresada en dos formas distintas: voz activa y voz pasiva. Para expresar las ideas en voz pasiva, se usa el participio pasado o participio pasivo, que es la forma verbal terminada en *-ado* (*firmado, acabado, resucitado...*) o *-ido* (*surgido, caído, fluido...*)

La voz activa (*yo leo un libro*) es más propia del español que la pasiva (*un libro es leído por mí*), pero también en las oraciones en voz pasiva se sigue el esquema que estamos trabajando. Vea ejemplos.

SUJETO	VERBO	OBJETO
La llegada de la noche	*fue sentida*	*por todos.*
Los consejos de Natalia	*han calado hondo*	*en mí.*
Leer los clásicos	*ha sido*	*mi afición favorita.*

Por Chato

— BUENO, PROFESOR, YA LE ENTENDÍ LO DEL VERBO RECTOR.
AHORA, ¿ME PODRÍA EXPLICAR LO DE LOS VICERRECTORES?

Pase a voz activa las siguientes oraciones.

1. El texto de geografía de Texas está siendo leído por Benjamín.

2. Un vaso de leche es ingerido cada día por los niños.

3. Dieciséis accidentes diarios en promedio son producidos por conductores ebrios.

Respuestas: 1. Benjamín está leyendo el texto de... 2. Los niños ingieren cada día un vaso... 3. Conductores ebrios producen diariamente dieciséis...

Sujetos tácitos y oraciones impersonales

Ahora bien, no toda oración tiene sujeto. Hay oraciones donde el sujeto es tácito o sobrentendido (*queremos ponqué con uvas.* Sujeto tácito: *nosotros*) y oraciones impersonales, es decir, sin sujeto (*se recuerda que mañana vence el plazo para pagar la cuota.* No hay sujeto, pues no dice *recuerdo*, ni *recordamos*, es decir, nadie en concreto recuerda). Tácito es lo que se sobrentiende sin necesidad de decirlo. Impersonal es lo que no tiene persona, es decir, una oración impersonal es una oración sin sujeto. Vea los siguientes ejemplos de oraciones con sujeto tácito (los dos primeros) y de oraciones impersonales (los dos siguientes).

VERBO	OBJETO
Queremos recordarle	*que su compromiso bancario vence hoy.*
Van a programar	*más de dos conciertos este año.*
Había	*miles de personas por la calle.*
Se informa	*que el impuesto de renta será reajustado.*

Tampoco es indispensable que en toda oración haya objeto. Muchas veces la idea se expresa en forma completa con el sujeto y el verbo, sin necesidad de más:

SUJETO	VERBO
Los ingenieros de sistemas	*ya están trabajando.*
Los papeles que lo comprometen	*fueron robados.*

Y muchas veces la idea se expresa con el verbo solo:

VERBO
¡Venga!
Está lloviendo.
¡Está temblando!
¡Renuncié!

Solamente para facilitar la lectura de los ejemplos, he propuesto casos en los que sujeto, verbo y objeto caben en un solo renglón. No crea usted, por eso, que oración es siempre una unidad de hasta diez o doce palabras que expresa una idea completa. No. La oración puede ir desde una sola palabra hasta un párrafo de varios renglones, mucho más si a la parte determinativa se le agregan incisos explicativos y complementos circunstanciales, pero aun sin incisos y sin circunstanciales, la sola oración determinativa, o la sola parte determinativa de la oración, puede ocupar varios renglones. Vea el siguiente ejemplo:

El escritor español y Premio Nobel de Literatura Camilo José Cela dijo que la hache *es una letra necesaria en poesía aunque no lo sea en fonética.*

Aquí también hay un sujeto (*El escritor español y Premio Nobel de Literatura Camilo José Cela*), un verbo (*dijo*) y un objeto (*que la* hache *es una letra necesaria en poesía aunque no lo sea en fonética*).

Oración determinativa (o parte determinativa de la oración) es la que tiene sujeto, verbo y objeto. También puede serlo aquella que tiene solo verbo, o sujeto y verbo, o verbo y objeto. No hay oración si falta el verbo.

Objeto directo

Cuando el verbo de la oración es transitivo, el objeto se llama *directo*, y responde a las preguntas *¿qué?*, si es cosa, o *¿a quién?*, si es persona. Ejemplos: *el alcalde prohibió* (¿qué prohibió?) *el porte de armas. La ley prevé* (¿qué prevé?) *esa eventualidad. La emisora no ofrece* (¿qué no ofrece?) *servicios sociales. El Papa saludó* (¿a quién saludó?) *al pueblo polaco. El Macho Camacho golpeó* (¿a quién golpeó?) *a su contendor. La vendedora de seguros convenció* (¿a quién convenció?) *a mi jefe.*

En la práctica, conviene hacer este ejercicio para escribir en orden, es decir, para no intercalar entre el verbo y el objeto directo otros elementos que pueden hacer confusa la lectura. Se logra una expresión clara si se respeta el orden que le vengo proponiendo: SVO, sujeto-verbo-objeto directo. El núcleo es el verbo. El sujeto responde a la pregunta *quién* (o *quiénes*) y el objeto directo, a las preguntas *qué* o *a quién* (o *a quiénes*).

Observe que en los siguientes ejemplos el objeto directo responde a la pregunta *qué* (qué cumplió, qué compuso, qué trae).

SUJETO (quién)	VERBO	OBJETO DIRECTO (qué)
Simón Bolívar	*cumplió*	*su juramento.*
Agustín Lara	*compuso*	*"Solamente una vez".*
Mi revista favorita	*trae*	*un test para aficionados al cine.*

Y en los siguientes, el objeto directo responde a las preguntas *a quién* o *a quiénes*.

SUJETO	VERBO	OBJETO DIRECTO (a quién)
Un portugués	*saludó*	*a un alemán.*
Tarzán	*alzó*	*a Chita.*
El forajido	*disparó*	*al policía.*

En estos casos, donde el objeto directo es *persona*, es importante escribir la *a*, pues de no hacerlo se pueden confundir sujeto y objeto directo, pues habría dos *quién* y no un *quién* y un *a quién*. Con alguna frecuencia veo titulares de un periódico vespertino del siguiente tenor: *Hombre mató mujer*. Como no está la *a* del objeto directo (*a mujer*), puede interpretarse lo contrario de lo que se quiere decir: que la mujer mató al hombre. Es más claro si le agrega la preposición *a* a cualquiera de los dos términos del verbo: *a hombre mató mujer* o *mujer mató a hombre* nos informan de una mujer asesina; *hombre mató a mujer* o *a mujer mató hombre* nos informan de un hombre asesino. Como usted podrá ver, aquí no cuenta el orden para saber cuál es el objeto directo, es decir, la víctima, sino la *a*.

Si el objeto directo es cosa, no hay confusión. En la oración *Anabel toma agua*, se sabe que Anabel es el sujeto y el agua es el objeto, es decir lo tomado, así cambie el orden: *agua toma Anabel*. Pero si digo *Anabel toma Casandra*, Casandra puede ser objeto, es decir, lo tomado por Anabel (*Anabel toma a Casandra*), o sujeto (*A Anabel toma Casandra*). Con *agua* no hay confusión por ser cosa, y no debe decirse *...toma a agua*, sino

El objeto directo responde a la pregunta *qué,* salvo que sea persona, caso en el cual responde a la pregunta *a quién.* En consecuencia, el objeto directo de persona debe escribirse con *a* para que no se confunda con el sujeto.

toma agua (sin *a*). En cambio, con Casandra sí puede haber confusión, por ser persona. No es lo mismo *Casandra* (sujeto) que *a Casandra* (objeto directo).

Quizá por esta compleja situación, el objeto directo se llama también sujeto pasivo, en contraposición al sujeto, que entonces se llama sujeto activo. Si yo lo saludo a usted, la oración que expresa esa idea es *el profesor Ávila saluda a usted.* Si al hacer el análisis sintáctico de la oración, le digo que la frase *el profesor Ávila* es el sujeto, mientras que la frase *a usted* es el objeto, usted me podrá replicar, con toda razón, que usted no es ningún objeto. Tiene toda la razón. Tan la tiene, que en tal caso, no diré que *a usted* es el objeto directo, sino que *a usted* es el sujeto pasivo. En los casos que venimos analizando, donde le he dicho que la falta de la *a* da lugar a la confusión del sujeto con el objeto, es más claro, si le digo, que da lugar a la confusión del sujeto activo con el sujeto pasivo. En efecto, *Ávila saluda Rodríguez* puede significar igualmente que Ávila da el saludo y Rodríguez lo recibe o que Ávila lo recibe y Rodríguez lo da... Eso en un saludo no es problema, pero si el verbo no es *saluda* sino *mata,* el problema es mayúsculo...

I. Identifique el objeto directo en las siguientes oraciones.

1. Es muy posible que este año haya sequía.

2. Julia Roberts protagonizó la película *Mujer bonita.*

3. Algunos alumnos de sencundaria propusieron adelantar el horario.

II. Agregue objeto directo en las siguientes oraciones.

4. Neil Amstrong pisó _____.

5. Cristóbal Colón descubrió _____.

6. Pájaro en mano vale más _____.

Respuestas: 1. que este año haya sequía. 2. la película *Mujer bonita.* 3. adelantar el horario. 4. suelo lunar. 5. América. 6. que ciento volando.

Los párrafos anteriores no tienen otro propósito que insistir en la necesidad de escribir la preposición *a* para identificar el objeto directo de persona.

Objeto indirecto

Escritos el sujeto, el verbo y el objeto directo, puede hacer falta para expresar cabalmente la idea un objeto indirecto, que responderá a las preguntas *a quién* o *para quién*. Este objeto indirecto es el término sobre el que recae indirectamente la acción del verbo, vale decir, no hay un objeto indirecto si no hay primero uno directo. Esta última aclaración no significa, como lo verá usted en los ejemplos venideros, que no se pueda escribir primero el indirecto y luego el directo, pero sí significa que la existencia del indirecto tiene como prerrequisito la existencia del directo.

Para ir sobre seguro, voy a hablarle de Azucena Salfuera, bella joven de 18 años, que estudia Agronomía. Su novio, Enrique Laquiere, tiene 20 años y está terminando Zootecnia. El papá de Azucena, Lázaro Salfuera, tiene 46 años y trabaja en el Banco Central. Azucena quiere formalizar su relación y, por eso, decide presentarle su novio a su papá. Observe usted qué cosa tan difícil acabo de escribir (*presentarle su novio a su papá*). En consecuencia con lo que le dije en párrafos anteriores, debí escribir *presentarle a su novio a su papá*, pero queriendo diferenciar el objeto directo (lo presentado) del indirecto (a quien se le presenta), opté por casi convertir en cosa al pobre Enrique Laquiere y dejar como persona a su futuro suegro, Lázaro Salfuera. El caso es que aquí hay dos objetos. La acción de Azucena (sujeto) recae directamente sobre su novio (objeto directo) e indirectamente sobre su papá (objeto indirecto). La oración quedaría así:

SUJETO (quién)	VERBO	OBJETO DIRECTO (qué)	OBJETO INDIRECTO (a quién)
Azucena Salfuera	*presenta*	*a su novio*	*a su papá.*

Para aligerar el texto y evitar tanta *a*, parece lícito escribir:

SUJETO	VERBO	OBJETO DIRECTO	OBJETO INDIRECTO
Azucena Salfuera	*presenta*	*su novio*	*a su papá.*

Ahora, no siempre esto del indirecto es tan complicado. Normalmente y casi siempre, el objeto directo es cosa y el indirecto es persona. Así, el directo se reconoce por la pregunta *qué* y el indirecto por las preguntas *a quién* o *para quién*. Véalo en los siguientes ejemplos:

SUJETO (quién)	VERBO	OBJETO DIRECTO (qué)	OBJETO INDIRECTO (a quién)
Los subgerentes	*presentarán*	*su nuevo plan*	*al vicepresidente.*
Plaza y Cía.	*vendió*	*un plan turístico*	*a don Juan Pérez.*
Los catedráticos	*no explicaron*	*ese punto clave*	*a los alumnos.*
Mi hijo menor	*dibujó*	*un bodegón*	*para su abuelita.*
El Guasón	*dio*	*tremendo susto*	*a Batman y Robin.*

No sea tan ordenado

Como ya lo anticipé, el indirecto puede escribirse antes que el directo, y conviene hacer este cambio cuando el directo es muy extenso y el indirecto muy breve.

SUJETO (quién)	VERBO	OBJETO INDIRECTO (a quién)	OBJETO DIRECTO (qué)
El Jefe	*dio*	*a su secretaria*	*numerosas instrucciones sobre las llamadas del día siguiente.*
Mafalda	*agradeció*	*a su mamá*	*la sopa de lechuga con alcaparras y crema de leche.*
El pueblo	*pidió*	*al alcalde*	*que mejorara los débiles dispositivos de seguridad existentes en los parques infantiles.*

Si usted escribe alguno de estos ejemplos con el directo antes del indirecto, que es el orden más ordenado, el indirecto prácticamente se pierde: *El pueblo pidió que mejorara los débiles dispositivos de seguridad en los parques infantiles al alcalde*. Fíjese que en esta versión la frase *al alcalde* está virtualmente perdida. En estos casos, pues, es mejor no ser tan ordenado, escribir primero el indirecto y después el directo, y dejar así mucho más claro el texto.

El orden más ordenado

Este orden del que le vengo hablando, SVO, sujeto-verbo-objeto, es el más claro para escribir en español. Quizá no le he insistido suficientemente en ello; y si lo he hecho, permítame seguir reiterándolo. Usted puede expresar la idea de cualquier forma: *Juan ama a Clara, A Clara ama Juan, Ama Juan a Clara, Ama a Clara Juan...* siempre se expresa la misma idea, pero la forma más clara de expresarla es, sin duda alguna, la primera, *Juan ama a Clara*, que es el orden SVO, sujeto (*Juan*)-verbo (*ama*)-objeto (*a Clara*). Tal vez en ejemplos más extensos, con elementos algo más complejos, se vea en una forma más persuasiva la conveniencia de acudir a la fórmula SVO para escribir con mayor claridad. A continuación le presento una oración en desorden; luego, la ordenaremos; y finalmente, decidiremos cuál de las dos versiones es más clara.

Versión A: *Para los comerciantes de las ciudades de Panamá y Colón un seminario de ventas domiciliarias el doctor Pedro H. Morales organizó.*

Versión B: *El doctor Pedro H. Morales organizó un seminario de ventas domiciliarias para los comerciantes de las ciudades de Panamá y Colón.*

¿Cuál de las dos versiones expresa con mayor claridad la idea?

Sin duda, la segunda, porque esta segunda está escrita con el esquema: SVO, sujeto (*El doctor Pedro H. Morales*) — verbo (*organizó*) — objeto directo (*un seminario de ventas domiciliarias*) — objeto indirecto (*para los comerciantes de las ciudades de Panamá y Colón*).

El objeto indirecto responde a la pregunta *a quién* y debe escribirse después del directo, salvo que el directo sea muy extenso.

I. Ordene sintácticamente, según la fórmula SVO (sujeto-verbo-objeto) las siguientes oraciones.

1. Para los casi cuatrocientos millones de hispanohablantes

   las academias de la lengua española

   diccionarios especializados

   preparan permanentemente.

2. A las voces blancas del coro

   partituras especiales

   entregó oportunamente

   el director musical.

3. El plan de desarrollo internacional y de presencia múltiple

   a la Asamblea de Accionistas

   el Gerente de Mercadeo y Ventas

   explicó.

Respuestas: 1. Las academias de la lengua española preparan permanentemente diccionarios especializados para los casi cuatrocientos millones de hispanohablantes. 2. El director musical entregó oportunamente partituras especiales a las voces blancas del coro. 3. El Gerente de Mercadeo y Ventas explicó a la Asamblea de Accionistas el plan de desarrollo internacional y de presencia múltiple (En este último caso, va primero el indirecto y después el directo).

Verbos intransitivos y objeto prepositivo

Hasta este punto le he dicho cómo se arma la oración con verbo transitivo, pero como en la mitad de los casos el verbo no es transitivo, no hay un *qué*, es decir, un objeto directo, surge la duda de qué hacer cuando el verbo es intransitivo, qué sigue, qué se escribe después de un verbo intransitivo. Pues bien, a un verbo intransitivo sigue el objeto prepositivo que también forma parte de la esencia de la idea, es decir, completa la parte determinativa de la oración.

Si yo escribo *Pedro viaja*, como el verbo es intransitivo, en primer lugar, puedo terminar mi oración ahí. No hay que agregar una respuesta a *qué viaja*. Nadie me preguntaría *qué*. En segundo lugar, puedo agregar algo esencial que responda a las preguntas cómo, a dónde, por qué o para qué: *Pedro viaja en clase económica... Pedro viaja a Madrid... Pedro viaja por exigencia de su trabajo... Pedro viaja para resolver algunos problemas diplomáticos...* En estos casos, lo que sigue inmediatamente después del verbo, o sea, lo que inicia el objeto, es una preposición: *en, a, por, para...*, por eso, este objeto se llama prepositivo.

Si usted escribe *Yo hablé*, por ser este un verbo intransitivo, no le debe agregar un qué, es decir, un objeto directo, sino cualquier otra información, como puede ser la materia, de qué o sobre qué habló; el tiempo, cuándo habló; el lugar, dónde habló; el modo, cómo habló; la causa, por qué habló; la finalidad, para qué habló, tal como se ve en los ejemplos siguientes, donde le resalto la preposición, que identifica como tal el objeto prepositivo

SUJETO	VERBO	OBJETO PREPOSITIVO
Yo	*hablé*	*de mis aventuras en el África.*
Yo	*hablé*	*sobre los crucigramas de El País.*
Yo	*hablé*	*por la noche.*
Yo	*hablé*	*en el paraninfo de la Universidad Autónoma.*
Yo	*hablé*	*con profunda emoción patriótica.*
Yo	*hablé*	*por delegación del Presidente de la República.*
Yo	*hablé*	*para convencerlos de mis ideales políticos.*

Le voy a dar más ejemplos, utilizando diversos verbos y diversas preposiciones para comenzar el objeto:

SUJETO	VERBO	OBJETO PREPOSITIVO
Las calles	*carecen*	*de vendedores ambulantes.*
El adolescente	*fantasea*	*con el futuro.*
Tibaduiza	*entrena*	*por la mañana.*
Ramona	*rabió*	*hasta el cansancio.*
250.000 judíos	*salieron*	*de España.* *en 1492* *por orden del Rey Fernando.* *hacia el oriente.* *so pena de castigo, si desobedecían.*

En la oración determinativa, después del verbo intransitivo se escribe objeto prepositivo, que se llama así porque comienza con preposición.

El esquema SVO se puede aplicar a oraciones con verbo transitivo o a oraciones con verbo intransitivo. Si el verbo es transitivo, hay objeto directo e indirecto. Si el verbo es intransitivo, hay objeto prepositivo. Esos elementos constituyen la oración determinativa, es decir, la esencia de la idea. Otros elementos que se agreguen, sean incisos o sean complementos circunstanciales, expresarán aspectos accidentales de la idea.

En definitiva, al escribir un texto, cualquiera que sea, conviene comenzar la oración por la parte determinativa, en vez de hacerlo por las circunstancias, y en este capítulo le he mostrado cómo escribir esa parte determinativa, o sea, cómo escribir la esencia de la idea. Le he insistido en la necesidad de empezar todo texto por ahí, para ser más claro... y solo me falta decirle algo importantísimo: la oración determinativa no tiene coma.

Nada de comas en la oración determinativa

La oración determinativa no tiene comas. Claro que, como toda afirmación de semejante calibre, es preciso matizarla. Al establecer que la oración determinativa no tiene comas, se alude a la importancia de no separar con coma sujeto de verbo, ni verbo de objeto. Y si hay objeto directo e indirecto, en cualquier orden que vayan, tampoco se deben separar entre sí con coma. Si usted relee lo diversos ejemplos que hay en este capítulo, verá que en ningún caso hay coma. No es casualidad; ni dejó de marcarse la coma por estética. No se marcó, porque las oraciones determinativas no tienen coma, salvo que haya una enumeración.

¿Y si la oración es muy extensa? No hay coma. La coma no obedece a la extensión, sino a la estructura. ¿Y si uno se ahoga leyéndola en voz alta? No hay coma. La coma no es un signo respiratorio sino estructural. ¿Y por qué me han dicho toda la vida que la coma es para hacer una pausa? Eso es otra cosa. Cuando usted lee en voz alta, quizá deba hacer pausa donde haya una coma, para que el texto se entienda mejor. De seguro, no solo hay que hacer pausa donde hay coma sino también a veces donde no hay. Eso es al leer. En cambio, al escribir, no hay por qué ni para qué pensar en pausas respiratorias, sino en la estructura y, consecuentemente, en el significado. En las próximas páginas veremos varios ejemplos de esta situación, o sea, de cómo una coma de más o una coma de menos da otra estructura al texto, lo que a su vez conduce a otra interpretación del mensaje.

Por lo pronto, le voy a mostrar lo que puede pasar con el significado del mensaje si usted separa con coma el sujeto del verbo, que por lo demás es error bastante frecuente.

Patricia nada mejor que Silvia (oración determinativa, sin comas)

no es lo mismo que

Patricia, nada mejor que Silvia (oración vocativa).

La diferencia, aparentemente mínima, es en realidad enorme. La primera oración, sin comas, es una información: Juan le dice a Pedro que Patricia nada mejor que Silvia. Aquí Patricia ni se entera del asunto. La segunda oración es una orden: Juan le dice a Patricia que nade mejor que Silvia. Necesariamente Patricia, destinataria de este mensaje, es quien primero se entera.

Hay una serie de oraciones que ya, de tanto repetirlas, se han vuelto lugares comunes:

Traiga queso campesino.
Es necesario ver la prueba madre.
Présteme un estilógrafo negro.
Hay que comprar cebolla cabezona.
Me gusta esa baraja española.
Prefiero una pizza italiana.
Voy a pedir un tequila José Cuervo.

A estas oraciones determinativas, que se escriben sin coma y se pronuncian sin pausa, se les saca fácilmente la versión vocativa, donde *campesino, madre, negro, cabezona, española, italiana* y *José Cuervo* se convierten en destinatarios de un mensaje. La diferencia al entonarlas puede marcarse bastante, pero al escribirlas, la única diferencia es la coma:

Traiga queso, campesino.
Es necesario ver la prueba, madre.
Présteme un estilógrafo, Negro.
Hay que comprar cebolla, cabezona.
Me gusta esa baraja, española.
Prefiero una pizza, italiana.
Voy a pedir un tequila, José Cuervo.

En la oración determinativa, no se separa el sujeto del verbo con coma.

El error de redacción más frecuente es el de separar el sujeto del verbo con coma y ya ha visto usted que puede convertirse una información en una orden, al pasar la oración determinativa a vocativa, pero aunque no pasara de determinativa a vocativa, el error seguiría siendo error. No es correcto escribir *Los gerentes de todas las sucursales del Banco del Estado, deben reunirse el próximo 7 de enero...* Sobra la coma que va después de *Estado*, así no sea posible darle otra interpretación al texto.

Tampoco se separan verbo de objeto, ni objeto directo de indirecto, aunque se altere el orden. Analice la siguiente oración:

Los investigadores estadounidenses y británicos contratados para develar el secreto han pedido dos meses más de plazo.

Es una oración determinativa, cuyo sujeto es *Los investigadores estadounidenses y británicos contratados para develar el secreto.* Se trata de un sujeto extenso, pero no por ser extenso se separa con coma del verbo. Esta oración debe escribirse sin coma y así todas las oraciones determinativas, aunque ocupen varios renglones:

Ex alumnos del Colegio San Francisco y ex alumnas del Colegio Santa Clara (sujeto) *fundaron* (verbo) *una institución para recoger y educar adolescentes desplazados por la violencia* (objeto).

El ex presidente Bucaram (sujeto) *no ha vuelto a organizar* (verbo) *conciertos de música moderna* (objeto).

El inolvidable grupo musical español 'Mocedades' (sujeto) *interpretó magistralmente* (verbo) *numerosas baladas del compositor Juan Carlos Calderón.*

Que la coma es un signo respiratorio.	Que cada renglón y medio debe haber coma.
Que la coma es un signo para descansar.	(No crea más todos estos mitos).

Las damas voluntarias del Hospital Central y sus respectivos cónyuges e hijos (sujeto) *donaron* (verbo) *numerosos elementos de primera necesidad* (objeto directo) *a los damnificados de las recientes inundaciones del río San Juan* (objeto Indirecto).

Le insisto, porque en este punto nunca se insistirá bastante: las oraciones determinativas no tienen coma. En los ejemplos anteriores, que ocupan más de un renglón y hasta más de dos, no hay coma.

Una novela del escritor colombiano David Sánchez Juliao, *Pero sigo siendo el rey*, que alguien recordará también por su versión televisiva, tiene cuatro páginas sin comas. Le transcribo una de ellas, para que usted vea un texto largo sin comas, y lo recuerde cuando vea en su propio escrito dos o tres renglones sin comas:

Las palomas rojas aparecieron el día en que un sol bermejo asomó tras las montañas de piel granate erizadas en cactos encarnados por el destello salmón de los rayos y la mañana continuó siendo de un púrpura encendido que alarmó a los habitantes de Tezontle quienes solo ese medio día leyeron en el morado cardenal del aire y en el fucsia eléctrico de las nubes y en el olor a azaleas del ambiente las señales que todo Jalisco esperaba desde cuando los primigenios profetas de piel de cobre habían predicho sin alarma que siglos después de la destrucción del Templo Mayor una bandada de palomas rojas como la sangre navegaría en los pliegues del viento rumbo al corazón del pueblo y sin más itinerario que el diseño de una espiral carmesí armada al vuelo desde el espinazo de las lomas hasta el zócalo de la plaza sobre la cual aquel enjambre de palomas rojas como el mar rojo sombrearía la tierra de una luz de grana y exaltaría el recuerdo de tantas y tantas muertes por venir.

(*Pero sigo siendo el rey*, David Sánchez Juliao, Plaza & Janes, Bogotá, 1983, página 17).

Plinio Apuleyo Mendoza, otro autor colombiano, desliga claramente la coma de la pausa, en su libro *La llama y el hielo*. La coma es signo estructural que va donde debe ir y la pausa la indica cambiando de renglón. Vea el siguiente trozo del capítulo dedicado a su amigo García Márquez:

Aquel año hicimos dos viajes, uno a Alemania Oriental y otro a la Urss,
y perdimos nuestra inocencia
respecto del mundo socialista.

(...)

Las desesperadas circunstancias políticas de América Latina, sus generales en el poder, presos y exiliados en todas partes,
avivaban nuestras simpatías por el mundo socialista, que conocíamos solo de manera subliminal a través de toda la mitología revolucionaria heredada de los tiempos heroicos de la revolución de octubre, de la lucha de Sandino, de la guerra civil española, de los viejos corridos de la revolución mexicana
y de nuestras propias guerrillas liberales, en Colombia.
Todo ello que a lo largo de años nos había hecho vibrar,
creaba en nosotros una disposición muy favorable hacia los países donde se había realizado lo que ya en mayúsculas reverentes llamábamos
la revolución socialista.

(*La llama y el hielo*, Plinio Apuleyo Mendoza, Ediciones Gamma, Bogotá, 1989, página 22).

Única excepción: enumeraciones

La excepción ya la señalé atrás: que haya enumeración. Tal enumeración puede aparecer en el sujeto o en el objeto. Le voy a dar ejemplos de tal situación. En primer lugar, oración determinativa, con sujeto múltiple y, en consecuencia, comas enumerativas en el sujeto, pero no entre sujeto y verbo:

Juan, Carlos, Patricia y María suelen reunirse en la casa de Marisol.

En segundo lugar, oración determinativa con objeto directo múltiple. Hay comas enumerativas, pero no comas que separen el verbo del objeto directo ni el objeto directo del indirecto:

Don Francisco obsequió caramelos, chocolates, galletas y sodas a los participantes en su programa de variedades.

En tercer lugar, oración determinativa con enumeración en el objeto indirecto. No hay más comas que las estrictamente enumerativas del objeto indirecto:

Cristina Saralegui ofreció apoyo a las madres solteras, a las adolescentes embarazadas, a los hijos abandonados por sus padres y a las novias plantadas en la puerta de la iglesia.

Para rematar esta serie de ejemplos, voy a mostrarle un caso donde hay enumeración en todos los elementos sintácticos, excepto en el verbo. Las comas siguen siendo signos enumerativos y ni de peligro se escribe coma entre sujeto y verbo, ni entre verbo y objeto directo, ni entre objeto directo y objeto indirecto:

Sofía Vergara, Cristina Saralegui y Don Francisco enviaron tarjetas de Navidad, pósteres conmemorativos y sombreros de diversos estilos a sus televidentes de Los Ángeles, San Francisco, Panamá, Caracas, Santiago de Chile y Montevideo.

En oración determinativa, solo hay coma si hay enumeración que la exija.

Analice sintácticamente cada oración y escriba las comas necesarias.

1. Don Jorge doña Josefina el doctor Pérez y monseñor Trujillo estuvieron en la reunión de la Junta de Acción Comunal.

2. No hemos recibido ni faxes ni cartas ni memorandos ni circulares que hablen de ese tema.

3. Egresados de la Autónoma la Javeriana la Marista y la Central organizaron la marcha de apoyo a la desmovilización guerrillera.

4. Batman Robin Supermán el Hombre Araña y la Mujer Maravilla luchan por la justicia.

5. Los idiomas oficiales de las Naciones Unidas son el inglés el español el francés el chino y el ruso.

Respuestas: 1. ...Jorge, ...Josefina,... 2. ...faxes, ...cartas, ...memorandos,... 3. ...Autónoma, ...Javeriana,... 4. Batman, Robin, Supermán,... 5. ...inglés, ...español, ...francés,

Capítulo 12
La oración explicativa y los incisos

En el capítulo anterior le hablé de la oración determinativa, o de la parte determinativa de la oración. Esta distinción que hago obedece a que a veces la oración se reduce a lo determinativo, es decir, al verbo, con sus complementos esenciales, sujeto y objeto (*Juanita compró helado para su hijo*). Otras veces, lo determinativo no es más que parte de una oración compleja, con más elementos, los complementos circunstanciales (*Juanita compró helado para su hijo, ayer al mediodía, en el parque japonés, porque el pediatra le dijo que tal producto era conveniente para el feliz desarrollo del niño*).

Pues bien, ahora le voy a hablar de un elemento, muy frecuente por lo demás, que cambia la estructura determinativa de la oración; la convierte en explicativa y, lo más importante, le da otro significado. Entonces, las siguientes páginas están dedicadas a la oración explicativa.

El inciso explicativo

Lo que diferencia una oración determinativa de una explicativa es la presencia en esta última de un inciso. Puede haber varios incisos, incluso muchos, pero uno solo ya le da a la oración esa estructura de oración explicativa.

El inciso es una palabra, una frase o una oración que: 1) explica el sujeto, o el verbo, o el objeto; 2) no forma parte de la esencia, tanto que, si se elimina, la idea queda incólume; 3) va siempre después de lo explicado y 4) va entre comas.

Voy a someter un ejemplo a una disección que nos permita examinar si cumple todas las condiciones dichas.

José Alfredo Jiménez, **compositor e intérprete de las más típicas rancheras mexicanas**, *nació en Guanajuato el 9 de enero de 1926.*

En esta oración hay: sujeto (*José Alfredo Jiménez*), verbo (*nació*), objeto (*en Guanajuato el 9 de enero de 1926*). Eso es lo esencial de la idea: *José Alfredo Jiménez nació en Guanajuato el 9 de enero de 1926.* Aparte, hay un inciso, una frase que explica el sujeto, pues está después de él; frase que si se elimina deja incólume el significado de la oración; frase que va entre comas: *compositor e intérprete de las más típicas rancheras mexicanas.*

Este es el inciso explicativo. Este inciso es el que le da a esta oración el carácter de explicativa. Sin él, sería una oración determinativa.

Ahora, usted me dirá que ser compositor e intérprete de las más típicas rancheras mexicanas es algo muy importante, que no puede ser un simple inciso, que eso es esencial. No lo contradigo en que eso sea importante, pero al escribir ese texto lo que se quiso decir fue dónde y cuándo nació el sujeto y no otra cosa. De hecho, puedo construir una oración para hablar de su importancia como compositor e intérprete:

José Alfredo Jiménez, **fallecido en México en 1973,** *fue destacado compositor e intérprete de las más típicas rancheras mexicanas.*

Aquí el inciso es *fallecido en Mexico en 1973.* Esta frase se puede quitar sin afectar el significado esencial de lo que se quiso decir, explica el sujeto, pues va después de él, y está escrita entre comas.

Atrás le dije que el sujeto podía ser una palabra, una frase, una oración. Le voy a dar ejemplos de esas tres posibilidades, escribiendo el inciso **en negrilla,** con el fin de que usted lea el texto completo y luego lo lea sin el inciso (tache el inciso), para que compruebe que el significado esencial no cambia.

Inciso de una palabra:

El primer éxito internacional de José Alfredo Jiménez, **"Ella",** *lo hizo conocer y querer en los Estados Unidos.*

Inciso de una frase:

El trío de Los Rebeldes, **hoy por hoy poco conocido,** *fue el primer grupo musical que creyó en José Alfredo Jiménez.*

Inciso de una oración:

José Alfredo Jiménez, **que compuso canciones tan conocidas como "El rey" y "Si nos dejan",** *tuvo una infancia pobre y difícil.*

Espero que al leer estos ejemplos esté haciendo el ejercicio de tachar los incisos y de comprobar que la idea no varía en su esencia si se quita el inciso explicativo. La primera oración queda así: *El primer éxito internacional de José Alfredo Jiménez lo hizo conocer y querer en los Estados Unidos.* La segunda: *El trío de Los Rebeldes fue el primer grupo musical que creyó en José Alfredo Jiménez.* La tercera: *José Alfredo Jiménez tuvo una infancia pobre y difícil.*

Tache los incisos explicativos

Habrá comprobado usted que el inciso no es esencial. En estas versiones sin inciso, la oración queda determinativa y sin comas. Ahora bien, este ejercicio de tachar incisos no pretende convencerlo de que no escriba incisos en sus textos. Le digo que los tache para que identifique claramente la estructura de la oración: hay un sujeto, un verbo y un objeto que expresan la idea cabalmente y, además, hay un inciso que explica algo, pero que rompe la estructura sintáctica de la oración determinativa y, por eso, la convierte en oración explicativa.

Insisto: lo de tachar el inciso no es más que un recurso didáctico para visualizar la estructura sintáctica. En la vida real, los incisos no se tachan; se dejan y se escriben entre comas. Desde luego, si de hacer un resumen se trata, la forma más rápida de resumir es esa: eliminar, ahora sí de verdad y definitivamente, los incisos explicativos. Aquí solo se trata de un ejercicio didáctico.

Analicemos la siguiente oración.

Pedro Vargas, llamado 'el tenor de las Américas', dejó grabadas innumerables canciones.

Tache el sujeto. ¿Cuál es el resultado? Un texto sin sentido completo: *Llamado 'el tenor de las Américas', dejó grabadas innumerables canciones.* Ahora, tache el verbo, ¿Resultado?

El peor. Ya sabe usted que cuando no hay verbo, no hay oración; no hay idea; no se expresa nada concreto ni completo: *Pedro Vargas, llamado 'el tenor de las Américas', grabadas innumerables canciones.* Ahora tache el objeto. ¿Resultado? Tampoco hay una idea completa: *Pedro Vargas, llamado 'el tenor de las Américas', dejó.* En cambio, si tacha el inciso explicativo, la idea sigue siendo la misma en esencia: *Pedro Vargas dejó grabadas innumerables canciones.* Además de que la idea es completa, la oración queda fluida, no resulta coja, no se echa de menos nada.

Incisos del verbo y del objeto

Le decía atrás que los incisos pueden explicar el sujeto, el verbo o el objeto. Ya le di ejemplos de oraciones explicativas con incisos del sujeto. Ahora le voy a dar ejemplos de incisos que explican el verbo y de incisos que explican el objeto. En algunos casos el inciso no va entre comas, porque queda al final de la oración, pero siempre va separado con coma de lo que explica. En cada ejemplo le resalto el inciso en negrilla para que usted lo tache y compruebe si el significado de la oración sin el inciso es cabalmente el mismo que con él.

Incisos que explican el verbo:

*Los promotores de productos de consumo masivo motivaron, **con la ayuda del experto Miguel Ángel Cornejo,** a los nuevos vendedores al detal.*

*Germán Díaz Sossa recibió, **de manos de Juan Carlos de Borbón,** el Premio Internacional de Periodismo Rey de España 1992.*

*El presidente de la República desestimó, **por decir lo menos,** la propuesta de sus asesores internacionales de imagen.*

Incisos que explican el objeto directo:

*Mis amigos me enviaron cajas de cerveza alemana, **la mejor del mundo.***

*Les dije que no, **un 'no' rotundo,** a mis detractores políticos.*

*Carlos Alberto me entregó su manuscrito, **que promete bastante.***

*El Gobernador solicitó a los ciudadanos que ahorren agua, **recurso natural cada vez más escaso en el mundo moderno.***

Incisos que explican el objeto indirecto:

*Les pedí a mis colegas, **varios de ellos magísteres en idiomas,** que ayuden a cuidar nuestra lengua común.*

*El presidente de los Estados Unidos envió felicitaciones a los organismos internacionales que luchan contra el narcotráfico, **entidades raramente reconocidas por los mandatarios de los países consumidores de droga.***

*El Chavo del Ocho le dio un tortazo al profesor Jirafales, **que por eso perdió los estribos al llegar a la vecindad.***

Incisos que explican el objeto prepositivo:

*Me gustaría que me hablaras de tus expectativas, **que desconozco por completo.***

*El Hospital Central adolece de suciedad, **lo que aumenta las posibilidades de epidemia.***

*Daniel Fernando trota por las mañanas, **que es el mejor momento del día para hacerlo.***

La esencia naufraga en un mar de incisos explicativos

Hay un cierto tipo de documento legal que requiere multitud de incisos.

Por ejemplo: *El Ministerio de Educación Nacional, en uso de sus atribuciones legales y considerando que...*(aquí vienen varios párrafos de 'considerandos'), *decreta...*

Ya sabe usted que así se redactan los decretos, las leyes, las ordenanzas, las resoluciones... No es mi estilo, pero si yo fuera notario o legislador tendría que escribir así. De hecho, si voy a un juzgado, tengo que escribir: *Yo, Fernando Ávila, mayor de edad, vecino de esta ciudad, identificado con cédula de ciudadanía número tal..., con sociedad conyugal tal y tal..., declaro que...* Entre el sujeto *Fernando Ávila* y el verbo *declaro* habrá varios renglones de incisos explicativos. Así se escriben este tipo de documentos, pero no vaya usted a hacer lo mismo en un texto literario o en una carta comercial.

Francesco Petrarca escribe los siguientes versos en su poema 18 de la sección 'En vida de Laura'. Observe que entre *yo* (sujeto) y *me obstino* (verbo) hay un mar de incisos. No le recomiendo este tipo de licencias poéticas cuando esté redactando un memorando, una carta o un informe.

... Pero yo, aunque en las olas se haya hundido,
y deje a espaldas suyas a Granada,
y a España y a Marruecos y al Estrecho,
y todo humano pecho,
y mundo y animales,
descansen de sus males,
me obstino siempre y no me desengaño...

(*Sonetos y canciones,* Francesco Petrarca, Oveja Negra, Bogotá, 1983, página 45).

No escriba:

*Nuestra empresa productora de aluminios, **reconocida internacionalmente por la ISO, premiada en las ferias industriales de Fráncfort y Bilbao,** ofrece a usted, **persona de gran talante y exquisito gusto,** sus nuevos envases para productos alimenticios, **que hoy por hoy exigen la mejor calidad y presentación en los mercados nacionales y mundiales.***

Finalmente, lo que quiere decir es solo esto: *Nuestra empresa productora de aluminios ofrece a usted sus nuevos envases para productos alimenticios.* Lo demás, que es lo que está **resaltado** en la versión inicial, son incisos y, como tales, no son esenciales para expresar la idea. Puede eliminar unos, y escribir en oraciones separadas por punto los otros. Un texto con exceso de incisos es confuso. Un inciso aclara. Muchos incisos confunden. A veces se escribe un mar de incisos, en el que naufraga la esencia de la idea.

Rescate la esencia

Estoy convencido de estar en un terreno neurálgico, pues toda persona desea escribir sin dejar ningún cabo suelto y, para ello, acude a los incisos y a veces abusa de ellos. La obsesión por evitar interpretaciones equívocas es enorme. Por eso, voy a detenerme en el ejercicio de depurar oraciones, de rescatar la esencia de la idea en ese mar de incisos explicativos en que se ahoga.

Veamos algunos casos.

Jorge Luis Borges, **nacido en Buenos Aires en 1900 y fallecido en Ginebra en 1986,** *escribió,* **en su peculiar estilo clásico y vanguardista a la vez,** *"Historia de la eternidad" para sus lectores del mundo entero,* **ámbito real de sus lucubraciones.**

Lo primero que hay que hacer con esta oración es rescatar la esencia, que está perdida en la hojarasca de los incisos. Para ello, basta tomar el sujeto *(Jorge Luis Borges),* agregarle el verbo *(escribió),* el objeto directo, ¿qué escribió? *("Historia de la eternidad")* y el objeto indirecto, ¿para quién? *(para sus lectores del mundo entero):*

Jorge Luis Borges escribió "Historia de la eternidad" para sus lectores del mundo entero.

Ahí tenemos la esencia de la idea, la parte determinativa de la oración. De los tres incisos que tiene la oración original, podemos dejar uno como inciso de la nueva versión. ¿Qué tal, el último? *Jorge Luis Borges escribió "Historia de la eternidad" para sus lectores del mundo entero, ámbito real de sus lucubraciones.*

Luego, podemos tomar la información de los otros incisos y construir con ellos otras oraciones separadas con punto.

Esta obra muestra su peculiar estilo clásico y vanguardista a la vez.

Borges nació en Buenos Aires en 1900 y falleció en Ginebra en 1986.

Entonces, en vez de una oración con tanto inciso, queda un párrafo de tres oraciones separadas con punto, texto que ofrece una mayor claridad al lector:

Jorge Luis Borges escribió "Historia de la eternidad" para sus lectores del mundo entero, ámbito real de sus lucubraciones. Esta obra muestra su peculiar estilo clásico y vanguardista a la vez. Borges nació en Buenos Aires en 1900 y falleció en Ginebra en 1986.

Lo invito a comparar la versión original con esta última y comprobar cuánto gana en claridad.

Pues ahí tiene una pauta para redactar con mayor claridad. Cuando se encuentre con una oración llena de incisos, rescate la parte determinativa de la oración y construya con los incisos otra u otras oraciones separadas con punto, dejando si acaso algún inciso en alguna de las nuevas oraciones. El resultado será siempre un párrafo más claro y fluido.

RECUERDE

Prefiera varias oraciones separadas con punto, a una sola repleta de incisos explicativos.

¿Otro ejemplo?

*Andrés Felipe, **el mayor de los hijos del capitán Rosero,** abordó con decisión, **como era su hábito desde los tiempos del servicio militar,** a la enigmática rubia de gafas oscuras, **que acababa de descender del lujoso auto alemán plateado.***

En este trozo de novela hay tres incisos explicativos. Lo primero que se puede hacer es rescatar la esencia : el sujeto *(Andrés Felipe),* el verbo con su expresión adverbial *(abordó con decisión)* y el objeto *(a la enigmática rubia de gafas oscuras).* Con los tres incisos se pueden construir dos oraciones complementarias, separadas con punto. El párrafo puede quedar así:

Andrés Felipe abordó con decisión a la enigmática rubia de gafas oscuras. El mayor de los hijos del capitán Rosero adquirió este hábito en los tiempos del servicio militar. Ahora lo practicaba con la mujer que acababa de descender del lujoso auto alemán plateado.

Esta segunda versión es más clara.

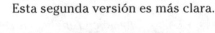

TALLER

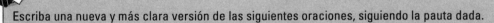

Escriba una nueva y más clara versión de las siguientes oraciones, siguiendo la pauta dada.

1. Bobby Capó, bolerista puertorriqueño, compuso, pues no solo fue cantante y actor cinematográfico, "Piel canela", que medio siglo después siguen interpretando los enamorados latinoamericanos, para las muchachas de su raza.

2. El Hombre Araña, siempre dispuesto a arriesgar su vida por sus conciudadanos, trepó, gracias a su gran habilidad y experiencia, al último piso del edificio de Time y Life, donde rescató a la pequeña Lilly, víctima del legendario secuestrador Raymond Malandrín.

Respuestas (entre muchas otras válidas): 1. Bobby Capó compuso "Piel canela" para las muchachas de su raza. Los enamorados latinoamericanos siguen cantando su éxito cincuenta años después. El puertorriqueño Capó no solo fue compositor, sino también cantante y actor cinematográfico. 2 . El Hombre Araña trepó al último piso del edificio Time y Life , donde rescató a la pequeña Lilly. La víctima había sido secuestrada por el legendario Raymond Malandrín. El Hombre Araña tiene gran habilidad y experiencia para estas operaciones, y está siempre dispuesto a ayudar a sus conciudadanos.

Una buena técnica para resumir

En ocasiones, su propósito ante un texto será el de resumirlo. Si el texto es el típico discurso político o el típico concepto jurídico, es muy posible que esté repleto de incisos. Nada más fácil de resumir: tache los incisos ...¡y ya!

Yo, el hombre más probo de la región, el candidato de las mayorías, el mejor amigo de sus amigos, ofrezco a ustedes, mis amigos, mis contertulios, mis paisanos, mis compadres , todo el apoyo necesario para la construcción de la carretera que nos una con la capital, que nos una con el progreso, que nos una con el futuro, que nos una con el siglo veintiuno, que nos saque del atraso funcional de tantos años.

El resumen se obtiene con el simple recurso de tachar todos los incisos explicativos, lo que da como resultado:

Yo ofrezco a ustedes todo el apoyo necesario para la construcción de la carretera que nos una con la capital.

Resuma, tachando incisos explicativos.

1. La señora María Rodríguez Pérez, de 61 anos de edad, propietaria del almacén Misceláneas Variadas, con sociedad conyugal vigente, firmó contrato de compraventa del predio La Ensoñación, ubicado en el municipio de San Jerónimo, a 7 kilómetros de la capital del Estado. El propietario de La Ensoñación, persona que goza de inmejorable reputación entre sus vecinos, demandó a la señora Pérez por incumplimiento de los términos pactados, según consta en el Acta 103 de este despacho.

2. Mi muy querida Amapola, nombre que crispa a defensores de la moral pública, apelativo que suena a bolero y recuerda la cálida voz del barítono Kraus, me dijo ayer, día que nunca se perderá en mi frágil memoria, día sublime de ensoñación y de gracia, que sí me amaba, que sí correspondía a mis desvelos, a mis calladas serenatas y a mis sonoros suspiros. Amapola, lindísima Amapola , será feliz a mi lado.

Respuestas : 1. La señora María Rodríguez Pérez firmó contrato de compraventa del predio La Ensoñación. El propietario de La Ensoñación demandó a la señora Pérez por incumplimiento de los términos pactados. 2. Mi muy querida Amapola me dijo ayer que sí me amaba. Amapola será feliz a mi lado.

Oraciones subordinadas

Cuando el inciso explicativo va al final de la oración y es una oración completa, se llama oración explicativa o subordinada. A veces, el inciso puede ser una simple palabra:

Simón Bolívar hizo su juramento en el Monte Sacro, **Roma.**

A veces es una frase:

El primer emperador romano que concibió el Imperio como una unidad latina fue Adriano, **nacido en el actual sur de España.**

A veces es una oración:

El pensamiento de Sócrates se conoce gracias a los escritos de Platón, **que fue autor de las conocidas obras "El banquete" y "Fedro".**

El inciso de este último ejemplo es toda una oración, con sujeto (*que*), verbo (*fue*) y objeto (*autor de las conocidas obras "El Banquete" y "Fedro"*).

Esta es la comúnmente llamada oración subordinada.

¿Subordinada a qué? A la primera oración, que suele llamarse, entonces, oración principal. Le voy a dar algunos otros ejemplos de oración principal y oración explicativa o subordinada.

Fernando de Zafra fue el enlace clave entre el Rey y el Emir para la rendición de Granada en el año 1492, **que partió en dos la historia de Occidente y el mundo.**

Las secretarias están invitadas a las conferencias sobre el papel de la mujer en el siglo veintiuno, **tema que atrae a muchas damas y aburre a morir al resto de ellas.**

La República de Austria tiene como capital la ciudad de Viena, **muchas de cuyas edificaciones encierran famosos conservatorios musicales.**

"Ahí esta el detalle" es una de las muchas películas protagonizadas por el actor mexicano Mario Moreno, **que pasó a la historia con el archiconocido seudónimo de Cantinflas.**

No sé si usted haya observado que cuando la oración principal se refiere a una persona, yo no utilizo como sujeto de la oración subordianada los pronombres *quien* o *el cual*, sino el pronombre *que*. Este pronombre es maravilloso.

El pronombre *que* es útil para referirse a persona, animal o cosa, y hace más fluido el texto. A decir verdad, si hay algo que hace rebuscado el texto y que permite identificar al autor como poco avezado en el arte de escribir es el continuo uso de las expresiones pronominales *quien, quienes, el cual, la cual, los cuales...* siempre que arrancan su oración subordinada o explicativa. No son pocos los informes empresariales que he leído, con páginas plagadas de *quienismo* y *elcualismo*, como han terminado bautizando muchos críticos este hábito tan arraigado.

Prefiera el pronombre 'que' para los incisos explicativos

El mito que he oído aquí y allá es el siguiente: *que* se usa para cosas y *quien* para personas. ¡Falso! Basta mirar la voz *que* en el *Diccionario de la lengua española*, donde no dice tal cosa y, por el contrario, da como ejemplo de uso *Su Majestad el Rey, que Dios guarde.* Si es lícito, según el DRAE, referirse al *Rey* con el pronombre *que*, cuánto más no lo será para cualquier ciudadano noble o plebeyo... ¿otro argumento? *Padre nuestro, que estás en los cielos...* ¡No puede haber uno más contundente!

Además, el pronombre *que* es el habitualmente usado en la conversación coloquial de todo hispanohablante: *... este es Jorge, que arregla máquinas, y aquel, Pedro, que vende churros...* Es muy posible que quien tal cosa dice en la calle, en medio de transeúntes que van y vienen, escriba en cambio, cuando ya esté en otro ambiente y en otro trance:... *vi en la calle a Jorge,* **quien** *arregla máquinas, y Pedro,* **el cual** *vende churros...*

El pronombre *que* se debe usar solo para cosas, y *quien*, para personas. ¡Falso!

Piérdale, pues, el miedo al *que* al comienzo de los incisos y de las oraciones explicativas o subordinadas, y deje los pronombres *quien, el cual, la cual, los cuales, las cuales...* para incisos u oraciones que empiecen con preposición. A continuación, le doy ejemplos de estos usos que le estoy recomendando.

Colón, **que** *contó con el apoyo incondicional de la reina Isabel, se topó con el continente americano, en el cual encontró oro, papa y aguacate.*

Prefiera *que* a *quien, quienes, el cual, los cuales, las cuales...* para empezar incisos u oraciones subordinadas. Y deje estas expresiones pronominales para incisos que empiecen con preposición.

*El Gerente de Talento Humano, **que** presentó el plan de capacitación para el próximo año, lidera el grupo de facilitadores del Banco.*

*Los servicios públicos del Distrito son evaluados actualmente por delegados de la Superintendencia del ramo, **a quienes** la ciudadanía les debe prestar todo el apoyo necesario.*

*Los alumnos de quinto curso pueden matricularse en las asignaturas de endodoncia, clínica dental y anestesiología, **para las cuales** son prerrequisito todas las asignaturas de cuarto.*

*El envío se hizo a las sucursales costeras, **que** son las que más movimiento tienen en la época de verano.*

En estos ejemplos le estoy mostrando el uso más recomendable para empezar los incisos explicativos en las oraciones subordianadas: *que* para persona, animal o cosa, cuando el inciso comienza con el pronombre, y *quien, quienes, el cual, la cual, los cuales, las cuales...* cuando comienza con preposición.

Quienismo

El uso del pronombre *quien* en el comienzo de incisos explicativos no es recomendable, más que todo por razones de estilo, según mis argumentos de los párrafos anteriores. Ahora bien, cuando el pronombre *quien* se usa al comienzo de incisos que no se refieren a persona sino a animal o a cosa, la situación ya pasa de castaño oscuro. Hay que evitarlo, definitivamente. A continuación le doy algunos ejemplos de semejante disparate.

*El Zar mexicano condujo Televisa, **quien** es la mayor empresa de TV.*

*La Corte sancionó moralmente al Congreso, **quien** manifestó su disgusto.*

*El Banco de Agricultura, **quien** es entidad privada, ofrece mejores tasas de interés.*

*'Palomo', **quien** llevaba a Bolívar a gran velocidad, galopó hasta tarde.*

Esos cuatro *quien* hay que cambiarlos sin vacilar por el pronombre *que*, o sencillamente eliminarlo, como se puede hacer al menos en estos casos :

*El Zar condujo Televisa, **la mayor empresa de TV.***

*El Banco de Agricultura, **entidad privada,** ofrece mejores tasas de...*

El que galicado

Mucha gente habla del *que galicado* como simple coincidencia de *ques*. Lo traigo a colación porque algún lector habrá leído mis recomendaciones de este capítulo, preguntándose si al aplicarlas no se cae en ese famosos error llamado *que galicado*. ¡No! No se cae en ese error. *El que galicado* es un *que* precedido de alguna inflexión del verbo *ser* y con funciones adverbiales de lugar, modo o tiempo. Le doy tres ejemplos :

Fue en Acapulco que la conocí.
Es de esa manera que la conquisté.
Era los domingos que la llamaba.

En las tres oraciones se debe eliminar el inútil *que* con su respectivo verbo *ser* que lo precede.

En Acapulco la conocí.
De esa manera la conquisté.
Los domingos la llamaba.

Como ve usted, este error —el adverbio *que* galicado— nada tiene que ver con el pronombre *que* del inciso explicativo del que venimos hablando en este capítulo.

Lo que, la que, los que, las que

Otro mito que he oído repetidas veces es que no se debe escribir *lo que*. ¡Falso! Si no se pudiera, no lo presentaría el DRAE como uso válido.

Por Chato

— MIJO, VAYA AL TALLER, EL CUAL ESTÁ EN LA ESQUINA, LA CUAL ES MUY PELIGROSA, LO CUAL ESTÁ COMPROBADO POR EL POLICÍA DEL BARRIO, QUIEN ES POCO EFICIENTE POR ALLÁ..., Y ME TRAE MI BICICLETA, LA CUAL ESTÁ YA REPARADA.

Que no se debe escribir *lo que*. ¡Falso ! Sí se puede y suele ser un giro útil y elegante.

He aquí un par de ejemplos:

Los impuestos fueron incrementados en un tres por ciento, **lo que** *creó un sensible descontento entre los contribuyentes.*

El vicerrector aprobó la solicitud de las alumnas provenientes de las zonas en conflicto, **las que** *han dado a las chicas una voluntad férrea y un espíritu espartano.*

'Que' conjunción y 'que' pronombre

Algo importantísimo es no confundir la conjunción *que* con el pronombre *que*. La conjunción forma parte de la oración principal. El pronombre inicia el inciso explicativo. Cuando hay conjunción *que* no hay comas; es oración determinativa. Cuando hay pronombre, debe haber coma; el pronombre es el sujeto de la oración explicativa. En últimas, la diferencia es de significado, lo que hace mucho más importante identificar la diferencia. Lo mejor, como siempre, es verlo en ejemplos.

Conjunción: *Las secretarias que fueron a Miami están muy contentas.*

Pronombre: *Las secretarias,* **que fueron a Miami,** *están muy contentas.*

¡Ah! ¿eso era todo? Bueno, eso es todo si usted advierte la diferencia semántica (de significado) entre una y otra oración. En el primer caso, donde *que* es conjunción, estoy hablando de algunas secretarias, diga usted tres o cuatro, que fueron a Miami, mientras las demás, ochenta o noventa, se quedaron trabajando en Caracas. Es una oración determinativa donde el sujeto es *las secretarias que fueron a Miami.*

En el segundo caso, donde *que* es pronombre, todas las secretarias, las ochenta y tres o noventa y tres, fueron a Miami y están muy contentas. Aquí, el sujeto es *las secretarias* y el inciso explicativo es *que fueron a Miami.* Este inciso, como todos los incisos, se puede quitar sin que se afecte el sentido de la oración: *Las secretarias están muy contentas.* Se entiende que todas lo están.

Si hay una diferencia entre tres o cuatro y ochenta y tres o noventa y tres, es claro que hay una diferencia semántica cuando *que* es pronombre y cuando *que* es conjunción.

Le presento otros casos para que usted los analice y establezca la diferencia estructural (determinativa o explicativa) y semántica (de significado). Yo insinúo esta última entre paréntesis.

a) *El profesor que pronunció el discurso de bienvenida fue muy aplaudido* (...había varios profesores, y uno de ellos habló...).

b) *El profesor,* **que pronunció el discurso de bienvenida,** *fue muy aplaudido* (...él era el único profesor presente...).

a) *Los disquetes que tenían virus fueron incinerados.* (...solo dos o tres).

b) *Los disquetes,* **que tenían virus,** *fueron incinerados* (...¡qué quemazón tan tremenda !...).

a) *Los estudiantes que forman parte de la selección de fútbol pueden ausentarse durante la semana del campeonato* (...once. A lo sumo, veintidós...).

b) *Los estudiantes,* **que forman parte de la selección de fútbol,** *pueden ausentarse durante la semana del campeonato* (...no habrá clases...).

a) *Los ciudadanos que votaron por la reforma constitucional serán premiados* (...con tanto abstencionismo, los premios no serán muchos).

b) *Los ciudadanos,* **que votaron por la reforma constitucional,** *serán premiados* (...¿de dónde irán a sacar premios para tanta gente?...).

a) *La semana del descuento que se celebra en julio sirve para incrementar el número de clientes* (...esa es una de las varias semanas del descuento...).

b) *La semana del descuento,* **que se celebra en julio,** *sirve para incrementar el número de clientes* (...de agosto a junio no hay descuentos ni de peligro...).

RECUERDE

Que es conjunción en oraciones determinativas y puede ser pronombre en oraciones explicativas . El manejo es distinto según el caso, y el consecuente resultado semántico también varía.

Establezca la diferencia semántica en las siguientes parejas de oraciones.

1. a) Las damas que reciclan sus basuras son ejemplo social.

   b) Las damas, que reciclan sus basuras, son ejemplo social.

2. a) Los billetes que se emitieron en 1997 fueron falsificados.

   b) Los billetes, que se emitieron en 1997, fueron falsificados.

3. a) Los toros que tienen una buena embestida cuestan una fortuna.

   b) Los toros, que tienen una buena embestida, cuestan una fortuna.

Pistas para las respuestas: 1. a) solo ellas; b) todas. 2. a) solo esos; b) no había más y todos fueron falsificados. 3. a) solo esos; los demás no cuestan mucho; b) todos embisten bien y, en consecuencia, no hay toro barato...

Coma antes de 'que' y después de 'que'

Me falta aclarar que a veces la coma explicativa va antes del *que*, porque es pronombre, como sucede en los ejemplos precedentes, y a veces la coma va después del *que,* porque es conjunción y el inciso empieza después de él. Le voy a dar ejemplos de esta última posibilidad.

Esta es la casa del héroe que, **según muestran las innumerables películas de sus aventuras,** *tuvo más vidas que un gato.*

El error habitual en estos casos es el de escribir la primera coma antes de la palabra *que*, tomándola como pronombre, cuando en realidad es una conjunción y forma parte de la oración principal y no del inciso explicativo. Para comprobarlo, elimine el inciso y lea lo que queda : *Esta es la casa del héroe que tuvo más vidas que un gato.* La oración no cojea; fluye bien. En cambio, si la primera coma se escribe antes del *que* (*Esta es la casa del héroe,* **que según muestran las innumerables películas de sus aventuras,** *tuvo más vidas que un gato*), al quitar el inciso, queda coja la oración: *Esta es la casa del héroe tuvo más vidas que un gato.* ¿Ve cómo ese *que* no es explicativo sino determinativo? No forma parte del inciso, sino de la parte determinativa de la oración. Es necesario en la oración para que quede completa, clara y fluida.

¿Más ejemplos ?

Con *que* pronombre, precedido de coma explicativa:

Indiana Jones, **que fue músico, mesero y soldado del ejército,** *tiene más aventuras que Maqroll.*

El poeta Jorge Guillén, **que integró la llamada Generación del 27,** *fue Premio Cervantes en 1976.*

Mafalda, **que nunca toma sopa,** *es muy perspicaz.*

Con *que* conjunción, seguido de coma explicativa:

Este es el sombrero que, **según afirman los expertos,** *usó Indiana Jones en la guerra de Argelia.*

Leyó y analizó la obra que, **tal como lo advirtió el profesor,** *se considera más representativa de Jorge Guillén.*

Mafalda dejó servida la sopa que, **con todo el cariño del mundo,** *le preparó su mamá.*

Para comprobar que la puntuación es correcta en los seis casos y, por consiguiente, que la coma a veces debe ir antes y a veces después del *que,* tache los incisos explicativos y compruebe que el texto restante sea una oración completa, sin cojeras, fluida y clara.

SONRÍA

Versos cojos

El folclor latinoamericano tiene sus manifestaciones poéticas, como lo son las conocidas coplas, en las que siempre riman al menos dos de sus versos :

Beber aguardiente puro
mandan las antiguas leyes;
que beban agua los bueyes,
que tienen el cuero duro.

En contraste con esta manifestación de repentismo y precisión, se oyen a veces los llamados versos cojos, como el que transcribo a continuación, a propósito de las cojeras de que hablo en este capítulo:

Allá arriba en aquel alto
tengo una mata de café;
cada vez que subo a verla
¡suas!, ¡un tinto!

No confunda determinativas con explicativas

No solo cuando hay *que* conjunción y *que* pronombre se debe establecer esta diferencia entre oración determinativa y oración explicativa. Le voy a mostrar otros casos, en los que no hacer esta distinción podría llevar a graves descalabros.

a) *Obtuvimos 100.000 dólares más que el año anterior.*

b) *Obtuvimos 100.000 dólares,* **más que el año anterior.**

Para ver la enorme diferencia de estas dos oraciones, démosles un contexto. La empresa obtuvo 90.000 dólares de utilidad en el año anterior. Entonces, en este, si la afirmación correcta es la (a), es cuestión de sumar: 100.000 más 90.000 da 190.000. La utilidad de este año fue de 190.000 dólares. En cambio, si la oración correcta es la (b), la utilidad fue de 100.000. De hecho, usted puede eliminar el inciso explicativo y queda: *Obtuvimos 100.000 dólares.* Entre una y otra hay una diferencia de 90.000 dólares, cifra nada despreciable en comparación con la aparente insignificancia de una coma.

Piense usted que si una coma puede costar 90.000 dólares, la coma es un signo supremamente importante, y que, como ya lo he dicho en páginas anteriores, tiene que ver con estructura y significado y no con extensión de la oración. Sigo, entonces, con ejemplos.

a) *El profesor Miguel Urabayen habló sobre el futuro de la prensa en España.*

b) *El profesor Miguel Urabayen habló sobre el futuro de la prensa, en España.*

Si la verdad es la (a), el profesor Urabayen pudo hablar en Nueva York, en Miami, en Santa Fe de Bogotá, en Quito, en La Habana, en Manila... sobre el futuro de la prensa en España. Tal vez, disertaría sobre *Cambio 16, Hola, El País, Ya, La Vanguardia*... Si la verdad es la (b), el profesor Urabayen habló en España, quizá en Pamplona, en Madrid, en Zaragoza o en Sevilla. Y sin duda habló sobre *Time, Newsweek, The Times,* los periódicos japoneses, los rusos, los chilenos y sobre su tema favorito, *Le Monde,* de París. La diferencia formal es una coma, pero la diferencia semántica (de significado) es bastante grande.

Observe que la diferencia que establezco es más ontológica que gramatical. Gramaticalmente las dos versiones son válidas, pero ontológicamente solo puede serlo una. En la vida real, cuando usted escribe, quiere decir una verdad y, por una simple coma de más o de menos, puede terminar diciendo otra cosa, quizá muy diferente, quizá lo contrario de lo que quiso decir.

¿Más ejemplos?

a) *Mi secretaria Marta y yo resolvimos el problema.*

b) *Mi secretaria, **Marta**, y yo resolvimos el problema.*

En (a) yo tengo varias secretarias y el problema lo resolví con una de ellas, Marta. Lo resolvimos los dos. En cambio, en (b) solo tengo una secretaria: fíjese que, si elimino el inciso, queda *Mi secretaria y yo lo resolvimos*. No tengo que determinar cuál secretaria, pues solo tengo una, pero explico que ella se llama Marta.

Y aquí, con este ejemplo de Marta, surgen por lo menos otro dos temas: la diferencia entre modificadores determinativos y modificadores explicativos, por una parte, y la coincidencia de la coma y la conjunción *y,* por otra. Para no dejarlo en suspenso, le adelanto el resultado semántico de la oración que estamos analizando, si se quita la coma antes de la *y*:

Mi secretaria, Marta y yo resolvimos el problema.

Lo resolvimos tres personas. Sin la segunda coma explicativa, la primera coma queda enumerativa y, así, la oración habla de tres personas: mi secretaria, de quien no se sabe el nombre en el texto; Marta, que no es mi secretaria sino otra persona, quizá mi hermana, mi socia, mi esposa..., y yo, que soy el tercero de esta enumeración.

Modificadores determinativos y modificadores explicativos

Con no poca frecuencia se confunden los modificadores determinativos con los explicativos. Es importante distinguirlos. Le voy a ir mostrando con ejemplos la diferencia entre unos y otros.

a) *El presidente de la Junta Directiva de Telecom, **José Miguel de Narváez,** dictó una conferencia sobre la privatización de los servicios públicos.*

b) *El ingeniero electrónico colombiano José Miguel de Narváez dictó una conferencia sobre la privatización de los servicios públicos.*

Los modificadores *Presidente de la Junta Directiva de Telecom* e *ingeniero electrónico colombiano* no son iguales. ¡Desde luego que no son iguales! me dirá usted: uno dice una cosa y otro dice otra. Sí, pero me refiero a que no son iguales en cuanto al tratamiento sintáctico que hay que darles. En (a) el modificador es aplicable a una sola persona, por eso el nombre del protagonista va entre comas; nombre y apellido constituyen un inciso explicativo, que puedo eliminar sin que se afecte el significado de la oración. En (b), en cambio, el modificador *ingeniero electrónico colombiano* es aplicable a muchos, a todos los ingenieros electrónicos colombianos. No puedo escribir el nombre del protagonista entre comas, porque no lo puedo eliminar, pues el significado se perdería. Si quito el nombre, la oración queda así: *El ingeniero electrónico colombiano dictó una conferencia* ... No se sabe quién dictó la conferencia; no se sabe cuál de los muchos ingenieros electrónicos colombianos lo hizo.

Entonces, en (a) debo escribir comas explicativas, mientras que en (b) no.

   a) *El ama de casa washingtoniana Adriana Amador de Báez ganó el concurso ecológico*

   b) *Adriana Amador de Báez,* **ama de casa washingtoniana,** *ganó el concurso ecológico.*

En (a) el modificador *ama de casa washingtoniana* es determinativo y la oración no admite comas: No puedo escribir *Adriana Amador de Báez* entre comas, porque no es inciso, pues no puedo quitarlo sin que la oración pierda sentido. En (b) *ama de casa washingtoniana* es modificador (inciso) explicativo, que puedo eliminar sin que la oración pierda su significado, aunque ofrezca menos información: *Adriana Amador de Báez ganó el concurso ecológico.*

En los siguientes ejemplos, insinúo entre paréntesis la diferencia.

Analícelos y descubra esa diferencia, que sin duda es importante.

   a) *El premio Príncipe de Asturias en Literatura Álvaro Mutis habló contra el computador como medio para producir poesía* (hay varios *premio Príncipe de Asturias en Literatura,* todos los que lo han ganado).

   b) *El premio Príncipe de Asturias 1997 en Literatura,* **Álvaro Mutis,** *habló contra el computador...* (sólo hay uno).

   a) *El codirector de la Editorial Esnob S.A.,* **León Rugiente,** *renunció* (era el único codirector).

   b) *El codirector de la Editorial Esnob S.A. León Rugiente renunció* (ahí quedó algún otro codirector)

c) *León Rugiente,* **codirector de la Editorial Esnob S.A.,** *renunció* (en este orden, el modificador siempre es explicativo, por lo tanto, siempre debe ir entre comas).

La duda se presenta en estos ejemplos cuando el modificador va antes del nombre. No olvide, sin embargo, los que analizamos páginas atrás, con la conjunción o el pronombre *que.* En estos casos el modificador va después:

a) *Los periodistas que pertenecían al gremio protestaron* (solo ellos).

b) *Los periodistas, que pertenecían al gremio, protestaron* (todos protestaron y todos pertenecían al gremio) .

Examine cada una de las siguientes oraciones; establezca si es determinativa o explicativa; y marque comas, cuando sea necesario.

1. El autor de las aventuras de Maqroll Álvaro Mutis vive en México.

2. La modelo argentina Valeria Mazza es el símbolo de Pepsi.

3. El aventurero flamenco del siglo XV Perkin Warbeck se hizo reconocer como rey de Inglaterra en 1492.

4. El autor de "Mi cacharrito" Roberto Carlos fue muy aplaudido.

5. E compositor brasilero Roberto Carlos fue muy aplaudido.

Respuestas : 1. Explicativa. *Álvaro Mutis* va entre comas. (Es el único autor de las aventuras de Maqroll). 2. Determinativa. No hay comas. (El modificador *modelo argentina* es aplicable a muchas, a todas las modelos argentinas). 3. Determinativa. No hay comas. (El modificador *aventurero flamenco del siglo XV* es aplicable a varios). 4. Explicativa. *Roberto Carlos* va entre comas. (Es el único compositor de "Mi cacharrito") 5. Determinativa. No hay comas. (hay muchos compositores brasileros).

Donde va la 'y' sí puede ir la coma

Uno de los mitos más manidos es el de que no se puede escribir coma donde va la conjunción **y.** Creo que ese fantasma se puede matar con el simple recurso de unos cuantos ejemplos. Lo que está claro es que los incisos explicativos van entre comas, ¿no es así? Pues, es cuestión de ser consecuentes y no hacer excepciones. Los incisos explicativos van entre comas, aunque haya una **y** antes o después del inciso.

Corín Tellado, **la autora de novela rosa más leída del mundo,** *y su agente literario firmaron un nuevo acuerdo.*

Esa es la puntuación correcta. Hay dos firmantes: Corín Tellado, de quien se dice en el inciso que es la más leída autora de novela rosa, y su agente, de quien no se dice el nombre. Si por descuido o, más probablemente, por obedecer al viejo mito de que donde hay **y** no hay comas, se quita la segunda coma, el número de firmantes aumenta, pues la primera coma queda enumerativa: *Corín Tellado, la autora de novela rosa más leída del mundo y su agente literario firmaron un nuevo acuerdo.* En esta versión no se elogia a Corín Tellado como la más leída autora de novela rosa, sino que se agrega como firmante del acuerdo a otra autora, más leída que Corín Tellado; hay tres firmantes.

Miguel Bosé, **el hijo de Luis Miguel Dominguín,** *y Enrique Iglesias hicieron su debut en el Palacio de la Música.*

Esa es la puntuación correcta. El inciso va entre comas y bien puede quitarse sin que altere el significado: *Miguel Bosé y Enrique Iglesias hicieron su debut en el Palacio de la Música*. Si se elimina la segunda coma, con el argumento de marras (*Miguel Bosé, el hijo de Luis Miguel Dominguín y Enrique Iglesias...*), los debutantes son tres: uno, Miguel Bosé; otro, el hijo de Luis Miguel Dominguín (un hermano de Miguel), y un tercero, Enrique Iglesias.

También puede haber una coma explicativa después de la **y**.

Asistieron todos los ex alumnos y, **desde luego,** *algunas novias y una que otra joven esposa*

El inciso *desde luego*, que precede al penúltimo elemento de la enumeración, va entre comas, la primera de las cuales queda después de la **y**. Debe escribirse así. Es error no marcar alguna de estas comas explicativas, por temor a la inexistente norma que prohíbe la coincidencia de **y** y coma. Tal aseveración es válida cuando se habla de la coma enumerativa y no cuando se habla de la coma explicativa.

El mejor argumento contra la supresión incorrecta de esta coma es su equivalencia con el paréntesis.

Miguel Induráin (legendario ciclista navarro) y Fabio Parra compitieron en el Tur de Francia.

A nadie se le ocurriría decir que el paréntesis de cierre no se debe escribir porque queda al lado de una **y**. ¡Pues igual! Si esos paréntesis se cambian por comas explicativas, nadie debe alegar que la coma que cierra el

Donde va la *y* no va la coma.

¡Falso! (a no ser que la coma en cuestión sea enumerativa).

inciso sobra: *Miguel Induráin,* **legendario ciclista navarro,** *y Fabio Parra compitieron en el Tur de Francia.*

Es importante, entonces, distinguir la coma enumerativa de la coma explicativa. La enumerativa separa elementos análogos de una enumeración y su equivalente es la **y**, mientras las comas explicativas encierran incisos, su equivalente es el paréntesis, y nada tienen que ver con la **y**.

Comas explicativas, paréntesis y guiones

Las comas explicativas, los guiones mayores o rayas y los paréntesis tienen la misma función: encerrar incisos explicativos. Esto no quiere decir que se puedan utilizar indistintamente los tres signos. Algo así como en el primer párrafo escribo los incisos entre guiones; en el segundo, entre paréntesis y en el tercero, entre comas, para darle variedad a la presentación: No, no, no. Normalmente se usan las comas, y en determinadas y más bien escasas situaciones, los guiones y los paréntesis.

Por ejemplo, cuando en una crónica se está citando el discurso textual de un personaje y dentro de la cita es preciso hacer una acotación sobre el contexto de esas palabras en concreto, tal acotación debe ir entre guiones, para que no parezca parte de la cita.

El anciano profesor dijo a sus agradecidos alumnos de tantas generaciones: " No quiero dejar este mundo sin manifestar a ustedes mi hondo, verdaderamente hondo agradecimiento, por esas preguntas impertinentes, capciosas y absurdas **—su sinceridad se mezcló con un dejo de ironía—** *con las que me llevaron a investigar más y más, hasta descubrir los más profundos cimientos de cada frase, de cada concepto, de cada hipótesis..."*

Si el inciso no se escribe entre guiones sino entre comas, parecería formar parte de la cita. Es preciso visualizar que el escritor se sale de la cita para anotar esa circunstancia. En casos como este, el inciso debe ir entre guiones.

Por lo demás, cuando se invita al lector a confrontar la validez de un texto o se reconoce su autoría ajena, suele escribirse al final de la transcripción la referencia de la cita original, en un inciso que no va ni entre comas, ni entre guiones, sino entre paréntesis:

"La inteligencia de la naturaleza funciona con toda facilidad... con despreocupación, con armonía y con amor. Y cuando aprovechamos las fuerzas de la armonía, la alegría y el amor, creamos éxito y buena fortuna con gran facilidad" (*Las siete leyes espirituales del éxito,* Deepak Chopra, Editorial Norma, Bogotá, 1996).

Aquí hay más santos que en el Vaticano y más polígamos que en Irán

Uno de los periódicos que ojeo con frecuencia ha canonizado más santos que el Vaticano. En las páginas sociales suelen aparecer textos como el siguiente :

"La hermosa señorita Claudia Paola Linares contraerá matrimonio con el ingeniero Alexánder Lucena Panqueva, en sobria ceremonia religiosa, que se llevará a cabo en la iglesia de Santa Bárbara de Usaquén".

En realidad, la ceremonia es en la iglesia de Santa Bárbara, que queda en una zona llamada Usaquén, por lo cual hay que escribir *Santa Bárbara, de Usaquén,* es decir, el inciso *de Usaquén* entre comas. No escribir las comas, cambia el nombre de la famosa santa Bárbara por el de otra santa, conocida como santa Bárbara de Usaquén, que no existe en los anales del Vaticano, sino en el descuido de la cronista social del periódico.

Por este camino, la lista de santos ha crecido de manera inusitada: santa Ana de Teusaquillo, san Mateo de Soacha, san Andrés del Sur, san Bartolomé de Suba, san Basilio de la Cien, san Cristóbal del Este... todos ellos al lado de los oficialmente reconocidos san Martín de Porres, san Antonio de Padua y san Vicente de Paúl.

Si a esta ausencia de comas se suman las de las listas de invitados, estamos hechos: *don Pepe Urrutia y su señora Clementina Morales de Urrutia; el doctor Eustaquio Trespalacios de la Torre y su señora Teresita; el general Álvaro González de Alberti y su señora Alba Lucía...* Las listas de polígamos son interminables. Estos señores parecen más jeques árabes que ciudadanos ejemplares de una comunidad cristiana, pues un lector perspicaz diría que don Pepe asistió con su señora Clementina, pero dejó en la casa a su señora Lucrecia, a su señora Índira y a su señora María Concepción... igual que los demás. Todo por la falta de la coma explicativa: *don Pepe Urrutia y su señora,* **Clementina Morales de Urrutia...,** entre comas, porque es la única señora de don Pepe.

Moraleja: marque las comas explicativas, no sea que por olvido o por simple descuido sintáctico termine usted de canonizador sismático o de calumniador de intachables prohombres monógamos.

Enumeración de explicativas

Cuando se hace una enumeración de nombres que tienen inciso explicativo, debe cambiarse la coma enumerativa por punto y coma, para que no se confundan las comas enumerativas con las explicativas, lo que llevaría a una interpretación distinta de lo que se quiso escribir.

Si usted hace una enumeración sencilla, no necesita más que comas enumerativas: *Carolina, Cristina y Ana María brindaron por los hombres.*

Ahora bien, si cada uno de estos nombres tiene enseguida un inciso explicativo, la enumeración compleja requiere una puntuación compleja con comas y punto y coma:

Carolina, la rubia ojiazul; Cristina, la gordita simpática, y Ana María, la incansable casamentera, brindaron por los hombres.

Para que usted vea claramente el porqué de esta puntuación, voy a escribir los incisos entre paréntesis y mantengo la coma enumerativa:

Carolina (la rubia ojiazul), Cristina (la gordita simpática) y Ana María (la incansable casamentera) brindaron por los hombres.

En esta versión no hay sino una coma enumerativa y cada uno de los tres incisos va entre paréntesis. Si cambio los paréntesis por comas explicativas, me queda así:

Carolina, la rubia ojiazul,, Cristina, la gordita simpática, y Ana María, la incansable casamentera, brindaron por los hombres.

Observe usted que ahora hay dos comas después de *ojiazul*. La primera es la coma explicativa que encierra el inciso *(la rubia ojiazul)* y la segunda, la coma enumerativa, la misma que había en la versión original. Obviamente, no se puede escribir coma coma. No existe esa posibilidad en el estilo español (supongo que tampoco en los otros idiomas) por eso, ahí va punto y coma.

¿Y por qué nos complicamos tanto la vida? ¿Por qué no dejamos solo comas y ya está? No podemos dejar solo comas, porque todas parecerían enumerativas. Fíjese usted. Si comienzo así:

Carolina, la rubia ojiazul, Cristina, la gordita simpática...

Hasta ahí he mencionado a cuatro personas, una es Carolina; la segunda, la rubia ojiazul, que puede llamarse Pepita o Andrómeda, pero seguramente no Carolina; la tercera es Cristina; la cuarta, la gordita simpática, que puede llamarse Marta, Mirta o Berta, pero no Cristina... En fin, no es posible simplificar la puntuación. Debe seguirse este sistema de punto y coma enumerativo y coma explicativa, sistema un poco complejo, pero inevitable.

Analice el siguente caso:

Charlie Zaa, Carlos Alberto Sánchez, Carlos Vives y Shakira se presentaron en el Palacio de los Artistas.

¿Cuántos se presentaron en el Palacio de los Artistas? Según parece, cuatro. Pero no. Solamente se presentaron tres, solo que Charlie Zaa y Carlos Alberto Sánchez son la misma persona. Es como si se hubiera escrito así:

Charlie Zaa (Carlos Alberto Sánchez), Carlos Vives y Shakira se presentaron en el Palacio de los Artistas.

Si en vez de usar paréntesis, uso comas explicativas, la coma enumerativa pasa a ser punto y coma, y la versión correcta de esta información es la siguiente:

Charlie Zaa, Carlos Alberto Sánchez; Carlos Vives y Shakira se presentaron en el Palacio de los Artistas.

Este sistema debe ser empleado frecuentemente en pies de foto:

De izquierda a derecha aparecen Mario Vargas Llosa, peruano-español ganador del Premio Cervantes 1994; Miguel Ángel Cornejo, autor de 25 libros de superación personal; Alberto Gómez Font, director del Departamento de Español Urgente de la agencia Efe, y Fernando Lázaro Carreter, Director de la Real Academia Española.

RECUERDE

En enumeración de elementos con incisos explicativos, la coma enumerativa pasa a ser punto y coma.

Observe que, en estos casos, donde va la **y** no va el punto y coma, pues **y** y punto y coma cumplen función enumerativa, por lo que sería redundante escribir punto y coma e **y**. En cambio, la coma explicativa sí va antes de la **y**, pues es preciso cerrar el inciso donde este termina. Si no se escribe esa coma, se entiende que el inciso continúa hasta la siguiente coma. Vea el siguiente ejemplo:

Antonio Mingote, caricaturista y escritor; Julián Marías, filósofo y ensayista; Carlos Busoño Prieto, poeta y crítico literario, y Emilio Alarcos Llorach, lingüista y filólogo, son miembros de número de la Real Academia Española.

Aquí hay varias *íes* dentro de cada inciso (sin coma) y una **y** de la enumeración general, precedida de coma explicativa.

TALLER

Puntúe las siguientes enumeraciones complejas.

1. Alberto Fujimori Presidente del Perú Jaleda Zia Primera Ministra de Bangladesh Muamar al Gadafi Líder de la revolución libia y Bill Clinton Presidente de los Estados Unidos lanzaron la botella de champaña contra la proa del barco.

2. Mis historietas favoritas son Mafalda del argentino Quino Tintín del belga Hergé Tío Remus del estadounidense Walt Disney y Copetín del colombiano Ernesto Franco.

3. Panchita tiene tres mascotas 'Regalo' una tortuga de Galápagos 'Príncipe' un perro dálmata y 'Mamola' una lora parlanchina.

Respuestas: 1. Alberto Fujimori, Presidente del Perú; Jaleda Zia, Primera Ministra de Balgladesh; Muamar al Gadafi, Líder de la revolución libia, y Bill Clinton, Presidente de los Estados Unidos, lanzaron... 2. ...son Mafalda, del argentino Quino; Tintín, del belga Hergé; Tío Remus, del estadounidense Walt Disney, y Copetín, del colombiano Ernesto Franco. 3. ...mascotas : 'Regalo', una tortuga de Galápagos; 'Príncipe', un perro dálmata, y 'Mamola', una lora parlanchina.

Oración principal y oración adversativa

Con el mismo esquema estructural de la oración principal y la oración explicativa, se construyen párrafos donde hay oración principal y oración adversativa. En este caso, la oración subordinada no explica lo que ya se dijo, sino lo que la contradice, plantea la contraparte, se constituye en la antítesis.

Recuerde el esquema de oración principal y oración explicativa:

Los oyentes de las emisoras juveniles prefieren el 'rock' y las baladas en inglés, que han ido ganando audiencia en la medida en que los muchachos mejoran su manejo de la lengua de Shakespeare.

La oración subordinada es explicativa, pues explica lo dicho en el objeto directo (*el 'rock' y las baladas en inglés*). Ahora mire el siguiente ejemplo, donde la oración subordinada cumple una función distinta:

Los oyentes de las emisora juveniles prefieren el 'rock' y las baladas en inglés, pero algunos quieren oír también los boleros y rancheras que canta Luis Miguel.

En este caso, la oración subordinada plantea la contraparte, la antítesis, de lo que dice la principal. Entonces, ahí tiene usted otra forma de oración principal y oración subordinada, donde esta segunda oración no agrega o suma sino que resta.

Estas oraciones adversativas van encabezadas con las conjunciones *mas, pero* y *sino. Mas* y *pero* son equivalentes y expresan restricción o limitación. *Sino* expresa incompatibilidad.

Pero y mas

Cuando usted escribe un *pero* o un *mas* va a advertirle al lector: mire, lo que le acabo de decir en la oración principal es verdad, es así, pero ahora le voy a revelar las limitaciones que tiene esa verdad; se las voy a decir en la oración siguiente, en la subordinada, en la adversativa. Y la señal de que va usted a hacer esa restricción es la conjunción *pero* o su equivalente *mas*.

Mis amigos son muy generosos, pero no a la hora de prestar dinero...

Las muchachas se ven lindas con el ombligo al aire, mas cuál no será su lumbago al otro día.

Guillermo es aficionado a la equitación, pero no se atreve a participar en concursos ecuestres.

No pedí que dijeras toda la verdad, mas tú fuiste más explícita que una revista pornográfica.

Teníamos todos los datos para condenarlo, pero el defensor fue más hábil que todos sus acusadores.

Sino

Cuando usted escribe una oración principal negativa, puede agregarle una subordinada adversativa encabezada por *sino*, para indicar incompatibilidad. Usted le está diciendo a su lector esto no es así, esto es mentira. Y esa advertencia la hace en la oración principal (*Mi suéter no es azul*). Luego, en la subordinada adversativa, le dice cuál es entonces la verdad (*sino aguamarina*). En estos casos, la oración principal siempre es negativa.

No vamos a reunirnos el viernes próximo, sino mañana mismo.

No me gustan los casetes, sino los compactos.

No estaba viendo la película de Batman, sino la de Supermán.

No olvide que este mas de la oración adversativa es la conjunción, que no se tilda. El más que lleva tilde es adverbio de cantidad.

Conjunción: *Estaba cansado,* mas no tanto como para no ir a cine.

Adverbio: *Estaba* más *cansado que nunca.*

La oración subordinada puede ser adversativa.

La oración subordinada adversativa comienza con *sino, mas* o *pero.*

Hasta este punto le he hablado de las oraciones determinativas y de las explicativas. En el siguiente capítulo le voy a hablar de las vocativas y de las elípticas. Y luego, de variables y combinaciones de estas cuatro estructuras básicas.

Capítulo 13
Otras estructuras sintácticas

● ●

En este capítulo:

▶ La oración vocativa

▶ La oración elíptica

▶ Enumeración de vocativas y de elípticas

● ●

*E*n el capítulo 11 le expliqué lo que es la oración determinativa y en el 12 lo que es la oración explicativa. Aquí, voy a hablarle de otras dos esctructuras: oración vocativa y oración elíptica.

Vocativo

Un vocativo es un llamado. La palabra *vocativo* tiene parentesco con *vocación*, que es *llamada*; *convocar*, que es llamar a reunión, palabras todas ellas que tienen como raíz el verbo latino *vocare*, que significa *llamar*. Más acá de las etimologías (orígenes de las palabras), un vocativo es el que usted utiliza cuando necesita que alguien lo atienda: *¡señor!, ¡señora!, ¡mozo!;* que un conocido le preste atención: *mamá, Luis Eduardo, doctor Patarroyo;* que una persona que se halla a cierta distancia acuda a usted: *¡Fabián!, ¡Marííaaaaa!, ¡policííaaaa!, ¡Mijoooo!;* o simplemente que su pareja le preste atención: *Romeo, Mi amor, Querida...*

En las cartas y memorandos hay un vocativo, antes de comenzar el mensaje: *Señor usuario:, Muy apreciado señor mío:, Querida Lucrecia:, Doctor Mejía:...*

Claro que no todos los vocativos son nombres. Con frecuencia se llama a alguien con verbos: *oiga; mire; ¡venga!...* o con cualquier otra expresión que despierte atención en quien la oye: *¡por favor!; buenos días; ¡ey!*

Oración vocativa

La oración vocativa tiene, entonces, un vocativo y un mensaje:

¡Señor, no moleste!

¡Señora!, ¡bájese de allá!

Amor, ¿quieres un cubalibre?

Puede ir primero el vocativo y después el mensaje o viceversa:

¡Voten por mí, jóvenes compatriotas!

No fumen, señores visitantes.

No, señora.

A veces el vocativo va en medio del mensaje:

Ten en cuenta, querido hijo, que mañana te enfrentarás a este problema.

¡Cobrá el córner, Higuita, cóbralo!

Este pergamino, respetados señores, me permitió comprobar mi teoría.

La coma vocativa

Como ve usted en todos estos ejemplos, se separan con coma el vocativo y el mensaje. Esta coma no siempre coincide con pausa en la versión oral de la oración vocativa. Cuando se expresa un *sí, señor* o un *no, señora,* no hay pausa, pero sí hay coma al escribirlo. Esta coma no tiene nada que ver con la *y.* Por eso, cuando por alguna casualidad literaria quede una coma vocativa al lado de una *y,* no hay ningún impedimento para marcarla: *María Bonita, y ¿qué hiciste del amor que me juraste?*

Esta coma se parece a los dos puntos del memorando o de la carta: *Muy apreciado señor Piraquive:* (y ahí, en seguida, viene la carta). Sin embargo, esta equivalencia de coma vocativa y dos puntos no hay que tomarla en sentido absoluto. Hay otros usos de los dos puntos que no tienen nada que ver con la coma vocativa. Por ejemplo, en *Jorge: trae piononos, cruasanes, mogollas y empanadas*, los dos puntos equivalen a la coma vocativa, coma que en este caso no se usa, para que no se confunda con la coma enumerativa. En cambio, en *Jorge comprará los siguientes licores: whisky, tequila, aguardiente y ron*, los dos puntos no equivalen a la coma vocativa, ni se pueden cambiar por ella.

Vocativo es una llamada: *¡Margarita!; señoras y señores; mijoooo.*

Oración vocativa es la que tiene vocativo y mensaje: *Venga, mamá.*

En la oración vocativa se separan con coma vocativo y mensaje.

No confunda determinativa con vocativa

No es lo mismo *Los clientes del banco deben hacer sus reclamos ante la auditoría*, que *Apreciados clientes, hagan sus reclamos ante la auditoría*. La primera versión es una oración determinativa: *Los clientes del banco* (sujeto) *deben hacer* (verbo) *sus reclamos ante la auditoría* (objeto). La segunda versión es una oración vocativa: *Apreciados clientes* (vocativo), *hagan sus reclamos ante la auditoría* (mensaje). La primera versión debe escribirse sin comas. La segunda debe escribirse con coma vocativa.

El problema surge realmente cuando se escriben determinativas con coma, porque parecen vocativas. Si usted va a escribir *Luis Miguel canta mejor que Luisito Rey*, con el fin de elogiar al hijo respecto al padre, pero le marca coma después del sujeto (*Luis Miguel, canta mejor que Luisito Rey*), convierte la oración en vocativa. Esta versión con coma es un mensaje para Luis Miguel. *Luis Miguel* es el vocativo de la oración. Y usted le está pidiendo a Luis Miguel que cante mejor que su padre, Luisito Rey. La primera oración es determinativa y simplemente afirma algo. La segunda es vocativa y con ella se está dirigiendo usted directamente a Luis Miguel para pedirle algo. En la escritura toda esa diferencia se marca con una casi imperceptible coma.

Si yo escribo *Ximena Restrepo corre más*, oración determinativa, sin comas, estoy haciendo una afirmación, cuyos destinatarios bien podrían ser mis lectores de prensa, a quienes les digo eso en mi columna de comentarios deportivos. En cambio, si escribo *Ximena Restrepo, corre más*, oración vocativa, con coma, me estoy dirigiendo a la atleta para darle una voz de aliento.

En el lenguaje oral se puede marcar muy claramente la diferencia entre una oración determinativa y una oración vocativa. En el escrito, la única diferencia entre una y otra puede ser la coma. Comparemos estas dos oraciones:

a) *Rafael cree en el público.*

b) *Rafael, cree en el público.*

Si yo estoy en el consejo de redacción de *El Tiempo* y digo, ante los dieciséis editores y subeditores presentes, la oración (a), que es una oración determinativa, hago una afirmación que tiene como destinatarios a los dieciséis oyentes que tengo en ese momento. Ellos podrán controvertir mi afirmación: que no, que él no cree; que sí, que él sí cree; que a veces cree y a veces no cree... en fin, a Rafael se le pueden estar calentando las orejas en la piscina del hotel de Miami donde quizá está pasando sus vacaciones, mientras en la sala de redacción de *El Tiempo*, en Santa Fe de Bogotá, yo sigo diciendo, afirmando, informando, que *Rafael cree en el público.*

En cambio, si yo estoy en el despacho de Rafael y él me confiesa que no cree mucho en el público, yo le contesto la oración (b), la vocativa: *Rafael, cree en el público.* Le estoy dando un consejo. *Mira, Rafael, cree en el público, que el público cree en ti.* Si no lo tratara de *tú* sino de *usted*, mi consejo diría: *Mire, Rafael, crea en el público, que el público cree en usted.* Quiero que usted se imagine la dramatización que le estoy insinuando. En el caso de la oración determinativa doy una información con tono afirmativo; digo en voz alta a un grupo de dieciséis personas algo de lo cual estoy convencido (*Rafael cree en el público*). En el caso de la oración vocativa, estoy hablando con Rafael, en su oficina privada, sin testigos, en voz baja, en tono confidencial, y en el desarrollo del diálogo, le doy un consejo (*Rafael, cree en el público*).

Espero que usted haya establecido con su imaginación la gran diferencia que puede haber entre una oración y otra, en el tono, el volumen de voz, el ambiente en que se dice, al aire que se respira —distinto en cada caso—. Pues bien, todas esas diferencias entre una y otra oración en el lenguaje oral se reducen a una sola en el lenguaje escrito: la coma vocativa. De ahí, la importancia de distinguir entre oración determinativa y oración vocativa al escribir, y concretamente, la importancia de no escribir comas cuando no deben ir (más concretamente, de no separar el sujeto del verbo en oraciones determinativas).

No separe sujeto de verbo al escribir oraciones determinativas, porque las puede convertir en vocativas y, consecuentemente, expresar una idea distinta a la que originalmente quiso.

A continuación, le doy parejas de ejemplos en los cuales la única diferencia escrita es la coma, pero la diferencia de contexto y de finalidad puede ser enorme. Lo invito a que establezca esta última diferencia, que yo le insinúo entre paréntesis.

a) *Samara nada mejor* (lo dice el novio de Samara, que está dispuesto a apostar por ella con sus amigos. Samara no se ha enterado).

b) *Samara, nada mejor* (se lo dice a Samara su entrenador de natación).

a) *Omaida camina como una palmera* (describe un observador).

b) *Omaida, camina como una palmera* (ordena la profesora de pasarela).

a) *Darío predica con persuasión* (opina un feligrés).

b) *Darío, predica con persuasión* (aconseja su diácono).

a) *Tráigame vino Gato Negro* (debe ser de esa marca).

b) *Tráigame vino, Gato Negro* (Gato Negro ya escogerá la marca).

a) *No me deje ignorante* (enséñeme).

b) *No me deje, ignorante* (quédese conmigo. No me importa su ignorancia).

Hay una novela del escritor colombiano Germán Santamaría que se llama *Quieta Margarita*. A partir de ella se hizo una telenovela con tangos y cuplés, que tuvo gran acogida entre el público latinoamericano. Infortunadamente, a los editores de la novela y a los productores de la versión televisiva se les olvidaron los signos de admiración, las comillas de '*Margarita*' y la coma vocativa, que exigía el título:

¡Quieta, 'Margarita'!

Así le gritan (por eso los signos de admiración) los culebreros a la serpiente que los acompaña en sus presentaciones de plaza pública para vender ungüentos, gotas milagrosas y consejos amatorios. El animal suele llamarse '*Margarita*' (entre comillas sencillas, por ser nombre propio de animal), y el título debe ir con coma, puesto que se trata de una oración vocativa, con sus dos componentes sintácticos: el mensaje, que en este caso es una orden (*Quieta*) y el vocativo o destinataria ('*Margarita*').

Enumeración de vocativas

Si llegara a darse el caso de escribir una enumeración de vocativas, la coma vocativa sigue siendo coma, pero la enumerativa pasa a ser punto y coma.

¡Sargento Pérez, dirija el tránsito!; ¡cabo Rodríguez, ponga multas!; ¡recluta Ángel, persiga remisos!

Señores residentes, ocupen su garaje asignado; señores visitantes, ocupen exclusivamente los espacios reservados para ustedes.

Alumnos, entren por la derecha; ex alumnos, entren por la izquierda.

En este último caso, se puede omitir el verbo en la segunda oración vocativa:

Alumnos, entren por la derecha; ex alumnos, por la izquierda.

La coma que va después de *ex alumnos* cumple doble función: es vocativa y es elíptica. Sobre este tema (coma en la oración elíptica) le voy a hablar más adelante.

Establezca si la oración es determinativa o vocativa. Si es vocativa, escriba la coma vocativa.

1. Felipe González lideró la oposición al gobierno de José María Aznar.

2. ¡Españoles apoyad a los nuestros!

3. Canadá ocupó el primer lugar entre los países de más alto desarrollo.

4. Doctor mañana no me saque usted la muela.

5. Mi mamá me mima.

6. Mafadda voz sí sos muy intedigente.

Respuestas: 1. (determinativa). 2. (vocativa) ¡Españoles, apoyad...! 3. (determinativa). 4. (vocativa) Doctor, mañana no... 5. (determinativa). 6. (vocativa) Mafadda, voz sí sos muy intedigente (Atención: así habla Guillo, el hermano de Mafalda. Si este chiquillo no se expresara a media lengua, diría: Mafalda, vos sí sos muy inteligente).

Oración elíptica

La oración elíptica es una oración en la cual se omite el verbo. ¡Cómo así! ¿Acaso no habíamos quedado en que toda oración requiere verbo? Sí. Lo hemos dicho a lo largo de todas estas páginas: el verbo, el verbo, el verbo... Es como una obsesión de este libro, el verbo... Y ahora, resulta que en una oración se puede omitir el verbo. Pues sí. Se trata de oraciones con verbo tácito o sobrentendido. No son propiamente oraciones sin verbo, sino oraciones donde el verbo se sobrentiende.

Yo ♥ a Nueva York

¡Cuántas veces no hemos visto calcomanías como esta, en el vidrio trasero de un automóvil! Pues ahí tiene usted una oración elíptica. Todo mundo lee aquí *Yo amo a Nueva York*. Un marciano que haya aprendido a leer español pero no conozca los significados de otros símbolos gráficos leería *Yo corazón a Nueva York*, pero los terrícolas leemos *Yo amo a Nueva York,* con la misma seguridad con la que interpretamos los símbolos de los servicios higiénicos (Hombres-Mujeres), de las calles (No gire a la izquierda, Pare...), de los lugares públicos (No fume, peligro)...

Pues bien, en ese *Yo ❤ a Nueva York*, el verbo es elíptico, tácito, o sobrentendido, es decir, no se escribe; no aparece expreso; pero se entiende.

Ahora bien, me dirá usted que uno no escribe cartas, ensayos, informes, memorandos, con corazoncitos. De acuerdo. Pero sí escribe oraciones elípticas. Por ejemplo, los titulares de prensa son frecuentemente elípticos.

Zedillo, presidente	(la coma remplaza el verbo *fue elegido*).
Real Madrid, campeón	(la coma remplaza *quedó* o *resultó* o *es*).
Simpson, inocente	(la coma remplaza *fue declarado*).
Polonia, a la OTAN	(la coma remplaza *ingresa*).

Pero, bueno, usted quizá no redacta titulares de prensa, sino memorandos, requerimientos, instrucciones. Su redacción es más bien técnica. Igual. Usted también usa o puede usar la oración elíptica.

La llave amarilla debe permanecer cerrada de 8 a 12 y la azul, de 3 a 4.

En este caso hay dos oraciones. La primera es una oración determinativa, con sujeto (*la llave amarilla*) verbo (*debe permanecer cerrada*) y objeto prepositivo (*de 8 a 12*). Luego viene una segunda oración, paralela a la primera, es decir, con los elementos sintácticos en el mismo orden, con coma elíptica, que remplaza el verbo. Esta segunda oración también tiene sujeto (*la azul*), verbo (*debe permanecer cerrada*, remplazado por la coma) y objeto prepositivo (*de 3 a 4*).

Le voy a presentar a continuación párrafos con dos oraciones paralelas, la segunda de las cuales es elíptica.

SUJETO	VERBO	OBJETO
Margarita y Rocío	*tocan muy bien*	*el violín y*
Carlos y Jorge	*,*	*la trompeta.*
El Banco Petrolero	*ofrece*	*créditos a largo plazo y*
la Caja de Vivienda	*,*	*préstamos sin fiador.*
El celador júnior	*debe ser vigilado*	*por un supervisor y*
el veterano	*,*	*por el Gerente Mayor.*
Mis hijos	*viajaron*	*a Cartagena de Indias y*
mis sobrinos	*,*	*a Miami y Orlando.*

Le estoy presentando estos ejemplos así, en dos renglones, uno para cada oración, para que usted visualice el paralelismo de las dos oraciones. En la vida real, usted escribirá las dos oraciones seguidas: *Mis hijos viajaron a Cartagena de Indias y mis sobrinos, a Miami.*

Ahora bien. Mis ejemplos no parecen ofrecer mayores posibilidades. Todos están en el orden sujeto-verbo-objeto. Y ¿si se cambia el orden? Si se cambia el orden, también puede haber oraciones elípticas, siempre que haya paralelismo en las dos oraciones. A continuación le doy ejemplos que, si bien mantienen el paralelismo, no están escritos con la secuencia sujeto-verbo-objeto.

En Cartagena del Chairá	*fueron entregados*	*los soldados retenidos y*
en la Jagua de Ibirico	*,*	*los civiles.*
A las 3 de la tarde	*se entregan*	*los cheques de proveedores y*
a las 4	*,*	*los de empleados.*
Para el próximo lunes	*debe estar listo*	*el plano del piso 12 y*
para el martes	*,*	*el del piso 13.*
Con el sello redondo	*se marcan*	*las cuentas de cobro y*
con el cuadrado	*,*	*las facturas.*

No confunda elíptica con enumerativa

Con frecuencia, mis alumnos confunden la coma enumerativa con la elíptica. Mire usted lo que indefectiblemente le pasa a alguno de ellos cuando les pido que escriban un ejemplo de oración elíptica. Me escriben: *Tony Aguilar canta corridos, rancheras y boleros.* Entonces, me dicen que la coma que va después de *corridos* es una coma elíptica, que remplaza el verbo *canta.* No. Esta coma no es elíptica sino enumerativa. La elíptica puede aparecer en una segunda oración: *Tony Aguilar canta corridos y Darío Gómez, rancheras.* Esta coma que va después de *Gómez* sí es elíptica y remplaza el verbo *canta.*

Otro desacierto de mis alumnos cuando les pido el ejemplo de oración elíptica es escribir algo así: *Rocío escribe poemas y Lola, también.* Entonces, yo les digo que si ambas escriben poemas, eso se puede decir en la misma oración, *Rocío y Lola escriben poemas,* sin necesidad de dedicarle una oración a Rocío y otra a Lola. Esto último se justifica cuando Rocío hace una cosa y Lola, otra. Entonces, sí cabe la oración elíptica: *Rocío escribe poemas y Lola, cuentos.*

¿La coma elíptica es imprescindible?

Pero, me dirá usted, ¿es realmente necesaria la coma elíptica? ¿No se puede omitir? Al fin y al cabo, ¿no se entiende siempre lo mismo, aun sin coma? Pues, no. No se entiende siempre lo mismo. Muchas veces podrá entenderse una cosa sin coma y otra con coma. Se lo voy a demostrar con algunos ejemplos.

Cuentan que, en tiempos de Perón, alguien escribió en algún muro de Buenos Aires un grafito, que tenía muy buenas intenciones: apoyar al mandatario argentino. El grafito decía así:

PERÓN FOMENTA EL TRABAJO Y EVITA LA CORRUPCIÓN

No era preciso tener una malicia especialmente aguda para advertir la segunda interpretación que podía tener el grafito. Y, en efecto, alguien no se contentó con que la tuviera en la imaginación del lector, sino que la hizo explícita; le escribió una coma elíptica; ¿dónde? Obviamente, después de EVITA. El grafito quedó así:

PERÓN FOMENTA EL TRABAJO Y EVITA, LA CORRUPCIÓN

Por si alguno de mis lectores no lo recuerda, el general Juan Domingo Perón fue presidente de la Argentina de 1946 a 1953, y su esposa, Evita, actuó como vicepresidenta. Numerosas biografías, varias películas y una ópera han mantenido vivo el mito de Evita y esos episodios son el contexto del ejemplo anterior. Aunque se advierte la segunda intención del grafito sin coma, el texto en sí es elogioso del presidente: *Perón fomenta el trabajo y (Perón) evita la corrupción*. La coma elíptica hace patente la segunda lectura malintencionada. La coma remplaza el verbo *fomenta* y, aprovechando los caracteres mayúsculos del grafito, convierte el verbo *evita* en el sustantivo *Evita*, ahora sujeto de una segunda oración: *Evita, la corrupción* equivale a *Evita fomenta la corrupción*.

A continuación le doy otros ejemplos y entre paréntesis le insinúo la diferencia, para que usted vea que el significado sí cambia y deduzca la importancia de esta coma en las oraciones elípticas.

    a) *Ustedes traen comida y yo, trago* (yo colaboro con el licor).

    b) *Ustedes traen comida y yo trago* (yo me como lo que ustedes traigan).

    a) *Aquel llevaba pistola y este, revólver* (cada uno iba con su arma).

    b) *Aquel llevaba pistola y este revólver* (qué tipo tan bien armado).

    a) *Marcela pinta la botella y Clarita, la tapa* (Clarita pinta la tapa).

Oración elíptica es aquella en la cual se omite el verbo, pues este se sobrentiende.

En la oración elíptica el verbo debe ser reemplazado por la coma...

b) *Marcela pinta la botella y Clarita la tapa* (Clarita tapa la botella).

a) *Yo redacto sumarios y tú glosas* (tú glosas, tú comentas, los sumarios).

b) *Yo redacto sumarios y tú, glosas* (tú redactas las glosas).

Escriba la coma elíptica donde haga falta.

1. Los médicos despachan en consultorios y los abogados en bufetes.

2. Mi amigo Jaime vive en el centro y mi amigo Víctor en el sur.

3. Este se puede diligenciar a máquina y aquel a lápiz.

4. Los jueves usa corbata y los viernes bufanda.

5. Jorge, Aníbal y Catalina se encargaron de entrevistar a los soldados y Édgar, Alberto y Eduardo a las madres y a las novias.

Respuestas: 1. abogados, 2. Víctor, 3. aquel, 4. viernes, 5. Eduardo,

Enumeración de elípticas

Hasta aquí le he mostrado oraciones elípticas solas (*Real Madrid, campeón*) o en pareja (*Margarita y Rocío tocan muy bien el violín y Carlos y Jorge, la trompeta*), pero puede darse también una serie de oraciones elípticas, siempre y cuando guarden paralelismo entre sí y con una oración inicial con verbo explícito. En tal caso, enumeración de elípticas, el signo elíptico sigue siendo coma y el signo enumerativo pasa a ser punto y coma. Vea el siguiente ejemplo, en el que puede usted visualizar el paralelismo.

En enumeración de elípticas, la coma enumerativa pasa a ser punto y coma.

SUJETO	VERBO	OBJETO
Los habitantes de Gambia	hablan	inglés y lenguas africanas;
los de Guinea Ecuatorial	,	español y algunos dialectos;
los de Haití	,	francés y créole y
los de Lituania	,	lituano, ruso y polaco.

Ahora le ofrezco más ejemplos, sin la ayuda gráfica del anterior, para que usted mismo establezca el paralelismo que tienen las oraciones de cada párrafo.

Víctor Hugo escribió 'Los Miserables'; Robert Louis Stevenson, 'Dr. Jekyll y Mr. Hyde'; Edgar Allan Poe, 'Aventuras de A. Gordon Pym' y Honorato de Balzac, 'Eugenia Grandet'.

Tarzán trabaja en la selva; Batman, en Ciudad Gótica; el Hombre Araña, en Nueva York y Mafalda, en Buenos Aires.

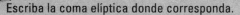

Escriba la coma elíptica donde corresponda.

1. El profesor Pérez tiene a su cargo la cátedra de Historia Universal; el profesor Rodríguez la de Historia del Arte y el profesor Cortés la de Ética y Derecho.

2. El italiano Francesco Petrarca fue poeta y humanista; el ruso Anton Chejov cuentista y dramaturgo y el estadounidense John Steinveck novelista.

Escriba toda la puntuación (coma elíptica, punto y coma enumerativo y punto).

3. La capital de Nueva Zelandia es Wellington la del Sultanato de Omán Mascate y la de la República Democrática Popular Lao Vientiane

4. La cebolla es de la familia de las liliáceas la ortiga de las urticáceas el clavel de las cariofiláceas y el algodonero de las malváceas

5. Stella y Giovanni son nombres italianos John y Mary nombres ingleses Jacobo y Hélmut nombres alemanes y Fedor e Iván nombres rusos

Respuestas: 1. Rodríguez, Cortés, 2. Chejov, Steinveck, 3. Wellington; Omán, Lao, Vientiane. 4. liliáceas; ortiga, urticáceas; clavel, algodonero, malváceas. 5. italianos; Mary, ingleses; Hélmut, Iván, rusos.

El ejemplo de oración elíptica y coma imprescindible que más iras y risas ha provocado en mis seminarios es el siguiente:

Ella toca el violín y él, la viola.

El texto alude a una bella escena musical de alguna película de elite. Siempre les digo que no vayan a quitar la coma, pues inmediatamente cambiaría de clasificación la película.

Capítulo 14

Los accidentes o circunstancias y la fórmula SVO,C

En este capítulo:

▶ La oración completa

▶ Expresiones adverbiales y complementos circunstanciales

▶ La fórmula SVO,C

▶ El orden sicológico de la oración

Hasta aquí le he hablado de cuatro estructuras básicas de oración: determinativa, explicativa, vocativa y elíptica. Por supuesto, en la vida real, en un mismo texto se pueden combinar estas cuatro estructuras. Es fácil crear un ejemplo de tal combinación:

La Gran Hermandad de los Toros Bravos está organizando la Becerrada Anual para todos los Toros Bravos, sus Mansas Vacas y sus Indomables Terneros.

Eduardo Becerra, Gran Toro Mayor, entregará el Cuerno de Oro a la mejor comparsa; María Elena Vacca de Becerra, su Mansa Consorte, el Cuerno de Plata al más corneado y temerario espontáneo de la arena y Claudia Paola Becerra Vacca, su Indomable Ternera, el Cuerno de Bronce al protagonista del Oso Supremo de la jornada.

¡Toros, Vacas, Terneros y Terneras, a trabajar como bueyes y a gozar como bestias!

En esta cordial invitación de tan cachona fraternidad hay oración determinativa con enumeración en el objeto indirecto (primer párrafo), enumeración de explicativas y elípticas (segundo párrafo) y oración vocativa (tercer párrafo).

Los accidentes o circunstancias y la fórmula SVO,C

Las estructuras que hemos visto hasta ahora (determinativa, explicativa, vocativa, elíptica) expresan, según lo dicho en los dos capítulos precedentes, la esencia de la idea. Lo no esencial, lo accidental, se expresa por medio de adverbios o de complementos circunstanciales. También le había dicho ya que los adverbios van con el verbo y que los complementos circunstanciales van después de la parte determinativa de la oración.

¡Claro!, siempre que esté usted decidido a seguir con el orden más claro para escribir en español: sujeto-verbo-objeto-circunstanciales (SVO,C)

¿Recuerda usted el sistema solar de que hablábamos en el capítulo 10? ¿Recuerda que en la parte superior estaban los planetas, que con el verbo, el sol, el núcleo, expresan la esencia de la idea? (A esa parte están dedicados los capítulos 11, 12 y 13) ¿Recuerda que en la parte inferior del sistema solar estaban los planetoides? Pues de esos planetoides, que expresan los accidentes, le voy a hablar a continuación.

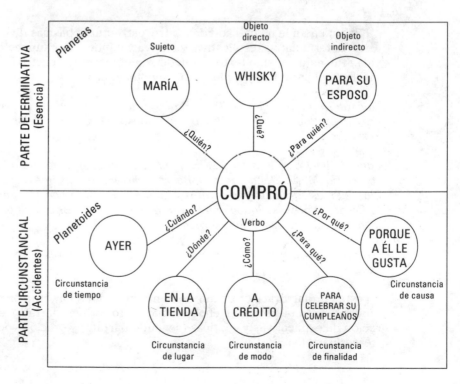

RECUERDE

> La fórmula SVO,C consiste en escribir primero la parte determinativa (sujeto-verbo-objeto) y luego, los complementos circunstanciales. Es la forma más clara de expresar una idea completa en español.

Digamos que ya hemos escrito la esencia de la idea, con una oración determinativa, explicativa, vocativa o elíptica. Ahora vamos a agregar los accidentes o circunstancias (los planetoides de nuestro sistema solar). En otras palabras, ya hemos dicho quién, qué, a quién... Ahora vamos a decir por qué, para qué, cómo, cuándo, dónde...

La oración completa

Entonces, la oración completa —esencia y accidentes— se escribe agregando a la parte determinativa las circunstancias de modo, tiempo, lugar, causa, finalidad... Veámoslo en un ejemplo:

Emilio Alarcos Llorach publicó su libro de gramática estructural, por recomendación de algunos de sus colegas, para llenar el vacío bibliográfico que acusaban sus alumnos de Oviedo y Austin.

La parte determinativa es: *Emilio Alarcos Llorach* (sujeto) *publicó* (verbo) *su libro de gramática estructural* (objeto). A ello se agregan dos circunstancias: *por recomendación de algunos de sus colegas* (causa, ¿por qué?) y *para llenar el vacío bibliográfico que acusaban sus alumnos de Oviedo y Austin* (finalidad, ¿para qué?).

No pierda de vista el núcleo, el verbo. Toda circunstancia se refiere al verbo de la oración. En el caso anterior, los circunstanciales responden a las preguntas por qué publicó (causa) y para qué publicó (finalidad).

Los accidentes expresados con adverbios o frases muy breves, que bien pueden llamarse frases adverbiales, se escriben preferiblemente al lado del verbo y no después de la parte determinativa. Por ejemplo, si en el caso anterior se agrega la circunstancia de tiempo, es decir, si se responde a la pregunta ¿cuándo publicó?, la circunstancia *en 1951* no debe ir al final (*...para llenar el vacío que acusaban sus alumnos de Oviedo y Austin, en 1951*), pues se entenderá que sus alumnos de Oviedo y Austin acusaban en 1951 ese vacío y la idea no es esa, no es que acusaban en 1951, sino que el libro se publicó en 1951. Lo mejor es tomar esta expresión de tiempo como frase adverbial y escribirla al lado del verbo (adverbio modifica verbo):

Emilio Alarcos Llorach publicó en 1951 su gramática estructural, por recomendación de algunos de sus colegas, para llenar el vacío bibliográfico que acusaban sus alumnos de Oviedo y Austin.

Queda así esta oración con tres circunstancias, una expresada con frase adverbial y dos con complementos circunstanciales.

La coma circunstancial

Los complementos circunstanciales se suelen separar con coma. Recuerde que en la parte determinativa no hay coma, salvo que haya incisos. Cada uno de los complementos circunstanciales se puede separar con coma. Las circunstancias que se redacten con adverbios o expresiones adverbiales que acompañen el verbo no se separan con coma, según el siguiente ejemplo:

Carlos sí viajó a Varadero, el lunes pasado, en compañía de sus colegas.

No hay coma en la parte determinativa (*Carlos sí viajó a Varadero*). El complemento circunstancial de tiempo (*el lunes pasado*) se separa con una coma y el complemento circunstancial de modo (*en compañía de sus colegas*) se separa con otra. El adverbio (*sí*) no se separa con coma.

A continuación le doy más ejemplos, identificando luego entre paréntesis cada elemento sintáctico. No olvide que este es el orden más claro para escribir en español. En todos estos casos se sigue la fórmula SVO,C (sujeto-verbo-objeto, complementos circunstanciales).

1. *Alejandro y Mariana habían comprado doce libros clave para su hijo menor, en la Librería Central, por recomendación de su profesor de matemáticas.*

Análisis: *Alejandro y Mariana* (sujeto, ¿quiénes habían comprado?) *habían comprado* (verbo) *doce libros clave* (objeto directo, ¿qué había comprado?) *para su hijo menor* (objeto indirecto, ¿para quién habían comprado doce libros clave?), *en la Librería Central* (complemento circunstancial de lugar, ¿dónde habían comprado...?), *por recomendación de su profesor de matemáticas* (complemento circunstancial de causa, ¿por qué habían comprado...?).

2. *'Los cuadernos de don Rigoberto' tuvo buena acogida entre el público latinoamericano, durante el segundo semestre de 1997, según informó la redacción cultural de la agencia 'Efe'.*

Análisis: *'Los cuadernos de don Rigoberto'* (sujeto, ¿quién tuvo?) *tuvo* (verbo) *buena acogida entre el público latinoamericano* (objeto directo, ¿qué tuvo?), *durante el segundo semestre de 1997* (complemento circunstancial de tiempo, ¿cuándo tuvo...?), *según informó la redacción cultural de la agencia 'Efe'* (complemento circunstancial de modo, ¿cómo tuvo...?).

3. *Los promotores de ropa deportiva han vendido ya el setenta por ciento de la mercancía, en las zonas rurales, gracias al permanente apoyo publicitario de la casa matriz.*

Análisis: *Los promotores de ropa deportiva* (sujeto, ¿quiénes han vendido?) *han vendido* (verbo) *ya* (adverbio de tiempo, ¿cuándo han vendido?) *el setenta por ciento de la mercancía* (objeto directo, ¿qué han vendido?), *gracias al permanente apoyo publicitario de la casa matriz* (complemento circunstancial de causa, ¿por qué han vendido...?).

¿Expresión adverbial o complemento circunstancial?

Está claro que los adverbios van al lado del verbo y los complementos circunstanciales van después de la parte determinativa, pero no siempre es claro si una frase es adverbio o complemento circunstancial. Si usted va a escribir una circunstancia de tiempo con palabras o frases como *ayer, hoy, mañana, ya, pronto, más temprano, muy tarde*..., de lugar con expresiones como *aquí, allá, más cerca, muy lejos*..., de modo con *prudentemente, audazmente, muy mal, bastante bien*..., de cantidad con *mucho, poco, tanto*... y por supuesto de negación con *no, tampoco*... o de afirmación con *sí, también*... no dudará ni un segundo en escribirlo al lado del verbo. Bueno, y si duda, no dude más. Recuerde que por definición adverbio modifica verbo; así que el lugar preciso del adverbio es la lado del verbo. Y si usted va a expresar esas circunstancias u otras con frases como *...el lunes pasado hacia las cuatro de la tarde, ...de la forma más amena y distensionada posible,... para lograr la ayuda de los grupos privilegiados de la sociedad capitalista*... usted no dudará en escribirlas después de la parte determinativa y debidamente separadas con coma.

La duda está en el término medio, es decir, cuando la circunstancia se expresa con una frase que no es lo suficientemente corta como para considerarla adverbio (o frase adverbial) ni lo suficientemente extensa como para considerarla sin ninguna duda como complemento circunstancial. Bueno, usted tendrá que considerar las dos posibilidades y optar por aquella que le dé el mejor sonido, que se vea mejor, y que quede más clara para el lector.

Por ejemplo, si tengo la oración determinativa *Escribí el Manual de Redacción Periodística para mis alumnos* y voy a agregar la circunstancia de tiempo, ¿cuándo escribí?, agrego esa circunstancia al lado del verbo si es breve (*hace años, hace un tiempo, en 1981*) o al final de la parte determinativa si es extensa (*después de haberle dedicado varios años a descubrir los ejemplos precisos en la prensa de mi país*). El resultado será:

Escribí hace años el Manual de Redacción... o

Escribí hace un tiempo el Manual de Redacción... o

*Escribí en 1981 el Manual de Redacción...*o

Escribí el Manual de Redacción Periodística para mis alumnos, después de haberle dedicado varios años a descubrir los ejemplos precisos en la prensa de mi país.

Ninguna dificultad, ¿verdad? El problema se presenta con frases de mediana extensión, como *durante mi año sabático...* un poco extensa para darle tratamiento de adverbio; un poco breve para escribirla al final. ¿Qué será mejor? Lo apropiado es ver y oír —sobre todo eso: oír— las dos versiones:

a) *Escribí durante mi año sabático el Manual de Redacción Periodística para mis alumnos.*

b) *Escribí el Manual de Redacción Periodística para mis alumnos, durante mi año sabático.*

¿Cuál prefiere usted? Yo no quisiera tomar partido para no condicionarlo, pero me quedo con la primera versión. Me suena mejor. La veo más clara... Usted no tome la decisión definitiva antes de ver y oír —¡mucho oído!— las dos versiones.

Las circunstancias o accidentes se expresan con adverbios y complementos circunstanciales. Los adverbios se escriben al lado del verbo; los complementos circunstanciales, después de la parte determinativa. Los adverbios no se separan con coma. Los complementos sí.

El orden más claro

Retomando lo dicho hasta aquí, el orden más claro para escribir en español es el que comienza con la parte determinativa (sujeto-verbo-objeto) y termina con los complementos circunstanciales. Las variables que caben dentro de este esquema son los incisos explicativos (que van después de lo explicado, sea el sujeto, sea el verbo, sea el objeto) y los adverbios (que van antes o después del verbo). Y ya está la oración.

Compare las siguientes versiones de la misma idea:

a) *El año pasado, don Ricardo Torre de Quesada, consiguió, según me contó doña Barbarita Corredor, que el siquiatra lo declarara loco.*

b) *Don Ricardo Torre de Quesada consiguió el año pasado que el siquiatra lo declarara loco, según me contó doña Barbarita Corredor.*

¿Cuál es más clara?

Si me dice que la (b), estamos de acuerdo. Y, ¿por qué es más clara la (b)? Porque está en orden sintáctico. Mire: *Don Ricardo Torre de Quesada* (sujeto) *consiguió* (verbo) *el año pasado* (locución adverbial de tiempo) *que el siquiatra lo declarara loco* (objeto directo), *según me contó doña Barbarita Corredor* (complemento circunstancial de modo).

Más ejemplos.

a) *Al mediodía, sin que nadie pudiera impedirlo, el oficial de turno, a los conductores de los tres automóviles, detuvo.*

b) *El oficial de turno detuvo al mediodía a los conductores de los tres automóviles, sin que nadie pudiera impedirlo.*

La versión más clara y fluida es la (b) porque está escrita en orden sintáctico: *El oficial de turno* (sujeto) *detuvo al mediodía* (verbo y expresión adverbial de tiempo) *a los conductores de los tres automóviles* (objeto directo), *sin que nadie pudiera impedirlo* (complemento circunstancial de modo).

a) *Antonio de Nebrija, autor de un diccionario latín-español, entregó su obra 'Arte de la lengua castellana' a la reina Isabel, en Granada, el sábado 25 de febrero de 1492, para que lengua e Imperio fueran siempre de la mano.*

b) *Para que lengua e Imperio fueran siempre de la mano, a la reina Isabel entregó su obra 'Arte de la lengua castellana', en Granada, Antonio de Nebrija, autor de un diccionario latín-español, el sábado 25 de febrero de 1492.*

Analice las dos versiones de las siguientes oraciones e indique cuál de las dos está escrita en orden sintáctico.

1. a) A mis amigos, según lo expresa la conocida canción, dejaré mis cachivaches y mi devoción por un acorde de guitarra.

   b) Dejaré a mis amigos mis cachivaches y mi devoción por un acorde de guitarra, según lo expresa la conocida canción.

2. a) Desde que mi hermano viajó a San Francisco, Petro Cecilio Abdala, comentarista político, el más oído en mi casa es.

   b) Petro Cecilio Abdala, comentarista político, es el más oído en mi casa, desde que mi hermano viajó a San Francisco.

3. a) El Gran Jefe Cabeza Blanca, cuyo nombre de pila nadie conoce, consagró como nuevos caballeros a Luis Ruiz, Juan Jiménez y Candelario Azufre, durante la Asamblea Anual de la Fraternidad de los Cóndores Salvajes.

   b) Durante la Asamblea Anual de la Fraternidad de los Cóndores Salvajes, a Luis Ruiz, Juan Jiménez y Candelario Azufre consagró como nuevos caballeros el Gran Jefe Cabeza Blanca, cuyo nombre de pila nadie conoce.

   c) A Luis Ruiz, Juan Jiménez y Candelario Azufre consagró el Gran Jefe Cabeza Blanca, cuyo nombre de pila nadie conoce, como nuevos caballeros, durante la Asamblea Anual de la Fraternidad de los Cóndores Salvajes.

Analice sintácticamente (identifique sujeto, verbo, objeto, etc.) las siguientes oraciones.

4. Joaquín Sabina pidió un 'cubata' a la dueña del bar a cambio de una canción.

5. El cantante no encontró al año siguiente el bar, pues allí habían construido una sucursal del Banco Hispanoamericano.

6. Él y ella quedaron en la memoria de muchos románticos hispanohablantes, que cantan aún aquello de "...y nos dieron las diez y las once, las doce y la una y las dos y las tres, y desnudos al anochecer nos encontró la luna".

Ordene sintácticamente las siguientes oraciones.

7. Mejor mejora Mejoral.

8. Según Balmes, adolece de escasez de método la Filosofía de la India.

9. Durante la próxima temporada invernal, los habitantes de Santa Fe de Bogotá y de Santiago de Tunja nuevamente verán los elegantes sobretodos de paño, por la moda que están imponiendo las series de televisión.

Respuestas: 1. (b). 2. (b). 3. (a). 4. *Joaquín Sabina* (sujeto) *pidió* (verbo) *un 'cubata'* (objeto directo) *a la dueña del bar* (objeto indirecto) *a cambio de una canción* (complemento circustancial de finalidad). 5. *El cantante* (sujeto) *no encontró al año siguiente* (verbo con sus adverbios de negación y de tiempo) *el bar* (objeto directo), *pues allí habían construido una sucursal del Banco Hispanoamericano* (circunstancial de causa). 6. *Él y ella* (sujeto) *quedaron* (verbo) *en la memoria de muchos románticos hispanohablantes* (objeto prepositivo de lugar), *que cantan aún aquello de "...y nos dieron..."* (oración explicativa o subordinada, que tiene también su sujeto (*que*) su verbo con sus adverbios (*cantan aún*) y su objeto directo (el resto de la oración, ¿qué cantan?). 7. Mejoral mejora mejor. 8. La filosofía de la India adolece de escasez de método, según Balmes. 3. Los habitantes de Santa Fe de Bogotá y de Santiago de Tunja verán nuevamente los elegentes sobretodos de paño, durante la próxima temporada invernal, por la moda que están imponiendo los noticieros de televisión.

De la pareja anterior es más clara la (a), que está escrita en orden sintáctico: *Antonio de Nebrija* (sujeto), *autor de un diccionario latín-español* (inciso explicativo del sujeto), *entregó* (verbo) *su obra 'Arte de la lengua castellana'* (directo) *a la reina Isabel* (indirecto), *en Granada* (circunstancial de lugar), *el sábado 25 de febrero de 1492* (circunstancial de tiempo).

El orden sicológico

Después de todo lo que hemos dicho hasta aquí, en esta parte sobre cómo se debe redactar, resulta insólito hablar de otro orden. Le he insistido con todos los argumentos en que hay que seguir el orden sintáctico, aplicar la fórmula SVO,C, y ya creo que usted está convencido de ello, pero, ¡qué pena!, voy a hablarle del orden sicológico, que es una pequeña variación del orden sintáctico, y que me temo que algún lector lo vea como una claudicación de mi lucha por convencerlo de la conveniencia de escribir siempre al derecho, con el esquema SVO,C (sujeto-verbo-objeto, complementos circunstanciales).

El orden sicológico consiste en escribir al comienzo de la oración un complemento circunstancial, el más importante, por supuesto. ¿De manera que no siempre hay que empezar por el sujeto? Bueno, conviene hacerlo. Es el orden más claro. Es lo ideal. Sin embargo, muchas personas seguirán comenzando su oración con un circunstancial, como suelen hacerlo en las cartas. Por eso es muy importante considerar aquí esa variable, para que cuando excepcionalmente se acuda a ella, la oración siga siendo ordenada (orden sicológico) y no se extreme la 'licencia poética' hasta llevar el escrito a su máximo grado de desorden. Esta variable sintáctica no es desorden; es orden: orden sicológico.

La fórmula no será, entonces, SVO,C, sino C,SVO, o si hay varios circunstanciales, C,SVO,C (un circunstancial, sujeto-verbo-objeto, los demás circunstanciales).

En atención a su solicitud del pasado lunes, nuestra sucursal le envía...

Por decisión de la Gerencia de Cobros, usted debe presentarse...

Para reunirnos después de 30 años, el Presidente de la Asociación de ex...

Según establece la Ley 100 de 1997, los empleados con antigüedad...

¿No es cierto que muchas de las cartas que habitualmente nos llegan comienzan así? Pues ahí tiene usted el orden sicológico. Consiste en escribir al comienzo una circunstancia, la más importante, la más destacable, y luego sí la parte determinativa. Si queda algún otro circunstancial, este va al final. Como ve en los ejemplos, ese circunstancial va separado con coma de la parte determinativa de la oración.

RECUERDE

El orden sicológico consiste en escribir un circunstancial antes de la parte determinativa. Ese circunstancial se separa con coma. Conviene que los demás circunstanciales vayan al final.

En todo caso, cuando acuda al orden sicológico, destaque un solo circunstancial y no todos. Vea las siguientes dos versiones de la misma oración.

a) *A partir del próximo semestre, en todas las facultades y departamentos especializados, por decisión del Consejo Administrativo, los estudiantes de la Universidad Central deben abstenerse de fumar.*

b) *A partir del próximo semestre, los estudiantes de la Universidad Central deben abstenerse de fumar, en todas las facultades y departamentos especializados, por decisión del Consejo Administrativo.*

Me quedo con la (b) porque no dilata tanto para el lector la esencia de la idea. No olvide que mientras no aparezca la parte determinativa (sujeto-verbo-objeto), no se ha dicho aún la esencia de la idea. Por eso, si bien se tolera el inicio de la oración con un muy importante complemento circunstancial, no es bueno abusar de este recurso y distraer al lector mostrándole accidentes de una esencia que no se le ha comunicado.

El orden sicológico en los libros

Por lo general, los escritores siguen el orden sintáctico, pero alguna que otra vez acuden al orden sicológico. A continuación le presento algunos ejemplos, en los que resalto el complemento circunstancial que va antes de la parte determinativa.

Al llegar al extremo, *miró con ansiedad: la pista parecía interminable y misteriosa, enmarcada por los simétricos globos de luz en torno a los cuales se aglomeraba la neblina* (La ciudad y los perros, Mario Vargas Llosa, Editorial Oveja Negra, Bogotá, 1983, página 11).

Un día, en el siglo en que la estrella de Las Huelgas se hallaba en su apogeo —durante el siglo XVII—, *graves doctores de la Iglesia en España emitieron gustosos su dictamen en defensa de la Abadesa, para ofrecer su sabiduría y su prudencia en apoyo de esta religiosa, Señora y Prelada de tantos súbditos* (La Abadesa de las Huelgas, Josemaría Escrivá de Balaguer, Ediciones Rialp, Madrid, 1974, página 344).

Analice sintácticamente las siguientes oraciones (identifique el orden, la parte determinativa, los complementos circunstanciales).

1. Ed McCarthy y Mary Ewing-Mulligan escribieron el libro *Vino para dummies*, para fomentar el buen gusto entre los americanos.

2. En la Universidad de la ciudad de Nueva York, Ed McCarthy obtuvo el título de magíster en sicología.

3. Después de cinco años de intensos estudios, Mary Ewing-Mulligan aprobó en Londres el examen que la convirtió en Maestra en Vinos.

Escriba las siguientes oraciones en orden sicológico.

4. Louise L. Hay ha escrito numerosos libros sobre salud natural para sus alumnos y seguidores del mundo entero, a partir de sus propias experiencias de superación y de perdón.

5. El perdón es tan poderoso que puede disolver un cáncer, según la experiencia personal de Louise L. Hay.

6. Una distrofia muscular puede tener como causa la falta de seguridad en sí mismo, según se deduce de las tablas de enfermedades y curas diseñado por Louise L. Hay.

Respuestas: 1. Orden sintáctico. La parte determinativa va hasta la coma. Después de la coma hay un complemento circunstancial de finalidad. 2. Orden sicológico. Primero va el circunstancial de lugar. Después de la coma va la parte determinativa. 3. Orden sicológico. Primero va el circunstancial de tiempo. Después de la coma va la parte determinativa, que incluye una expresión adverbial de lugar. 4. A partir de sus propias experiencias de superación y de perdón, Louise L. Hay ha... 5. Según la experiencia personal de Louise L. Hay, el perdón es tan... 6. Según se deduce de las tablas de enfermedades y curas diseñado por Louise L. Hay, una distrofia muscular puede...

En una entrevista con la revista Time, *la Fallaci ratificó esos conceptos* (*Grandes reportajes*, Daniel Samper Pizano, Intermedio Editores, Bogotá, 1990).

Bajo el franquismo, *los municipios se designaron* a dedo, *por mucho que en los últimos años se quisiera disimular la cosa con lo de los representantes de los* cabezas de familia *y demás gaitas (¡Viva Franco! (con perdón),* Fernando Vizcaíno Casas, Editorial Planeta, Barcelona, 1980).

¿Y eso es todo?

En esta parte le he hablado de cómo redactar oraciones. ¿Y el resto? El resto es lo mismo. Un memorando de dos renglones, una carta de dieciséis, un editorial periodístico de treinta o un libro de veintiún mil se escriben con oraciones. El memorando, con una sola oración. El libro de veintinún mil renglones, con muchas oraciones, una detrás de otra. Entonces, ¿realmente eso es todo? Pues, sí. Eso es todo. Si usted maneja los esquemas expuestos en esta parte del libro, tiene los elementos estructurales necesarios para escribir. En todo caso, en los siguientes capítulos le voy a hablar del párrafo, que no es otra cosa que una o varias oraciones, y de algunos puntos especialmente problemáticos a la hora de escribir oraciones y párrafos: la dequefobia, el gerundio, el leísmo... Pero no siga derecho, tómese un whisky o, al menos, un descanso, antes de abordar el siguiente tema.

Capítulo 15
El párrafo

En este capítulo:

▶ Las expresiones de enlace

▶ Enlaces de signo +, de signo – y de signo =

▶ Párrafo narrativo y párrafo descriptivo

▶ Silogismo

▶ Dialéctica

Cualquier persona podría decir sin vacilar qué es un párrafo: una parte del escrito, que tiene uno o más renglones, que normalmente comienza con mayúscula y que normalmente termina con punto. Pues eso es. Ahora, después de haber trabajado los tres capítulos precedentes, hay que agregar que un párrafo está compuesto por una o varias oraciones. En realidad, todas las estructuras vistas pueden constituir un párrafo:

Párrafo de oración determinativa:

Los médicos de la Fundación Cardioinfantil y sus respectivos cónyuges ofrecieron su apoyo profesional y humano a las víctimas de las recientes catástrofes.

Párrafo de oración determinativa con complementos circunstanciales:

Los importadores de whisky y los fabricantes de aguardiente llegaron a un acuerdo de libre competencia y no agresión, a expensas del Ministro de Economía y Comercio, tras las alteraciones del orden público protagonizadas por distribuidores y consumidores en La Palma.

Párrafo de oración explicativa:

El decanato de Derecho, dependencia siempre vigilada por al menos dos celadores, no parece haber sido el escenario de la falsificación de calificaciones detectada en los últimos días en la Universidad.

Párrafo de oración explicativa con complementos circunstanciales:

Julio G. Pesquera, más maestro del sentido común que académico de títulos sin fin, les ha pedido cordura lingüística a los locutores deportivos, desde hace unos cuantos años, en sus libros de gramática y estilo.

Párrafo de oración principal y oración subordinada explicativa:

El libro 'Las buenas palabras' de Julio G. Pesquera ha tenido gran acogida entre el público hispanohablante, sector del mercado bibliográfico aún no suficientemente valorado por los grandes editores.

Párrafo de oración principal y oración subordinada adversativa:

Alicia había venido cumpliendo cabalmente con todos los ejercicios ordenados por su fisioterapeuta, pero aún no sentía que sus músculos funcionaran con total perfección.

Párrafo de enumeración de explicativas:

Juan de la Cosa, contramaestre de la 'Santa María'; Martín Alonso Pinzón, comandante de 'La Niña', y Vicente Yáñez Pinzón, de 'La Pinta', seguían las instrucciones de Cristóbal Colón, que veía cómo sus sueños se iban convirtiendo en realidad.

Párrafo de oración vocativa:

Señores aficionados a la filatelia, no olviden traer sus colecciones y catálogos el próximo lunes a nuestra asamblea general.

Párrafo de enumeración de vocativas:

Franco, traiga el mapa de Cuba; Arrázola, lleve a su sitio el plano de Santiago; Pérez, despliegue la bandera nacional.

Párrafo de oraciones paralelas, determinativa y elíptica:

Los muchachos que hicieron el tur por la zona antigua llevaban brazalete beige y los que se dedicaron a preparar el baile, brazalete azul.

Párrafo de enumeración de elípticas:

A Margarita le gusta releer 'Alicia en el país de las maravillas'; a Rosita, los cuentos de los hermanos Grimm; a Lucerito, las novelas de Julio Verne y a Sinforosito, las fábulas de Esopo.

Párrafo de oración sicológica:

Debido a la ausencia de precipitaciones lluviosas sobre los embalses, los suscriptores del servicio de agua se verán sometidos a un riguroso raciona- miento, a partir del próximo mes.

Expresiones de enlace

Muchas veces un párrafo se compone de varias oraciones, y con no poca frecuencia se utilizan las expresiones de enlace, conectores, conjuncio- nes o expresiones conjuntivas, para unir una oración con otra. Entre las muchas expresiones de enlace que se usan todos los días están las si- guientes: *así mismo, además, igualmente, sin embargo, no obstante, por lo tanto, por consiguiente, en consecuencia, en conclusión...*

Algunas de esas expresiones sirven para sumar (*así mismo, además, igualmente...*), otras sirven para restar (*sin embargo, no obstante, de otra parte...*) y otras, para dar el resultado final (*por lo tanto, entonces, o sea...*). De tal manera que se puede hacer una clasificación con su respec- tivo signo de identificación:

+	−	=
Además,	Sin embargo,	Por lo tanto,
Así mismo,	No obstante,	Por tanto,
Asimismo,	Por el contrario,	O sea,
De igual manera,	De otra parte,	En consecuencia,
En esa línea,	Por otro lado,	En conclusión,
En esa misma línea,		Por ende,
Igualmente,		Entonces,
		Así pues,
		Luego,
		Ergo,

Expresiones de enlace de signo +

Las expresiones de enlace del primer grupo, las que tienen el signo +, se usan para unir dos oraciones que están en la misma línea argumentativa. Si, por ejemplo, usted va a enumerar las cualidades de su mejor amiga, puede escribir:

Matilde es una chica intensamente amorosa, muy dedicada al hogar y siem- pre atenta a las necesidades de los demás.

No contento con ello, usted va a agregar cualidades físicas. Puede, entonces, escribir una expresión de enlace de signo + y sumar, en la siguiente oración, estas cualidades:

Así mismo, *tiene un cuerpo envidiablemente bien proporcionado y sus ojos son expresión de altruismo y de la limpieza de su alma.*

Pero, escrito lo anterior, usted cree que debe decir algo más de Matilde, porque en su descripción de cualidades se ha quedado corto. Puede, entonces, agregar otra expresión de signo +, pues usted va a sumar, y redactar enseguida esa otra serie de virtudes:

Además, *desde que cumplió los quince años, asumió la responsabilidad de sacar adelante a su hermanita menor, tanto en lo material como en lo espiritual, como si fuera su propia hija.*

Vea el párrafo en su conjunto:

Matilde es una chica intensamente amorosa, muy dedicada al hogar y siempre atenta a las necesidades de los demás. **Así mismo,** *tiene un cuerpo envidiablemente bien proporcionado y sus ojos son expresión de altruismo y de la limpieza de su alma.* **Además,** *desde que cumplió los quince años, asumió la responsabilidad de sacar adelante a su hermanita menor, tanto en lo material como en lo espiritual, como si fuera su propia hija.*

Por lo menos, Matilde quedará contenta con este párrafo. Pues bien, en él hay tres oraciones que, como están escritas en la misma línea argumentativa, están unidas con expresiones de enlace de signo +. ¿Qué pasa cuando el lector se encuentra con estas expresiones? ¿Qué beneficio hay con un *así mismo* o un *además*? Que el lector va sabiendo de antemano, sin haber leído la oración siguiente, que lo que sigue tiene la misma dirección de lo que ya se había dicho. Si venía hablando de cualidades y enseguida hay un *así mismo*, obviamente voy a seguir hablando de cualidades.

Ahora, no quiere decir lo anterior que las expresiones de signo + se utilizan cuando se están escribiendo cosas positivas. Si de lo que se trata es de describir algo nefasto, siguen siendo válidas las expresiones de enlace de signo +, siempre que a una tragedia se vaya agregando otra y otra hasta mostrar el cuadro total de la barbarie:

Los aguaceros de la zona siniestrada produjeron los más violentos desbordamientos de los últimos cien años, que causaron las crecidas del río principal, con la consecuente destrucción de casas, cultivos, hatos y recuas. **De igual manera,** *los afluentes se salieron de madre y produjeron inundaciones, cuyas consecuencias aún no han terminado de medirse.* **Además,** *los indígenas asentados en el territorio del desastre se resistieron hasta el*

Las expresiones de enlace de signo +, como *así mismo, igualmente, además...* se usan para unir dos oraciones que están en la misma línea argumentativa.

último minuto para evacuar la zona, con el argumento de que su deber era permanecer en ella para cuidar la Tierra y rendirle el culto que sus compromisos ancestrales les exigen.

Expresiones de enlace de signo –

Si en su párrafo usted comienza con una aseveración cualquiera, positiva o negativa, y quiere luego plantear la contraparte, puede unir las oraciones contrapuestas con alguna de las expresiones de signo –:

Su madre nunca logró que fuera a la escuela primaria, a pesar de todos sus esfuerzos y aun de los golpes cuando hubo necesidad de ellos. **Sin embargo,** *el bueno de Arturo siempre atendió el consejo de los mayores y ya en su juventud fue un auténtico ratón de biblioteca.*

Recuerdo siempre a una reportera de televisión que decía: *Este niñito que ven ustedes, señores televidentes, quedó huérfano como consecuencia de las inundaciones.* **Sin embargo,** *el próximo año no podrá ir al colegio.* Claramente la reportera tiene un problema de valores o no conoce el significado de *sin embargo.* La frase *sin embargo* expresa que sin quitar (*embargar* es *quitar*), sin quitar lo anterior, se da también lo siguiente que es la contraparte. Si, después de dar tan tremenda noticia (el niño quedó huérfano) dice *sin embargo*, se espera que plantee algo bueno que va a aliviar la pena del niño: *...**Sin embargo,** una familia suiza ofreció ayudarlo en su educación hasta su mayoría de edad...* o *...**Sin embargo,** sus tíos ofrecieron hacerse cargo de su sostenimiento económico...* o *...**Sin embargo,** el Instituto de Bienestar Familiar le proporcionará vivienda, alimento y educación.*

Lo mismo vale para las demás expresiones del mismo signo.

No habían decidido cuándo iban a pagar sus deudas ni quién iba a responder por los altos intereses. **No obstante**, *nadie sospecharía que gente tan seria y de antecedentes francamente inobjetables llegara a protagonizar tan sonado caso de estafa.*

Una de las más frecuentes frases en la conversación oral y aun en la escritura de cartas comerciales es *mas sin embargo*. Esa es la típica redundancia que hay que evitar. Por favor, no diga ni escriba *mas sin embargo*, pues está diciendo innecesariamente dos veces lo mismo. Basta decir *mas* (*Llovía mucho más de lo que habían pronosticado lo meteorólogos, mas no tanto como para llenar los embalses*) o *sin embargo* (*Llovía mucho más de lo que habían pronosticado los meterorólogos; sin embargo, no tanto como para llenar los embalses*).

Las expresiones de enlace de signo — , como *sin embargo, no obstante, de otro lado*... se usan cuando se va a plantear la antítesis o la contraparte de lo dicho en la oración anterior.

Expresiones de enlace de signo =

Cuando en el párrafo usted plantea algo de lo cual deduce una verdad, saca una conclusión, puede unir esta conclusión, esta última oración, con alguna de las expresiones de enlace de signo =:

Ya habíamos consultado el lexicón, el diccionario, los manuales de estilo, sin descubrir ningún criterio valedero para resolver con acierto nuestra duda. **Por lo tanto**, *decidimos dar a nuestras palabras un nuevo sentido, claro en el contexto, pero ajeno a la semántica oficialmente establecida.*

A veces alguien está tan atento a lo que dice su interlocutor, que lo releva de darle la conclusión. Así:

—Pedro, me matriculé en cursos de inglés y aumenté mi jornada de trabajo en dos horas. Además, ya sabes que mis hijos me reclaman cada vez más tiempo...

*—**Por lo tanto**, Juan, no volverás a jugar bolos con nosotros.*

Bastará que Juan asienta, pues ya Pedro sacó la conclusión obvia de sus palabras. Normalmente, sin embargo, quien plantea las premisas debe sacar la conclusión:

*Había tomado la firme decisión de no convertirme en un hombre máquina, colgándome del cinturón y de las tirantas todos esos modernos aparatos de comunicación, que tanto han sofisticado al hombre de hoy, pero cada vez me sentía menos miembro de este mundo de alta tecnología y vertiginosa rapidez. **En consecuencia,** no me quedó más remedio que aceptar el inefable celular... ¿Cuánto le debo?*

Por supuesto, todas estas relaciones se pueden combinar en el mismo párrafo:

*El marqués de Casalduero envió a su hija al convento de las clarisas, con el fin de que fuera tratada allá de la mordedura del mastín. **Sin embargo,** huía de la tentación del incesto, según aclaran los más atentos lectores del relato garciamarquiano. **Además,** el marqués era algo cobarde para enfrentar esos dilemas morales y prefería cortar por lo sano.*

Ahí tiene usted un párrafo en el cual hay tres oraciones, en una clara secuencia, facilitada al lector con las expresiones *sin embargo* y *además.*

Observe que estas expresiones de enlace son típicas señales de carretera. El lector va rumbo a la meta y encuentra un SIGA *(así mismo, además, igualmente...)* un ECHE REVERSA *(sin embargo, no obstante, de otro lado...)* un VAYA FRENANDO *(por lo tanto, o sea, en conclusión...)*. Las señales orientan al conductor si están bien situadas... si no, lo conducen a la muerte. Las expresiones de enlace orientan al lector y le facilitan la lectura si están bien escogidas y bien insertadas... si no, lo confunden; también lo matan... en la comprensión.

Un párrafo puede incluir, entre muchas otras combinaciones, un enlace de signo +, uno de signo – y otro de signo = :

*Los árabes que llegaron en el siglo VIII a la península ibérica transmitieron a los españoles su sabiduría en medicina, matemáticas, música y comercio. **Así mismo,** enriquecieron el idioma de los andaluces con no menos de cinco mil palabras de hermosa fonética y elegante escritura, que hoy en día forman parte del patrimonio léxico de nuestro idioma. **Sin embargo,** sus convicciones religiosas heredadas del Corán y de las enseñanzas del profeta Mahoma no cambiaron la sólida fe cristiana del pueblo, arraigada desde los inicios de la Iglesia en estos hijos espirituales de Santiago Apóstol. **Por lo tanto,** la influencia árabe fue determinante en casi todas las manifestaciones culturales, excepto en la que en primera instancia motivó a los mahometanos para conquistar el sur de Europa.*

Las expresiones de signo =, como *por lo tanto, en consecuencia, por ende...* sirven para unir una oración que plantea la síntesis o conclusión de lo dicho en la anterior o anteriores.

No confunda expresiones de enlace de uno y otro signo. No escriba, por ejemplo, *pero igualmente*, pues *pero* es de signo – e *igualmente* es de signo +.

Escriba las expresiones de enlace que correspondan, en el espacio libre de los siguientes párrafos.

1. La expresión *o.k.* es habitual entre los jóvenes ejecutivos, a tal punto que se ha convertido en muletilla para concluir cada parlamento de un diálogo. _____, es innecesaria, puesto que en español se puede expresar la misma idea con expresiones como *¡de acuerdo!, correcto, sí, está bien, ¡perfecto!*...

2. Mi papá tiene que presentar su declaración de ingresos y egresos para calcular el pago de sus impuestos correspondientes al año anterior._____, debe hacer un avalúo de sus propiedades para calcular el monto del impuesto predial y del impuesto de vehículos.

3. Germán Díaz Sossa dice que de niño tenía una letra hermosa. _____, aclara en seguida que esa letra era la *e* y que las demás no se las entendía ni él mismo.

4. Francisco ha comido pizza, cruasán, pionono, helado, galletas... y sigue con hambre. _____, hay que llevarlo al consultorio de alguna nutricionista, para que examine su conducta compulsiva.

5. Los ciclistas latinoamericanos que van al Tur de Francia y al Giro de Italia suelen esforzarse y dar lo mejor de sí en cada etapa. _____, casi nunca han obtenido el título de campeones definitivos en tales competencias.

Respuestas: 1. Sin embargo (o cualquiera otra de signo —). 2. Así mismo (u otra de signo +). 3. No obstante (u otra de signo —). 4. Por lo tanto (u otra de signo =). 5. Sin embargo (u otra de signo —).

También es válido prescindir de las expresiones de enlace

No por lo dicho hasta aquí vaya usted a pensar que siempre, siempre, siempre hay que relacionar una oración con otra con expresiones de enlace. Perfectamente se puede prescindir de ellas, siempre y cuando el lector tenga claro hacia dónde va el texto. Vea el siguiente ejemplo.

Mi juventud fue tan agitada como la de todos los muchachos de mi época. Viví dos años en París y me tocó el famoso 'Mayo Francés'. No por ello comulgué con las ideas revolucionarias extremistas que llevaron a varios de mis compañeros de generación a la lucha clandestina armada. Preferí más bien luchar con la pluma y exigir los cambios con razonamientos sustentados en las páginas del periódico de mi familia, que era y sigue siendo el más influyente del país.

También conviene aclarar que no siempre las expresiones de enlace aparecen al comienzo de la oración que se enlaza. Algunos escritores, por estilo, prefieren escribirla un poco más adelante. Vea el siguiente caso.

El cigarrillo es un instrumento propicio para socializar. Allí donde hay dos o tres aficionados al tabaco, hay humo y una buena conversación. Los efectos negativos, **sin embargo,** *no tardan en aparecer, pues los daños pulmonares en el fumador o en sus compañeros de vida casi siempre se presentan.*

En este humeante ejemplo, el *sin embargo* no está al comienzo de la última oración, como lo exige el orden sintáctico, sino un poco más adelante, como variación de estilo agradable y aceptable, siempre y cuando no dificulte la comprensión, o haga perder la función ilativa que tiene.

Párrafo narrativo. Párrafo descriptivo.

Un párrafo puede ser narrativo. En tal caso, la mayor responsabilidad del texto recae sobre los verbos activos o de movimiento. En el siguiente ejemplo resalto los que lo hacen narrativo.

Cuando **avanzaban** *los dos hacia el teatro parecían un par de ancianas de la misma edad. A la hora de la presentación, no se sabe cuál de los dos* **salió** *al escenario. Pudo ser ella, la bisabuela, que vestía como de costumbre, o él, su nieto Daniel Samper, que estaba caracterizado como la 'Pobre Viejecita' de Rafael Pombo. En todo caso, el público* **seguía aplaudiendo** *cuando bisabuela y bisnieto* **salían** *del escenario, se* **perdían** *por entre las cortinas de la tramoya,* **abandonaban** *los camerinos y* **abordaban** *su viejo Chrysler para regresar a casa.*

Si se trata de una narración, la mayor responsabilidad del texto recae sobre los verbos que indican movimiento.

Ahora vea un párrafo descriptivo. Lo que lo caracteriza como tal son los adjetivos y las frases adjetivas que le resalto. Tales adjetivos son descriptivos (*agudo, romo, brillante...*), no valorativos (*bueno, malo, linda...*) ni simplemente determinativos (*este, ese, aquel...*)

El cortaúñas **metálico** *y* **afilado** *que utilizaba para podar su* **esbelto** *bonsái* **japonés** *brillaba entre sus dedos* **burdos, ajados y callosos.** ***La densa*** *columna de luz que entraba por la claraboya le permitía hacer su trabajo* **con precisión de relojero ginebrino,** *a pesar de su* **franca disminución** *visual.*

Por supuesto, un párrafo puede ser a la vez narrativo y descriptivo. Vea un ejemplo a continuación. Y procure identificar los elementos narrativos y los descriptivos que hay en él.

Restrepo, con su característica indumentaria de lord inglés, hundió el acelerador de su Ford Mustang negro hasta el fondo y sintió sobre su rostro la brisa mañanera que alivió sus pesares de los últimos días. Mientras el automóvil avanzaba por la carretera y el sol ganaba perezosamente su espacio, los entremezclados recuerdos del hombre nuevo iban desapareciendo para siempre y la despejada carretera simbolizaba el camino abierto para esa nueva vida que Restrepo quería empezar, por tercera vez...

Si se trata de una descripción, la mayor responsabilidad del texto recae sobre los adjetivos descriptivos.

Silogismo

Muchos párrafos son narrativos; muchos son descriptivos; muchos narran describiendo o describen narrando, pero muchos otros expresan conceptos y acuden, entonces, al silogismo. El silogismo es el famoso esquema de los filósofos griegos, en el que se plantean dos o más premisas y en un encadenamiento lógico se llega a una conclusión inevitable.

¿Recuerda usted de sus clases de filosofía el típico silogismo? Primera premisa: *El hombre es risible.* Segunda premisa: *Juan ríe.* Conclusión: *Juan es hombre.* En este ejemplo, la primera premisa es un principio general; la segunda, un caso particular; la conclusión, una deducción lógica. En realidad, la única deducción lógica.

Precisamente aquí es donde surge el sofisma, que los filósofos llaman silogismo cornudo, pues por algún error en alguna de las premisas, se obtiene una conclusión falsa: *El hombre es risible. La hiena ríe. Por lo tanto, la hiena es hombre.* El sofisma tiene una estructura que hace verosímil o creíble la conclusión, pero cuenta con un error en el proceso o con una falsedad en alguna de las premisas, como sucede aquí con la afirmación de que la hiena ríe. No es lo mismo reír que emitir sonidos similares a la risa humana, explican los filósofos. Por lo tanto, la conclusión (*la hiena es hombre*) es falsa y el silogismo es sofisma.

Ese esquema es el que utilizamos todos los días para convencer a alguien de algo. Por eso, al escribir conceptos, sean estos jurídicos, sean económicos, sean simplemente sociales, acudimos al silogismo y elaboramos un párrafo que tiene ese esquema. Si el reglamento del colegio dice que no se puede fumar en el aula (primera premisa) y el prefecto de disciplina encontró fumando en el aula de química a María Cecilia y a Eliécer (segunda premisa), es preciso sancionar a los fumadores (conclusión). El párrafo dirá:

Considerando que el reglamento del Colegio Doce de Octubre indica en su Artículo Dieciséis que el consumo de tabaco en cualquiera de sus modalidades está terminantemente prohibido en las aulas, durante las horas de clase o en cualquier otro momento... y que el martes 24 de junio del presente año, a las 9:30 de la mañana, el prefecto de disciplina encontró fumando a los alumnos María Cecilia Botero Pacheco y Eliécer Gaitán Bolívar, en el aula de química... resuelve sancionar a los implicados con tres horas de servicio social en los talleres comunitarios del barrio San Juan de los Extramuros, que deberán cumplirse durante el fin de semana inmediatamente siguiente a la expedición de esta resolución de la rectoría.

Luego vendrán las infaltables palabras *Comuníquese y cúmplase.* Ahí tiene usted un texto de cierto sabor jurídico, en el que se sigue el esquema del silogismo: primera premisa, un principio, el Artículo Dieciséis del reglamento; segunda premisa, un hecho concreto que viola ese artículo; conclusión, se sanciona a los autores del delito.

El orden de los tres pasos puede variar: fueron encontrados fumando Fulana y Mengano (situación concreta); el reglamento prohíbe tal actividad en las aulas (principio); por lo tanto, se aplica el castigo tal a los delincuentes (conclusión). Incluso, el texto puede comenzar con la con-

Un párrafo puede estar constituido por un silogismo simple: primera premisa, segunda premisa y conclusión.

clusión: se aplica el castigo a los alumnos tal y tal, porque fueron encontrados fumando (situación concreta) y el reglamento dice que está prohibido (principio)... Pero, sin duda, también en el silogismo hay un orden más lógico, más claro, que es el que acabo de mostrarle: primero se expresa el principio moral, ético, consuetudinario...; después, el caso concreto, particular; finalmente, la conclusión, consecuencia lógica y obvia de las dos premisas.

Esquema dialéctico

El esquema dialéctico tiene tres pasos similares a los del silogismo. En este caso se habla de tesis, antítesis y síntesis. La tesis plantea una verdad. La antítesis, la contraparte de esa verdad. La síntesis resume y supera tesis y antítesis. Por ejemplo: conviene estudiar por las mañanas, cuando la mente es lúcida (tesis); muchas personas deben entrar a trabajar temprano, por lo que solo disponen de horas nocturnas para estudiar (antítesis); es preciso, entonces, programar clases en horario nocturno, con elementos que suplan la falta de lucidez de ese horario (síntesis). A ver cómo queda este esqueleto con carne y ropa:

Las horas de mayor asimilación de conocimientos nuevos son las primeras de la mañana, según estudios especializados y experiencias docentes de muchos años. Sin embargo, muchas personas de menores recursos económicos están obligadas a trabajar de día, por lo que sus únicas posibilidades de adelantar estudios medios y superiores están en las modalidades nocturna y a distancia. Por eso, es preciso que las universidades programen actividades vespertinas y de fines de semana que, mediante una mayor intensidad y una adecuada desescolarización de los procesos educativos, permitan ampliar sus conocimientos y completar su formación profesional a quienes así lo deseen.

Ahí tiene usted un párrafo que sigue el esquema dialéctico. Hay un planteamiento, un *sin embargo* y una conclusión, pasos que aquí se llaman tesis, antítesis y síntesis.

Un párrafo puede estar constituido por un planteamiento dialéctico: tesis, antítesis y síntesis.

¿Qué tan extenso debe ser un párrafo?

La extensión del párrafo está definida por dos factores: uno conceptual y otro estético. El que hemos venido trabajando en estas páginas es el conceptual: un párrafo completa un proceso o un concepto, sea un movimiento completo de la narración, un aspecto completo de la descripción, un silogismo completo o un proceso dialéctico completo. Sin embargo, si este fuera el único criterio, habría párrafos extensísimos, tan extensos que en algunos casos ocuparían más de una página... Entonces, no habría puntos y aparte, que crean espacios estéticos para facilitar la lectura y descansar la vista.

Este segundo aspecto condiciona muchas veces el cambio de párrafo. Efectivamente un párrafo puede incluir todo un silogismo, como ya se lo mostré líneas atrás, pero si el silogismo tiene premisas muy extensas o si tiene muchas premisas, lo procedente es ir cambiando de párrafo en cada premisa y dedicarle un párrafo diferente a la conclusión. Como en este punto los ejemplos empiezan a ser infinitos, voy a terminar con un texto que sigue el esquema del silogismo, no en un solo párrafo, sino en tres.

La emisión de noticias durante 24 horas diarias lleva a los productores radiales y televisivos a trascendentalizar más de la cuenta algunos hechos anodinos y sin interés para la mayoría de oyentes y televidentes, según concluyen varios estudios de las escuelas de periodismo y de institutos de opinión pública.

Sin embargo, la existencia de estos sistemas informativos permite tener en actividad y en alerta permanente tanto equipos técnicos como recursos humanos, para cuando los sucesos imprevistos de la naturaleza o de la iniciativa ciudadana desborden la capacidad normal de los noticieros convencionales.

Por lo tanto, el público, la empresa privada y los gobiernos deben seguir estimulando la existencia de estos sistemas de comunicación que, como la CNN, están protagonizando una participación esencial en los conflictos mundiales y, sobre todo, están prestando un servicio inestimable a la comunidad.

RECUERDE

La extensión del párrafo está definida por razones conceptuales y por razones estéticas. Cambie de párrafo cuando complete un proceso lógico y/o cuando el cansancio visual del lector así lo exija.

Algunos párrafos

CLAVE

Para completar esta capítulo, ¿qué tal leer algunos párrafos bien redactados, que lo animen a usted a esbozar los suyos?

Tengo aquí algunos párrafos descriptivos de Gabriel García Márquez, escritos mucho antes de ser el famoso autor de *Cien años de soledad* y ganador del Premio Nobel de Literatura y, es bueno advertirlo también, mucho antes de que la palabra *matiné* apareciera en el *Diccionario de la lengua española*. Lo que copio a continuación fue redactado en 1954, para el diario *El Espectador*, de Bogotá, cuando García Márquez era un reportero de 27 años:

A las tres de la tarde y mientras la ciudad trabaja, un moderno automóvil particular se detiene frente a un teatro. El chofer sin uniforme desciende del vehículo, abre sin ceremonia la portezuela y da paso a un anciano pequeño, con piel de fruta deshidratada y escrupulosamente vestido, que se dirige a la entrada del teatro arrastrando los pies mientras el conductor de su automóvil compra la boleta (...).

A la hora de matinée —una palabra francesa metida a empujones en el castellano— en el interior de los teatros se respira una atmósfera lúgubre. Parece como si las pisadas sonaran menos en el piso alfombrado, pero la realidad es que quienes asisten a la proyección de esa hora procuran, inconscientemente, pasar inadvertidos (...).

A lo que más se parece un teatro a la hora del matinée es a un museo. Ambos tienen un aire helado, una quietud funeraria. Y sin embargo, las tres de la tarde es la hora que prefieren para asistir al cine los verdaderos cineístas (¿Por qué va usted a matinée?, Gabriel García Márquez, tomado del libro Entre cachacos-1, Oveja Negra, Bogotá, 1982).

Los anteriores párrafos forman parte de un reportaje más o menos extenso sobre el cine en Bogotá. En ellos puede ver usted la maestría para describir lugares y situaciones comunes.

Es posible que su aspiración no sea la de hacer literatura sino la de redactar en forma sugestiva sus avisos publicitarios. Vea el siguiente párrafo de David Ogilvi, el célebre publicista de la Avenida Madison de
Nueva York:

*A sesenta millas por hora, el mayor ruido que se oye en el nuevo Rolls-
Royce procede de su reloj eléctrico* (*Confesiones de un publicitario*, David
Ogilvi, Editorial Orbis, Barcelona, 1974, página 145).

Ogilvi decía que ese era el mejor comienzo de aviso publicitario escrito
en su vida. Sin embargo, quizá usted solo desea escribir memorandos
claros y eficaces. En este libro no faltan las oraciones estilo memorando
empresarial, pero viene bien leer de vez en cuando algo de literatura,
pues ese ejercicio alimenta el alma del redactor, así no se pretenda otra
cosa que señalar instrucciones, indicar procedimientos, ofrecer servicios o reportar noticias.

Parte IV
Problemas de estilo

En esta parte...

Esta parte trata de tres asuntos clave en la redacción —y, por supuesto, también en la expresión oral—: en primer lugar, de los pronombres átonos *lo, la, le, los, las, les,* cuyo uso descuidado es frecuentísimo y, para peor, pasa inadvertido; en segundo lugar, de los verboides —infinitivos, gerundios y participios— y, en tercer lugar, del dequeísmo y la dequefobia, dos plagas que, como las famosas del antiguo Egipto, están asolando la comunicación serena y elegante en el mundo hispano.

No son los únicos temas problemáticos del español, pero sí pueden catalogarse como los tres más frecuentes e importantes.

Capítulo 16

Leísmo y uso
de los pronombres átonos

Entre las palabras más discretas del idioma están los pronombres átonos *le, lo, la, les, los, las,* lo mismo que *me, te, se, nos, os.* Las usamos todos los días, a todas horas, tanto en el lenguaje oral como en el escrito, pero no hay clara consciencia de su función precisa, ni de su relación con los demás elementos de la oración. Mi propósito para las próximas páginas es dejar completamente aclarado el uso de estas palabras.

Digo que son palabras discretas y que son átonas. Las dos características están relacionadas. Quizá son discretas por lo átonas o quizá son átonas por lo discretas. Átona es la palabra que no tiene acento, así que en su pronunciación se une fonéticamente a su término. Cuando usted dice *la amo,* el único acento de esas dos palabras es el de la primera sílaba del verbo (*amo*); cuando dice *le pregunté* sólo hay un acento en la frase, pues el pronombre *le* se une fonéticamente al verbo, como si las dos palabras fueran una sola (*lepregunté*). Eso es lo que significa *átona.* Y quizá por ser átonas son discretas, no hacen ruido, no se notan, no exigen mayores análisis por parte de quienes las usan para expresar sus ideas. Y justamente ahí está el problema. Hay libros dedicados a los verbos, libros dedicados a los adjetivos, libros dedicados a los sustantivos... ¿cuándo ha visto un libro dedicado a los pronombres átonos? Sin embargo, requieren un libro, o al menos unas páginas, pues su uso es frecuente, pero no siempre acertado.

¿Y sí se usan esos pronombres? Voy a trascribir la conversación que oí hace un rato entre mis vecinas. De una vez, le voy a resaltar los pronombre átonos que aparecen en el diálogo:

—*¡Hola, mija!, ¿cómo **le** va?*

—*Bien, preciosa, aquí dándo**le** al oficio.*

—*¿Y qué?, ¿ya **le** habló al hombre?*

—*Noooo, mi amor, si anoche cuando fui a decir**le**, **se** había dormido ya. **Me** toca abordar**lo** hoy.*

—*¿No **la** mandará al diablo?*

—*Mmm... yo **lo** conozco, pero... no sé... de pronto **se le** revuelve la bilis con la sangre y quién **se lo** aguanta, mija.*

—*Hága**le**, a ver. Si no, **se** complica la cosa.*

Parece que todas las vecinas hablaran en clave, porque oí todo, pero no entendí el tema; pero bueno, para eso existe la imaginación. Lo cierto es que ahí, en ese breve diálogo hay quince pronombres átonos. Y, fíjese usted, todos los parlamentos de este diálogo tienen al menos uno de estos pronombres. Unos son proclíticos y otros enclíticos. Se llaman proclíticos cuando van antes del verbo (*le habló, se complica...*) y enclíticos cuando van después del verbo, y se unen a él en la escritura (*dándole, hágale...*).

Me dirá usted que estos pronombres solamente aparecen en diálogos informales, pero no en textos serios. ¡También aparecen en textos serios! Vea el siguiente, donde hay seis de estos pronombres:

*El carné **se** debe portar en todas las dependencias del Instituto. El funcionario que no **lo** porte se expone a las sanciones previstas en el reglamento. Quien **lo** pierda debe pagar multa para recuperar**lo**. **Se** ruega extremar el cuidado de este documento electrónico y guardar**lo** en lugar seguro durante las horas de descanso.*

¿Y es que no se puede escribir sin estos benditos pronombres? Poderse, se puede, pero lo habitual es acudir a ellos para hacer más fluido el texto y para evitar la repetición innecesaria de sustantivos. Ya le digo, sin embargo, que no siempre se acierta en su uso.

La primera aclaración que conviene hacer para identificar estos pronombres es que no se deben confundir con los adjetivos. Recuerde usted que los artículos son adjetivos. Hay adjetivos *la, lo, las, los* y también hay pronombres *la, lo, las, los*. No pierda de vista la función de cada palabra: adjetivo modifica sustantivo. Pronombre remplaza sustantivo. Así que cuando usted escribe *la naturaleza, lo nuevo, las marmotas, los sándwiches...* está escribiendo adjetivos. Cuando escribe *la perdí, lo enviará, las hubiera encontrado, ya no los voy a necesitar...* está escribiendo pronombres. Y a lo que me refiero en este capítulo es a los pronombres.

La segunda aclaración es que a veces estos pronombres van antes del verbo, se escriben separados y se llaman proclíticos: *me empecé a dormir, te envío una carta, se me olvidó la estrofa, nos saludaba, os creía, la perjudicó, lo entiendo perfectamente, le dije que no, las envié ayer, los quiso más, les hizo daño...* Y a veces van después del verbo, se escriben unidos y se llama enclíticos: *entiéndeme, siéntate, organícense, dejémonos, estoy enviándoos un fax, préstamela hasta mañana, devuélvalo, vísele el pasaporte, supervíselos, hágamoslas, propongámosles.*

Remplazan objeto directo

Como ya usted tiene clara la estructura SVO, la vamos a retomar para ver la función de estos pronombres. Solamente voy a cambiar el objeto directo en cada ejemplo, para ver luego cómo este objeto directo puede ser remplazado por uno de estos pronombres átonos.

SUJETO	VERBO	OBJETO DIRECTO
1. Mi secretaria Josefina	*envió*	*el informe de este mes.*
2. Mi secretaria Josefina	*envió*	*la carta de confirmación.*
3. Mi secretaria Josefina	*envió*	*los documentos pertinentes.*
4. Mi secretaria Josefina	*envió*	*cuatro tarjetas de reserva.*

En el caso (1) el objeto directo (*el informe de este mes*) es masculino singular; se puede remplazar con el pronombre masculino singular *lo*, que debe ir inmediatamente antes del verbo. En el caso (2), femenino singular, por el pronombre *la*. En el caso (3), masculino plural, por el pronombre *los*. En el caso (4), femenino plural, por el pronombre *las*. Todo ello, claro está, siempre que el contexto lo permita, es decir, que ya se haya hablado antes de tal objeto, del informe, de la carta, de los documentos, de las tarjetas. Las cuatro oraciones quedan, entonces, así:

SUJETO	PRONOMBRE QUE REMPLAZA OBJETO DIRECTO	VERBO
1. Mi secretaria Josefina	*lo*	*envió.*
2. Mi secretaria Josefina	*la*	*envió.*
3. Mi secretaria Josefina	*los*	*envió.*
4. Mi secretaria Josefina	*las*	*envió.*

En la vida real, estos pronombres se usan cuando ya se ha mencionado el objeto. Por ejemplo, en un diálogo:

—*¿Qué pasó con **los disquetes** que estaban aquí?*

—***Los** envié al archivo.*

En la pregunta de este diálogo, el objeto directo es *los disquetes*. En la respuesta sigue siendo *los disquetes*, pero se remplaza con el pronombre *los*. La respuesta podría rezar: *Los disquetes envié al archivo*, pero se remplaza por el pronombre *los*. Así, en un texto, si en una primera oración se menciona el objeto, en la segunda se puede remplazar:

*Josefina buscó **el certificado** en el archivo, pero no **lo** encontró.*

En la oración principal el objeto directo es *el certificado* (qué buscó); en la oración subordinada adversativa, el objeto directo es el mismo certificado, pero no quedaría muy elegante escribir *Josefina buscó el certificado en el archivo, pero no encontró el certificado*, entonces, se escribe *lo* en vez de *el certificado*.

¿Y si el objeto es persona?

Si el objeto directo es persona también se remplaza con los pronombres *lo, la, los, las*.

SUJETO	VERBO	OBJETO DIRECTO DE PERSONA
1. El Vicepresidente Financiero	*condecoró*	*a Simeón Torrente.*
2. El Vicepresidente Financiero	*condecoró*	*a la Gerente General.*
3. El Vicepresidente Financiero	*condecoró*	*a los mejores agentes.*
4. El Vicepresidente Financiero	*condecoró*	*a cuatro secretarias.*

En un contexto en el cual ya se ha hablado de cada uno de los condecorados, es decir, ya se ha mencionado el objeto directo de estas oraciones, se puede remplazar con *lo, la, los, las*, así:

SUJETO	PRONOMBRE QUE REMPLAZA OBJETO DIRECTO	VERBO
1. El Vicepresidente Financiero	*lo*	*condecoró.*
2. El Vicepresidente Financiero	*la*	*condecoró.*
3. El Vicepresidente Financiero	*los*	*condecoró.*
4. El Vicepresidente Financiero	*las*	*condecoró.*

Muchas personas escriben en estos casos *le* y *les*, así: *El Vicepresidente Financiero **le** condecoró* y *El Vicepresidente Financiero **les** condecoró*. Es un error llamado *leísmo* y, como Teresa de Ávila, Cervantes, Quevedo y hasta el Diccionario de la Real Academia Española son leístas, este error ha tomado categoría, a tal punto que en casi todos los libros de gramática se tolera y en algunos se presenta como norma y no como error.

Esta tolerancia está expresada así en la *Gramática de la lengua española*: *"...es recomendable el uso tradicional, solo con algunas concesiones al leísmo; esto es, lo como referente de masculino singular en función de objeto directo (aunque se acepte le en este caso cuando aluda a persona), la para femenino singular en la misma función; los para plural masculino y las para femenino como objeto directo..."*

Observe usted el paréntesis. En esa paréntesis cabe el mundo entero, pues aunque se expresa con claridad la norma, se tolera el leísmo e incluso se da una pauta para su manejo: que sólo se remplace con *le* objeto directo masculino singular de persona. Es decir, si el leísta se refiere a un hombre puede usar *le* en vez de *lo*, pero si se refiere a una mujer no puede usar *le* sino *la*:

*El Banco sancionó a Pedro = El Banco **le** sancionó.*

*El Banco sancionó a Petronila = El Banco **la** sancionó.*

Cualquier feminista armaría guerra por esta discriminación machista.

¿Quién le llama? o ¿quién lo llama?

De las cosas divertidas que oigo todos los días es la pregunta *¿quién le llama?*, cuando hago una llamada telefónica a alguien. La conversación puede ser más o menos la siguiente:

—*Empresa Acme Limitada, a sus órdenes.*

—*Señorita, ¿me puede comunicar con el doctor Hernán Restrepo?*

—*¿Quién le llama?*

—*Fernando Ávila.*

—*Un momento, por favor...*

Fíjese usted que esa conversación es casi perfecta. Para ser perfecta, sin el casi, hay que corregir el *le*. La pregunta *quién le llama* podría analizarse sintácticamente así:

SUJETO	VERBO	OBJETO DIRECTO
¿Quién	llama	al doctor Hernán Restrepo?

Y ya sabe usted que el objeto directo, en este caso *al doctor Hernán Restrepo*, se remplaza con el pronombre *lo*. En consecuencia, esta oración queda: *¿Quién lo llama?* y no *¿quién le llama?*

Entonces, ¿para qué sirve el pronombre *le*? Respuesta: para anticipar o remplazar el objeto indirecto. Le voy a hablar de este pronombre y de su plural, *les*, más adelante.

Ahora, quiero mostrarle con algunos ejemplos cómo se puede remplazar el objeto directo con los pronombres *lo, la, los* y *las* (le resalto el directo y el pronombre que lo remplaza):

*El Banco saluda **a usted** = El Banco **lo** saluda* (no ...*le saluda*).

*Acme invita **a ustedes** – Acme **los** invita* (no ...*les invita*).

*La Iglesia convoca **a las familias** = La Iglesia **las** convoca* (no ...*les*...).

*¿Quién llama **a la doctora Irene Rodríguez**? = ¿Quién **la** llama?*

*Presenté **a Juan** a mi padre = **Lo** presenté a mi padre* (No *Le presenté*...).

*Envié **los cruasanes** al punto de venta = **Los** envié al punto de venta.*

*Envié **a mis mensajeros** allá = **Los** envié allá* (no *Les envié allá*).

En resumen, el objeto directo se remplaza de la siguiente manera:

SUJETO	PRONOMBRE QUE REMPLAZA OBJETO DIRECTO	VERBO	OBJETO DIRECTO
Ramiro		*había comprado*	**un escarabajo alemán.**
Ramiro	**lo**	*había comprado.*	
Pepita		*encuentra*	**a su hija.**
Pepita	**la**	*encuentra.*	
Doris		*venderá*	**sus libros de griego.**
Doris	**los**	*venderá.*	
Luis		*escondió*	**a sus amigas.**
Luis	**las**	*escondió.*	

¿Es lícito que el pronombre átono anticipe el objeto directo?

Normalmente, cuando se ha expresado el objeto directo con su correspondiente pronombre (*lo, la, los, las*) no es necesario, además, agregar el objeto directo. Si en un contexto que me lo permite digo: *lo espero esta tarde*, no es preciso decir qué es lo que espero o a quién espero. Se supone que ese qué o ese quién ya estaba dicho. Si, por ejemplo, estoy hablando con mi amigo Jaime Uribe, a quien he invitado a cenar, la frase *lo espero esta tarde* equivale a *yo espero a usted,* donde *yo* se obvia (queda tácito) y *a usted* se remplaza con *lo*. Si, en cambio, he telefoneado a la tienda de despachos a domicilio, le he dicho al dependiente que quiero un cruasán gigante con queso, hemos acordado el precio, le he reconfirmado mi dirección y, al despedirme, le digo *lo espero esta tarde*, esa oración equivale a *yo espero el cruasán gigante con queso esta tarde*, donde el *yo* se obvia y el objeto directo (el cruasán...) se remplaza por *lo*.

El asunto que se plantea es si es lícito, aparte del pronombre, agregar el objeto directo. Por lo dicho atrás, no. No son correctas las siguientes oraciones, donde pronombre y objeto directo expresan lo mismo:

Lo entregué mi balón a Paquita (Lo = mi balón)

La visité ayer a Carolina (La = Carolina)

Los firmé hace una hora los cheques (Los = los cheques)

Mi papá lo entregó al profesor el informe bimestral (lo = el informe bimestral)

En todos estos casos sobra el pronombre o sobra el objeto, pero hay alguna situación en la cual es preciso abundar en la idea y expresar el objeto directo ya anticipado con su correspondiente pronombre átono: *Lo invité a él*, oración en la cual *lo* y *a él* expresan el mismo objeto directo, pero la repetición hace más clara la oración. Ese pleonasmo parece ser lícito sólo cuando el objeto directo es otro pronombre, pues no sería igual *lo invité a Luis* o *lo invité a Pedro*, que *lo invité a él*.

En conclusión, sólo es lícito usar los pronombres *lo, la, los, las* para anticipar el objeto directo, cuando este objeto directo es un pronombre personal y el contexto lo exige para que la idea no quede indeterminada o confusa.

Remplazan objeto indirecto

Los pronombres *le, les* y *se* remplazan o anticipan objeto indirecto. Por ejemplo, si usted escribe *Juana pidió pan a Carlos*, el objeto indirecto es *a Carlos*, que se puede anticipar con el pronombre *le* y escribir *Juana le pidió pan a Carlos.* O bien, si ya se ha hablado de Carlos y se sabe que él es el destinatario de la petición, *Juana le pidió pan.* En ambos casos, ese *le* se refiere al objeto indirecto (*a Carlos*) y por eso debe hacer concordancia con él. Esta concordancia es únicamente de número, pues *le* es pronombre de género común; si el indirecto fuera *a Carlota* el pronombre seguiría siendo *le*.

Un error, nada frecuente en América, es cambiar *le* por *lo* o *la*. Así en *El ramito de violetas,* Cecilia dice:

...Quién la escribía versos, dime quién era,

Quién la mandaba flores por primavera,

quien cada nueve de noviembre,

como siempre sin tarjeta,

la mandaba un ramito de violetas...

El pronombre *la* del primero, segundo y último verso, es bastante extraño al hispanohablante de América... pero no tanto en España. Lo correcto es *quién le escribía versos... quién le mandaba flores...* y *...le mandaba un ramito...*, porque ese pronombre está anticipando el indirecto *a ella*. Si *a ella* fuera directo, se remplazaría por *la*, pero siendo indirecto debe remplazarse por *le*. Le doy a continuación algunos ejemplos en los que quiero que usted relacione el pronombre que le resalto y el objeto al que se refiere:

SUJETO	REMPLAZA O ANTICIPA INDIRECTO	REMPLAZA DIRECTO	VERBO	OBJETO DIRECTO	OBJETO INDIRECTO
Yo			*besé*	*a Ximena*	
Yo		*la*	*besé*		
Yo			*di*	*un beso*	*a Ximena*
Yo	*le*		*di*	*un beso*	

Observe que en el caso *Yo besé a Ximena*, este *a Ximena* es objeto directo, que se remplaza por *la* (*Yo la besé*). En cambio, en el caso *Yo di un beso a Ximena*, el objeto *a Ximena* pasó a ser indirecto y, por eso, se remplaza por *le*. También es lícito anticipar el indirecto: *Yo **le** di un beso **a Ximena.***

Si el objeto indirecto es plural, el pronombre que lo anticipa debe serlo también, *les*. Si usted escribe *La gerente envió dos disquetes a los jefes*, puede anticipar o remplazar el indirecto *a los jefes* con el pronombre *les*: *La gerente **les** envió dos disquetes **a los jefes.*** El indirecto plural *a los jefes* exige que el pronombre que lo anticipa sea también plural, *les* y no *le*.

Es muy frecuente el error de escribir *le* en vez de *les*. Este error se da por igual en todos los países hispanohablantes. Oiga usted a Daniel Santos, el Jefe:

...*Vengo a decir**le** adiós a los muchachos,*

porque pronto me voy para la guerra...

El primer verso podría analizarse así: sujeto: *yo*; verbo: *vengo a decir*; objeto directo: *adiós*; objeto indirecto: *a los muchachos*. Este objeto indirecto es plural; por lo tanto, el pronombre que lo anticipa debe serlo también: ...*Vengo a decir**les** adiós*... Me dirá usted que si se canta así se daña la canción. Sí. En eso estoy de acuerdo. La canción hay que cantarla mal, como fue compuesta, pero en los demás casos, cuando la oración

sea compuesta por usted, es preciso evitar esas licencias poéticas...
Observe en el siguiente cuadro cómo se relacionan el indirecto y el pronombre que lo anticipa o remplaza.

SUJETO	PRONOMBRE QUE ANTICIPA O REMPLAZA INDIRECTO	VERBO	DIRECTO	INDIRECTO
Caín		*dio*	*un golpe mortal*	*a Abel*
Caín	*le*	*dio*	*un golpe mortal*	*(a Abel)*
El Jefe		*ha dicho*	*que trabajan bien*	*a mis hijos*
El Jefe	*les*	*ha dicho*	*que trabajan bien*	
Ellas		*donarán*	*sangre*	*a las víctimas*
Ellas	*les*	*donarán*	*sangre*	

Quizá la relación se vea clara aquí, pero en el vértigo de una redacción
apresurada, sea menos fácil identificar esta relación. De hecho, muchas
veces el objeto indirecto no está al final, sino después del verbo o incluso antes de él. Le voy a dar algunos ejemplos en los que no se sigue el
orden sintáctico, el objeto indirecto está en cualquier sitio y el pronombre hace concordancia con él (le resalto pronombre y objeto indirecto
relacionados).

*Mi hermano Guillermo **le** compró **a su hijo** una enciclopedia.*

***A mis amigos les** adeudo la ternura.*

***Le** voy a dar palo **a ese orangután**.*

***A los dientes** hay que poner**les** bolas.*

*Quiero decir**le al pueblo venezolano** que yo sí conozco sus necesidades.*

*Quiero decir**les a los venezolanos** que yo sí conozco sus necesidades.*

El error del 'Inquieto Anacobero', Daniel Santos, el de *Vengo a decirle
adiós a los muchachos*, es el más frecuente de todos los errores de sintaxis al hablar y al escribir. Si alguien se dedicara a descubrir este error
en libros, periódicos, revistas, noticieros y magacines... ya tendría oficio
para el resto de su vida. No sé si podría vivir de eso, pero quién quita
que sí.

Escriba el pronombre (*lo, la, le, los, las, les*) que corresponda en cada caso.

1. Quiero decir____ a los jóvenes aquí reunidos que el futuro está en sus manos.

2. Recibí una carta. Se ____ envié a su destinatario.

3. __ llama el Jefe de Redacción. ¿Se lo paso?

4. El Presidente de la República ____ pidió paciencia a los ciudadanos.

5. Tengo aquí tres manuales. ¿Dónde ____ dejo?

6. Sí. Aquí estaban las cajas de whisky, pero ya ____ guardé.

7. Sí. Aquí estaban los vendedores, pero ya ____ despaché.

8. Estoy enamorada de él. Deseo ver__ esta tarde.

9. Estoy enamorado de ella. Deseo ver__ esta noche.

10. Tráiga__ un vino a estos visitantes.

Respuestas: 1. decir*les*. 2. la. 3. Lo. 4. les. 5. los. 6. las. 7. los. 8. ver*lo*. 9. ver*la*. 10. Tráiga*les*.

¿Y el pronombre 'se'?

El pronombre *se* requiere acápite aparte. Este pronombre tiene un uso que ya usted conoce: le da a la oración el carácter impersonal. La oración es personal cuando tiene sujeto, *nosotros pagamos impuestos*, e impersonal cuando no tiene sujeto, *se pagan impuestos*. Además, este mismo pronombre tiene la función de remplazar el objeto indirecto cuando también se remplaza el directo. ¿No me entendió? No se preocupe. Le voy a decir lo mismo por pasos. Voy a partir de una oración cualquiera:

Julio Roberto vendió un carro a la señora Verónica Rodríguez.

En esta oración hay sujeto (*Julio Roberto*), verbo (*vendió*), objeto directo (*un carro*) y objeto indirecto (*a la señora Verónica Rodríguez*)... y puedo hacer muchos cambios, como quien dice, puedo jugar con ella, con todos los recursos sintácticos de que le he ido hablando en este capítulo. Lo primero que voy a hacer es cambiar el objeto directo por un pronombre. Como el objeto directo es masculino singular, lo cambio por el pronombre *lo*:

*Julio Roberto **lo** vendió a la señora Verónica Rodríguez.*

Lo segundo que puedo hacer es remplazar o anticipar el objeto indirecto con el pronombre *le*, puesto que este objeto es singular.

Lo remplazo:

*Julio Roberto **le** vendió un carro.*

Lo anticipo:

*Julio Roberto **le** vendió un carro a la señora Verónica Rodríguez.*

Ahora bien, ¿puedo cambiar en la misma oración los dos objetos? Sí. Sí puedo hacerlo. Y para ir paso a paso, en forma didáctica, voy a escribir la versión que en principio quedaría si remplazo los dos:

Julio Roberto le lo vendió.

¿Le suena? ¿No? A mí tampoco. A nadie le suena. Hay una asonancia o cacofonía. Por eso, cuando se van a remplazar los dos objetos, el indirecto ya no se remplaza por *le* sino por *se*. Entonces, la oración no queda *Julio Roberto le lo vendió*, con ese incómodo *le lo*, sino así:

Julio Roberto se lo vendió.

En esta versión, el pronombre *se* remplaza el objeto indirecto, *a la señora Verónica Rodríguez*, y el pronombre *lo* remplaza el objeto directo, *un carro*.

Le voy a mostrar lo mismo en el siguiente cuadro.

SUJETO	PRONOMBRE POR INDIRECTO	PRONOMBRE POR DIRECTO	VERBO	OBJETO DIRECTO	OBJETO INDIRECTO
Julio Roberto			*vendió*	*un carro*	*a Verónica.*
Julio Roberto		*lo*	*vendió*		*a Verónica.*
Julio Roberto	*le*		*vendió*	*un carro*	*(a Verónica).*
Julio Roberto	*se*	*lo*	*vendió.*		

Si el asunto está claro hasta aquí (¡espero que sí!), le agrego algo más. El pronombre *se* no solo es de género común (*él **se** fue*, *ella **se** fue*), sino que además es de número común, es decir, es igual para singular y para plural. Como quien dice, no existe el pronombre *sen*, como no existen los pronombres *men* y *len*. Claro que uno sale a la calle y oye: *tráiga**men**, díga**len**, siénte**sen**.* Pero una cosa es oírlo en la calle y otra, que sean formas correctas. Tan no son correctas que ni usted ni yo hemos oído nunca *men traen, len diga, sen sientan*..., que serían los correspondientes proclíticos de esos pronombres enclíticos.

Entonces, el pronombre *se* es igual para masculino, para femenino, para singular y para plural. Y con este último hay que tener mucho cuidado. Mire el siguiente caso.

Julio Roberto vendió un carro a los hermanos Rodríguez.

En este caso, el objeto indirecto, *a los hermanos Rodríguez,* es plural. La tendencia últimamente es usar *los* para la oración breve: *Julio Roberto se los vendió.* Y, ¡ojo!, aquí se echó por la borda toda la gramática. Con calma, analice la oración original y compruebe que la breve no puede ser *Julio Roberto se los vendió,* pues no son varios carros (*los vendió*) sino uno solo (*lo vendió*).

Sujeto: *Julio Roberto*

Verbo: *vendió*

Objeto directo: *un carro* (que se puede remplazar con *lo*, nunca con *los*)

Objeto indirecto: *a los hermanos Rodríguez* (que se puede remplazar con *les*, si no se remplaza también el directo, o con *se*, si se remplaza también el directo). Las versiones breves de esta oración pueden ser:

Julio Roberto lo vendió a los Hermanos Rodríguez (*lo* remplaza *un carrro*).

Julio Roberto les vendió un carro (*les* remplaza *a los hermanos Rodríguez*).

Julio Roberto se lo vendió (*se* remplaza *a los Hermanos Rodríguez* y *lo* remplaza *un carrro*). Mire que no puede ser *los*, pues no son varios carros, sino uno solo.

Voy a cambiar *un carro* por *tres carros*:

Julio Roberto vendió tres carros a los hermanos Rodríguez.

Las versiones breves son:

Julio Roberto los vendió a los hermanos Rodríguez (*los* remplaza *tres carros*).

Julio Roberto les vendió tres carros (*les* remplaza *a los hermanos Rodríguez*).

Julio Roberto se los vendió (*se* remplaza *a los hermanos Rodríguez* y *los* remplaza *tres carros*).

Si los compradores no fueran los hermanos Rodríguez, sino sólo Juan Rodríguez, la oración breve también diría *Julio Roberto se los vendió*, pues *se* es igual para singular (*a Juan Rodríguez*) y para plural (*a los hermanos Rodríguez*) y, como siguen siendo *tres carros*, el otro pronombre sigue siendo *los*.

Le voy a mostrar lo mismo en el siguiente cuadro.

SUJETO	PRONOMBRE POR INDIRECTO	PRONOMBRE POR DIRECTO	VERBO	OBJETO DIRECTO	OBJETO INDIRECTO
Julio Roberto			*vendió*	*tres carros*	*a los Rodríguez.*
Julio Roberto		*los*	*vendió*		*a los Rodríguez.*
Julio Roberto	*les*		*vendió*	*tres carros.*	
Julio Roberto	*se*	*los*	*vendió.*		
Julio Roberto			*vendió*	*tres carros*	*a Juan R.*
Julio Roberto	*se*	*los*	*vendió.*		

Usted habrá observado que la gente tiende a decir *se los vendió*, queriendo expresar no que fueron varios carros, sino que fue a varias personas. La confusión es frecuente y se oye cada vez más en diversas oraciones: *se los recuerdo, se los advierto, se los dije*..., cuando lo que ha dicho el hablante es una sola cosa; lo que ha recordado es una sola cosa...

No se los voy a decir

Bueno, tanta gramática agota. Oigamos música. Pongamos un disco de Roberto Carlos. ¿Que tal *Mis amores*? Oigámosla. Ahí está cantando Roberto Carlos. ¿Sí lo oye?

No me pregunten cuál ha sido mejor,

no se los voy a decir, no se los quiero decir...

¡Ay! Y yo que quería hacer una pausa en la gramática..., pero cómo no aprovechar esta balada para mostrar el error del que venimos hablando. ¿Oyó ese verso que dice *No se los voy a decir*? ¿No nos los va a decir? No. No es eso. No es que no nos *los* (varios) va a decir, sino que no nos *lo* (uno) va a decir, pues en el verso anterior no ha dicho *cuáles*, cuáles han sido, sino *cuál*, cuál ha sido mejor. ¡Uno solo! Por lo tanto, la forma correcta es así:

No lo olvide. Cuando se refiera a una sola cosa no diga *se los advertí*, sino *se lo advertí*. Verbigracia: *¿Los multaron por estacionar ahí? Se lo advertí* (puesto que había advertido una sola cosa).

No me pregunten cuál ha sido mejor,

no se lo voy a decir, no se lo quiero decir...

Le voy a mostrar lo mismo en un cuadro.

SUJETO	PRONOMBRE POR INDIRECTO	PRONOMBRE POR DIRECTO	VERBO	DIRECTO	INDIRECTO
Yo			no voy a decir	cuál	a ustedes
Yo	se	lo	no voy a decir		
(Texto reordenado: *(Yo) no se lo voy a decir*)					

Remplace directo e indirecto, para que quede una versión breve de las siguientes oraciones.

1. Carlos y Jorge dijeron eso a ustedes _____

2. Carlos y Jorge dijeron eso a él _____

3. Carlos y Jorge dijeron a ellas que no vinieran _____

4. Clinton dijo a ellos que no fumaran tanto _____

5. Clinton dijo a él que no fumara tanto _____

6. Clinton dijo a él que no bebiera ni fumara _____

7. Él aseguró su automóvil a ellos (con una póliza) _____

8. Ella aseguró sus automóviles a él (con otra póliza) _____

Respuestas: 1. Carlos y Jorge se lo dijeron. 2. ...se lo dijeron. 3. ...se lo dijeron. 4. Clinton se lo dijo. 5. Clinton se lo dijo. 6. Clinton se lo dijo. 7. Él se lo aseguró. 8. Ella se los aseguró.

Dejémonos de vainas

El escritor colombiano Daniel Samper Pizano ha publicado varias antologías de sus escritos humorísticos, muy leídos en periódicos y revistas de diversos países. Tales antologías se llaman *Llévate esos payasos, A mí que me esculquen, Postre de notas...* y la primera, origen de una comedia de televisión que lleva muchos años en el aire, *Dejémonos de vainas.* Este título dio en su momento mucho que hablar..., pero no crea que la discusión aludía a la palabra sicalíptica *vainas*, que ya de por sí haría impublicable el libro e intransmitible el programa en más de uno de nuestros países, sino a la palabra *dejémonos*, que propició estudios de gramáticos titulados y aficionados. El asunto en cuestión era si debía escribirse *dejémonos* o *dejémosnos*, al unir el verbo *dejemos* y el enclítico *nos*. ¿Había en las normas académicas alguna licencia para suprimir la *ese* del verbo? ¿La biensonancia debía primar sobre la lógica o esta sobre aquella?

Pues bien, sí hay una norma especial para estos casos. Cuando el verbo es plural terminado en *-mos* y se le agrega el pronombre enclítico *nos*, se omite la *ese* final del verbo para evitar la asonancia. No queda *dejémosnos*, sino *dejémonos*.

Vea otros casos:

Consigamos + *nos* = *consigámonos* (no *consigámosnos*).

Durmamos + *nos* = *durmámonos* (no *durmámosnos*).

Relajemos + *nos* = *relajémonos* (no *relajémosnos*).

Reunamos + *nos* = *reunámonos* (no *renunámosnos*).

Por eso, el bolero aquel...

...Amémonos mi bien en este mundo

donde lágrimas tantas se derraman

las que vierten quizá los que se aman

y tienen un no sé qué de adoración...

No dice *amémosnos*, sino *amémonos* y justamente se llama así, *Amémonos.*

Y, por ahora, dejémonos de... pronombres átonos y descansemos para estudiar en el próximo capítulo los gerundios.

Capítulo 17
Los verboides

· ·

En este capítulo:

▶ Los infinitivos

▶ Los gerundios

▶ Los participios

· ·

En este capítulo voy a hablarle de algunas formas verbales que no actúan como verbos en la oración. En primer lugar, de los infinitivos (*amar, dormir, pensar...*); luego, de los gerundios (*atracando, declarando, resolviendo...*); y finalmente de los participios, tanto activos (*doliente, gerente, militante...*) como pasivos (*reconocido, escrito, participado...*) Mi intención, más que elucubrar sobre estas formas, es aclarar su uso correcto y, en algún caso, proponer su manejo incontrovertible.

Los infinitivos

Cuando yo pregunto —lo hago frecuentemente— qué es un verbo, mi interlocutor me contesta que es la parte de la oración que indica acción, movimiento... Y eso está bien... Luego, le pido un ejemplo de verbo, y me dice *amar, trabajar, comer, dormir...* y eso ya no está tan bien, porque lo que expresa acción, pasión y movimiento no es propiamente *amar, trabajar, comer, dormir*, sino *he amado, amaremos, trabajá, trabajaban, trabajarías, comé, comía, comeréis, dormí, dormiremos...*

El infinitivo es el nombre del verbo, como quien dice, es un sustantivo. Esta afirmación se puede comprobar con ejemplos. En la oración *Leer enriquece el espíritu*, el infinitivo *leer* es el sujeto de la oración y *enriquece* es el verbo..., por lo tanto, *leer* es un sustantivo. Recuerde usted que sustantivo es lo que puede actuar como sujeto o como objeto de la oración. En la oración *A Patricia le gusta trotar*, el verbo no es *trotar*; el verbo es *gusta* y el objeto directo, *trotar*, es decir, este infinitivo, es sustantivo.

Le doy más ejemplos de oraciones con infinitivo. Observe que estos infinitivos no constituyen el verbo de la oración, sino que actúan como sujeto, como objeto, o como parte de ellos. Le resalto los infinitivos.

SUJETO	VERBO	OBJETO	
Pedro Vargas	*prefirió*	***cantar.***	
Filosofar	*requiere*	*rigor científico.*	
Su suegra	*propuso*	***denunciarlo.***	
Avezar	*significa*	***acostumbrar.***	
"Casi todos	*sabemos*	***querer,***	*pero*
pocos	*sabemos*	***amar".***	

Alguien quiso ayudarme alguna vez en esta argumentación y dijo: "Claro que los infinitivos son sustantivos. Mire. Los infinitivos son los que terminan en *ar, er, ir.* Y fíjense que sí: *Baltasar, Escobar, Melgar, Carreter, Ballester, Ferrer, Moliner, Soler, Vladimir...*" Me imagino que no convenció a nadie, menos cuando agregó a la lista su propio nombre: *"Édgaaaar...".*

Usted podría controvertir mi teoría mostrándome oraciones como las siguientes.

SUJETO	VERBO	OBJETO
Yo	*quiero **cantar***	*rancheras, baladas y boleros.*
Germán Pulido	*puede **traducir***	*ese texto.*
El presidente Clinton	*va a **descertificar***	*ese país.*
Batman y Robin	*pretenden **salvar***	*el mundo.*

Ahí, me podría decir: Mire. Los infinitivos están en la columna del verbo. Por lo tanto, sí son verbos. Pues, no. Su argumento no me convence. Observe que en la columna del verbo no están los infinitivos solos. Los verbos de estas oraciones no son *cantar, traducir, descertificar, salvar,* sino *quiero cantar, puede traducir, va a descertificar* y *pretenden salvar.* Pero usted insistirá: Bueno, no están solos, pero si están en la columna del verbo es porque son verbos. ¿O acaso en la columna del verbo puede haber una palabra que no sea verbo? ¡Claro! En su pregunta me está dando la respuesta. El verbo puede ser una sola palabra, pero puede y suele ser también una frase, un sintagma, en la cual hay como palabra básica e infaltable un verbo y además algún sustantivo, algún adverbio, alguna preposición. En el sintagma *va a descertificar,* que es el verbo de uno de sus ejemplos hay un verbo (_va_), una preposición (_a_) y un sustantivo (_descertificar_). También otros sustantivos, y no solo los infinitivos, pueden ir en la columna del verbo, pueden formar parte de sintagmas verbales: _lleva a cabo, hicieron su agosto, dio papaya, hizo el oso..._

SUJETO	VERBO	OBJETO
La Superintendencia	_lleva a cabo_	_una revisión del sistema._
Los vendedores de café	_hicieron su agosto_	_en enero._
El vecino	_dio papaya_	_a los ladrones._
Carlota	_hizo el oso_	_ante el público._

¡Ah!, ya veo que usted me va a decir que _agosto, papaya_ y _oso_ no son parte del verbo sino objetos (¿qué hicieron? su agosto; ¿qué dio? papaya). Eso sería así si yo no estuviera haciendo figuras literarias con esas expresiones. _Hicieron su agosto_ es como _se enriquecieron_; _dio papaya_ es como _facilitó las cosas_, como _se rindió_; _hizo el oso_ es como _hizo el ridículo_ o como _desentonó_... Finalmente, son frases que tienen el mismo manejo sintáctico de un verbo que se pudiera expresar con una sola palabra. Entonces, en el verbo sí puede haber sustantivos, como _cabo, agosto, papaya, oso_ y como _cantar, traducir, descertificar, salvar_ y todos los demás infinitivos que usted quiera, pero no por ello, _cabo, agosto, papaya, oso_, ni los infinitivos son en sí mismos verbos. En otras palabras, _amar, temer, partir..._ son tan verbos como _cabo, agosto, papaya..._ ¡Y ya!

Quizá por eso, la gramática no identifica el infinitivo como _verbo_ sino como _verboide_. El infinitivo tiene una característica que lo hace parecer verbo: admite pronombre enclítico. Véalo en esa función.

traer + me = traerme	_supervisar + los = supervisarlos_
venir + te = venirte	_escribir + os = escribiros_
seguir + lo = seguirlo	_redescubrir + les = redescubrirles_
abandonar + las = abandonarlas	_estrangular + me= estrangularme_

Esa característica, sin embargo, no convierte los infinitivos en verbos, pues tales formas solo son válidas en la oración si están precedidas de un verbo auxiliar, es decir, si forman parte de un sitagma verbal. Así, no es válido escribir _María supervisarlos_, sin verbo auxiliar, sino _María tiene que supervisarlos, María ha de supervisarlos, María debe supervisarlos, María va a supervisarlos..._

Por Chato

TARZÁN: YO SER TARZÁN DE LA SELVA. YO SER HOMBRE MONO.
RAMBO: ¡RAMBO!
CHITA: (SOY MÁS LOCUAZ YO QUE ESTE PAR DE HÉROES DEL
          CELULOIDE...)

No escriba a lo Tarzán

Aclarado el asunto, quiero llegar a una consecuencia práctica. Si los infinitivos no son verbos, no es conveniente expresar acciones con ellos. De hecho, no puedo ir por la calle diciendo: *...señor, yo **querer** una hamburguesa... señorita, mi esposa **necesitar** una blusa... oficial, ¿dónde **poder** yo tomar el autobús?...* Que, advertirá usted, es lo que hace alguien que no ha aprendido a hablar bien el español... o Tarzán: *yo **amar** a Jane, yo bundolo tarmangani...*

Es clarísimo que para expresar ideas, hay que conjugar los verbos. Esto es obvio, pero siendo obvio, muchas veces se redactan instrucciones en infinitivo: *Correr la palanca hacia la izquierda... presionar suavemente el botón verde... esperar a que el letrero superior se ilumine... digitar pausadamente la clave...* O en informes de auditoría o revisoría: *Visar previamente el cheque... microfilmar los archivos anteriores a cinco años... establecer la identidad del cobrador...* Supongo que en estos casos hay un *se debe* tácito o críptico que hace posible entender el mensaje: *se debe correr... se debe presionar... se debe microfilmar... se debe establecer...* Y tal vez el argumento para no escribir ese *se debe* es que resulta incómodo repetirlo, repetirlo y repetirlo... Claro que una cosa es no repetir y otra no escribirlo nunca... Pero, ¡en fin! Creo que se abusa de la inteligencia del lector cuando se le comunican ideas de esa forma, sin verbo.

Si usted no está obligado por la metodología de su empresa a escribir de esa forma, *identificar... descubrir... revisar...*, a lo Tarzán, entonces, escriba el verbo. Ese es mi consejo. Una instrucción se puede dar en presente, sin que esa forma sea repetitiva, rebuscada, violenta o impropia: *El usuario **abre** la caja, **busca** el botón verde, lo **oprime** suavemente, **mira** la identificación en el monitor, **comprueba** que coincide con el número de su carné, **desliza** su tarjeta magnética de propietario en el lector electrónico identificado con las iniciales L.E....*

En otros casos, como en los insufribles informes de auditoría o revisoría, al menos podría escribirse un *se debe* al comienzo de las columnas de instrucciones:

Se debe:

Identificar al cuentahabiente con la firma, el sello y la huella dactilar...

Someter el billete a la prueba de luz ultravioleta...

Revisar la coincidencia del número del título con el del registro...

Así, si ha de escribirse esa lista de infinitivos, el *se debe* inicial le da sentido y hace gramaticalmente válido el texto.

El infinitivo no es verbo sino verboide y, concretamente, sustantivo. Puede actuar como sujeto (*Leer es agradable*) o como objeto (*Juan sabe leer*), pero no como verbo, salvo que forme parte de un sintagma en el cual haya un verbo auxiliar (*Miguel va a leer el Quijote*).

Conviene evitar la redacción de instrucciones en infinitivo (*abrir el capó*), sin un auxiliar (*debe abrir el capó*).

En España, y por su influencia ya en otros países, los reporteros de radio y televisión dan una noticia y luego dicen: ... **agregar** *que el Jefe de Estado*... y más adelante, ...*y* ***decir*** *finalmente que la Infanta Cristina ha decidido*... No sé si usted tenga en su memoria consciente ese uso tan disparatado y tan criticado por los manuales de lenguaje periodístico. El caso es que ya se ha condenado suficientemente este error y hay que salirle al quite en sus últimos coletazos. El reportero debe hacer los enlaces con verbo: ...*quiero agregar, cabe agregar, hay que agregar*... y no simplemente con el infinitivo pedante, esnobista e incorrecto ...*agregar*...

El gerundio

Uno de los más complicados problemas que enfrenta quien escribe es el uso del gerundio, *amando, temiendo, distribuyendo*..., a tal punto que algunos manuales de redacción lo proscriben, algunos profesores de reportería lo prohíben a sus alumnos y algunos escritores de prosapia lo eluden. Para peor, la literatura llama fray Gerundio al predicador grandilocuente y afectado que hincha sus palabras en detrimento de la verdadera belleza de la expresión.

Por todo ello, muchos redactores no saben si usar o no el gerundio y muchos otros están totalmente seguros de que no deben hacerlo. En ciertos ambientes, decir que un texto tiene gerundios es como decir que está mal escrito. Pues bien, vamos a ver cuándo es incorrecto y cuando es definitivamente correcto.

Lo primero que debe quedar claro es que el gerundio no es verbo. Vuelve y juega. El gerundio es verboide, pero no verbo, pues no expresa acción. Observe los siguientes ejemplos.

1. Quinito Méndez canta merengues.

2. Quinito Méndez cantó merengues.

3. Quinito Méndez cantará merengues.

4. Quinito Méndez cantaría merengues.

5. Quinito Méndez había cantado merengues.

6. Quinito Méndez cantando merengues.

Es evidente la diferencia entre las cinco primeras y la sexta. En las cinco primeras se expresa una idea esencialmente completa. En la sexta no se expresa ninguna idea, pues falta el verbo. A las cinco primeras, usted puede agregarles complementos circunstanciales, *Quinito Méndez canta merengues, desde hace muchos años... Quinito Méndez cantó merengues en su último concierto en Cali... Quinito Méndez cantará merengues en el próximo programa de televisión...* En el sexto ejemplo, también se pueden agregar circunstanciales, pero, ante todo y primero, hay que agregarle un verbo (lo resalto), *Quinito Méndez* **está** *cantando merengues... Quinito Méndez* **viene** *cantado merengues... Quinito Méndez* **sigue** *cantando merengues... Quinito Méndez se* **gana** *la vida cantando merengues...*, pues sin ese verbo no se ha expresado ninguna idea esencialmente completa. ¿Ve usted cómo el gerundio no es verbo?

Y si el gerundio no es verbo, no puede cumplir tal papel en el texto. Infortunadamente, todos los días oímos y leemos gerundios que hacen el papel de verbos, especialmente para expresar consecuencia o posterioridad, como en los siguientes casos, a continuación de los cuales escribo entre paréntesis lo que quizá se quiso expresar en la versión con gerundio.

Los dos automóviles colisionaron, **causando** *graves problemas de tránsito.*

(Los dos automóviles colisionaron y causaron así graves...)

El Presidente de la República renunció, **dejando** *el país al garete.*

(El Presidente de la República renunció y dejó el país al garete).

Estudié alemán como un descosido, **aprendiendo** *lo necesario para viajar a Berlín en mis próximas vacaciones.*

(Estudié alemán como un descosido y aprendí lo necesario para...).

¿Vamos a cenar en el restorán, **pasando** *después por donde Jorge?*

(Vamos a cenar en el restorán y pasamos después por donde Jorge).

El gerundio no debe usarse para expresar consecuencia o posterioridad del verbo.

*No se puede ir por la vida sin hacer nada, **llegando** al Juicio Particular con visa de entrada al Cielo.*

(No se puede ir por la vida sin hacer nada, y llegar al Juicio Particular...).

En estos casos hay una coincidencia: se expresa primero un verbo (*colisionaron, renunció, Estudié, Vamos a cenar, No se puede*) y después, una consecuencia o una acción posterior, mediante el gerundio (*causando, dejando, aprendiendo, pasando, llegando*).

Quizá usted haya encontrado algún parecido entre estos ejemplos y ciertas oraciones noticiosas. Más aun, quizá haya dicho: ¡Ah, pero si yo oigo eso todos los días! Bueno. Quiere decir que el error está muy extendido, pero no que haya que seguir por ese camino y, definitivamente, no que sea correcto.

El gerundio como adjetivo

Tampoco se debe usar el gerundio en frases adjetivas del siguiente estilo (entre paréntesis, lo que quizá se quiso escribir).

*La policía encontró en el aeropuerto una valija **conteniendo** cocaína.*

(La policía encontró en el aeropuerto una valija con cocaína).

*Un atleta **portando** el brazalete de Cuba entrena todos los días aquí.*

(Un atleta con brazalete de Cuba entrena todos...)

*El libro **incluyendo** los verbos defectivos es el de pasta roja.*

(El libro que incluye los verbos defectivos es el de pasta roja).

*El héroe **llevando** la máscara negra es Batman.*

(El héroe que lleva la máscara negra es Batman).

Sin embargo, los gramáticos siempre advierten que hay dos excepciones: *hirviendo* y *ardiendo*. Así que se pueden escribir oraciones con gerundios en función de adjetivos, como las siguientes.

Mira al niño saltando la tapia = mira al niño que salta la tapia

La *Gramática de la lengua española*, 1994, Madrid, página 145, da este ejemplo de gerundio en función adjetiva. Lo autoriza o, al menos, no lo condena. A mi juicio, es inconveniente admitirlo, pues si el gerundio tienen como uso inequívoco el de adverbio de modo, esta frase con gerundio (*saltando la tapia*) puede entenderse como el modo del verbo *mire*. ¿Cómo miro? Saltando la tapia. No está el niño saltando la tapia y usted cómodamente sentado, sino que usted debe saltar la tapia para mirar al niño. El equívoco a que da lugar es suficiente motivo para evitar tal uso.

*Hay una olla de agua **hirviendo.***

Me avisa cuando la leche hirviendo suba hasta la boca de la olleta.

A causa del atentado dinamitero, el rancho aún ardiendo quedará inhabitable.

*Un palo **ardiendo** fue encontrado como prueba del incendio criminal.*

Ahora bien, *la Gramática de la lengua española*, 1994, abre un poco más la posibilidad de usar este gerundio adjetivo. No limita esa opción a *hirviendo* y *ardiendo*. Dice que en otros casos que indiquen movimiento sigue siendo válido, y da como ejemplo *Mira al niño **saltando** la tapia*, oración en la que *saltando la tapia* equivale a la frase adjetiva *que salta la tapia*. La *Gramática* advierte que hay restricciones. No es válido, por ejemplo, *tiene un hijo **siendo** miope*, en vez de *tiene un hijo que es miope*. Pero, como le digo, no reduce este uso a los dos tradicionales *hirviendo* y *ardiendo*. En todo caso, y para efectos prácticos, le recomiendo prudencia y más bien restricción en este uso del gerundio como adjetivo.

Gerundio pegado al verbo

Ya le dije que el gerundio no es verbo, que no debe usarse como tal, y que no es adjetivo, calidad en la cual se admite su uso restringido. Entonces, me dirá usted, ¿cuál es el uso correcto, inequívoco, del gerundio? La respuesta es la siguiente: el gerundio es adverbio. Y más concretamente: es adverbio de modo.

Lo primero es básico y abre todo un terreno de uso incuestionable del gerundio. Recuerde usted que adverbio modifica verbo, y recuerde mi insistencia en la Parte III de este libro de escribir el adverbio al lado del verbo, pegado al verbo: ***ayer** vino... traiga **hoy**... besa **tiernamente**...*

*salga **rápido...*** En consecuencia, si el gerundio es un adverbio, no tendrá ningún cuestionamiento si está al lado del verbo: *...está **subiendo**... sigue **bajando**... camina **silbando...***

De ahí, un primer uso lícito, incuestionable, seguro, del gerundio. El gerundio es válido cuando está pegado al verbo, pues más que en cualquier otra situación, en esa está cumpliendo su función de adverbio. (Le resalto verbo y gerundio, es decir, verbo y adverbio):

*Te **sigo esperando.***

*Bello y Cuervo **siguen siendo** los maestros insuperables del español americano.*

*El peso **está subiendo** mucho respecto del dólar.*

*Shakira se **está cotizando** cada vez más entre el público americano.*

*"**Fumando espero** a la mujer que quiero..."*

*Me **estoy cansando** de tanta mediocridad.*

*El problema ya **va pasando** de castaño a oscuro.*

Debido al miedo al gerundio que ha llegado a apoderarse de algunas personas, no falta quien proponga que en vez de las anteriores oraciones se escriba mejor: *Te espero, Bello y Cuervo son..., El peso sube..., Shakira se cotiza..., Fumo y espero a la mujer..., El problema ya pasa...* Sí. Se puede escribir así, pero tenga usted en cuenta que no dice lo mismo. Hay matices estéticos y semánticos que se pierden al eliminar los gerundios de estas oraciones. No me suena igual el tango si el intérprete canta *Fumo y espero a la mujer que quiero...*, que si dice, como lo escribió el compositor, *Fumando espero a la mujer que quiero.* Y eso es un aspecto estético importante. Y más importante es el aspecto semántico, es decir, el significado. No es lo mismo, *el peso sube mucho respecto del dólar*, que puede ser válido como afirmación atemporal, como fenómeno conceptual, en un contexto como el de un tratado de economía (*el peso sube mucho respecto del dólar en épocas de depresión y disminución de las importaciones*), que *el peso está subiendo mucho...*, versión que alude a una unidad de tiempo concreta (*el peso está subiendo mucho respecto del dólar durante este período, debido al desequilibrio comercial que se presentó a finales del período anterior*).

Por si no he sido suficientemente persuasivo, le aclaro que lo quiero alejar de la fobia al gerundio. No me parece sana la actitud de eliminar por principio todo gerundio del texto. Me parece verdaderamente sano usarlo cuando se debe, y evitarlo con decisión cuando no se puede recurrir a él. Entonces, por lo dicho hasta aquí, un uso incontrovertible de este verboide es el de adverbio pegado al verbo.

El gerundio es correcto cuando está pegado al verbo: *está cantando, sigue trabajando, viene gritando...*

Adverbio de modo

Le dije unos renglones atrás que el gerundio es adverbio y, ahora, le matizo esa condición: es adverbio de modo. Con eso, ya tiene usted el terreno plenamente delimitado. El gerundio es adverbio de modo. En el apartado inmediatamente anterior le mostré gerundios pegados al verbo y le dije que sin ninguna duda son correctos. Pues bien, es que en cualquiera de esos casos el gerundio está diciendo cómo sucede la acción del verbo. El gerundio, como cualquier otro adverbio de modo, dice cómo sucede la acción: *Espero.* ¿Cómo espera? *Fumando (Fumando espero). Está.* ¿Cómo está? *Trabajando (Está trabajando).*

Ahora, ya con esa perspectiva, no importa que el gerundio esté despegado del verbo, si cumple su función de adverbio de modo. Esta función la puedo comprobar estableciendo si el gerundio o la frase donde está el gerundio responden a la pregunta *cómo*. Veamos.

Lea el contrato de principio a fin, señalando con lápiz lo que esté oscuro.

Aquí tiene usted una oración en la que el verbo es *Lea*; el objeto directo, ¿qué leo?, *el contrato de principio a fin*, y el complemento circunstancial de modo, ¿cómo lo leo?, *señalando con lápiz...* ¿Ve usted que este gerundio, con todo y que está separado del verbo, es correcto?

Se tomó una aspirina, consumiendo medio vaso de agua.

¿Es válido el gerundio *consumiendo* de esta oración? Para establecerlo, busque el verbo. ¿Cuál es? Efectivamente, *tomó*. Ahora, mire si la frase *consumiendo medio vaso de agua* responde al pregunta cómo se tomó la aspirina. ¿Sí? Pues, el gerundio de esta oración es correcto.

Le voy a mostrar cómo un gerundio que no cumpla esa función adverbial se descubre fácilmente, tan fácilmente como cuando sí la cumple.

Lea el contrato de principio a fin, firmándolo sobre la línea final.

El verbo es *Lea*. El gerundio, o mejor, la frase donde está el gerundio (*firmándolo sobre...*) no dice cómo lo leo, sino qué hago después de leerlo. Por lo tanto, no es válido y hay que corregir la redacción: *Lea el contrato de principio a fin, y fírmelo sobre la línea...*

Que no se pueden usar gerundios. ¡Falso! Los gerundios son tan útiles, y a veces tan necesarios, como cualquier otro recurso del idioma. Lo cierto es que deben usarse bien y evitarse cuando las normas de nuestro idioma así lo exigen.

Se tomó una aspirina, aliviando su dolor de cabeza.

¿Es correcto el gerundio *aliviando* de esta oración? Busque el verbo: *tomó*. La frase *aliviando su dolor de cabeza* no dice cómo se tomó la aspirina, sino cuál fue el efecto, o qué pasó después. Esa idea debe expresarse con un verbo y no con un adverbio de modo: *Se tomó una aspirina, y alivió así su dolor de cabeza.*

Mediante este procedimiento puede usted establecer la licitud o ilicitud de cuanto gerundio se le atraviese en su vida.

En resumen, el gerundio es correcto cuando va pegado al verbo (*murió cantando, pasea silbando...*), cuando indica cómo sucede la acción del verbo (*escribe sus artículos, consultando en el Diccionario las dudas léxicas...*) y, excepcionalmente, como adjetivo en algunos casos (*palo ardiendo, agua hirviendo...*)

Gerundios lícitos e ilícitos

Voy a presentarle oraciones con gerundio y entre paréntesis le digo si es correcta o incorrecta.

Había subido a lo más alto de la torre, contando todos los peldaños (el gerundio *contando* dice cómo había subido. Es correcto).

Aprendió a conducir automóvil siguiendo las instrucciones del Manual Azul (la frase con el gerundio *siguiendo* dice cómo aprendió. Aunque nadie se lo crea, es correcto).

Revisó los signos vitales, llegando a la conclusión de que no había remedio (la frase con el gerundio *llegando* no dice cómo revisó, sino qué se dedujo de la revisión. Podría redactarse así: *Revisó los signos vitales y llegó a la conclusión de que no había remedio*).

Cantando bajo la lluvia, agarró ese resfriado que no lo deja ni oler (claramente la frase con el gerundio *cantando* explica cómo agarró el resfriado. Es correcto).

Llegó a la casa, pasando al vestíbulo, dejando su abrigo en el paragüero, subiendo a la alcoba y encontrándola plácidamente dormida (ninguno de los cuatro gerundios es válido, pues ninguno dice cómo llegó, sino qué fue haciendo después de llegar. Se podría redactar así: *Llegó a la casa, pasó al vestíbulo, dejó su abrigo en el paragüero, subió a la alcoba y la encontró plácidamente dormida*).

Gerundios con encliticos

Como el infinitivo, que también es verboide y no verbo, el gerundio admite pronombres enclíticos. Pueden agregársele *me, te, se, nos, os, lo, la, le, los, las, les*: *xerocopiándome, rubricándote, ensanchándose, parqueándoos, alunizándolo, consintiéndola, preguntándole, repartiéndolos, ultimándolas, maximizándoles...* Esta circunstancia, sin embargo, no lo hace verbo; sigue siendo adverbio, aunque en un determinado caso tenga pegado su enclítico.

La barra del equipo logró animarlo, consiguiéndole aplausos y gritos a favor (correcto).

Las buenas palabras se aprenden en la cuna, oyéndolas de papá y mamá (correcto).

Mis amigos están presentándoles sus nuevos poemas a las quinceañeras (correcto: el gerundio *presentando* va pegado al verbo *están*).

Sabemos sus nombres, pero revelándolos no ayudamos a nadie (correcto: el regundio *revelándolo*s responde a la pregunta cómo no ayudamos...)

Lanzó el cohete tras ellos, alcanzándolos minutos después (incorrecto. Podría redactarse: *Lanzó el cohete tras ellos, y con él los alcanzó minutos después*).

La palabra francesa chauffeur, *que significa 'fogonero', se aplicó al conductor de los primeros automóviles, convirtiéndose en* chófer *o* chofer *en español* (incorrecto. Podría redactarse: *...y se convirtió en* chófer *o* chofer...).

Gerundio de posterioridad o consecuencia

Ya le dije que el gerundio es correcto cuando está pegado al verbo y cuando, aun sin estarlo, cumple la función de adverbio de modo. Tam-

> El gerundio no debe usarse nunca como verbo de consecuencia o posterioridad.

bién le dije que, excepcionalmente, en algunos casos, se puede usar como adjetivo, pero, definitivamente, es incorrecto cuando se usa como verbo de posterioridad o consecuencia. Los ejemplos de este uso son frecuentísimos en radio, prensa, televisión, tertulia, clase, charla, homilía, discurso, arenga y confidencia, pero no por ser frecuente es correcto. Evítelo. Le voy a dar ejemplos de este uso incorrecto y entre paréntesis una sugerencia de corrección.

Redacté el texto, entregándolo luego al corrector de estilo (...y lo entregué luego...).

Convenceré a Luciano de ir a mi casa de campo, ofreciéndole luego la oportunidad de ser mi socio (... para ofrecerle la oportunidad...)

Habíamos comprado dieciséis libros de superación, obsequiándolos al mes siguiente con motivo de algunos cumpleaños (...y los obsequiamos...)

El volcán hizo erupción, llegando la ceniza hasta las fronteras de otros estados (...y las cenizas llegaron hasta...)

El chofer chocó el taxi, produciendo un trancón de Padre y Señor mío (y produjo así un trancón...)

Abrió la portezuela del automóvil, descendiendo sigilosamente, dirigiéndose a pie a la ventanilla del estanco, preguntando por el hombre de negro que lo desvelaba desde hacía varias noches (...descendió sigilosamente, se digirió a pie..., preguntó por el hombre...)

Gerundios artísticos

Aparte de los usos que le he mostrado en este capítulo, el gerundio se acepta también en títulos de obras de arte, pinturas, esculturas o fotografías, de este estilo: *Bolívar, cruzando los Andes... Antanas Mockus, nadando en el Sisga... Bill Clinton, cortando la cinta...*

Como puede verse, en estos casos hay un verbo tácito, que además está remplazado por la coma elíptica. Parecería que en esos títulos se estuvieran resumiendo las leyendas *Bolívar está cruzando los Andes... Antanas Mockus está nadando en el Sisga... Bill Clinton está cortando la*

TALLER

Indique si la oración es correcta (C) o incorrecta (I) , por el papel del gerundio en ella.

1. Hemos enviado tres toneladas de materia prima, pensando que ya poseen ustedes material suficiente.

2. Caminando por los caminos de mi tierra, me encontré un tesoro.

3. Leí una versión abreviada del Quijote, entendiendo la trama grosso modo.

4. Bambi atravesó el bosque, llegando a la casa de sus antepasados.

5. El Congreso aprobó el impuesto de valorización, causando gran inquietud entre los vecinos de las nuevas urbanizaciones

6. La nave amartizó según lo previsto por los científicos de la NASA, enviando las más claras fotografías del planeta rojo.

Escoja el complemento correcto:

7. Pregunte por todos los solteros del pueblo,

   a) usando el megáfono de pilas,

   b) reuniéndolos en la Plaza de Toros.

8. Me informaron que ya era tiempo de que me jubilara,

   a) enviándome una carta.

   b) solicitándome que me presentara a firmar los papeles de supervivencia.

9. Subí al Nevado del Ruiz,

   a) siguiendo las indicaciones del mapa de la oficina de turismo.

   b) dejando un recuerdo de mi país en la estación de rescate.

10. a) Desestimando las declaraciones del canciller del país vecino,

    b) Enfatizando en su declaración de paz,

    el Presidente de la República expuso su programa internacional.

Respuestas: 1. I. 2. C. 3. I. 4. I. 5. I. 6. I. 7. a 8. a. 9. a. 10. b.

cinta. Si es así, el gerundio está cumpliendo la función que le es propia, adverbio de modo. En los tres casos, el gerundio respondería a la pregunta *cómo está*, cómo está Bolívar, cómo está Mockus y cómo está Clinton.

Otra interpretación que haría válidos estos títulos es que se encuentren en la categoría de aquellos gerundios adjetivos que excepcionalmente se admiten como correctos. Así, la leyenda *Aquí se ve a Bill Clinton cortando la cinta*, se habría abreviado en *Bill Clinton, cortando la cinta.*

Pero fíjese usted que estas son como excepciones muy excepcionales, más que pautas de redacción segura. Parecería más que se estuvieran justificando expresiones consagradas en el arte universal, que estableciendo normas para la correcta utilización del gerundio.

Le recomiendo que cuando use el gerundio se mueva usted dentro de lo seguro. Y lo seguro es usarlo como adverbio de modo. Todo lo demás es discutible y riesgoso. Y definitivamente, evite el gerundio como verbo que indica posterioridad o consecuencia.

El participio

Hay dos participios. Uno es el participio activo o presente y otro el participio pasivo o pasado. Como verboides que son, no cumplen función verbal en la oración. El participio activo es sustantivo y el participio pasivo es adjetivo.

Los participios activos son los que terminan en *-nte*: *amante, gerente, doliente, asistente, presidente, representante...*

A Juanito, ¡el infaltable Juanito!, le pidió la profesora ejemplos de participio activo. Él, sin vacilar, le contestó: —Señorita, los participios activos son los que terminan en *-ente*, como *cortésmente, ácidamente, tenazmente...*

Por supuesto, Juanito perdió el examen.

Como los participios presentes son sustantivos, pueden ir en el sujeto o en el objeto, pero no en el verbo de la oración. Le doy algunos ejemplos, en los que resalto el participio presente o activo.

SUJETO	VERBO	OBJETOS
El **Representante** a la Cámara	envió	su felicitación a los ciudadanos.
Su **amante**	le dijo	que fuera más discreto.
El otorrinolaringólogo	recomendó	paciencia al **paciente** inglés.
Carlos Vives	es	un **cantante** de vallenatos.
Algún **escribiente**	exigió	patentar el invento.

Para que usted vea la relación *participio activo / participio pasivo*, en la cual el activo es el agente y pasivo el receptor de la acción, le doy los siguientes ejemplos, que alguien podría calificar de axiomáticos (¡es obvio lo que dicen!) o de tautológicos (la definición define lo definido). Sin prejuicios, se pueden tomar como simples juegos de palabras.

SUJETO (PARTICIPIO ACTIVO)	VERBO	OBJETO (PARTICIPIO PASIVO)
El amante	ama	al amado.
El asistente	asiste	al asistido.
El enseñante	enseña	al enseñado.
El descrestante	descresta	al descrestado.

El participio pasivo

El otro participio es el pasivo, pasado, pretérito, o de pretérito —que todos esos nombres tiene—. Normalmente termina en *-ado* o *-ido* (*restringido, logrado, zafado, prohibido...*), pero los hay irregulares, que no terminan ni en *-ado*, ni en *-ido* (*escrito, hecho, muerto, electo...*). Mucho ojo con estos irregulares, porque el buen hablante y el buen escribiente se notan, entre otras cosas, por el buen manejo de las irregularidades gramaticales. Entiendo que el esperanto es el único idioma que no tiene irregularidades. El español como todos los demás idiomas naturales las tiene y su buen manejo dice mucho de la calidad del habla y de la calidad de la redacción de quien los sabe utilizar.

Algunos participios pasivos irregulares son los siguientes:

abierto (de *abrir*)	*roto* (de *romper*)
absorto (de *absorber*)	*recubierto* (de *recubrir*)
adscrito (de *adscribir*)	*repuesto* (de *reponer*)
bendito (de *bendecir*)	*satisfecho* (de *satisfacer*)
cubierto (de *cubrir*)	*sofrito* (de *sofreír*)
dicho (de *decir*)	*subscrito* (de *subscribir*)
electo (de *elegir*)	*supuesto* (de *suponer*)
escrito (de *escribir*)	*suscrito* (de *suscribir*)
frito (de *freír*)	*transcrito* (de *transcribir*)
hecho (de *hacer*)	*trascrito* (de *trascribir*)
inscrito (de *inscribir*)	*transpuesto* (de *transponer*)
muerto (de *morir*)	*traspuesto* (de *trasponer*)
preso (de *prender*)	*visto* (de *ver*)
proscrito (de *proscribir*)	*puesto* (de *poner*)

La lista no es exhaustiva y, además, no en todos los casos elimina la existencia del participio pasado regular. Por ejemplo, hay *electo*, pero también hay *elegido*; hay *bendito* y también hay *bendecido*; hay *frito* y *freído*; pero no pueden usarse indistintamente: *El alcalde electo* (no *elegido*) *se posesionará dentro de veinte días... El alcalde fue elegido* (no *electo*) *por un sesenta por ciento de los votantes.*

En tiempos pasados alternaban dos participios pasados de algunos verbos, de los cuales finalmente uno se eliminó. Por ejemplo, *preso* y *prendido* (de *prender*), *enceso* y *encendido* (de *encender*), *visto* y *veído* (de *ver*), *quisto* y *querido* (de *querer*), *roto* y *rompido* (de romper), *trecho* y *traído* (de *traer*), *cocho* y *cocido* (de *cocer*), *conducho* y *conducido* (de *conducir*), *cinto* y *ceñido* (de *ceñir*), *tinto* y *teñido* (de *teñir*), *nado* y *nacido* (de *nacer*)...

Como verboide que es, el participio pasado no tiene función verbal en la oración. No puedo escribir *Juan amado..., Patricia sosegada..., Bill elegido...*, pues hasta ahí no he dicho nada esencialmente completo, a no ser que les agregue verbo a esas frases: *Juan es amado, Patricia era sosegada, Bill resultó elegido.*

El participio pasado es, entonces, adjetivo. Como adjetivo que es, modifica el sustantivo. Y como adjetivo tiene variaciones de género y número: *sosegado, sosegada, sosegados, sosegadas; dispuesto, dispuesta, dispues-*

tos, dispuestas; animado, animada, animados, animadas; bendito, bendita, benditos, benditas... Le voy a dar algunos ejemplos de oraciones, en las cuales el participio pasado aparece en el sujeto o en el objeto y, en ellos, modifica un sustantivo. Le resalto los participios pasados.

SUJETO	VERBO	OBJETOS
Las alcaldesas **elegidas**	*no aparecieron*	*en los cinco años siguientes.*
Una persona **honrada**	*garantiza*	*el progreso del negocio.*
Cliente **satisfecho**	*siempre trae*	*más clientes.*
Sus cónyuges	*compraron*	*azúcar* **refinada.**
Las niñas más **refinadas**	*solicitaron*	*otro estilo al expositor.*

El participio pasado como verbo

Ya le dije, y ahora no voy a contradecirme, que el participio pasado no es verbo. Fíjese usted que cuando yo digo *Aníbal trota, Aníbal trotó, Aníbal trotará...* estoy diciendo ideas esencialmente completas, mientras que cuando digo *Aníbal trotado* no he dicho ninguna idea completa, porque falta el verbo. Esta frase se convierte en oración si, al menos, le agrego un verbo (lo subrayo): *Aníbal nunca* **ha** *trotado, Aníbal* **habrá** *trotado mucho, Aníbal* **habría** *trotado si tuviera zapatos de goma...*

De hecho, todas las formas compuestas de los verbos se construyen con alguna inflexión de *haber* más el participio pasado: *ha dicho, hemos creído, habrán pasado...*Entonces, el participio pasado es parte esencial del verbo, cuando este es compuesto, lo cual no lo hace verbo por sí solo. Le presento, a continuación, ejemplos de oraciones con verbo compuesto. Resalto los participios pasados.

SUJETO	VERBO	OBJETOS
José Martínez de Sousa nos	*ha* **aclarado**	*muchas dudas ortográficas.*
El aula	*ha* **sido irrespetada**	*por intrusos desconocidos.*
Don Quijote de la Mancha	*habrá* **conversado** *ya*	*con Sancho Panza.*
Los seminarios de gerencia	*habían* **aclarado**	*muchas dudas a los jefes.*
Mis dos hijos	*han* **decidido**	*ser más autónomos.*
Los mosqueteros	*hubieron* **llegado**	*para vengarlo.*

RECUERDE

El participio pasado o pasivo no es por sí mismo verbo, pero puede actuar como parte del verbo en la oración. También se usa como adjetivo en el sujeto o en el objeto de la oración.

Quedan así aclarados aspectos del estilo referidos a los verboides —infinitivos, gerundios y participios—. Otros asuntos dudosos sobre verbos, los puede usted consultar en la parte V de este libro.

Capítulo 18
Dequefobia y dequeísmo

··

En este capítulo:

▶ *De que* correcto y dequefobia

▶ *De que* incorrecto y dequeísmo

··

Por alguna extraña razón, un buen día alguien comenzó a agregar la preposición *de* indebidamente a sus oraciones: *pienso de que es mejor posponer el partido de futbol... creíamos de que era preferible reforzar la línea media... esperábamos de que no hubiera lluvia durante el encuentro... es seguro de que mañana estaremos celebrando el triunfo...* Quizá a algunos les sonó elegante la innovación y optaron por repetirla. Acomodado ese *de* en el lenguaje oral, poco tiempo pasó para que también apareciera en el escrito, donde ya pudo ser detectado por gramáticos atentos a las nuevas desviaciones del idioma y se acuñó así el término *dequeísmo*, nombre del error consistente en decir o escribir *de que* cuando no se debe.

La advertencia de los gramáticos ocupó pronto sitial de honor y hubo así confrontación entre quienes decían *de que* y quienes decían que no se debía decir *de que* porque eso era un error llamado *dequeísmo*. Fue entonces cuando dejó de usarse el *de que* en frases y oraciones donde nunca se había omitido (*el hecho de que no venga, estoy seguro de que me quiere, se trata de que aprenda...*). Tal fuerza tomó esta última posición, que se situó, o se coló, rápidamente entre las normas que manejaban profesores, padres de familia, consejeros y policías en su máxima simplificación: *Nunca diga de que. Es horrible.* Y nació así la inefable *dequefobia*, que en el momento de escribir este capítulo triunfa decididamente en empresas, periódicos, revistas, editoriales, emisoras, charlas, conferencias y tertulias.

Mi propósito en este capítulo es que usted tenga total seguridad acerca de cuándo debe usarse el *de que* y cuándo debe evitarse, para no caer ni en la *dequefobia*, ni en el *dequeísmo*, que son errores no solo de estilo, sino además de sintaxis y, en ocasiones, de semántica.

Para el análisis del *de que*, usted debe mirar la palabra inmediatamente anterior al *de que* y establecer si es un sustantivo, si es un verbo transitivo, si es un verbo intransitivo o si es un adverbio. A continuación le voy a ir mostrando el *de que* en sus diversas situaciones y le voy a ir dando pautas para su evaluación y, si es del caso, para su corrección.

La blusa que habla

Mi amiga Brenda estaba hablando con su secretaria Rocío. Rocío le dijo a Brenda que en la vitrina del almacén Nueva Moda había una blusa muy linda de color beige, como para ella, como para Brenda... Al día siguiente, Brenda y yo nos encontramos en el centro comercial y pasando por frente al almacén Nueva Moda íbamos hablando de Rocío, de su buen gusto, de su acierto para dar consejos sobre cómo combinar colores y materiales. Justamente, en ese momento, vi la linda blusa color beige, de que le había hablado el día anterior Rocío a Brenda, y le dije: —Mira, Brenda, esa es la blusa de que te habló.

Brenda me agradeció la información y entró al almacén a hacer su compra..., mientras alguno de los transeúntes, que alcanzó a oír mi oración, comentó por lo bajo: *huy, ese señor dijo 'de que'. Ese señor no sabe hablar.* Hasta ese extremo ha llegado la dequefobia, el temor o aversión al *de que*. Mientras Brenda hacía su compra, yo pensaba en lo absurda que resultaría la oración una vez se hiciera la 'corrección' (entre comillas, pues es una falsa corrección) que suele hacerse. Tal 'corrección' consiste en omitir el *de* del *de que*. La oración quedaría así: *Mira, Brenda, esa es la blusa que te habló.*

Advertirá usted que eso es un imposible, salvo que suceda en una película de Steven Spielberg o en alguna producción de Walt Disney. *Esa es la blusa que te habló* significa que la blusa le habló a Brenda y no que Rocío le habló a Brenda de esa blusa. En este punto del absurdo es donde se puede ver el grave mal que está haciendo la plaga de la dequefobia en la comunicación de la gente.

En esta oración, *esa es la blusa de que te habló*, la frase *de que* va después del sustantivo *blusa*. Cuando el *de que* va después de sustantivo no hay error, no se da el tan temido *dequeísmo*. Es posible que en algún caso distinto no vaya el *de*, porque el significado no lo precisa. Así, en el caso de la blusa, si lo que realmente uno quiere decir es que la blusa habló, pues, perfecto: *la blusa que te habló*, pero si lo que uno quiere decir es lo que yo le quise decir a Brenda: *esa es la blusa de que te habló*, en el contexto narrado, *esa es la blusa de que te habló Rocío*, pues no hay más remedio que dejar el *de* y expresar la idea con un *de que*. Ahora, cuando digo que no hay más remedio no quiero significar que acudir al *de que* sea una especie de tolerancia, de aceptación de una forma inadecuada, impropia, malsonante, pero necesaria. No. Lo primero que habría que hacer es quitarse de la mente la idea de que esta frase es incorrecta.

Y, mire, ahí, en mi última observación hay un *de que*: *la idea de que esta frase es incorrecta*. El *de que* va después del sustantivo *idea*. Tampoco es incorrecto. También es necesario. Si omito el *de*, que es lo que usualmente pasa, a causa de la plaga dequefóbica que asola hoy el idioma, queda coja la oración y no se entiende o, al menos, se dificulta la comprensión: *la idea que esta frase es incorrecta*.

'De que' después de sustantivo

La idea no es, entonces, que la frase *de que* después de *blusa* es correcta. No. Sería una excepción muy aislada y escasa. La idea es que la frase *de que* después de sustantivo no constituye dequeísmo, o mal uso del *de que*. A continuación le doy otros ejemplos con *de que* después de sustantivo. Le subrayo el sustantivo. Le anticipo que todos son correctos. Le insisto en que quitar el *de* es incorrecto, cambia el sentido o, al menos, deja coja la oración. Así lo insinúo entre paréntesis en algunos casos.

*El **hecho** de que no me haya hecho ver estrellas no significa que sea un pelmazo.*

(Sin el *de*, no la hace ver estrellas el hecho, con el *de* no la hace ver estrellas su pareja, su novio, su pretendiente).

*La **noticia** de que se comieron los perros calientes no llegó...*

(sin el *de*, la noticia no llegó porque se la comieron los perros calientes, furiosos... con el *de*, simplemente, la noticia no llegó...)

*A **pesar** de que no ha podido venir, sé que está interesado en el tema.*

*Tenemos la **sospecha** de que fue el mensajero nuevo...*

*La policía tiene la **certeza** de que fue un plan dirigido desde el exterior.*

*Los convenció con el **argumento** de que había estudiado en Harvard.*

(Él había cursado sus estudios en Harvard. Sin el *de*, él había estudiado el argumento en Harvard).

*Estoy leyendo la **novela** de que nos habló Plinio Apuleyo Mendoza.*

*Abrigo la **esperanza** de que mi hermano regrese antes de Navidad.*

La lista de ejemplos podría ser interminable, pues con cada sustantivo del español se podría construir una oración correcta con *de que*. Fíjese que en los anteriores ejemplos la frase *de que* va después de los sustantivos *hecho, noticia, pesar, sospecha, certeza, argumento, novela, esperanza...* Enfatizo en que son sustantivos, pues si por ejemplo la palabra *sospecha* no fuera sustantivo, sino verbo, el *de que* sería inadmisible: *La policía sospecha de que fue un plan de la mafia* es incorrecto, sobra el *de*, porque en este caso la palabra *sospecha* es verbo transitivo, mientras que *la policía tiene la sospecha de que fue un plan de la mafia* es correcto, porque en este caso la palabra *sospecha* es sustantivo.

Supongo que, sin más argumentos, queda por lo pronto una idea clara: la frase *de que* después de sustantivo es correcta. Si se quita el *de* se cambia el significado de la oración o, al menos, queda cojo el texto.

'De que' después de verbo intransitivo

Los verbos transitivos son aquellos que tienen objeto directo. El objeto directo se reconoce por la pregunta *qué: Los sicólogos les dijeron...* (qué les dijeron) *...les dijeron que ya era muy tarde para empezar de nuevo.* Los verbos intransitivos son aquellos que no tienen objeto directo. No hay, entonces, un *qué: Los sicólogos trotaron.* No hay un *qué*, qué trotaron. Puede haber, en cambio, objeto prepositivo: *Los sicólogos trotaron* **por** *la noche...,* ...**en** *fila...,* ...**para** *calentarse...,* ...**desde** *las siete de la mañana...,* ...**hasta** *el cansancio...,* **hacia** *el cerro de San Victorino...* Se llama objeto prepositivo porque comienza con una preposición, *por, en, para, desde, hasta, hacia...* El asunto está ampliamente tratado en el Capítulo 11 de este libro.

Pues bien, cuando el verbo es intransitivo, existe la posibilidad de que vaya la preposición *de* al comienzo del objeto prepositivo. Véalo en los siguientes ejemplos.

*La ciudad adolece **de** un mal sistema de alcantarillado.*

*El edificio amarillo carece **de** ventanales amplios.*

*Mi esposa habló **de** sus viajes por el Medio Oriente.*

*Los investigadores están seguros **de** encontrar al culpable hoy mismo.*

*El anciano patriarca se arcordó **de** dictar su testamento antes de morir.*

En los cinco ejemplos hay un objeto prepositivo, que empieza con *de*, como complemento de cada uno de esos verbos intransitivos: *adolece, carece, habló, están seguros* y *se acordó*. A nadie se le ocurriría eliminar la preposición *de* en estos casos. ¿O sí?... *adolece un mal sistema..., ...carece ventanales..., habló sus viajes..., están seguros encontrar..., se acordó dictar...* Creo que quien lo haga tiene muy mal oído para el español. En todo caso, eliminar el *de* en cualquiera de estos casos es un error que se advierte de inmediato por la malsonancia de la oración. Sin embargo, los mismos hablantes o escribientes que no eliminan el *de* en esas oraciones, muy posiblemente lo harán en las siguientes.

*Mi esposa habló **de** que sus viajes por el Medio Oriente le habían dado una nueva perspectiva del mundo.*

*Los investigadores están seguros **de** que encontrarán al culpable.*

*El anciano patriarca se acordó **de** que debía dictar su testamento antes de morir.*

Ahí es donde más se presenta la dequefobia. Las anteriores tres oraciones fácilmente quedarán sin *de* en manos de jefes, gerentes, correctores de estilo y profesores avezados... Dirán que hay dequeísmo y que el *de* no hace falta. Pues, ¡qué pena!, pero están equivocados. El *de* sí hace falta, pues se trata de verbos intransitivos, que se complementan con objeto prepositivo. No se le puede quitar la preposición al objeto prepositivo —¡mire, qué contradicción, un objeto prepositivo sin preposición!—. Eso es violentar el régimen del verbo y su naturaleza, aparte de que en algún caso puede cambiar el significado.

Esto último resulta claro en muchos casos. Si usted escribe *Pedro Pérez aspira **a** la presidencia*, con preposición *a*, está hablando de un candidato; si en cambio usted escribe *Pedro Pérez aspira la presidencia*, sin preposición, está hablando del encargado del aseo. Si usted escribe *debe de tener dieciocho años*, con preposición *de*, le está calculando la edad a algún desconocido; en cambio, si escribe *debe tener dieciocho años*, sin preposición, está expresando una condición o un requisito.

En esa línea, si usted escribe *se acordó **de** subir los salarios*, con preposición *de*, está hablando de un jefe olvidadizo, al que en un buen momento se le prendió la lámpara de la memoria y recordó subir los salarios; en cambio, en *se acordó subir los salarios,* se alude a la decisión de la junta directiva de la empresa. En el primer caso el verbo es pronominal (se conjuga con los pronombres *me, te, se... me acordé, te acordaste, se acordó...*) y es intransitivo (lleva un objeto prepositivo que responde a la pregunta ¿de qué se acordó?). En el segundo caso, el verbo no es pronominal; es transitivo (tiene objeto directo, que responde a la pregunta ¿qué?, ¿qué acordó?, ¿qué acordó la junta?). Para efectos semánticos, son dos verbos distintos, por lo que si usted simplemente quita el *de*, para evitar un inexistente dequeísmo, le cambia el significado a su mensaje.

Casos regidos por el verbo 'estar'

El más típico verbo intransitivo es *estar*, así como el más típico verbo transitivo es *ser*. Por lo tanto, todos los sintagmas verbales regidos por el verbo *estar* son intransitivos y, en consecuencia, todos admiten el *de* y, si es del caso, el *de que*. Vea los ejemplos siguientes, que son correctos.

*Los policías **estaban seguros de** que él era el tan buscado hombre.*

*Tarzán **está convencido de** que Chita no se pierde en la selva.*

*Las chicas de rojo **estaban persuadidas de** que todos los chicos caerían a sus pies.*

*Yo todavía **no estoy seguro de** que usted me haya entendido.*

Por lo tanto, otra conclusión es: si el *de que* va después de verbo intransitivo no hay error, no hay dequeísmo, no debe omitirse el *de*, pues puede cambiar el significado o, por lo menos, queda coja la oración.

RECUERDE

Cuando el *de que* va después de verbo intransitivo no hay error, no hay dequeísmo.

'De que' después de verbo transitivo

Los verbos transitivos tienen como característica esencial el objeto directo. Un verbo transitivo es aquel que tiene objeto directo. El objeto directo responde a la pregunta *qué*: *...dijo...* (qué dijo) *...que estaba cansa-*

da...; ...pagará... (qué pagará) *...sus deudas...; resolvieron...* (qué resolvieron)*... entregarse a las autoridades.* Esto está ampliamente desarrollado en el capítulo 11 de este libro.

Así, pues, cuando se expresa una idea con verbo transitivo, lo que sigue no es una preposición, salvo que el objeto directo sea persona o que esté anticipando un complemento antes de escribir el objeto directo. Si es lo primero, la única preposición que puede unir verbo transitivo y objeto directo es la preposición *a* (*...saludó a sus amigos...*). Si es lo segundo, cualquier oración ordenada o desordenada puede servir de ejemplo: *Juan compró de contado un avión.* En este caso la preposición *de* va después de verbo transitivo pero no para unir el objeto directo (*un avión*) sino para expresar la circunstancia de modo, con una locución adverbial, que tiene la preposición *de*.

Para ilustrar más esta posibilidad, les presento a continuación una serie de casos, en los cuales hay *de* en seguida del verbo, pero no para unir el objeto directo, sino para expresar una circunstancia. Observe que en la columna del objeto directo no hay preposición distinta de *a*, que es la única que puede unir el objeto directo, cuando este es persona.

SUJETO	VERBO (+ LOCUCIÓN ADVERBIAL PREPOSITIVA)	OBJETO DIRECTO
Rodríguez	*saludaba **de** mano*	*a algunas damas.*
Pérez	*encontró **de** casualidad*	*sus documentos.*
Alicia	*contaba **de** prisa*	*el producto de la venta.*
Clinton	*había narrado **de** memoria*	*esa bella historia.*
Los caballos	*acabaron **de** repente*	*el heno.*
Mis apuntes	*recobraron **de** pronto*	*su vigencia.*
La mascota	*encontró **de** pronto*	*a su amo.*

Todos estos verbos (*saludaba, encontró, cantaba, había narrado...*) son transitivos, y enseguida de cada uno va un *de*, pero no es un *de* que una el objeto directo, pues tal situación nunca se da. Este *de* une siempre una expresión adverbial de modo. Después de la expresión de modo (*de mano, de prisa, de pronto...*) viene, ahí sí, el objeto directo, que no lleva preposición si es cosa (*sus documentos, su vigencia...*) o lleva exclusivamente la preposición *a* si es persona (*a algunas damas, a su amo*).

'De que' correcto después de verbo transitivo

En esta línea, puede darse el caso de verbos transitivos, después de los cuales haya un *de que* correcto. Sucede cuando el objeto directo está anticipado con algún pronombre átono, *lo, la, los, las,* y enseguida del verbo va un complemento circunstancial de materia. Se lo voy a mostrar paso a paso en el siguiente ejemplo.

Paquita lo convenció de que la llevara a ver esa película.

El verbo *convenció* es transitivo. Su objeto directo responde a la pregunta ¿a quién convenció?: *a él.* Ese *a él* no aparece en la oración, pues está remplazado por el pronombre *lo* (*lo convenció*). Entonces, lo que sigue al verbo no es el objeto directo, que ya quedó anticipado, sino el complemento circunstancial de materia. Si se siguiera estrictamente el orden, quedaría *Paquita convenció a él de que la llevara a ver esa película.* El objeto directo *a él* se remplaza con el pronombre *lo* y queda: *Paquita lo convenció de que...* y ahí tiene usted un *de que* correcto después de verbo transitivo.

Como el anterior, cualquier otro *de que* puede ir después de verbo transitivo, pues no se está agregando indebidamente un *de* para unir el objeto directo, sino que este objeto directo queda tácito o queda anticipado por algún pronombre átono, y el *de* une el complemento circunstancial de materia, que responde a la pregunta ¿*de qué?* A continuación, le doy más ejemplos de esta situación, donde el *de que* es correcto.

*Sus lectores se **enteraron de que** el lenguaje cotidiano también podía ser poético.*

*Nadie los **convenció de que** entraran a la conferencia.*

*Mi amigo no la **había persuadido de que** votara por él.*

Los verbos *enteraron, convenció* y *había persuadido* son transitivos, no obstante lo cual, el *de que* que sigue es correcto.

El *de que* es correcto cuando va después de verbo transitivo y no une a este el objeto directo, sino un complemento circunstancial de materia.

'De que' incorrecto después de verbo transitivo

Volvamos ahora a la primera situación que le planteé con verbo transitivo, que, por lo demás, es la más frecuente. Después de un verbo transitivo normalmente va el objeto directo, que responde a las preguntas *qué*, si es cosa, o *a quién*, si es persona. Por lo tanto, nunca, nunca, nunca, puede ir un *de que* para unir el objeto directo al verbo.

Recuerde la situación sintáctica estudiada en el capítulo 11:

SUJETO (*QUIÉN*)	VERBO	OBJETO DIRECTO (*QUÉ/A QUIÉN*)
Mi jefa	*dice*	*que es necesario mejorar la calidad.*
Álvaro Mutis	*piensa*	*que la monarquía es conveniente.*
Algunos niños	*esperan*	*que les respondan todas sus preguntas.*
La hija de Eloísa	*quería*	*que le regalaran un teléfono celular.*
El Guasón	*ha esperado*	*que Batman sea vencido por él.*
El Chavo del Ocho	*ya pidió*	*que le cambiaran su barril.*
El Chapulín	*ama*	*a los niños.*

Si se tiene total claridad sobre la relación del objeto directo con el verbo, no cabe ningún *de* para unirlos, pues no hay que responder ningún *de qué*. Lo que hay que responder para agregar el objeto directo es *qué* o *a quién*. En consecuencia, no es posible, ni lícito, ni lógico, ni biensonante, ni nada por el estilo, escribir en los anteriores casos...

...dice de que es necesario...

...piensa de que la monarquía...

...quería de que le regalaran...

...ha esperado de que Batman...

...ya pidió de que le cambiaran...

...y justamente eso es lo que se llama *dequeísmo*. Ese es el mal uso de la preposición *de*, por el que han terminado pagando justos por pecadores, pues ya le decía que por evitar este *de que* incorrecto, se terminó por prohibir absurdamente todos los *de que*, así fueran correctos...

Estamos pues en el terreno del más puro y clásico *dequeísmo*. Este error consiste en agregar *de* para unir el objeto directo al verbo transitivo. Es erróneo. Es incorrecto. Es inadmisible. No lo use nunca..., pero, por favor, no lo confunda con los *de que* correctos de los cuales le he venido hablando en estas páginas.

Le doy a continuación algunos ejemplos de error (dequeísmo) y corrección.

ERROR (*DEQUEÍSMO*)	CORRECCIÓN
El Pibe pensaba de que era mejor cambiar al arquero.	*El Pibe pensaba que era mejor cambiar de arquero.*
Bolívar había pensado de que se podía alcanzar la meta de la unión.	*Bolívar había pensado que se podía alcanzar la meta de la unión.*
Nos dijeron de que mañana entregarían los cheques.	*Nos dijeron que mañana entregarían los cheques.*
La Federación les dice de que se asocien para ganar más.	*La Federación les dice que se asocien para ganar más.*
Es seguro de que los goles van a llegar en el segundo tiempo.	*Es seguro que los goles van a llegar en el segundo tiempo.*
Era posible de que me nombraran Gerente General antes de un año.	*Era posible que me nombraran Gerente General antes de un año.*
Su hija creía de que los niños llegaban con el pan debajo del brazo.	*Su hija creía que los niños llegaban con el pan debajo del brazo.*
Los padres han creído siempre de que sus hijos son veraces.	*Los padres han creído siempre que sus hijos son veraces.*
El doctor Chapatín me recomendó de que hiciera más ejercicio.	*El doctor Chapatín me recomendó que hiciera más ejercicio.*
Nos habían recomendado de que viéramos esa película.	*Nos habían recomendado que viéramos esa película.*

Casos regidos por el verbo 'ser'

Así como el verbo *estar* es el típico verbo intransitivo y rige oraciones en las que se puede escribir *de que*, el verbo *ser* es el típico verbo transitivo y rige oraciones en las que no se puede escribir *de que*.

Lo mejor es verlo en ejemplos. Los siguientes casos tienen verbos, o sintagmas verbales, regidos por el verbo *ser*; por lo tanto, son expresiones verbales transitivas; en consecuencia de lo cual no puede haber preposición para unir el objeto. A cada sintagma verbal de los siguientes ejemplos sigue el respectivo objeto directo, que responde a la pregunta *qué*. Subrayo la correspondiente inflexión del verbo *ser*. No hay columna de SUJETO porque se trata siempre de oraciones impersonales.

VERBO	OBJETO (*QUÉ*)
Es claro	*que la radio peruana tiene una clara vocación social.*
Era muy claro	*que los honorarios pactados cubrían impuestos.*
Sería conveniente	*que los redactores cuidaran más esas normas.*
Pudo **ser**	*que los padres hubieran tenido poca educación.*
Es seguro	*que sus hombres rescatarán al secuestrado.*
No **es** seguro	*que el doctor Laverde pueda venir hoy.*
No **es** claro	*que ella deba pagar ese impuesto.*
Era obvio	*que Batman daría el golpe final.*
Es posible	*que Ron Damón reprenda a la Chilindrina.*
Es recomendable	*que lleve sus herramientas en el automóvil.*

En ninguno de estos casos es admisible un *de* para unir el objeto, pues en todos se trata de verbos o sintagmas transitivos. Hay dequeísmo si en cada uno de esos casos se escribe *Es claro **de** que la radio...*, *Era muy claro **de** que los honorarios...*, *Sería conveniente **de** que los redactores...*, *Pudo ser **de** que los padres...* Ese *de* sobra.

El *de que* es incorrecto cuando va después de verbo transitivo para unir el objeto directo. Ese error se llama *dequeísmo*.

'De que' después de adverbio de tiempo

Normalmente, cuando usted acude a los adverbios de tiempo *antes, luego, después...* los complementa con la preposición *de...*

*Vaya a donde mi suegra **antes de** comprar los cruasanes.*

*Colgué el vestido **antes de** salir para el estadio de fútbol.*

*Creo que va a almorzar con su nuera **después de** visitar a Juan en la clínica.*

*'Que le corten la cabeza' dijo la reina, **después de** oír a Alicia.*

*No es posible que **después de** tan suculento desayuno vaya a trabajar.*

*Julio Sánchez Cristo pasó a RCN **después de** trabajar en Caracol.*

*Alberto Fujimori cerró el Congreso **después de** posesionarse.*

***Luego de** tu grado, me traes tu hoja de vida. ¿Oyes?*

Es poco frecuente que estos adverbios, *antes, después, luego...*, vayan sin *de* en alguna oración...

Me trae su hoja de vida después...

Pasa por aquí antes...

Viene a mi casa luego...

Después, les dijo a sus amigos que no quería flores en su entierro.

Antes, había investigado todas las actividades extraacadémicas del sujeto.

Luego, ingresaron a la carrera administrativa.

Parece que en estos casos hay un *de...* tácito: *Me trae su hoja de vida después (de ir a la universidad)... Después (de cerrar su testamento), les dijo a sus amigos que no quería flores...*y por eso no se ve el *de*. Por ende, la omisión del *de* y su frase complementaria en estos casos solo parece válida cuando el contexto presupone la información faltante.

Tenemos, entonces, que los adverbios de tiempo, *antes, luego, después...*, van seguidos de la preposición *de*, al menos en forma tácita. Según ello, no tiene sentido la prohibición que hacen algunos gramáticos de las frases *antes de que..., después de que..., luego de que...* Si no se quita la preposición en otros casos, no tiene por qué quitarse en estos. A ver. Quite usted el *de* en las siguientes oraciones:

Nos vemos en la cafetería después de la clase de historia.

Nos vemos en la cafetería después de que suene la sirena.

Pienso; luego, existo

En esta parte estoy hablando de los adverbios de tiempo *antes, luego, después*... Los filósofos usan la palabra *luego* como expresión de enlace, en recuerdo de aquella famosa oración lapidaria de Descartes "pienso; luego, existo". Cuando lo dicen en sus clases sobre la historia del idealismo, quieren decir *pienso, estoy pensando, mi mente está actuando, tengo ideas..., por lo tanto, sí existo, no soy irreal...* Bueno, hay cursos completos para entender todo esto, que es el principio de la filosofía moderna. El problema está en que la palabra *luego* se usa aquí como expresión de enlace, como un *por lo tanto*, como un *en consecuencia*, y es muy poco probable que los alumnos no iniciados lo entiendan así, por lo que el eslogan cartesiano es interpretado por algunos muchachos de la nueva onda más bien como *primero pienso y después existo*; mejor dicho, como *primero estudio y después me voy de rumba...*, pues el uso callejero de *luego* es más el de adverbio de tiempo, que el de expresión de enlace, que usan los filósofos.

Es muy posible que en la segunda oración se quite el *de* y no haya conmoción ninguna, pero sin duda en el primer caso no lo haría ni el más apasionado dequefóbico, que en este caso sería más bien *defóbico*, pues no hay *que*. Ahora bien, ¿por qué se ha de quitar el *de* en la segunda y no en la primera? Creo que aquí han exagerado los gramáticos en su obsesión dequeísta. Mi recomendación es que se deje el *de*, después de los adverbios de tiempo *antes..., luego..., después...*

Y bien, usted querrá preguntarme ¿es su opinión o es la norma académica? Le respondo: la norma académica es incierta, no está muy definida, pero los gramáticos tienden más a condenar *antes de que..., después de que..., luego de que...*, que a admitirlos. ¡Ah! Entonces, ¿estas expresiones se pueden escribir con *de* o sin *de*? Sí. Se pueden escribir con *de* o sin *de*, pero yo le recomiendo que los escriba con *de*, con el argumento que le he venido dando: que si usted no escribe *venga antes desayunar..., vaya después el trabajo...*, sin *de*, no debe tampoco escribir *vanga antes que desayune..., vaya después que termine el trabajo*, sin *de*.

El gramático José Martínez de Sousa, en su *Diccionario de usos y dudas del español actual*, Barcelona, 1996, señala como locuciones correctas y equivalentes *antes de que* y *antes que* y da como ejemplos: *Se aseó antes de que vinieran a buscarlo. Antes que te descubran, restituye esos objetos* (página 73). Igualmente admite *después de que* y *después que* y da como ejemplos: *Después de que todos se hubieran enterado nos fuimos. Después que salimos del cine no supimos de él* (página 192).

Me alegró mucho ver que este autor no condena el uso que estoy defendiendo, con *de*, aunque tampoco condene el otro, sin *de*. Ya es un logro.

El *de que* es correcto después de los adverbios de tiempo *antes, luego, después*... aunque se admite también eliminar el *de*. En consecuencia, no hay dequeísmo cuando se escribe *antes de que..., después de que..., luego de que...*

Relación entre 'de que' y 'de qué'

En este capítulo me he venido refiriendo a la frase *de que*, formada por la preposición *de* y la conjunción *que*. Nada tiene que ver lo dicho aquí con la frase interrogativa *de qué*, formada por la preposición *de* y el pronombre interrogativo *qué*. Afortunadamente la frase interrogativa *de qué* no produce tantas dudas como la frase *de que*. Este *de qué* interrogativo es el de la balada *De qué callada manera*, que canta Pablo Milanés. Supongo que ningún cantante profesional o aficionado haya decidido quitar el *de* aquí, pues se echan a perder letra, música, métrica y mensaje...

Ahora bien, se puede establecer una relación entre *de qué* y *de que*, cuando se analizan los verbos intransitivos y su objeto prepositivo, así como también los transitivos y su complemento circunstancial de materia, para establecer la licitud del *de que*. Más aun, algunas personas reducen todo lo que yo le he dicho en este capítulo a una fórmula muy simple: cuando usted pueda preguntar *de qué* debe responder *de que*. En efecto, esto funciona para los *de que* precedidos de verbo, siempre y cuando quien lo examina tenga buen oído. Veámoslo en los siguientes ejemplos.

Me acordé... (¿de qué te acordaste?) ... *de que hoy era su santo.*

Los policías se enteraron... (¿de qué se enteraron?) ...*de que ayer había salido del país.*

Marcela me dijo... (¿qué le dijo?) ... *que estaba cansada.* (No hay *de*).

Víctor Julio le contestó... (¿qué le contestó?) ...*que él también.* (No hay *de*).

Evite dequefobia y dequeísmo con igual decisión

En resumen:

1) Hay *de que* correcto en los siguientes casos:

   a) Cuando el *de que* va después de sustantivo: *esta es la blusa de que te habló...*

   b) Cuando el *de que* va después de verbo intransitivo: *estamos seguros de que Vargas Llosa ganará el premio.*

   c) Cuando el *de que* va después de verbo transitivo, pero no para unir el objeto directo, sino un complemento circunstancial de materia: *lo convenció de que pagara por anticipado.*

   d) Cuando el *de que* va después de adverbio de tiempo: *cómprelo antes de que se agote...*, aunque también se admite omitir el *de.*

2) Hay *de que* incorrecto, es decir, *dequeísmo*, cuando se une el objeto directo con la preposición *de: dijo de que vendría...* (Corrección: *dijo que vendría*)

3) Quitar el *de* cuando es correcto constituye error llamado *dequefobia.*

Indique si es correcta (C) o incorrecta (I) la oración, por el uso del *de que.*

1. Este es el vestido de que te habló Marta. _____

2. Mis papás están seguros de que yo ya me matriculé. _____

3. Los payasos les habían dicho de que se quitaran los zapatos. _____

4. Los verbos transitivos no necesitan de que les agreguen *de.* _____

5. ¿Tu disco compacto tiene la balada de que hablamos ayer? _____

6. Olga cree de que mañana se acaba el Fenómeno del Niño. _____

7. El hecho de que no haya dicho ni mu, no significa que sea muda. _____

8. Lucrecia y Jacinto pensaban casarse antes de que fuera demasiado tarde. _____

9. Alfredo lo convenció de que visitara a los enfermos. _____

10. Batman y Robin piensan de que el Guasón no es peligroso. _____

Respuestas: 1. C. 2. C. 3. I. 4. I. 5. C. 6. I. 7. C. 8. C. 9. C. 10. I.

Parte V
Los dieces

En esta parte...

En esta Parte encuentra usted algunas de las cosas que ya están dichas en las Partes anteriores y otras que aún no se han dicho, y que complementan conceptos, normas, errores, pistas, mitos... en series de diez, como es característico de los libros de la serie *...para dummies*.

El autor, consciente de que muchos de sus lectores están influidos directa o indirectamente por el inglés, hace especial énfasis en esta Parte en la relación del español con el inglés, y en la necesidad simultánea de identificar los límites y de aceptar influencias cuando estas son convenientes.

En el último capítulo, algunas consideraciones semánticas y de estilo.

Capítulo 19

Novedades léxicas, anglicismos y galicismos

En este capítulo:

▶ Influencia mutua del inglés y el español

▶ Palabras de origen francés e inglés incorporadas recientemente al léxico español

▶ Galicismos y anglicismos ortográficos y fonéticos

Que el mundo de hoy esté dominado por el inglés de los Estados Unidos no significa, ni mucho menos, que el idioma español esté en peligro de extinción. Si el inglés no desapareció durante la época del Imperio Español, el español no tiene por qué desaparecer durante la época del imperio estadounidense.

El español está en capacidad de recibir la influencia del inglés y adaptarla a su propia morfología. *Guachimán* (del inglés, *watchman*), *ponqué* (del inglés *pound cake*), *extraditar* (del inglés *to extradite*), *clóset* (del inglés *closet*)... son palabras que han enriquecido nuestro léxico, de la misma manera que en épocas anteriores la enriquecieron el germano (*guerra, pendón, arpa, ¡alto!...*), el árabe (*jofaina, alcalde, almohada, cheque, almacén...*) o las lenguas americanas, aunque estas no por dominadoras sino por dominadas (*canoa, bohío, aguacate, chocolate, chicha...*).

A veces uno se pasa de la raya. En una ocasión le dije por teléfono a una dama que me encantaría conocerla, que nos encontráramos en el vestíbulo del Hotel Tequendama, tal día a tal hora... Ambos anotamos claramente lugar, fecha y hora. No sé si la dama se arrepintió y no fue, o si sí fue pero no llegó al lugar que yo le había dicho, el vestíbulo. Quizá llegó con antelación y preguntó en la recepción dónde quedaba el vestíbulo; supongo que la recepcionista pudo haberle contestado algo así como "aquí no hay ningún vestíbulo" y ella debió de irse confusa o molesta, o confusa y molesta. Cuando yo llegué al vestíbulo, ella no estaba, y en los siguientes veinte minutos no apareció... Nunca más volvimos a hablar

Una amiga mía organizaba cursos de *glamour* para quinceañeras... Alguna vez leyó en uno de los diccionarios de errores y correcciones que no se debía decir ni escribir *glamour*, por ser palabra francesa, sino *hechizo* o *encanto* que eran palabras españolas. Ella, muy obediente a los consejos magistrales, comenzó a ofrecer en sus avisos publicitarios *cursos de hechizo para quinceañeras*... Recibió varias llamadas en las que no le preguntaban cuándo sería el próximo curso, sino cuándo sería el próximo aquelarre.

por teléfono, por aquello del orgullo latino, y nunca llegamos a conocernos... Quién sabe qué hubiera sido de nuestras vidas de haberse producido aquel encuentro...

Sin duda, la culpa fue mía. Cuando le iba a decir el lugar de nuestro encuentro, pensé en el *lobby*, pero en fracciones de segundo alcancé a pensar en que un profesor de gramática, como yo, no podía en su primera cita con una dama, ¡peor aun!, antes de su primera cita con ella, cuando apenas estaba acordando su primera cita con ella, soltarle un anglicismo, decirle *lobby*... No. Con tal vocablo en medio de nuestra conversación, estaría demostrándole que yo no era el profesor de lenguaje y defensor del correcto uso del español que se le estaba presentando. Así que con toda seguridad y precisión le dije "nos encontramos en el *vestíbulo* del Hotel..." y pasó lo que tenía que pasar... Mejor dicho, no pasó nada...

Como ve usted, uno a veces se pasa de la raya... Le recomiendo que no se pase de la raya en el cumplimiento estricto de las normas idiomáticas. En el mundo de hoy, hay que hablar cada idioma mezclándole un poquito de otras lenguas. No pasarse de la raya es no querer decirlo absolutamente todo en español, pues en algún momento el léxico se acaba y hay que acudir a otro idioma... un *software* o un *hardware* difícilmente se pueden cambiar por *soporte lógico* y *soporte físico*, que han terminado por ser más descripciones de esos dos vocablos ingleses que traducciones al español realmente funcionales. Si usted tiene una cita en el *lobby*

Que la Academia adopte *glamur*, así, sin *o*, puede resultar más funcional que pedirles a las profesoras de *glamour* cambiar su palabra clave por *hechizo*... Eso, aun a riesgo de que ellas mismas no quieran usar la nueva palabra, porque les parezca poco *glamorosa* sin la *o* francesa.

del Hotel Tequendama no insista en traducir la palabra inglesa *lobby* por la española *vestíbulo*, como lo recomiendan todos los libros de buen uso del español, pues su cita no se consumará. No se pase de la raya. Use las palabras inglesas, francesas, alemanas, italianas o indígenas que deba usar en sus comunicaciones orales y escritas, cuando esas voces sean indispensables, imperdonables, inevitables...

Pero no se pase de la raya para el otro lado. No use un lenguaje lleno de anglicismos y de galicismos evitables, es decir, barbarismos que tienen su equivalente en español perfectamente entendible. Valga como ejemplo la saturación en vallas, avisos de neón, afiches y estuches de las expresiones inglesas *C.D.* o de *compact disc*. No hay quien no entienda *disco compacto*, en el lenguaje español oral o escrito, lo que hace absolutamente innecesario y esnobista que el cantante de turno diga: *en mi último 'ci di' están las mejores canciones de mi carrera...*; o que el comprador entre al almacén discográfico y pregunte: *¿ya les llegó el último 'compact disc' de María Conchita...?*

Se llama *barbarismo* la expresión tomada de otro idioma y ajena al propio. Los más frecuentes son los *anglicismos* o formas tomadas del inglés y los *galicismos* o formas tomadas del francés. No sobra añadir que todo lo que en gramática termina en *-ismo* es error; por lo tanto, debe evitarse.

Diez anglicismos y galicismos que pueden evitarse en la expresión oral y escrita

A continuación le doy diez ejemplos de expresiones inglesas y francesas innecesarias.

Jorge Amado, conocido escritor brasilero, se quejaba hace algunos años de la invasión de términos ingleses en la lengua portuguesa. La historia que contaba era la de una mujer que llegó de Portugal a Brasil y comenzó a buscar por todos los comercios ropa de dormir, preguntando si tenían *camisolas*... En ningún almacén había *camisolas*... Su frustración terminó el día que un brasilero le dijo: *Pero, por Dios, mujer, qué vas a conseguir nada pidiendo 'camisolas' en los almacenes; tienes que hablar en buen portugués... Mañana vas y pides un 'pullover' y ya...*

cassette, diskette, carnet

Cassette es palabra francesa que significa 'cajita'. Como en español no hay doble *ese* ni doble *te*, la forma española de esta palabra es *casete*. En la vida real, aun quienes aceptan escribir *casete* pocas veces lo pronuncian con todas sus letras. La pronunciación correcta no admite la omisión de la última *e*, de la misma forma que al pronunciar *billete, torete, taburete, arete, colorete...*, no se dice *billet, toret, taburet, aret, coloret,* ni mucho menos *billé, toré, taburé, aré, coloré...*

Situación similar se da con *disquete*, que compite en franca desventaja con la grafía francesa *diskette* ('disquito' en francés) y con la pronunciación *disquet* o *disqué*.

Es cierto que algunas voces francesas como *carnet* y *chalet* han pasado al español con las formas *carné* y *chalé* (aunque también se admite *chalet*), lo que quizá anima más a quienes tienen pereza de pronunciar la última *e* de *casete* y *disquete* a no hacerlo.

Quizá la Academia deba plantearse en el futuro la admisión de las formas alternativas *caset* y *disquet*, dadas las muy pocas posibilidades de que más de cuatrocientos millones de personas corrijan su pronunciación. Mientras tanto, es bueno insistir en la conveniencia de escribir *casete* y *disquete* y no *cassette*, ni *diskette*.

compact disc

Con sólo agregar dos letras y cambiar el orden de los términos, esta expresión queda en español: *disco compacto*.

impasse

Galicismo frecuentísimo y completamente innecesario, pues en español hay expresiones equivalentes, como *problema, atolladero, atasco, punto muerto, estancamiento, crisis, callejón sin salida.* José Martínez de Sousa (*Diccionario de usos y dudas del español actual*, Vox, Barcelona, 1996, página 266) da también como equivalente *compás de espera*, pero el

ALEGATO

Si la palabra francesa *carnet* pasó a ser *carné* en español, para evitar el aparatoso *carnetes* plural, las palabras *cassette* y *diskette*, cuyo sonido francés omite la *e* final, hubieran podido pasar al español como *casé* y *disqué*, pero como eso suena algo vulgar, una alternativa intermedia sería que se adoptaran la formas *caset* y *disquet*, cuyos plurales pueden ser *casets* y *disquets*, si bien estas formas de plural no son las más propias del español. Otra posibilidad es aprobar como singulares *casete* y *caset*, *disquete* y *disquet*, y como plurales únicamente *casetes* y *disquetes*.

RECUERDE

Aunque quizá la Academia tendrá que trabajar más en el asunto, por ahora, debe escribirse y pronunciarse *casete, casetes, disquete, disquetes, carné, carnés*, sin quitar ni agregar letras al escribirlas ni al pronunciarlas.

Libro de estilo de *El País*, (Madrid, 1996, página 360) advierte que *compás de espera* no tiene el mismo significado de la voz francesa *impasse*.

De manera que la próxima vez que vaya a decir en su carta *"Espero que este **impasse** se supere pronto para poder así atender su solicitud...",* escriba mejor *"Espero que esta crisis se supere pronto para..."* En el peor de los casos, escríbalo en cursiva con la grafía francesa correcta: *impasse* y no *impase*.

lobby

No le voy a repetir la historia de mi frustrada cita... Lo que pasa es que hay otro *lobby*, que es el cabildeo, o el trabajo de relaciones públicas que se hace ante el Congreso o ante otra autoridad legislativa. Hoy por hoy se habla mucho del *lobby* que hacen los enviados del gobierno de determinado país ante los senadores del Congreso de los Estados Unidos para lograr equis o ye beneficio o derogar equis o ye ley. En español se puede hablar del *cabildeo,* las *relaciones públicas,* la *presión*, que hacen los *relacionistas* o los *grupos de presión...*

okay u OK

Me arriesgo a afirmar, sin datos de ninguna investigación científica a la mano, sino por simple observación, que el anglicismo más frecuente entre hispanohablantes es *okay*. He estado siguiendo en la televisión una

CLAVE

V°B°

La palabra *okay* y su universalmente conocida abreviatura *O.K.* pueden tener su origen en *all correct*, 'todo correcto', deformado a su sonido *oll korrect, O.K.* Así comenzaron a escribirlo en forma de broma los periódicos de Boston en 1830. Según otras opiniones, se pudo originar en los partes de victoria de la guerra de secesión estadounidense, *0 killed,* 'cero muertos'. En español se puede reemplazar por *V°B°*, 'visto bueno', cuando se usa para aprobar un documento.

serie local llamada *Hombres*, que representa la vida de un grupo de corredores de la Bolsa de Valores. Todos los protagonistas son exitosos, elegantes, bien plantados, ricos... y una de sus características comunes es terminar toda oración, todo parlamento con un *okay*, de tal manera que un aparte del libreto podría decir más o menos lo siguiente:

—No se le olvide la reunión con 'el pulpo'. ¿Okay?

—¡Okay!

—Y no se vaya a meter con la hija del 'pulpo', si no quiere meterse en problemas. ¿Okay?

—Déjeme decidir eso a mí. ¿Okay?

—¡Okay!

En este momento interviene la señora que sirve el café:

—No lo dejen enfriar, ¿oquéis?

Los dos le contestan:

—Oquéis... oquéis...

Más allá de la pequeña pantalla se repiten escenas parecidas. Parece que no hubiera expresión equivalente a este bendito *okay*... y, a decir verdad, hay muchísimas: *está bien, de acuerdo,¡correcto!, así es, ¡bien!, bueno, muy bien, acepto, aceptamos, ¡perfecto!, ¡sí!...*

He oído a algunas quinceañeras un poco sofisticadas, que terminan todos sus parlamentos con un *¿bueno?*, muletilla que han convertido en algo así como el *¡cambio!* de quienes hablan por radioteléfono. De todas maneras, ese *¿bueno?*, que sobra en el noventa y nueve por ciento de los casos, es preferible al extranjerizante *okay*... y si esa es la solución, pues, ¡bienvenido el *¿bueno?!*

standard, stress, scanner, slogan

La escritura correcta de la voz inglesa *standard* es *estándar* en español. Esta palabra puede ser adjetivo: *compré un interruptor estándar*... o sustantivo: *el estándar de lectura es bajo*. El plural cambia cuando es sustantivo, *los estándares de lectura en América latina son bajos*, pero no cuando es adjetivo, *los interruptores estándar están en rebaja*...

Como usted lo sabe, ninguna palabra española empieza por *st-*, ni por *-sc*, ni por *-sl*, por eso las escrituras inglesas *stereo, stress, scanner, slogan*..., en español son *estéreo, estrés, escáner, eslogan*...

No quiere decir esto que ahora vamos a escribir *estoc, estrit, están*... en vez de *stock, street, stand*, pues tales palabras no forman parte del patrimonio léxico español... al menos, por ahora.

Diez palabras de origen inglés que deben escribirse y pronunciarse en español

clóset, dúplex

La tilde de las palabras *clóset* y *dúplex* es su única diferencia escrita respecto al inglés. No olvide marcar esa tilde, pues son palabras graves terminadas en consonante distinta de *ene* o *ese*.

chárter

La palabra inglesa *charter* pasó al español con tilde y con el carácter de adjetivo. Así que se puede decir y escribir *vuelo chárter*, que equivale a *vuelo fletado*... solo que esto último no es muy comercial que digamos. No olvide marcarle la tilde, con lo cual ya no es necesario escribirla en cursiva, como palabra ajena.

clip, fax

Como muchos otros vocablos ingleses, *clip* y *fax* pasaron al español con la misma grafía. Por ser palabras españolas, no deben escribirse en letra cursiva, como se hace cuando aparece dentro del texto español una palabra o una frase de otro idioma.

film

La palabra inglesa *film* fue incluida en el DRAE de 1992 como alternativa de *filme* y de *película*. Es, pues, palabra española y no debe ir en cursiva, como si no lo fuera. Para el plural es preferible usar la palabra *filmes*.

iceberg

La palabra *iceberg* pasó al español con la misma escritura del inglés, pero, ¡ojo!, al ser palabra española debe pronunciarse como corresponde a nuestra fonética. No la pronuncie *aisberg*.

open

La palabra *open* aparece en el DRAE con el significado de 'abierto' y puede utilizarse en frases como *open de tenis* u *open de golf*. No la pronuncie *oupen*, con *pe* explosiva, ni la escriba en cursiva cuando la use en español.

Por supuesto no tiene ninguna presentación que le dé otro uso que no sea el de sustantivo. Así que nada de *open la puerta, que están timbrando...* ni *open la boca y saque la lengua...*

récord

La palabra *récord* tiene la tilde como única diferencia ortográfica de su forma en inglés la tilde. No olvide marcarla, pues es palabra grave terminada en *de. Récord* en español no tiene tantos usos como *record* en inglés. Por ejemplo, no es correcto traducir *off the record* por *fuera de récord*, que más bien debe traducirse por *confidencial* o *reservado*. El único uso admitido en español es el de sustantivo para referirse a una marca deportiva y, por extensión, a una marca en cualquier otra situación competitiva: *el récord de la hora es de tantos minutos... Fulano de Tal impuso un nuevo récord de resistencia bajo el agua... Los vendedores de biblias en Miami superaron este año su propio récord...*

Muchos gramáticos aconsejan no escribir esta palabra en plural, que sería *récords*, grafía extraña a la morfología española, por la coincidencia de tres consonantes seguidas (-*rds*) y, como *récordes* no es funcional, lo ideal es crear oraciones en las que no se requiera la forma plural. Por ejemplo, *cada nación tiene su propio récord*, en vez de *las naciones tienen sus propios récords.*

En ética del periodismo se habla del *off the record,* fórmula con la cual se ampara como secreto lo que un entrevistado dice. El periodista le pregunta sobre equis asunto y el entrevistado le dice "esto se lo voy a contestar *off the record...*", es decir, fuera de la entrevista, como quien dice, no lo puede publicar.

Es mejor no intentar una traducción a medias como sería "le voy a contestar fuera de récord", porque la palabra *récord* en español no tiene en este caso equivalencia con la palabra *record* en inglés. Una traducción más acertada sería *confidencial* o *secreto.*

sándwich

El *sándwich* está crudo. Esta afirmación un tanto absurda en el plano ontológico, porque los sándwiches nunca están crudos, es válida en el plano lexicográfico, pues la palabra inglesa *sandwich* pasó al idioma español casi igual; la única diferencia es la tilde: *sándwich.* Muchos autores prefieren escribir *sánduche,* en franca desobediencia a la Academia. En el uso de la calle, además de *sánduche,* he oído decir *sángüich* y *sánduich* y la mismísima *Gramática de la lengua española* (Espasa Calpe, Madrid, 1994, página 64), presenta las formas *sángüiches* y *sangüis,* como plurales frecuentes de este apetitoso vocablo. Imagino que los singulares correspondientes serán *sangüich* y *sángüi*... En algún boletín de la Academia de 1985 alcanzó a aparecer entre las voces aprobadas *sánduiche*, pero finalmente en el DRAE de 1992 quedó *sándwich*, que es por ahora la única forma correcta autorizada. La mejor variación publicitaria que conozco de este vocablo es la de una panadería que se llama *Sanduchón y Dulcinea*, donde sin duda venderán sándwiches grandototes y postres.

En resumen, debe escribirse *sándwich*, en singular, y *sándwiches*, en plural, sin descartar la posibilidad de que futuras ediciones del DRAE acojan otras formas más propias de la morfología léxica española para este mismo vocablo.

A todas estas, usted se estará preguntando qué pasó con la palabra *emparedado*, que años atrás era la inevitable traducción de *sándwich*. Pues a decir verdad, era la traducción académica, pero no la traducción funcional. Era fácil ver en algún programa de televisión de la Academia al profesor de turno diciendo "No diga *sandwich* sino *emparedado*", pero no era tan frecuente oír a los comensales de cafeterías y restaurantes pidiendo un emparedado... al menos no en la mayoría de los países hispanohablantes. Por eso, creo que la Academia procedió con muy buen criterio cuando decidió abandonar su combate contra una palabra tan universal como *sandwich*, y la aceptó como voz española con la única diferencia de la tilde (*sándwich*) respecto a la voz original inglesa.

Por lo demás, es mucho más grata la historia de la palabra *sándwich* que la de la palabra *emparedado*. Fíjese usted: *Sándwich* es un título nobiliario británico. El cuarto conde de Sándwich fue John Montagu, que nació en 1718 y murió en 1792. En su honor, el capitán James Cook bautizó Sándwich las islas que hoy se conocen como Hawai. Pues bien, el buen conde pasó gran parte de su vida sentado a la mesa, pero no como usted podría creer, a la mesa del comedor, sino a la mesa de juego. Ese era su vicio. Y lo era de tal manera, que cuando llegaba la hora de comer iba tomando rabanadas de pan con tajadas de carne que engullía sin perder de vista los naipes, los dados o la ruleta. La gente empezó a decir, cuando alguien comía a la carrera: "come como el conde Sándwich", lo que con el tiempo fue pasando a "come como Sándwich" y, por fin, a "come sándwich"...

En cambio, *emparedado* es palabra históricamente menos grata. Los primeros emparedados de la historia fueron los monjes sirios del siglo IV, que decidieron vivir su ascética encerrándose entre cuatro paredes, literalmente se emparedaban y, entonces, eran hombres emparedados. De ahí nació la vida monacal, costumbre que en siglo V llegó a Europa y se difundió pródigamente. Me dirá usted que la vida monacal no es menos grata que otras formas de vida. De acuerdo, lo ingrato viene aquí. En la Edad Media, la Inquisición emparedaba a los herejes... como quien dice, los emparedados de la Edad Media eran herejes muertos por hambre, sed y asfixia. Y para rematar esta truculenta historia, le cuento que en mi ciudad, por allá hace algunos siglos, una dama emparedó a su empleada del servicio, que se llamaba Custodia, en venganza porque sus pretendientes miraban más a la sirvienta que a la dama. Esta emparedada salió con vida gracias a la acción de las autoridades policiales de la época, pero no dejó muy buen sabor que digamos a la palabra *emparedado.*

Si tiene usted en cuenta, pues, la historia de estas dos palabras y, además, la funcionalidad y universalidad de *sándwich*, se quedará como yo con esta y no con emparedado.

Diez sustantivos y adjetivos nuevos de origen francés o inglés

El concepto de 'nuevo' en esta decena no es estricto. Algunas de estas voces aparecieron por primera vez en el DRAE de 1992, pero otras ya estaban en la edición de 1984.

beis

Usted no me lo va a creer, pero en la página 305 del DRAE del 2001 está la palabra *beis,* como versión española del francés *beige.* Y no es nueva. Ya aparecía en la edición de 1992. Afortunadamente, para cuando usted vaya a comprar camisa, suéter o chaqueta de este color, el DRAE también incluye, obviamente en cursiva, la versión original francesa *beige.* Es de las pocas palabras que tienen cabida así en el DRAE, la voz extranjera en cursiva, *beige,* y su equivalente en español, *beis,* con iguales derechos.

fan

La palabra *fan* hizo su entrada triunfal al español en la edición del 2001 del DRAE. Aparece en la página 1038 de la edición de bolsillo. Explica que es el acortamiento de la palabra inglesa *fanatic*, y que se aplica a la 'persona que admira, sigue o es entusiasta de algo o de alguien'. El ejemplo que da es irónico, *fan de la ópera.* No conozco ningún club de fans de la ópera, en cambio sí varios de Shakira, Arjona, Iglesias, De Vitta y de diversos grupos de *rock*.

Por cierto, *rock* y *rock and roll* también están en el DRAE del 2001, pero

Por Chato

— ¿QUIERE USTED UN EMPAREDADO?
— ¡AY, NO, POR FAVOR, PROFESOR! ¡PREFIERO UN SÁNDWICH...!

Una vendedora de ropa femenina dice que las palabras *hueso, habano, caqui* y *beige* no son iguales. Su explicación es la siguiente:

-La blusa caqui vale quince dólares; la habana, dieciséis; la hueso, diecisiete... y la beige, veinticinco. ¿Entiende la diferencia?

obviamente en cursiva, como voces inglesas que son. Aparecen en la página 1981, con mención expresa de los Beatles.

¡Quién iba a pensar en el siglo pasado que el legendario grupo de Liverpool llegara a figurar algún día en el benemérito *Diccionario de la lengua española*!

bistec

La palabra inglesa *beefsteak*, que viene de *beef* (buey) y *steak* (lonja, tajada) es *bistec* (también se admite *bisté*) en español.

web

La Academia no tuvo ningún inconveniente en incluir en el DRAE del 2001 la inevitable *web*, 'red informática'. Y no está en cursiva, como podría pensarse, sino como palabra española, que se acomoda perfectamente a la morfología propia del idioma. Un buen aporte de Bill Gates y sus colegas a nuestra lengua.

nominar

Y aquí tiene usted un aporte de la Legendaria Academia de Artes y Ciencias Cinematográficas, la que entrega los premios Oscar: *nominar*, con el significado de 'presentar o proponer a alguien para un premio'. El verbo ya figuraba en el DRAE con el significado de 'dar nombre', pero no con esta nueva acepción que, aunque no lo reconozca nuestro lexicón, es clara influencia del inglés de la industria del entretenimiento.

implementar

Una de las preguntas más reiteradas entre mis alumnos es si el verbo *implementar* es válido en español. La Academia se resistió muchos años a incluirla en el DRAE, y pedía que mejor se dijera *instrumentar, poner en funcionamiento, implantar*..., a pesar del uso ya bastante extendido que tenía en el lenguaje técnico y administrativo, por influencia del inglés. *Implementar* apareció por primera vez en la edición del 92 y sigue vigente la licitud de su uso. La presencia en el DRAE del sustantivo *implemento* sí es de vieja data.

champú

El jabón suave para lavarse el cabello que en inglés se llama *shampoo*, en español se llama *champú*. Su plural es *champús*.

fuel

El combustible derivado del petróleo que en inglés se llama *fuel oil*, en español se llama *fuel*. Escríbalo así, sin utilizar cursiva, y pronúncielo así y no *fiul*, como en inglés.

mitin

Mitin es una reunión donde se discuten públicamente asuntos políticos o sociales. La palabra *mitin* viene del inglés *meeting*. Tenga en cuenta que no es *mitín*, aguda, con el acento en *-tín*, como a veces la pronuncian los presentadores de noticias, sino *mitin*, grave, con en acento en *mi-*.

yogur

El *yogur* es una deliciosa clase de leche fermentada, de origen turco. En texto español no debe escribirse *yoghurt*, ni *yoghourt*, ni *yogourt*, sino *yogur*.

Diez palabras nuevas derivadas de lenguas modernas

capo

La palabra italiana *capo* fue aceptada por la Academia con esa misma grafía: *capo*. Se refiere al jefe de una mafia, aunque los periodistas deportivos la han popularizado también para aludir al líder de un equipo, por ejemplo, de ciclismo.

capó

La palabra francesa *capot*, nombre de la cubierta del motor de un automóvil, pasó al español con la forma *capó*.

cloche

La palabra inglesa *clutch* aparece en el DRAE en la forma *cloche*, por si en el taller automotor no le entienden la voz *embrague*, que es su equivalente.

esnob

La voz inglesa *snob* pasa al español con *e* inicial: *esnob*. No olvide marcarla, aunque con *e* le parezca menos esnob.

espagueti

La palabra italiana *spaghetti*, que es plural y se refiere al conjunto de pastas de harina de trigo en forma cilíndrica alargada, pasa al español en la forma *espagueti*, que es singular. Su plural es *espaguetis*.

gueto

La palabra italiana *ghetto*, referida originalmente a las zonas urbanas a las que eran confinados los judíos, y utilizada hoy para referirse a cualquier grupo que vive aislado, pasó a ser *gueto* en español. Escríbala así: *gueto*.

lasaña

La palabra italiana *lasagna*, con la que se identifica un delicioso plato de pasta y carne, se escribe en español *lasaña*. Nada más lógico: la combinación *gn* italiana suena *eñe* en español.

cártel, cartel

Cártel o *cartel* es un grupo de empresas, generalmente con fines ilícitos y en particular dedicadas al tráfico de armas o de drogas. La palabra viene del alemán *Kartell*. No es el mismo *cartel* proveniente del provenzal, que significa 'afiche' o 'anuncio publicitario'.

suspenso-suspense

La Academia aceptó la palabra *suspenso*, de origen inglés, para referirse a la expectación impaciente o ansiosa por el desarrollo de una acción, especialmente en cine. Así que no es obligatorio usar *suspense*, palabra incómoda para los hispanohablantes americanos, aunque usual en España, e igualmente correcta.

Capítulo 20

El español de los Estados Unidos

● ●

En este capítulo:

▶ Palabras curiosas, interesantes o disparatadas de origen inglés

▶ Palabras y frases del español estadounidense

▶ El léxico de los deportes

▶ Consideraciones del autor sobre la influencia mutua inglés-español

● ●

Diez pistas para entender a las señoras de Nueva York

Espero que nadie me tome a mal lo de "señoras de Nueva York". Estoy convencido de que el idioma varía o permanece más por el uso de las señoras que por el de los señores y de los niños. En todo caso, decir "señoras de Nueva York" valdría tanto como decir "señoras de Miami", "señoras de Los Ángeles", "señoras de Chicago" e incluso "señoras de San Juan", "señoras de Caracas" o "señoras de Barranquilla", pues los anglicismos que siguen no son tan exclusivos de las señoras de Queens, como lo sugiere el intertítulo, sino que los locutores de radio de Quito, de Buenos Aires o de Cali los usan con frecuencia, como también muchos otros hispanohablantes comunes y corrientes.

Basado en la ponencia titulada *Situación y destino del español en Estados Unidos de América*, presentada por Odón Betanzos Palacios, director de la Academia Norteamericana de la Lengua Española, en el "Encuentro internacional sobre el español de América", Bogotá, 1991, le ofrezco, amable lector, diez anglicismos típicos de las señoras de Nueva York.

beisman

Las señoras de Nueva York llaman *beisman* el sótano de la casa, porque en inglés tal lugar se llama *basement*.

broker

Al agente, corredor o intermediario le dicen *broker*, en inglés, en vez de decirle *agente, corredor o intermediario*, en español.

ensembles

A los conjuntos musicales les dicen *ensembles*, como en inglés, en vez de *conjuntos, grupos, bandas* o *grupos musicales*, como en español.

ketchup

Esta voz no significa otra cosa que 'salsa de tomate', pero es tan difícil de erradicar, que la Academia decidió incluirla en el DRAE 2001, obviamente en cursiva e identificada como palabra inglesa.

fornitura

A los muebles de la sala y, en general a los demás del hogar, les dicen, *fornitura*, por el inglés *furniture*, en vez de *muebles, mobiliario* o *moblaje*.

lunch

A la comida del mediodía le dicen *lunch* y, en consecuencia, usan el verbo *lonchar* (*voy a lonchar, ¿ya lonchaste?, Matilde está lonchando*) y al portacomidas le dicen *lonchera*.

Para no ir tan lejos, en el restaurante del periódico donde yo trabajaba, en Colombia, *almuerzo* era el que se tomaba dc la barra para sentarse a la mesa y *lunch*, el que se podía llevar en un cómodo empaque, tipo comida de avión, a la oficina. De manera que el defensor del lenguaje de Cervantes que pedía "*almuerzo* para llevar a la oficina" terminaba aceptando que lo que quería era un *lunch*. ¿*Okay*?

open

A toda inauguración o apertura le dicen *open*, palabra que en español solo es válida para referirse a la competición deportiva en la que participan todas las categorías, y no para hablar de la instalación del Congreso, ni de la apertura de la exposición de Guayasamín, ni de la inauguración del nuevo hipermercado.

rally

A toda reunión rápida para tratar un asunto común le dicen *rally*. Este anglicismo es ya viejo para referirse a las carreras de automóviles, caso en el cual tampoco es válido.

resignación

Cuando alguien dimite o renuncia dicen que presentó la *resignación*, por el inglés *resignation*.

sponsor

Al patrocinador le dicen *sponsor*. Y la palabreja no solo se escucha en Nueva York, sino, ¡pásmese usted!, en Madrid, España. Tal es su popularidad en la tierra de Cervantes, que ya algunos gramáticos proponen escribir *espónsor* en español. Mientras tal cosa sucede, si es que sucede, se puede evitar su uso con expresiones como *fiador, garante, mecenas* o *patrocinador*, según el caso.

Es claro que ninguno de estos anglicismos es válido, a no ser que alguna inexcusable razón de funcionalidad, como la anotada respecto a la palabra *lunch*... Entonces, las señoras de Nueva York dirán que estos usos no son errores, sino contribuciones a la ampliación del español moderno...

Diez frases del español estadounidense

feliz weekend

Oiga usted las despedidas de los viernes por la tarde. No faltan los *feliz weekend*, simpática mezcla de español e inglés, perfectamente evitable. Dígalo todo en inglés (*happy weekend!*) o dígalo todo en español: *¡feliz fin de semana!*, que no por ello va a ser menos feliz.

Odón Betanzos Palacios, director de la Academia Norteamericana de la Lengua Española, cuenta que en una universidad de Nueva York se llegó a enseñar la asignatura 'spanglish', idioma formado por la mezcla del inglés y el español, como en la frase "feliz weekend". Agrega que, para fortuna de ambas lenguas, la iniciativa no prosperó.

(*Destino y presencia del español de América hacia el siglo XXI*, varios autores, Tomo I, Instituto Caro y Cuervo, Santa Fe de Bogotá, 1991, página 22).

Vamos a enjoyarnos

Diría uno que *enjoyarse* es 'ponerse joyas'..., pues, no. Cuando en Miami, Nueva York o Chicago un amigo le dice al otro *vamos a enjoyarnos*, lo está invitando a alguna actividad relajante, como teatro, cine, discoteca... La expresión nace del inglés *to enjoy*, que significa 'gozar'o 'divertirse'. Este anglicismo es perfectamente evitable. Dígalo en español: *vamos a divertirnos, vamos a pasarla bien,* o, con algo de ironía, *vámonos de viernes cultural...*

Vacune la carpeta, mija

Una señora hispanohablante llevó a su casa de Nueva York como empleada a una joven recién llegada de algún país latinoamericano. Una de las primeras instrucciones que le dio fue: ¡*vacune la carpeta, mija!* La empleada no entendió sino *"mija"*. ¡Claro! Lo que la señora le debió haber dicho fue *"aspire el tapete, mija"* o *"aspire la alfombra, mija"*. La expresión nace de las expresiones inglesas *vacuum cleaner* ('aspiradora') y *carpet* ('alfombra'o 'tapete').

El show de Cristina

Bueno, esto de *El show de Cristina*, nombre de un programa de televisión en el que se mezcla la palabra inglesa *show* con tres vocablos españoles, se repite en el resto del mundo. Es fácil encontrar en Madrid *El show de Raphael*; en Santa Fe de Bogotá, *El show de las estrellas*; o en Lima, *El show de Nubeluz*. Las palabras españolas que pueden remplazar la inglesa *show* son numerosas: *muestra, espectáculo, parada de éxitos, revista, programa, magazín*. No creo que *El show de Cristina* pierda sintonía (*raiting* en inglés) si se llama *Cristina Pregunta*, ni que al *Show de Don Francisco* le sean infieles sus seguidores si se llama *El hombre del sombrero*, pues el nombre es lo de menos, pero un programa de la televisión hispana, debe ser hispano en todo, empezando por el título.

retozamos en la carpeta

Y a propósito de *El show de Cristina*, en alguna entrega confesaba una señorita, ya para entonces no tan 'señorita', según comentario de algunos señores, que había tenido un problema por retozar con su novio en la *carpeta*. Como en el caso de *vacune la carpeta, mija*, la pareja había retozado en la alfombra, pero para los televidentes de fuera de los Estados Unidos el retozo parecía un acto de malabarismo circense, pues una carpeta mide unos veinte centímetros por treinta, es decir, tiene una superficie exigua, incapaz de servir de escenario a tan apasionada actividad. Hubiera sido más clara la confesión y menos desafiante de la imaginación de los televidentes si hubiera dicho *retozamos en la alfombra*.

te veo

La frase *te veo* es común en las despedidas y ha desplazado otras despedidas más propias de nuestro idioma, como *hasta luego, hasta pronto* o *hasta mañana, que pases buena noche.* Se trata de una traducción literal de la frase inglesa *see you.*

te llamo para atrás

Te llamo para atrás es una de las frases más insólitas de esta mezcla de idiomas. Es la traducción de *I call you back*, que en buen español sería *te vuelvo a llamar* o *te llamaré luego.*

tómalo suave

La frase *tómalo suave*, o su alternativa *cógelo suave*, traduce la expresión inglesa *take it easy*, que bien podría expresarse en la lengua de Cervantes, Góngora y Quevedo, con un simple *¡cálmate, chica!*

voy a aplicar a Medicina

Hasta donde sabemos lo que se aplica en medicina son inyecciones. La frase *voy a aplicar a Medicina*, que en español correcto sería *me voy a presentar a Medicina*, es la traducción de *I'm going to applay in Medicin.* En español no se *aplica* a un cargo, a un puesto, a un cupo, sino se *presenta* uno como candidato, o *aspira* a un cargo, a un puesto o a un cupo.

el jean day

Las frases de este estilo pueden dar lugar a un libro entero, pero como aquí se trata sólo de dar diez ejemplos, termino con este comentario sobre el *jean day*, popularísimo en muchos países. El *jean day* es una jornada en la que excepcionalmente los estudiantes van al colegio sin uniforme... Para ellos la connotación es festiva, pues más allá de la simple supresión del uniforme se suele crear todo un ambiente de informalidad, propicio para la desinhibición y la camaradería. Si la Academia acogiera las palabras *bluyín* y *yin*, como traducciones de *blue jean* y *jean*, podría decirse *día del yin*... Lo que no funcionaría en ningún país americano es *día de vaqueros* o *día de tejanos*, como exige la Academia.

Diez expresiones frecuentes en los medios de comunicación

La radio y la televisión hispanas de los Estados Unidos hacen sus aportes a este novedoso español, no siempre acertado. He aquí diez ejemplos, tomados del inventario que hizo Odón Betanzos Palacios, director de la Academia de Nueva York, durante el *Encuentro internacional sobre el español en América*, Santa Fe de Bogotá, 1991.

el aeropuerto está operativo

La expresión *el aeropuerto está operativo* se oye cuando se está dando el estado del tiempo, en vez de *el aeropuerto opera normalmente*.

en nuestro segundo tratamiento

Expresiones españolas como *el segundo asunto de hoy* o *el segundo tema que vamos a tratar* se remplazan con la inconsistente frase *en nuestro segundo tratamiento*.

la globalidad estuvo de acuerdo

Cuando se quiere decir que *la mayoría estuvo de acuerdo*, se dice que *la globalidad estuvo de acuerdo*.

la música bandística y la operística

Posiblemente al querer distinguir entre *música popular* y *música clásica*, algunos locutores dicen *la música bandística* y *la operística*.

los enseñantes

Los *profesores, docentes, maestros...* son llamados *los enseñantes*.

se produjo una alternancia de temperatura

En vez de anunciar un *cambio de temperatura* en el estado del tiempo, se anuncia una *alternancia de temperatura*.

la operización fue exitosa

Para indicar que una *operación terminó con éxito*, se dice que *la operización fue exitosa*.

la situación es incurable

Como si se tratara de asuntos médicos, se dice que una situación política, social, económica es *incurable* cuando se quiere expresar que es *irreversible*.

la voz del cantista

El *cantista* puede ser un tenor o un barítono. O sea, un *cantante*.

Anglicismos clásicos

Por esta vía se instalan en el idioma los anglicismos clásicos, como *en base a*, que se usa profusamente, y ya nadie sabe de dónde salió. Julio G. Pesquera dice que se origina en la frase inglesa *on the basis of* (*Las buenas palabras*, Julio G. Pesquera, Círculo de Lectortes, Cali, 1992, página 82). Lejos de erradicarse, lo más que se ha logrado es cambiarlo por otro anglicismo: *con base en*... De manera que usted puede oír a más de un profesor de español que les dice a sus alumnos: *no diga 'en base a', sino 'con base en'*... Más bien, habría que decir: No diga *en base a* ni *con base en*, sino *según*, o cualquier otra palabra o frase de auténtica estirpe castellana.

Lo mismo pasa con *versus*. Nadie diría

pidieron que cantara mis canciones

y yo canté unas dos en versus de ellas,

al interpretar la ranchera que hizo famosa Vicente Fernández. Tampoco he oído al niño que le diga a su mamá: —*Mami, esta tarde juego versus el otro curso*... sin embargo, los titulares de prensa acuden con excesiva frecuencia a esta fórmula, *Italia versus Escocia*, a veces con la abreviatura *vs.*, que es perfectamente evitable.

hubo un colapso circulatorio

No se trata del infarto de un paciente por exceso de colesterol, sino de los problemas de congestión de vías por exceso de automóviles. Eso es lo que los presentadores de noticias llaman *colapso circulatorio*.

Diez deportes y su terminología

En Estados Unidos es donde hay más medallas olímpicas de oro, plata y bronce. Son ya legendarios el apoyo que se brinda en este país a los deportistas y las grandes inversiones en torneos y espectáculos deportivos. Quizá por ello, también la terminología del deporte se ha desarrollado fundamentalmente en inglés. La mayor parte de las palabras del léxico deportivo son inglesas, y resulta prácticamente inevitable usarlas.

Hay que hacerles barra a las formas españolas de ese léxico, para que poco a poco vayan remplazando las formas inglesas. Vamos a ver, entonces, qué hay de nuevo en el DRAE en cuanto a deportes se refiere. Así, por lo menos, esas palabras se le pueden mezclar al enorme léxico deportivo inglés.

atletismo

Ya comenté lo poco afortunada que fue la inclusión de la palabra *cross* en el DRAE del 92 y cómo la edición del 2001 la incluye en cursiva, como palabra inglesa. Yo preferiría *cros*. En cuanto a *maratón*, figuró en el DRAE como sustantivo masculino, *el maratón*, hasta la edición del 92. Desde entonces, aunque sigue siendo masculina en primera instancia, también es válido usarla como femenina, *la maratón*.

basquetbol

En el DRAE de 1992 aparecen por primera vez las palabras *básquet* y *basquetbol* como alternativas de *baloncesto*. La palabra francesa *pivot*, con la que se denomina el jugador que espera los pases cerca al tablero para encestar, fue admitida por la Academia en la forma *pívot*, con tilde, por ser palabra grave terminada en *te*.

voleibol

El deporte llamado en inglés *volley ball* puede llamarse en español *voleibol* o *balonvolea*, pero no *volibol*, como es frecuente nombrarlo. ¿No sería bueno incluir esa tercera posibilidad, señores de la Academia?

Béisbol

El *béisbol*, del inglés *basaball*, es uno de los deportes en los cuales ha perdurado más la terminología inglesa. Al menos, puede usted escribir *béisbol*, en vez de *baseball*. (Vea cuadro de la página siguiente).

boxeo

Cuando los contendores saltan al *cuadrilátero* (*ring*, en inglés), el árbitro (*referee*, en inglés) grita ¡boxeen! (*box!*, en inglés). Cuando hay *agarre* (*clinch*, en inglés), el árbitro grita ¡sepárense! (*break!*, en inglés). Durante cada *asalto* (*round*, en inglés) puede haber algún *golpe lateral* (*swing*, en inglés), algún *gancho al mentón* (*uppercut*, en inglés) y algún directo (*straigh*, en inglés) hasta quedar *grogui* (*groggy*, en inglés) alguno de los púgiles.

ciclismo

En ciclismo hay competencias *contrarreloj* (*against the clock*, en inglés), hay *ciclocrós* (mejor que *ciclocross*) y hay eventos internacionales como el *Tour de Francia* (la Academia prefiere *tour* en cursiva, que *tur*, propuesta en el DRAE 92). Algunos ciclistas van solos, otros en *tándem* ('dos') y otros en equipos grandes donde hay un *líder* o *capo* y varios gregarios o peones.

Béisbol en español

Un ejemplo de lo que se puede hacer con la terminología inglesa de cualquier deporte es lo que hace la agencia *Efe* con las voces del béisbol. Aquí tiene la traducción o equivalencia española de los más importantes términos de ese deporte, según el folleto *El idioma español en el deporte. Guía práctica*, agencia *Efe*, Logroño, España, 1992, páginas 41 a 43:

EN INGLÉS	EN ESPAÑOL	EN INGLÉS	EN ESPAÑOL
balk	engaño, movimiento	mound	montículo, lomita
basepath	sendero, camino	no game	juego nulo
bases lead	bases llenas	out	eliminado
bount hit	toque de sorpresa	outfield	campo exterior
box	caja de bateador	passed ball	receptor, apañador
catcher	receptor, apañador	pitcher	lanzador, serpentinero
center field	exterior centro	pitcher plate	plaforma del lanzador
coach	ayudante, asistente, guía	right field	exterior derecha
dead ball	bola muerta	rolling	carrera
drop shot	dejada, dejadita	run	carrera
fair	terreno de juego	second baseman	segunda base
fastball	recta	screwball	tirabuzón
field	campo de juego	short stop	paracorto, torpedero
first baseman	primera base	slide	deslizamiento
fly	volea, bombo, elevado, palomita	squeeze play	robo de meta
game	juego terminado	stolen bases	bases robadas
hit	batazo bueno	strike-out	ponchado
home	meta	triple play	robo de meta
home run	cuadrangular	umpire	árbitro
infield	interior de juego	wild pitch	lanzamiento salvaje
inning	entrada, turno		
left field	exterior izquierda		

fútbol, futbol

La terminología del *fútbol* o *futbol* o *balompié* ha sido más dada a la españolización total. He aquí una lista de términos españoles habituales en este deporte, con su correspondiente equivalente inglés entre paréntesis: *defensa (back)*, *córner* o *tiro de esquina (corner)*, *astro, estrella* o *as (crack)*, *chutar, disparar, tirar (to shoot)*, *falta (fault)*, *delantero (forward)*, *tiro libre (free lick)*, *centrocampista (half)*, *juez de línea* o *auxiliar (linesman)*, *fuera de lugar (off side)*, *penalti* o *pena máxima (penalty)*, *árbitro (referee)*, *marcador central (stopper)*, *hincha, seguidor* o *fanático (supporter)*.

No escriba *foot ball*, cuando ya todo mundo escribe el nombre de este deporte en español: *fútbol*, *futbol* y hasta *balompié*.

No diga *pénalti*, esdrújula, como se pronuncia la palabra inglesa *penalty*, sino *penalti*, grave, con el acento en la sílaba *nal*. El DRAE 2001 también admite *penal*.

hípica

En hípica o competencias de caballos, el jinete suele llamarse *yóquey* o *yoqui* (*jockey*, en inglés) y prepararse muy bien para el *derbi* (*derby*, en inglés).

natación

El más conocido estilo de natación es el *crol* o *libre* (*crawl*, en inglés), practicado por el *crolista*.

tenis

En tenis hay también una terminología cada vez más aceptada en español, por ejemplo: *golpe natural* o *derechazo* (*drive*, en inglés), *juego* (*game*, en inglés), *red* (*net*, en inglés), *individual* o *simple* (*single*, en inglés), *balanceo* (*swing*, en inglés).

Al menos, no escriba *tennis*, en inglés, en vez de *tenis*, en español.

Más allá de las pocas voces aquí inventariadas, la terminología deportiva es eminentemente inglesa... Hay que tener paciencia...

Diez no son suficientes

El léxico de las diversas actividades de hoy se ve invadido por las nuevas voces inglesas, lo que origina anglicismos al por mayor. Muchos de ellos se originan en los Estados Unidos, pero rápidamente entran en el habla de todos los países influidos por su televisión, su cine, su radiodifusión, su literatura, sus turistas, sus agentes...

Mire usted la cantidad de series que podrían extender este capítulo hasta convertirlo en otro libro: comida (*burger, coffe, brunch, steak, light, diet, BBQ, corn flakes, ketchup...*), moda (*jeans, look, panty, slacks, knickers...*), periodismo (*lead, off the record, printer, flash...*), televisión (*set, videotape, anchorman...*), música (*c.d., compact disc, long play, hi-fi...*), turismo (*jet, brouchure, time out...*), comercio (*stand, stock, leasing, marketing, dumping...*), sistemas (*mouse, e-mail, send, hardware...*), educación (*master, Ph.D., quiz...*)

En fin, vendrían luego las combinaciones: *comboburger* (*combo*, español + *burger*, inglés), *Diet Coca-Cola* (*diet*, inglés + *Coca-Cola*, español), *John Jairo* (*John*, inglés + *Jairo*, español)... y luego, los anglicismos, a los cuales ya me he referido, páginas atrás.

Lo cierto es que el proceso se sigue dando. Todos los días hay nuevas realidades. Consecuentemente, todos los días hay nuevas palabras. Dadas las circunstancias, esas nuevas palabras son en primera instancia inglesas, y con esa forma se dan a conocer al mundo. Sin embargo, poco a poco se pueden ir acomodando a la morfología léxica española, adoptando su propio sonido y su propia escritura o, en muchos casos, encontrando una traducción o una voz que ya existe, y cuyo significado corresponde al del neologismo inglés.

Por eso, le ofrezco en seguida 250 novedosas palabras de origen inglés, francés y alemán, que tienen una traducción o una voz equivalente en español. Mi invitación es a usar las de la columna ESPAÑOL, cuando la comunicación sea en español y la funcionalidad del mensaje no corra peligro.

Diez (por veinticinco) voces inglesas y su equivalencia española

La siguiente lista recoge la traducción recomendada por el *Manual de español urgente*, Cátedra, Madrid, 1994, páginas 141 a 254; el *Libro de estilo*, El País, Madrid, 1996, páginas 193 a 539; el *Diccionario de dudas e incorrecciones del idioma*, Fernando Corripio, Larousse, Barcelona, 1988; el *Diccionario de usos y dudas del español actual*, José Martínez de Sousa, Vox, Barcelona, 1996; el *Manual de Redacción*, El Tiempo, Santa Fe de Bogotá, 1995, páginas 235 a 266, y *El libro del periodista*, Mauricio Gómez, Educar, Santa Fe de Bogotá, 1994, páginas 95 y 96, entre muchas otras guías del mismo estilo. Desde luego, yo también hago mi aporte.

EN INGLÉS (A VECES EN FRANCÉS)	EN ESPAÑOL
accrued interest	interés acumulado
allocation	asignación
amateur	aficionado
antidoping (control)	control de estimulantes
apportionment	prorrateo
approach	acercamiento, aproximación
auditing	revisión de cuentas, auditoría
avant match	prepartido, antepartido
average (goal)	diferencial
baffle	bafle
bank lending	crédito bancario
bank rate	tipo de descuento
bass	los bajos (tonos en la música)
bazooka	bazuca
best-seller	éxito literario
blackout	bloqueo informativo, oscurecimiento
blooming	aglomeración
bookmaker	corredor de apuestas
boxes	casetas de mantenimiento
boycott	boicot, boicoteo
break	baja notable
briefing	sesión informativa
buffet	bufé
bulkcarrier	barco granelero
bustier	almilla, jubón, corpiño
cableman	cablista
calendar year	año civil
cameraman	camarógrafo
cannabis	cáñamo

(continúa)

cash	dinero en efectivo, metálico
cash flow	liquidez, efectivo, flujo de efectivo, flujo de caja
cash price	precio al contado
cash resources	recursos en efectivo
cash surplus	excedente de caja
casting	reparto, audición
clap	claqueta
clapman	claquetista
clash	conflicto, desacuerdo
clearing	compensación (bancaria)
Clering House	Cámara de Compensación
clinic	curso intensivo
close up	primer plano
clown	clon, payaso
cockpit	cabina de mando
cocktail	cóctel, coctel
coequipier	compañero de equipo
container	contenedor
contemplate	proyectar, proponerse, tener el propósito de
cost inflation	inflación, inflación de costos
Court D'Appel	Tribunal de Apelación
crack	as, estrella del equipo
crash	quiebra
crawling peg	ajuste mensual, tipo de cambio móvil
cross	cros (y motocrós, ciclocrós...)
currency depreciation	depreciación de la moneda
curren interest	interés corriente
dealer	apoderado, intermediario (banco)
décalage	desnivel, diferencia, desajuste, desacuerdo
deferred payment	pago diferido

(continúa)

EN INGLÉS (A VECES EN FRANCÉS)	EN ESPAÑOL
deficiency payments	*pagos compensatorios*
deflation	*deflación*
derby	*derbi*
directives	*directrices*
diguised unemployment	*paro encubierto*
dossier	*expediente, informe*
double-entry	*partida doble*
dribbling	*gambeta*
drugs	*drogas, fármacos*
factoring	*cesión de créditos*
fair play	*juego limpio*
fan (aceptada en el 2001)	*aficionado, hincha, seguidor*
features	*servicio especial (en prensa)*
ferry	*transbordador*
fixture	*programación*
flash back	*escena retrospectiva*
flat	*liso, llano, exacto*
flood	*iluminación múltiple*
footing	*trote*
forcing	*presión*
forfait	*precio global, tanto alcanzado*
foreing loan	*préstamo del extranjero*
forfeit	*pérdida, sanción, penalidad*
foto finish	*foto de llegada, fallo fotográfico*
freelance	*a destajo, independiente*
free trade	*libre cambio*
friedenforscher (voz alemana)	*experto en pacifismo*
full time	*dedicación exclusiva, tiempo completo*
golaverage	*coeficiente, diferencial (de goles)*

(continúa)

grand prix	gran premio
groupman	encargado del grupo electrónico
hall	vestíbulo, pasillo, recibidor
handicap	obstáculo, dificultad (en hípica, compensación)
hi-fi	alta fidelidad
hiperinflation	inflación galopante
hit	acierto, éxito
hit-parade	relación de discos más vendidos
hobby	pasatiempo, afición
holder	poseedor
holding	consorcio
hooligan	aficionado violento
hot money	dinero caliente
hovercraft	aerodeslizador
impasse	atolladero, callejón sin salida
input	entrada, insumo
inputs	factores de producción
International Monetary Fund	Fondo Monetario Internacional
interview	interviú, entrevista
jacket (en lenguaje petrolero)	base de la plataforma
jazz	yaz (eliminada en el 2001)
jeep	campero
jet-foil	deslizador
joint venture	acuerdo de inversiones conjuntas
jr., junior	hijo
know-how	habilidad, destreza, conocimiento
landed property	bienes raíces
lead	entrada (de una noticia)
leader	líder
leasing	arrendamiento con opción de compra

(continúa)

EN INGLÉS (A VECES EN FRANCÉS)	EN ESPAÑOL
loan	préstamo, empréstito
lock-in effect	efecto cerrojo, retraimiento
lock-out	cierre patronal
long-play	disco de larga duración
lump-sumtax	impuesto a tanto alzado, impuesto global
lunch	refrigerio, almuerzo, comida
maillot	camiseta, chompa, casaquilla, jersey
manager	apoderado, gerente
mandat d'arrêt	orden de captura
market price	precio de mercado
marketing	mercadotecnia
mass media	medios de comunicación
master (curso universitario)	maestría
match	encuentro, partido, combate
medium-term loan	préstamo a madiano plazo
merit wants	necesidades preferentes
middleman	intermediario
mise en scene	escenificación
monitoring	control de calidad, comprobación
moonlight, moonlightining	pluriempleo
night club	club nocturno
non performing debit	deuda no exigida
nylon	nailon
office	antecocina
off the record	estrictamente confidencial
output	salida, resultado, potencia de salida
outsider	no favorito
overnight	pluriempleo
overbooking	exceso de contrata

(continúa)

pack-shot	imagen del producto
paperback	libro de tapa rústica
parking	aparcamiento, estacionamiento, parqueadero
parquet	parqué
part-time	medio tiempo, tiempo parcial
penalty	penalti, penal
perchman, perchist	jirafista, perchista
perfomance	rendimiento
phones	auriculares
planning	planeamiento, planificación, programa
play-back	previo
play-maker	base, armador (en basquetbol)
play-off, play out	liguilla final, serie final, eliminatoria
postpone	aplazar, diferir
première	estreno
pressing	acoso, presión
press-release	comunicado, nota de prensa, boletín
privacy	intimidad
procureur	fiscal
promissory note	pagaré
property	bienes, propiedades
puding	pudín
raid	incursión, correría, ataque, bombardeo
ranking	clasificación
reality show	programa de sucesos (crónica roja)
recordman, recordwoman	plusmarquista
remake (en cine)	nueva versión
remodel	modernizar
rollon-rollof	carga rodada
roulotte	caravana

(continúa)

EN INGLÉS (A VECES EN FRANCÉS)	EN ESPAÑOL
round	asalto, episodio
round-up	mesa redonda, resumen
royalty	regalía, patente, derecho, canon
rush	filme impresionado sin montar, envío urgente
scoop	exclusiva, noticia exclusiva
score	marcador, resultado
scout, boy-scout	explorador
script	texto, copia, guión
schedule	programa, programación, horario
securities	valor de renta fija
shock	choque, conmoción
show	número, espectáculo, programa
shunt	atenuación, amortiguamiento
single	sencillo
slogan	eslogan
smoking	esmoquin
software	programa
sound man	técnico de sonido
sponsor	patrocinador
sport wear	ropa deportiva
spot	anuncio publicitario, comercial, cuña
spot market	mercado al contado
spot price	precio al contado
spray	nebulizador, aerosol, vaporizador
spread	margen de venta
sprint	aceleración final
squatter	ocupantes ilegales de vivienda
staff	directiva, personal docente, plantilla
stage	estadía, estancia, pasantía

(continúa)

stand	caseta, pabellón, puesto, vitrina
standard	estándar
stand-by (credit)	crédito de reserva, crédito de apoyo
stand-by agreement	acuerdo de apertura de líneas de crédito
standing	categoría, solvencia, antigüedad, nivel de vida
star	estrella
start	punto de arranque, arranque
starter	juez de salida, tacos de salida
starting blocks	tacos de salida
status	condición, posición, nivel social
steeple	obstáculo
steeple chase	carrera de obstáculos
stock	inventario, existencias, reservas, excedentes
stock shot	imagen de archivo
stress	estrés
stringer	colaborador, corresponsal
strong	intenso, enérgico, marcado
strong language	lenguaje indecente
styling	línea, diseño (en moda)
subholding	filial, grupo filial
subsidies	subvenciones
sweater	suéter
surmenage	agotamiento, cansancio mental, depresión
swap	permuta de acciones
take-off	despegue
tape	cinta
task forces, task group	fuerza operativa, grupo operativo
team	equipo
tender	oferta
ticket	tiquete, boleta, pasaje

(continúa)

EN INGLÉS (A VECES EN FRANCÉS)	EN ESPAÑOL
tied loan	préstamo condicionado
tour	tur (eliminada en el 2001)
tournée	gira
tour operator	operador turístico
training	capacitación, entrenamiento
transfer	transferencia
treble	agudo (en radiodifusión)
trust	consorcio, fideicomiso
tuner	sintonizador (de radio)
vedette	estrella
vermouth	vermut, vermú
versatile	hábil
versus	contra, frente a
video-tape	videocinta
warm up	calentamiento
water	retrete, cuarto de baño, servicio, lavabo, aseo
windsurf	tabla de vela
winner	ganador
workshop	taller, reunión de trabajo, lugar de trabajo

Diez consideraciones sobre el español en un mundo dominado por el inglés

La influencia inversa también se da

En el encuentro del inglés con el español, que se da no solo en las calles de Nueva York, sino en cualquier rincón del mundo donde hay un hispanohablante que ve la CNN o un anglohablante que escucha las canciones de Julio Iglesias, el inglés y el español se entremezclan, se influyen mutuamente. No hay una influencia exlusiva del inglés en el español, sino que también el español aporta recursos expresivos al inglés. Está uno leyendo un libro en inglés y de pronto encuentra en cursiva la expresión *en masa*, como antónimo de 'individual', que al redactor le parece mucho más descriptiva que cualquiera de las equivalentes de su propia lengua... Ve uno el *New York Times* y encuentra nuestro adjetivo *ex* en cuanta página se habla de algún funcionario retirado, clara influencia del español moderno en el inglés moderno...

Esta consideración puede ayudar a devolvernos la fe en la fortaleza y vocación de permanencia del idioma español en el mundo futuro.

El inglés se está latinizando

Por lo demás, las lenguas germanas —el alemán, el inglés, el holandés...— se están latinizando cada vez más. En el nuevo léxico inglés encuentra uno palabras de rancio sabor germano, como *software, hardware, show...*, pero encuentra muchas otras de clarísimo origen latino, que es el origen de nuestra lengua española, como *penalty, bit, fax, duplex...*, que por eso encuentran tan fácil aclimatamiento en nuestro sistema léxico.

Si uno se pusiera en plan de hacer futurismo, podría imaginar en los próximos siglos un idioma único universal, de clarísimo origen latino, pero hijo inmediato del inglés y del español... Amanecerá, y veremos.

Hay palabras inglesas inevitables

Mi invitación a hablar español con la mayor pureza posible no desconoce el hecho de que hay palabras y frases inglesas inevitables al hablar en español. Ya le di el ejemplo de mi propia experiencia con la palabra *lobby*... Y ¿cómo llamar al *jet* si no *jet*? ¿Viajaría usted con igual tranquilidad si en vez de decirle que lo llevan en *jet* le dicen que lo llevan en *avión de reacción*, como dicen los gramáticos que hay que decir? El problema aquí es más que todo de eficiencia de la expresión: si lo digo en español puro e incontaminado, no me entienden; mientras que si lo digo en español correcto con una que otra concesión indispensable al inglés, sí me entienden, y no se aumentan las barreras naturales en el diálogo.

Cuide la semántica de los términos españoles tradicionales

En un aspecto que sí vale la pena poner especial empeño es en no contaminar el significado de palabras tradicionales del español con el significado que palabras del mismo origen tienen en inglés. Por ejemplo, *rentar* no es 'arrendar' ni 'alquilar', sino 'producir renta'; *locación* no es 'escenario' o 'lugar de rodaje', sino 'arriendo'; *doméstico* no es lo relativo a la nación, sino lo relativo al hogar; *versus* no es 'contra', sino 'hacia'.

Cuando llegué a *El Tiempo*, como Defensor del Lenguaje, enconcontré que muchos titulares de la página deportiva decían *versus*: *Millonarios versus América, Real Madrid versus Osasuna, Fulano versus Mengano...*

Hablé con los redactores y, aunque al comienzo hubo resistencia, terminaron por escribir *contra*: *Millonarios contra América*... Ni se perdía espacio, ni se hacía menos fácil de leer, ni se confundía al lector habitual. En un caso como este, pasar del español a medias al español correcto no requiere más que el deseo de hacerlo.

Distinga las sutilezas ortográficas

A veces la diferencia entre una palabra en español correcto y su equivalente en inglés es mínima. Pues ese mínimo es la piedra de toque del escritor cuidadoso: *penalti*, con *i latina* (español), en vez de *penalty*, con *i griega* (inglés); *Brasil*, con *ese* (español), en vez de *Brazil*, con *zeta* (inglés); arribé, con *be* (español), en vez de *arrivé*, con *uve* (por el inglés *to arrive*)...

No olvide las tildes

Entre esas mínimas diferencias están algunas tildes, que son la única identificación de la palabra como voz española: *sándwich* (y no *sandwich*), *clóset* (y no *closet*), *dúplex* (y no *duplex*), *córner* (y no *corner*), *récord* (y no *record*)... Cuide, entonces, la marcación de esa pequeña pero importantísima virgulilla.

Pronuncie la uve con los labios

En cuanto a fonética, cuando se está hablando en español, los sonidos deben ser los propios de nuestro idioma, pues no hay nada tan triste como oír hablar español con sonidos ingleses, fenómeno nada infrecuente en las emisoras juveniles de radio y televisión. Una característica definitiva de la fonética española es la pronunciación de la *uve* como letra labial, igual que la *be*, y no como letra labiodental como se pronuncia en inglés.

No haga explosivas en español las explosivas del inglés

Otra clara característica de la ortología española es que la *pe*, la *ce*, la *te* no son explosivas, como sí lo son en inglés.

No mezcle, cuando no sea necesario

Si usted está hablando o escribiendo en español debe esmerarse por emplear los sonidos, la ortografía, el léxico y los giros propios del idioma, sin mezclarle palabras inglesas mientras no sea indispensable hacerlo.

Sea auténticamente bilingüe

Una persona auténticamente bilingüe no mezcla idiomas, sino que distingue claramente una lengua de otra, cuando habla y cuando escribe. Esa es una buena meta para mis lectores.

Capítulo 21

Los dieces de la gramática y el estilo

En este capítulo:

▶ Mitos gramaticales que se oyen aquí y allá, pero no son válidos

▶ Los nombres propios y su ortografía

▶ Dudas habituales en el uso de sustantivos y adjetivos

Diez mitos

Al lado de las normas reales del idioma, hay falsas creencias, o mitos, que se repiten de generación en generación y terminan por decirse como axiomas (axioma: verdad indiscutible). Por ende, a las primeras de cambio, en cuanto se hace un mínimo análisis, lo que parece una norma resulta no ser más que un mito sin fundamento. Aquí le presento diez muy socorridos.

Los nombres propios no tienen ortografía

¿Que los nombres propios no tienen ortografía? ¡Falso!

No he encontrado el primer libro serio de gramática que diga eso. En cambio sí he encontrado numerosas indicaciones, disertaciones y análisis sobre los nombres propios de personas, de lugares y de empresas. Aquí, a la mano, tengo un libro que se anuncia así: "Un diccionario de nombres propios usuales, españoles y extranjeros, cuya grafía correcta plantea alguna duda...". Esa grafía correcta es la ortografía (*orto*, 'correcto'; *grafía*, 'escritura'), característica de toda palabra, incluidos los nombres propios.

El problema radica en que no hay escrituras únicas de los nombres propios. Por ejemplo, mientras los libros de historia de México recuerdan que Hernán *Cortés* quemó las naves, las casas disqueras de Argentina editan discos compactos de Alberto *Cortez*. Eso no significa que el apellido *Cortés/Cortez* no tenga ortografía, sino que ha adquirido diversas escrituras, según la región donde se usa, o según decisión de la familia a la que identifica. Que hay *Cortés* con *ese* y *Cortez* con *zeta* no significa que *Cortés/Cortez* no tenga ortografía, sino que no tiene una grafía única. Y recuerde usted que hay sustantivos comunes que no tienen una grafía única. Es válido escribir *chófer* o *chofer*, de donde nadie deduce que la palabra *chófer/chofer* no tiene ortografía.

Tan tiene ortografía este apellido, que al escribir *Cortés* es preciso escribirlo con la tilde que exige el ser palabra aguda terminada en *ese*, mientras que si se escribe *Cortez*, no debe marcarse tilde, pues es palabra aguda terminada en *zeta*. Si usted escribe *Cortes*, le cambia el sonido, pues aquí ya no suena *cortés* como en *David es un hombre **cortés** y amable*, sino *cortes* como en *Gratiniano le llevaba unos **cortes** de paño al sastre*.

La ortografía de los nombres propios es de especial cuidado. Si usted le dirige una carta a alguien y le escribe mal el nombre en el encabezado, con ello está creando una barrera en su comunicación con esa persona. Esa persona se sentirá molesta, ofendida, indignada el leer su nombre mal escrito. Nadie admite que le escriban su nombre sin ortografía.

A continuación le doy algunos otros ejemplos de nombres propios de personas con la grafía española correcta.

Anton Chejov (escritor ruso del siglo XIX)

Benasir Buto (primera ministra de Pakistán)

Boris Yeltsin (presidente de Rusia)

Federico Chopin (músico polaco del siglo XIX), no *Chopín*

León Tolstói (novelista ruso del siglo XIX)

Muamar al Gadafi (líder de la Revolución libia)

Óscar Arias Sánchez (premio Nóbel de la Paz 1987)

Yaser Arafat (presidente de Palestina)

Y, en cuanto a los nombres propios habituales, también hay una grafía correcta (es decir, una ortografía) que establecen los diccionarios que tratan tal tema. Vea a continuación algunos ejemplos.

EN OTRO IDIOMA	EN ESPAÑOL
Aileen (inglés)	*Elena*
Ajax (inglés)	*Ayax*
Alexis, Alexius (varios idiomas)	*Alejo*
Benoit (francés)	*Benito*
Bill, diminutivo de *William* (inglés)	*Guillermo*
Dennis (inglés), *Denis* (francés)	*Dionisio*
Efraim (varios idiomas)	*Efraín*
Elsa (inglés)	*Alicia*
Eliza (inglés)	*Elisa*
Elizabeth (inglés)	*Isabel*
Eric, Erik (en varios idiomas)	*Erico*
Esther	*Ester*
Eustace (inglés)	*Eustaquio*
Francis (inglés)	*Francisco*
Gilles (francés)	*Gil*
Giovanni (italiano)	*Juan*
Guy (francés)	*Guido*
Gwendolin (inglés)	*Genoveva*
Hannah (inglés)	*Ana*
Helen (inglés)	*Elena*
Henry (inglés), *Enri* (francés)	*Enrique*
Henrietta (inglés), *Henriette* (francés)	*Enriqueta*
Herbert (inglés)	*Heriberto*
Hugues (francés), *Hugh* (inglés)	*Hugo*
James (inglés)	*Diego, Jacobo, Jaime, Santiago*
Jerome (inglés)	*Jerónimo*
Jesse (inglés)	*Isaí*
Judith	*Judit*
Lancelot (inglés)	*Lanzarote*

(Continúa)

EN OTRO IDIOMA	EN ESPAÑOL
Marlborough (inglés)	*Mambrú*
Marion (inglés)	*Mariana, Mariano*
Martha	*Marta*
Marjorie (inglés)	*Margarita*
Mathilde (inglés)	*Matilde*
Matthew (inglés)	*Mateo*
Otto (alemán)	*Otón*
Rachel (inglés)	*Raquel*
Ralph (inglés)	*Rodolfo*
Randall (inglés)	*Randolfo*
René (francés)	*Renato*
Renée (francés)	*Renata*
Santa Claus (inglés)	*San Nicolás*
Stella (italiano)	*Estrella*
Stephen (inglés)	*Esteban*
Titian (inglés), *Titien* (francés)	*Tiziano*
William (inglés)	*Guillermo*

Si se trata de lugares geográficos, es igualmente importante escribir con cuidado, con ortografía, esos nombres, pues no son el mismo sitio *Antioquia* que *Antioquía*, o *Columbia* que *Colombia*. Muchos nombres geográficos tienen su versión en español, que debe usarse: no escriba *Mainz, England, London, Firenze, Milano, Frankfurt*, pues existen las formas españolas de esas palabras: *Maguncia, Inglaterra, Londres, Florencia, Milán, Fráncfort*.

A continuación le doy algunos ejemplos más.

EN OTRO IDIOMA	EN ESPAÑOL
Algiers (inglés)	*Argel*
Anvers (francés), *Antwerp* (inglés)	*Amberes*
Açores (portugués)	*Azores*
Assisi (italiano)	*Asís*
Assuan (inglés)	*Asuán*

(Continúa)

Baghdad (inglés)	*Bagdad*
Baile Átha Cliat (irlandés)	*Dublín*
Beijing (pinyin)	*Pequín, Pekín*
Beiroût (francés)	*Beirut*
Belize (inglés)	*Belice*
Beograd (serbio)	*Belgrado*
Bern (alemán), *Berne* (francés)	*Berna*
Bologna (italiano)	*Bolonia*
Bordeax (francés)	*Burdeos*
Borgogna (italiano), *Burgund* (alemán)	*Borgoña*
Brandenbur (alemán)	*Branderburgo*
Brasília (portugués)	*Brasilia*
Brazil (inglés)	*Brasil*
Brindisi (italiano)	*Brindis*
British Columbia (inglés)	*Columbia Británica*
Bruges (francés), *Brugge* (flamenco)	*Brujas*
Bundesrepublik Deutschland (alemán)	*República Federal de Alemania*
Cambodia (inglés), *Cambodge* (francés)	*Camboya*
Ceylon (inglés)	*Ceilán*
Cologne (inglés y francés)	*Colonia*
Curaçao (portugués)	*Curazao o Curasao*
Cypern (alemán), *Cyprus* (inglés)	*Chipre*
Danmark (danés)	*Dinamarca*
Dar el Beiba (árabe)	*Casablanca*
Deutschland (alemán), *Germany* (inglés)	*Alemania*
Djarta (indonesio)	*Yakarta*
Edinburgh (inglés)	*Edimburgo*
Euskadi (vasco)	*País Vasco*
Falkland (inglés)	*Malvinas*
Fidji (francés), *Fiji* (inglés)	*Fiyi*

(Continúa)

EN OTRO IDIOMA	EN ESPAÑOL
Frankfurt (alemán)	*Fráncfort*
Freiburg (alemán)	*Friburgo*
Genève (francés)	*Ginebra*
Havana (inglés)	*La Habana*
Hamburg (alemán)	*Hamburgo*
Hawaii (inglés)	*Hawai*
Indianapolis (inglés)	*Indianápolis*
Ireland (inglés)	*Irlanda*
Irian (indonesio)	*Nueva Guinea*
Key West (inglés)	*Cayo Hueso*
Kleve (alemán)	*Cléveris*
Köbenhavn (danés)	*Copenhague*
Konstanz (alemán)	*Constanza*
Kraków (polaco), *Krakaw* (alemán)	*Cracovia*
Kuwayt (árabe)	*Kuwait*
Lausanne (francés)	*Lausana*
Libya (inglés), *Libye* (francés)	*Libia*
Louisiana (inglés)	*Luisiana*
Louvain (inglés y francés)	*Lovaina*
Luik (flamenco), *Lüttich* (alemán)	*Lieja*
Luxemburg (inglés)	*Luxemburgo*
Luthringen	*Lorena*
Macau (portugués)	*Macao*
Malaya (inglés)	*Malasia*
Marocco (inglés)	*Marruecos*
Marseille (francés)	*Marsella*
Monte Carlo (francés)	*Montecarlo*
Moscow (inglés)	*Moscú*
München (alemán)	*Múnich*
Napoli (italiano)	*Nápoles*

(Continúa)

New England (inglés)	*Nueva Inglaterra*
New Jersey (inglés)	*Nueva Jersey*
New Mexico (inglés)	*Nuevo México*
New Orleans (inglés)	*Nueva Orleans*
New South Wales (inglés)	*Nueva Gales del Sur*
New York (inglés)	*Nueva York*
New Zealand (inglés)	*Nueva Zelanda*
Nice (francés)	*Niza*
Niedersachsen (alemán)	*Baja Sajonia*
Nippon (japonés)	*Japón*
Norge (noruego), *Norway* (inglés)	*Noruega*
North Caroline (inglés)	*Carolina del Norte*
North Dakota (inglés)	*Dakota del Norte*
Northern Ireland (inglés)	*Irlanda del Norte*
Österreich (alemán)	*Austria*
Padova (italiano)	*Padua*
Pennsylvania (inglés)	*Pensilvania*
Philadelphia (inglés)	*Filadelfia*
Polska (polaco)	*Polonia*
Scotland (inglés)	*Escocia*
Strassburg (inglés y alemán)	*Estrasburgo*
Sweden (inglés)	*Suecia*
Switzerland (inglés)	*Suiza*
Sydney (inglés)	*Sidney*
Tokyo (inglés)	*Tokio*
Torino (italiano)	*Turín*
Turkey (inglés)	*Turquía*
United Kingdom (inglés)	*Reino Unido*
United States of America (inglés)	*Estados Unidos de América*
USA (inglés)	*EE.UU.* (español)
Venezia (italiano)	*Venecia*

(Continúa)

EN OTRO IDIOMA	EN ESPAÑOL
Versailles (francés)	*Versalles*
Walles (inglés)	*Gales*
West Virginia (inglés)	*Virginia Occidental*
Wien (alemán)	*Viena*
Zimbabwe (inglés)	*Zimbabue*

Después de todos estos ejemplos y consideraciones no me parece que quepa la afirmación de que los nombres propios no tienen ortografía.

Las mayúsculas no se tildan

¿Que las mayúsculas no se tildan? ¡Falso!

Si se tildan las minúsculas, ¿por qué habrían de dejarse sin tilde las mayúsculas? Si la tilde indica la pronunciación en las minúsculas, ¿cómo se indicaría, entonces, en las mayúsculas? Si de la presencia o ausencia de la tilde depende, además, el significado, ¿cómo se distinguiría el significado de las palabras escritas en mayúsculas?

Le voy a dar algunos ejemplos, en los que la tildación es indispensable para saber el siginificado.

LUCHO LUCHO CON EL PAPA puede ser el caso de un sismático religioso (LUCHO LUCHÓ CON EL PAPA) o el de un muchacho rebelde con su padre (LUCHO LUCHÓ CON EL PAPÁ).

INTERROGATORIO POR LA PERDIDA DE SU HERMANA puede aludir a un interrogatorio porque su hermana perdió la billetera llena de dólares (LA PÉRDIDA) o a un interrogatorio porque ella está irremisiblemente perdida en el bajo mundo (LA PERDIDA).

SI TU VIENES BAILO puede ser una condición para ir al baile (SI TÚ VIENES, BAILO) o el comienzo de una oración acerca de un novio austriaco (SI TU VIENÉS BAILÓ...)

CALCULO MEJOR puede ser el nombre de un texto de matemáticas (CÁLCULO MEJOR, competencia de CÁLCULO BALDOR), una afirmación sobre mis capacidades profesionales (CALCULO MEJOR) o una noticia sobre el contador recién contratado (CALCULÓ MEJOR).

Y, además, fíjese que hay Óscar y Oscar (Óscar de la Renta que Oscar de León), Ómar y Omar...

En todo caso, aunque no haya Alvaro, Avila, Angel, Angela... es indispensable tildar también Álvaro, Ávila, Ángel, Ángela...

Recuérdelo y dígalo con total convicción: las mayúsculas sí se tildan.

La be es labial y la uve, labiodental

¿Que la *be* es labial y la *uve* labiodental? ¡Falso!

En español, la *be* y la *uve* son labiales. Las dos se pronuncian con los labios. No hacerlo con la *uve* es anglicismo, o galicismo, o germanismo, o italianismo... Una característica de la fonética española es justamente esa: que la *uve* no es labiodental (labios y dientes, como la *efe*) sino labial.

Todas las palabras terminadas en -ción son con ce

¿Que todas las palabras terminadas en *-ción* son con *ce*? ¡Falso!

Hay palabras que terminan en *-ción* y hay palabras que terminan en *-sión*. A continuación le doy algunos ejemplos.

TERMINADAS EN -CIÓN	TERMINADAS EN -SIÓN
aberración	*abrasión*
abstención	*adhesión*
aceptación	*aprehensión*
estación	*emisión*
formulación	*fusión*
gratificación	*discusión*
implantación	*impresión*
jubilación	*lesión*
licitación	*misión*
obligación	*opresión*
participación	*prisión*
remuneración	*revisión*
solución	*posesión*
zonificación	*versión*

Todos los pasados llevan tilde

¿Que todos los pasados llevan tilde? ¡Falso!

Por cada ejemplo de pasado con tilde que usted me dé, yo le puedo dar dos de pasados sin tilde. Si usted me dice que *pidió, dirigió, sucedió, olvidó* son pasados con tilde, yo le digo que *pediste, pidieron, dirigiste, dirigieron, sucedieran, sucedieron, olvidaba, olvidamos* son pasados sin tilde. En todo caso, ni los que usted me dice van con tilde por ser pasados, ni los que yo le digo van sin tilde por ser pasados. El hecho de que un verbo esté conjugado en pasado no significa que deba escribirse con tilde, ni que deba escribirse sin tilde. Las tildes de los verbos, como las de cualquier otra palabra, obedecen a las normas generales de acentuación. Llevan tilde los verbos agudos terminados en vocal o en *ene* o en *ese*: *pedirá, vendrán, estarás...* y los esdrújulos: *esperábamos, superásemos, íbamos...* No la llevan los agudos terminados en consonantes distinta de *ene* o *ese*: *venid, subid, bajad...*; los graves terminados en vocal o en *ene* o en *ese*: *escriba, terminan, vendas...*, ni los monosílabos: *dio, vio, fue, da, di, pon, sal...*, excepto *dé* y *sé*.

En consecuencia, las normas de acentuación aplicables a los verbos son las mismas aplicables a los sustantivos, a los adjetivos, a los adverbios... y nada tienen que ver con que la inflexión en concreto sea pasado, presente o futuro.

Donde va la 'y' no puede ir la coma

¿Que donde va la conjunción *y* no puede ir la coma? ¡Falso!

Si se tiene en cuenta que hay diversas comas, es claro que la coma enumerativa no va donde va la *y* de la misma serie (*traigan pan, servilletas, casetes, naipes y whisky*), pero, si se trata de un inciso explicativo antes o después de la conjunción *y*, las comas deben ir encerrando ese inciso. Vea el siguiente ejemplo: *Cantinflas, Mario Moreno, y Lucho Navarro hicieron reír a varias generaciones de público latinoamericano*. El inciso *Mario Moreno*, nombre verdadero de Cantinflas, va entre comas. Si omito la segunda coma, el texto cambia su significado, pues *Mario Moreno* deja de ser inciso explicativo, para convertirse en segundo elemento de una enumeración de tres. En *Cantinflas, Mario Moreno, y Lucho Navarro* hablo de dos personas (Cantinflas y Lucho Navarro). En *Cantinflas, Mario Moreno y Lucho Navarro* hablo equivocadamente de tres (primero: Cantinflas; segundo: Mario Moreno; tercero: Lucho Navarro).

Nunca diga 'de que', 'lo que'...

¿Que no se puede decir ni escribir *de que* ni *lo que*? ¡Falso!

Se puede escribir *de que* después de sustantivo:

El **hecho de que** *haya olvidado su carné no es obstáculo para entrar.*

La **esperanza de que** *regresara lo animaba más a mantenerse con vida.*

Se puede escribir *de que* después de los adverbios de tiempo *antes* y *después*:

Antes de que *termine, retoque el borde del techo.*

Lo ayudé **después de que** *me convenció de su incapacidad.*

Se puede escribir *de que* después de verbo transitivo, cuando el objeto directo está anticipado con pronombre proclítico:

Me convencieron de que *cerrara el almacén antes de la quiebra definitiva.*

Los persuadimos de que *votaran por nuestro candidato.*

Se puede escribir *de que* después de verbo intransitivo, para unir el objeto prepositivo de materia:

Estaba seguro de que *iba a ser millonario.*

Hablaba de que *no había llegado aún el tiempo de jubilarse.*

Lo que no se puede, de ninguna manera, es escribir *de que* para unir el verbo transitivo con su objeto directo:

Nos dijeron que *no era necesario renunciar* (Es error escribir aquí *de que*: *...dijeron de que no era necesario...*).

Habían pensado que *era imposible* (Es error escribir aquí *de que*: *...pensado de que era...*).

Entonces, no porque *de que* sea incorrecto en un caso, puede proscribirse en todos.

En cuanto a *lo que*, es frase que el mismo DRAE da como ejemplo de uso correcto del pronombre *que*. La frase *lo que* puede introducir oración explicativa, igual que *la que, los que* y *las que*:

Es preciso leer con atención el periódico, **lo que** *redundará en una mayor comprensión de los hechos de la vida.*

La doble ve (w) no existe en español

¿Que la doble ve no existe en español? ¡Falso!

La *uve doble* o *doble ve* (w) no es letra original del alfabeto latino, sino del germano. Por eso, no fue usada en castellano durante muchos siglos, pero hoy sí forma parte de nuestro alfabeto. Con ella se escriben voces españolas como *web, washingtoniano, wolframio, sándwich...*

Nunca use gerundio

¿Que nunca se deben usar gerundios? ¡Falso!

Los gerundios (formas verbales terminadas en *-ando, -endo, -iendo*) son adverbios de modo, que se pueden usar cuantas veces se quiera, como cualquier otro adverbio de modo. A continuación, le doy algunos ejemplos de gerundios incuestionables.

Estaba cosiendo las medias.

Fumando espero a la mujer que quiero.

Seguía luchando por el futuro de sus hijos.

Diligenció el formulario fiscal, confrontando la veracidad de cada dato.

Encontró su teléfono, buscándolo en el directorio telefónico.

Llevándole serenatas todos los viernes, conquistó su corazón de acero.

Lo inadmisible es acudir al gerundio como verbo. Por ejemplo, *falleció el padre, dejando en la inopia a los hijos* (incorrecto), en vez de *falleció el padre y dejó en la inopia a los hijos* (correcto).

Nunca use adverbios terminados en -mente

¿Que no se pueden usar adverbios terminados en *-mente*? ¡Falso!

Los adverbios terminados en *-mente* son tan válidos como cualquier otro adverbio con cualquier otra terminación. Una cosa es que a algunos autores no les gusten y otra que no se puedan usar. A mí no me gusta la palabra *pecadito*, pero no voy a decir en este libro, ni en ningún otro, que uno no debe usar la palabra *pecadito*. Si alguien quiere usarla, ¡que la use! He aquí algunos ejemplos de adverbios terminados en *-mente* válidos:

Sistemáticamente fue acabando con todo lo que se había construido.

Los elefantes comieron temporalmente en el bosque vecino.

El Ministro de Economía solamente quería sondear la opinión pública.

Los adverbios terminados en -*mente* se forman a partir de adjetivos: de *audaz, audazmente;* de *sofisticada, sofisticadamente;* de *buena, buenamente.* No es correcto crearlos a partir de sustantivos (*camisamente, carniceríamente, fotografíamente...*), ni a partir de verbos (*satisfaríamente, desconcertaríamente, iríamente...*)

Diez usos dudosos de sustantivos y adjetivos

Los artículos son adjetivos

Los artículos (*el, la, lo, los, las, un, una, unos, unas*) determinan el sustantivo. Por eso, la gramática actual los clasifica dentro de los adjetivos, sin abrir para ellos una categoría aparte al explicar la naturaleza de las palabras. Así, pues, todo lo que gramaticalmente se dice para los adjetivos, es válido para los artículos.

Muchas veces, cuando les digo a mis alumnos que el pronombre *él* lleva tilde para distinguirlo del adjetivo *el*, me preguntan qué pasa entonces, con el artículo *el*, ¿lleva tilde o no?... Me hacen esa pregunta porque creen que cuando digo "el adjetivo *el*" me estoy refiriendo a otro *el* distinto del artículo, que son la misma cosa, como usted bien lo sabe.

Adjetivo es la parte de la oración que modifica el sustantivo, en consecuencia de lo cual, son adjetivos: los artículos (***el*** *niño está llorando, quiero* ***un*** *sándwich con tomate, me gustarían* ***los*** *tres pantalones verdes...*), los determinativos (***este*** *muñeco es lindo,* ***esa*** *dama está coqueteando,* ***aquellos*** *libros dicen lo mismo que estos...*), los posesivos (***mi*** *novia está en Miami,* ***nuestro*** *hijo dijo que regresaría en Navidad,* ***sus*** *pelotas de tenis son amarillas...*), los calificativos (*mi automóvil* ***rojo*** *está en el taller, sus calificaciones* ***anteriores*** *dejan mucho que desear, no respondió por los daños* ***mecánicos*** *del camión...*)... Todos ellos modifican el sustantivo; por lo tanto, son adjetivos.

Los pronombres son sustantivos

Pronombre remplaza nombre. Si en vez de decir *Felipe canta mañana,* digo *él canta mañana,* la palabra *él* remplaza *Felipe*; es decir, el pronombre (*él*) remplaza el sustantivo (*Felipe*). Si en vez de decir *mi perro come huesos,* digo *él como huesos,* la palabra *él* remplaza *mi perro*; es decir, el pronombre (*él*) remplaza el sustantivo (*perro* o *mi perro*). Si en vez de decir *nuestro barco zarpa a las cuatro* digo *este zarpa a las cuatro,* la palabra *este* remplaza *nuestro barco*; es decir, el pronombre (*este*) remplaza el sustantivo (*barco* o *nuestro barco*).

En principio, entonces, lo que se dice del sustantivo es válido para el pronombre: que puede ser sujeto de la oración (***María** escogió el mejor puesto,* ***ella** escogió el mejor puesto...*), que puede ser objeto directo de la oración (*Estábamos esperando a **Luis,** estábamos esperándolo a **él**...*), que puede ser objeto indirecto de la oración (*El Vicerrector le entregó tres diplomas a **Xilena,** el Vicerrector le entregó tres diplomas a **ella**...*).

Ahora bien, hay cosas en las cuales no se identifican los pronombres y los sustantivos: no quedaría bien que el pronombre llevara artículo (***el él** contó un chiste...*), como lo lleva el sustantivo (***el payaso** contó un chiste...*). Tampoco es válido que el pronombre lleve calificativos (***la linda ella** bailó el vals...*) como los lleva el sustantivo (***la linda Zaida** bailó el vals...*). Además, alguna norma de acentuación distingue sustantivo (*el **té** de las cinco está listo*) de pronombre (***te** recojo mañana...*).

En conclusión, sustantivo y pronombre cumplen las mismas funciones sintácticas, aunque presenten mínimas diferencias ortográficas y de relación con las demás palabras.

rol

La palabra *rol* ya es válida en español con el significado de 'papel', 'función', 'cometido', 'trabajo', tal como se usa en el lenguaje del cine, la televisión y el teatro, por una parte, y en el de la sicología, la sociología y las relaciones industriales, por otra. Viene del inglés *role*, 'papel de un actor', y del francés *rôle*. En todo caso, la tradicional palabra española *rol*, que hoy casi nadie conoce, proveniente del catalán *rol* y del latín *rotulus*, 'cilindro', también está en el DRAE 2001 como *rol*[2], con el sentido de 'nómina' o 'lista'.

accequible-asequible-accesible

Con bastante frecuencia se oye decir que Fulano es *accequible* y que Zutano no es *accequible* y que Mengano es *inaccequible*... El problema de tales aseveraciones es que en ningún diccionario (salvo que sea un diccionario de errores) aparece tal vocablo. ¿Qué idea quiere expresar, entonces, quien califica a alguien de *accequible*, de *inaccequible*, de poco *accequible*, de muy *accequible* o de insoportablemente *inaccequible*...? ¡No se sabe!, pero podría tratarse de una versión equivocada del adjetivo *accesible*, voz que se aplica a 'lo que tiene acceso'... y que, en sentido figurado, se puede referir a personas, para decir que son cordiales, de fácil trato, de actitud abierta hacia los demás. Su contrario es *inaccesible*.

Quizá esta voz se confunde con *asequible*, que es lo que está 'al alcance'. Así, un ejemplar del diario es *asequible* a casi todo mundo, mientras que las mansiones de Miami son *asequibles* solo a algunos privilegiados por la fortuna. De un inconsciente cruce de estos dos vocablos pudo nacer el inexistente *accequible*.

álgido

Originalmente, *álgido* es 'gélido'. El punto más alto de una montaña es el punto álgido, pues en él está la nieve perpetua... Por analogía, se empezó a llamar *álgido* el momento culminante o supremo de una reunión, que suele ser el momento más acalorado y por ello menos álgido..., pero pudo más la fuerza de la costumbre, y ya la Academia acogió este uso como correcto. Se puede decir válidamente que *en el momento* **álgido** *casi todos perdieron el control*, o que *en el momento* **álgido***, justamente él no estaba allí*, entendiéndose que tal momento álgido es el momento crítico, culminante o más acalorado.

bimensual-bimestral

La confusión de los adjetivos *bimensual* y *bimestral* es una de las más frecuentes en el habla común o en la redacción de documentos. Leí no hace mucho un contrato lleno de firmas y sellos de auditores, revisores y asesores legales contables y, que en resumen decía: a) que el profesional era contratado por ocho meses; b) que el valor total del contrato era de cuatro mil dólares; c) que debía presentar cuentas de cobro bimensuales por valor de mil dólares...

Si usted lo desea, haga las operaciones en su calculadora. Con una simple multiplicación se puede advertir el error de semejante contrato: si el profesional contratado presenta cobros bimensuales por valor de mil dólares, al cabo de ocho meses ha cobrado dieciséis mil dólares en vez de los cuatro mil convenidos. ¿Por qué? Porque *bimensual* significa 'dos veces al mes'. Dos cobros de mil dólares al mes son dos mil dólares al mes, y dieciséis mil al final de los ocho meses. ¿Qué se debió escribir, entonces, en el contrato? Se debió escribir cuentas de cobro *bimestrales* (no *bimensuales*), pues *bimestral* significa 'cada dos meses'.

Lejos de ser sinónimos, los adjetivos *bimensual* y *bimestral* expresan ideas bien distintas: una publicación bimensual sale veinticuatro veces al año, mientras que una publicación bimestral sale seis veces al año. Si en su contrato de trabajo dice que usted debe presentar un informe bimensual, el número total de informes al cabo de un semestre será de doce, mientras que si su contrato le exige un informe bimestral, en el mismo lapso de medio año debe entregar solamente tres informes.

bonísimo-buenísimo

El adjetivo superlativo culto de *bueno* es *bonísimo*, o también *óptimo*, pero el vulgar o popular *buenísimo* es igualmente correcto. Aunque los adjetivos terminados en *-ísimo* no figuren en el DRAE, su construcción es válida siempre que se parta de un adjetivo que tenga la posible gradación superlativa: de *malo*, *malísimo*; de *mala*, *malísima*; de *pobre*, *pobrísimo* (aunque exista la versión culta *paupérrimo*, igualmente castiza), de *acalorada*, *acaloradísima*; de *sofisticados*, *sofisticadísimos*; de *puntual*, *puntualísimo*...

exclusivo

En el lenguaje publicitario está haciendo carrera calificar de *exclusivo* lo elegante o refinado. En español, *exclusivo* es lo que excluye: exclusivo para gente de buen gusto (los de mal gusto quedan excluidos), exclusivo para parejas (los tríos quedan excluidos), exclusivo para estudiantes (quienes no estudian quedan excluidos), exclusivo para mujeres (los hombres quedan excluidos). Muy fácil de entender, ¿no?

El problema es que si usted no dice exclusivo para quién, o exclusivo para qué... no ha terminado de expresar su idea. Si usted habla de *un restaurante exclusivo*, sin más, no está diciendo estrictamente para qué clientela es el restaurante. Puede ser exclusivo para ancianos, exclusivo

El adjetivo *exclusivo* exige la precisión para qué, o para quién. No diga *el lugar más exclusivo de la ciudad, el hotel más exclusivo del país*... si lo que quiere decir es *el lugar más selecto de la ciudad, el hotel más elegante del país*.

para niños, exclusivo para indigentes, exclusivo para extranjeros, exclusivo para nosotros, exclusivo para ellos, exclusivo para la familia, exclusivo para Fidel, exclusivo para María Conchita... Diga para quién, o para qué: exclusivo para cenar, exclusivo para celebraciones de alto coturno, exclusivo para eventos de caridad, exclusivo para cerrar negocios petroleros...

disculpas

Las disculpas y las excusas son las expresiones con las que uno saca la pata cuando la ha metido. Si yo empujo sin querer a doña Gertrudis, le debo presentar excusas o disculpas: —*Doña Gertrudis, le presento excusas por el empujón*. Si el niño no asiste a la escuela, le debe llevar a la maestra la excusa escrita por el papá: le presenta la excusa (o la disculpa). Las disculpas se dan, se presentan, se ofrecen. Entonces, ¿no se piden? Sí, también se piden. El ofendido puede pedirlas. Si yo no le hubiera presentado mis disculpas a doña Gertrudis cuando la empujé cinco renglones atrás, ella me hubiera dicho: —*Discúlpese, señor. Presénteme sus disculpas. Ofrézcame sus excusas*. Ella está en su derecho de pedirlas. Yo, en mi deber de darlas.

Pero, en fin, como en tantos otros casos, la expresión *pedir disculpas* terminó aceptada por el DRAE con el significado contrario al original. Gracias a la amplitud de la Academia, hoy es válido que el ofensor le diga al ofendido *le pido disculpas*, aunque en la práctica el ofendido no le tiene que dar esas disculpas que el ofensor le pide, sino decirle *está bien, acepto sus disculpas y no lo vuelva a hacer*...

Si uno llevara esa situación a otro terreno advertiría el absurdo.

—*Señor, le pido naranjas.*

—*Está bien, joven, le acepto las naranjas.*

¿Tiene lógica este diálogo? ¡Ninguna!, pero, a pesar de no tener ninguna lógica, es correcto... ¡Ojo! Quiero decir que es correcto el de las disculpas; no el de las naranjas. La Academia lo justifica, dándole a la palabra *disculpas* el sentido de 'indulgencia': cuando el ofensor dice *le pido disculpas*, lo que quiere decir es *le pido indulgencia*, por lo que el ofendido le da su indulgencia, o sea, lo perdona.

Mi recomendación es la de ser tolerantes con quien aunque tiene que darnos disculpas nos la pide, pero, por nuestra parte, siempre que ofendamos a alguien, *presentarle, darle, ofrecerle, disculpas* o *excusas*.

pingüe

Aunque el término *pingüe* le suene a 'poco', 'mínimo', 'insignificante', no olvide que su verdadero significado es 'grasoso', y en sentido figurado, 'grande', 'abundante', 'copioso'. Un buen negocio da como resultado pingües ganancias; una buena gestión administrativa, pingües beneficios; un buen matrimonio, pingües placeres, pingües responsabilidades y pingües hijos... a no ser que se tomen pingües medidas.

Capítulo 22

Los dieces del verbo
y de las preposiciones

. . . .

En este capítulo:

► Manejo del verbo *haber*

► Irregularidades verbales

► Uso de las preposiciones

. . . .

Diez recomendaciones sobre el verbo haber

¿Y es que el verbo *haber* tiene corona, como para dedicarle una de las decenas de esta parte a él solo? Más que corona, lo que tiene es un manejo distinto al de los demás verbos, por lo que merece, con toda justicia, las consideraciones que siguen.

Régimen especial del verbo haber

Todos los días se leen y se oyen frases como las siguientes:

Habían varios ministros reunidos en la oficina del Presidente.

Habemos varios que estamos dispuestos a prestar el servicio civil.

Iban a haber nuevas reuniones para definir los términos del negocio.

Suelen haber mejores servicios en ese hotel.

Si hubieran más oficinas de pago, no tendríamos que hacer fila.

Todas ellas son incorrectas. Si quiere saber por qué y cómo evitar el error, ¡siga leyendo!

Se puede usar como auxiliar

Un uso del verbo *haber* es el de auxiliar de los demás verbos. Todo verbo tiene formas simples (*cantará, xerocopiamos, mendigan, abrimos, ojearía...*) y formas compuestas (*han estado, hemos resuelto, hubieron respondido, hubiera creído, habría pospuesto...*). Las formas compuestas se conjugan con el verbo *haber* como auxiliar más el participio pasado del respectivo verbo.

Las formas compuestas del modo indicativo son: el pretérito perfecto compuesto o antepresente (*he resuelto, has oído, ha pagado, hemos buscado, habéis trocado, han colgado*), el pretérito pluscuamperfecto o antecopretérito (*había aprobado, habías avergonzado, habíamos satisfecho, habíais regido, habían seguido*), el pretérito anterior o antepretérito (*hube dicho, hubiste abolido, hubo sacado, hubimos pagado, hubisteis guiado, hubieron actuado*), el futuro perfecto o antefuturo (*habré enraizado, habrás aullado, habrá ladrado, habremos mecido, habréis protegido, habrán cicatrizado*) y el condicional perfecto o antepospretérito (*habría amado, habrías temido, habríamos partido, habríais pedido, habrían teñido*).

Las formas compuestas del modo subjuntivo son: el pretérito perfecto o antepresente (*haya bruñido, hayas reído, hayamos acertado, hayáis errado, hayan tendido*), el pretérito pluscuamperfecto o antepretérito (*hubiera querido, hubiese querido, hubieras solicitado, hubieses solicitado, hubiéramos puesto, hubiésemos puesto, hubierais dejado, hubieseis dejado, hubieran toreado, hubiesen toreado*) y el futuro perfecto o antefuturo (*hubiere colocado, hubieres acertado, hubiéremos alunizado, hubiereis computadorizado, hubieren estandarizado*).

Como usted puede ver, todas las formas verbales compuestas, de todos los verbos, tienen como auxiliar el verbo *haber*. Este uso se aplica en el manejo personal del verbo (*los chicos no han viajado nunca a Cuba*) tanto como en el impersonal (*se habían entregado algunos casetes*). El verbo *haber* cumple esta función de auxiliar incluso consigo mismo: *ha habido, haya habido, hubiese habido, habría habido...*

Se puede usar como verbo, con el sentido de existir

Aparte de su función como auxiliar, el verbo *haber* también se usa como verbo real, con el sentido de 'existir': *hay muchas personas esperándonos, había una rosa roja, habrá algo nuevo, habría poco que hacer...* En este caso sólo se conjuga en tercera persona del singular, es decir, no hay oraciones como *he muchas personas* (primera del singular), *habías una rosa* (segunda del singular), *habríais algo nuevo* (segunda del plural), *habríamos poco que hacer* (tercera del plural). Ya usted estará diciendo que qué frases tan atravesadas, o tan enrevesadas, o tan disparatadas... Y no es para menos: tales frases no existen en el buen uso del español.

Como verbo 'ha' se vuelve 'hay'

Se usa *ha* como auxiliar (*ha pasado mucho tiempo, ha estado lloviendo, ha encontrado más oro que el Tío Rico...*) y en frases como *tiempo ha*, pero en oraciones impersonales, con el sentido de 'existir', esta *ha* se convierte en *hay* (*hay mucho tiempo para entregar la tarea, hay escombros, no hay paletas...*)

Puede ir en plural cuando es auxiliar

Cuando *haber* es auxiliar puede ir en singular o en plural. Véalo en singular en las siguientes oraciones (observe que el sujeto —tácito o explícito— es singular):

*Qué bueno que **hubiera** ganado la selección de mi país.*

*Cuando mi hijo **haya** terminado sus estudios, lo autorizo.*

*Si Elena **hubiera** regresado ya, Marta nos lo **habría** dicho.*

*Durante este año, Rut **ha** cantado, Berta **ha** bailado y Hugo **ha** trabajado.*

***Ha** dedicado sus mejores años a la educación de sus vecinos de barrio.*

En el último ejemplo, el sujeto tácito es una persona (*Juan Páez ha dedicado...*).

Véalo ahora en plural (observe que el sujeto —tácito o explícito— es plural):

*Qué bueno que **hubieran** ganado los equipos de la provincia.*

*Cuando mis hijos **hayan** terminado sus tareas, los llevo al parque.*

*Si Elena y María **hubieran** regresado ya, Sol y Luz nos lo **habrían** dicho.*

*Rut y Juan **han** cantado, Berta y Paz **han** bailado, Hugo y Luis **han** reído.*

***Han** dedicado sus mejores años al cuidado de ese anciano.*

En el último ejemplo, el sujeto tácito incluye a varias personas (*los hermanos Páez han dedicado...*).

'Hubieron' sí existe

Las formas plurales de tercera persona del verbo *haber* (*han, habían, hubieron, habrán, habrían, hayan, hubieran, hubiesen, hubieren*) no se usan en oraciones impersonales, pero ello no quiere decir que no existan, pues todas ellas son válidas como auxiliares en oraciones personales (*ellos **han** trotado mucho, mis hijas **habían** celebrado ya el cumpleaños, los jinetes **habrán** entrenado lo suficiente, las leyes **hubieron** de redactarse una vez más...*). En consecuencia, *hubieron* sí existe, solo que, no se puede usar en oraciones impersonales, como no se puede hacer con ninguna otra forma plural del verbo *haber*. No es correcto *hubieron casas grandes, hubieron diez personas, hubieron cinco regalos*, pero sí es correcto *los comandos de elite hubieron de retroceder... Cuando mis profesores hubieron terminado su discurso, lo entregaron a la imprenta...*

Nunca va en plural en oraciones impersonales

El verbo *haber* nunca va en plural en oraciones impersonales. No se escribe **han** *dos niños*, **habían** *tres secretarias*, **hubieron** *cuatro problemas*, **han habido** *cinco misiones*, **habían habido** *cuatro sándwiches*, **suelen haber** *cinco cruasanes*, **tienen que haber** *seis piononos*, **deben haber** *siete habichuelas*, **iban a haber** *ocho lagartijas...*, sino **hay** *dos niños*, **había** *tres secretarias*, **hubo** *cuatro problemas*, **ha habido** *cinco misiones*, **había habido** *cuatro sándwiches*, **suele haber** *cinco cruasanes*, **tiene que haber** *seis piononos*, **debe haber** *siete habichuelas*, **iba a haber** *ocho lagartijas...*

Como puede usted observarlo, el criterio de no usar el verbo *haber* en plural en oraciones impersonales se extiende a los casos en los cuales el verbo *haber* tiene algún auxiliar (*había habido, suele haber, tiene que haber, debe haber, iba a haber...*).

En pocas palabras, si usted usa el verbo *haber* en plural, inmediatamente después de él debe ir un participio pasado (forma verbal que termina en *-ado, -ido*) o la preposición *de* y un infinitivo (forma verbal terminada en *-ar, -er, -ir*). No debe ir nunca un sustantivo. Vea los siguientes ejemplos correctos e incorrectos. En la columna de la derecha no está la corrección del error de la columna de la izquierda; simplemente le muestro mal y buen uso de inflexiones en plural del verbo *haber* en oraciones impersonales.

Incorrecto	Correcto
Habían varias personas.	*Habían llegado varias personas.*
Hubieron policías.	*Hubieron de traer policías.*
Han ocho gatos pardos.	*Han nacido ya ocho gatos pardos.*
Habrían serios problemas.	*Se habrían presentado serios problemas.*
Si hubieran personas así.	*Si hubieran llegado más personas así.*
Aunque hubieran más.	*Aunque hubieran conseguido más.*
Si hubiesen otras mejores.	*Si hubiesen comprado otras mejores.*

Este criterio no se aplica a otros verbos

Con frecuencia se ven leyendas como *se vende carros, se arregla vestidos, se escribe cartas de amor...* Quizá los autores creen que el uso impersonal del verbo *haber* debe aplicarse a otros verbos, y por eso escriben así tales leyendas. Están equivocados. El criterio de no usar en plural el verbo *haber* en oraciones impersonales es exlusivo del verbo *haber*. En otros casos, se debe cuidar la concordancia del verbo con el objeto directo: *se venden carros, se arreglan vestidos, se escriben cartas de amor...*

No confunda 'ha' con 'a'

Aunque está muy claro que *a* es preposición y *ha* es verbo, con frecuencia se comete el error de escribir *se **a** llegado a una situación calamitosa, él me **a** preguntado varias veces lo mismo.* Una forma de evitar este error es ver la palabra siguiente: si se trata de un participio pasado (forma verbal terminado en *-ado, -ido*) no lo dude: no es *a*, sino *ha: se **ha llegado** a una situación calamitosa, me **ha preguntado** varias veces lo mismo...* A continuación le doy ejemplos de oraciones con *ha* (mire que después de *ha* siempre va un participio pasado) y oraciones con *a* (mire que después de *a* va cualquier palabra).

Con verbo *ha*	Con preposición *a*
Este año no **ha subido** la leche.	Dígale **a** Marta que traiga la leche.
Ha estado nevando todo el día.	**A** lo largo del día cayó nieve.
Pedro Picapiedra **ha comido** mucho.	Dígale **a** Pedro que no coma tanto.
Su novia no **ha llegado.**	Voy **a** traer **a** mi novia.
Juan **ha trabajado** todo el día.	Juan, ¡**a** trabajar!

El pretérito simple no es igual que el pretérito compuesto

El pretérito perfecto simple, que Andrés Bello llama pretérito, y el pretérito perfecto compuesto, que Andrés Bello llama antepresente, no son equivalentes en su uso y significado. Muchas veces se cree que *me llamó* (simple) y *me ha llamado* (compuesto) son respectivamente la forma elegante y la forma vulgar de decir lo mismo. No. Su diferencia no es esa. Nada tiene que ver aquí la elegancia. El simple se usa cuando la unidad de tiempo dentro de la cual se realizó la acción ya concluyó. El compuesto, cuando la unidad de tiempo aún permanece. Por ejemplo, si la unidad de tiempo es *ayer*, el pretérito debe ser simple: *ayer escribí mucho*. Si la unidad de tiempo es *durante este año*, el pretérito debe ser compuesto: *He escrito poco durante este año*.

Diez irregularidades verbales

Verbos unipersonales

No todos los verbos pueden conjugarse en todos los modos, tiempos y personas. Hay verbos que se conjugan solamente en la tercera persona y por eso se llaman unipersonales (una persona). Entre ellos están los verbos *llover, lloviznar, nevar, alborear, tronar, ventisquear...* Estos verbos nunca van en primera persona (*lluevo, llovemos, lloizné, lloviznamos, nevaré, nevaremos...*), ni en segunda (*llueves, llueveis, nevaste, nevasteis, alboreas, alboreáis...*), ni en tercera del plural (*nievan, truenan, ventisquearán...*), sino solamente en tercera del singular, en cualquier tiempo: *llueve, llovió, ha llovido, lloverá, lloviera, lloviese, llueva, lloviznó, nevará, alboreaba, tronaría, ventisquease...*

CLAVE

Verbos unipersonales

alborear	clarear	descampar	lloviznar	oscurecer	tonar
amanecer	clarecer	deshelar	molliznar	relampaguear	tronar
anochecer	coruscar	diluviar	molliznear	retronar	ventar
atardecer	chaparrear	escampar	nevar	rielar	ventear
atenebrarse	chispear	escarchar	neviscar	rutilar	ventiscar
atronar	chubasquear	garuar	obscurecer	rutilar	ventisquear
cellisquear	granizar	helar	orvallar	tempestear	
centellear	lobreguecer	llover			

Verbos defectivos

Hay verbos que carecen de algunas inflexiones. Se llaman verbos defectivos. Por ejemplo, *agredir* solamente se conjuga en las formas que tengan *i* al final: *agredimos, agredieron, agrediesen...* No se usan las formas *agredo, agredes, agrede, agreden...* Lo mismo pasa con el verbo *abolir*, que carece de las formas donde no hay *i* en la desinencia. No escriba ni diga nunca *abuelo, abuele, abueles, abuelen...*, pero no tema escribir o decir *abolí, abolía, abolimos, abolíamos...*

El verbo *transgredir* tampoco se conjuga en las formas que no tengan *i* en la terminación. No se puede escribir o decir *transgredo, transgredes, transgrede, transgreden...*, pero sí *transgredió, transgredimos, transgredí, transgrediste, transgredirá, transgrediese...*

Algunos verbos defectivos

abolir.	No se usan las formas *abuelo, abueles, abuele, abuelen, abucla, abuelas, abolamos, aboláis, abuelan.*
acaecer.	Solamente se conjuga en las terceras personas: *acaece, ha acaecido, acaecía, había acaecido, acaeció, hubo acaecido, acaecerá, habrá acaecido, acaecería, habría acaecido, acaezca, haya acaecido, acaeciese, acaeciera, hubiese acaecido, hubiera acaecido, acaeciere, hubiere acaecido, acaezca, acaezcan.*
acontecer.	Igual que *acaecer.*
agredir.	Igual que *abolir.*
atañer.	Igual que *acaecer.*
balbucir.	No se usan las primeras personas del presente: *balbuzco* (indicativo), *balbuzca* (subjuntivo).
blandir.	Igual que *abolir.*
concernir.	Solamente se conjuga en las terceras personas del presente del indicativo (*concierne, conciernen*), presente del subjuntivo (*concierna, conciernan*) y copretérito del indicativo (*concernía, concernían*).
soler.	No se conjuga en futuro (*solerá, solerán, soliere, solieren...*), ni en condicional (*solería, solerían, soleríamos...*).
transgredir.	Igual que *abolir.*

Verbos con participio pasado irregular

No todos los participios pasados terminan en *-ado, -ido*; por ejemplo, no se dice *morido, escribido, suscribido...*, sino *muerto, escrito, suscrito*. Quizá todos hemos dicho alguna vez *morido*. 'Alguna vez' es por allá cuando estábamos aprendiendo a hablar... Hoy, ya con algunos años de experiencia en el uso del español, no nos podemos permitir tal lujo.

Participios pasados irregulares

abierto (no *abrido*), lo mismo que *reabierto, entreabierto...*

absuelto (no *absolvido*)

adscrito (no *adscribido*)

cubierto (no *cubrido*), lo mismo que *recubierto, encubierto...*

descrito (no *describido*)

descubierto (no *descubrido*)

dicho (no *decido*), lo mismo que *redicho...*

disuelto (no *disolvido*)

escrito (no *escribido*), lo mismo *prescrito, rescrito, manuscrito...*

hecho (no *hacido*), lo mismo *rehecho...*

inscrito (no *inscribido*)

muerto (no *morido*)

puesto (no *ponido*), lo mismo *repuesto, interpuesto, antepuesto...*

proscrito (no *proscribido*)

podrido (no *pudrido*)

resuelto (no *resolvido*)

roto (no *rompido*)

satisfecho (no *satisfacido*)

suscrito (no *suscribido*)

transcrito (no *transcribido*)

visto (no *veído*)

Verbos con dos participios pasados

Aparte de los anteriores verbos que tienen participio pasado irregular, hay otros que tienen dos participios pasados, uno regular, el que termina en *-ado o -ido*, y otro irregular. Ahora, bien, no los use indistintamente. Cuando el participio esté en función de adjetivo (adjetivo modifica sustantivo) use el irregular: *el presidente **electo** se sentó a manteles con sus futuros ministros...* Cuando el participio esté en la frase verbal de la oración, use el regular: *el presidente **fue elegido** por una abrumadora mayoría...* No caiga en la trampa de algunos reporteros que se quedaron con la mitad de la norma, y dicen: *el presidente **fue electo** por...*

Participios irregulares dobles

absorbido	absorto	difundido	difuso	invertido	inverso
abstraído	abstracto	dividido	diviso	juntado	junto
afligido	aflicto	elegido	electo	maldecido	maldito
ahitado	ahíto	enjugado	enjuto	manifestado	manifiesto
atendido	atento	excluido	excluso	nacido	nato
bendecido	bendito	eximido	exento	poseído	poseso
circuncidado	circunciso	expelido	expulso	prendido	preso
compelido	compulso	expresado	expreso	presumido	presunto
comprimido	compreso	extendido	extenso	propendido	propenso
concluido	concluso	extinguido	extinto	proveído	provisto
confesado	confeso	fijado	fijo	recluido	recluso
consumido	consunto	freído	frito	salvado	salvo
confundido	confuso	hartado	harto	sepultado	sepulto
convencido	convicto	imprimido	impreso	soltado	suelto
convertido	converso	incluido	incluso	substituido	substituto
corregido	correcto	incurrido	incurso	sujetado	sujeto
corrompido	corrupto	infundido	infuso	suspendido	suspenso
despertado	despierto	injertado	injerto	sustituido	sustituto
desproveído	desprovisto	insertado	inserto	teñido	tinto

Se usa, pues, el irregular como adjetivo y el regular como parte de la frase verbal. Vea los siguientes ejemplos.

Con irregular	Con regular
Aún no me **ha atendido**.	Es un muchacho muy **atento**.
Lo trae cuando lo **haya bendecido**.	Mire este ramo **bendito**.
Algunos se **habían convertido**.	Solo se quedaron los **conversos**.
Yo ya me **había despertado**.	Era un chico muy **despierto**.
Voy cuando lo **hayan sujetado**.	Ya quedó **sujeto**.

Se excluye de esta norma **impreso**, que se puede usar también en la frase verbal: *Los tipógrafos **no han impreso** aún la revista...*

Verbo satisfacer

Uno de los verbos que más dudas presenta a la hora de conjugarlo es *satisfacer*. ¿*Satisfaciste o satisficiste*?, ¿*satisfecho o satisfacido*?, ¿*satisfacerá o satisfará*?, ¿*satisfaciese o satisficiese*?... Y salir de la duda es más fácil de lo que pudiera pensarse. Basta referir este verbo a su modelo *hacer*, y ya está.

Usted no dice *haciste, hacido, hacerá, haciese...*, sino *hiciste, hecho, hará, hiciese...* Use las mismas terminaciones del verbo *hacer* en el verbo *satisfacer*: *satis**ficiste**, satis**fecho**, satis**fará**, satis**ficiese...***

Verbo andar

La irregularidad del verbo **andar** es muy particular y caprichosa. No se dice *andé, andaste, andó, andamos, andasteis, andaron; andara, andaras, andáramos, andarais, andara,* sino *anduve, anduviste, anduvo, anduvimos, anduvisteis, anduvieron; anduviera, anduvieras, anduviéramos, anduvierais, anduvieran.* Lo mismo con los subjuntivos terminados en *-ese: anduviese, anduvieses...* y en *-ere: anduviere, anduvieren...*

Esta irregularidad solo se repite en el verbo *desandar*, pero sospecho que solo en los manuales de conjugación, pues no me imagino una buena novela, en la que el protagonista diga: ...*si desanduviera yo mis pasos y tu entendieras por qué los desanduve...* ¡Como para enterrarla en el baúl de las cursilerías!

En algunos verbos la 'ge' pasa a ser 'jota'

Algunos verbos cuyo infinitivo termina en *-ger* y *-gir* cambian la *ge* a *jota* en las terminaciones con las vocales *o, a.* Por ejemplo, *dirigir* mantiene la *ge* en *dirigí, dirigimos, dirigiese, dirige, dirigente...*, pero cambia a *jota* en *dirijo, dirija, dirijamos.* La razón es fonética. Si no se cambia a *jota*, cambiaría el sonido: no suena lo mismo *diriga, dirigo* (incorrecto)... que *dirija, dirijo* (correcto).

Tenga en cuenta esta irregularidad en todos los verbos cuyo infinitivo termina en *-ger* y *-gir: acoger, emerger, encoger, escoger, proteger, recoger, afligir, colegir, compungir, convergir, corregir, divergir, elegir, erigir, exigir, fingir, fungir, infligir, infringir, mugir, refulgir, regir, restringir, resurgir, rugir, sumergir, surgir, transigir, ungir, urgir...*

— ...PUES YO PASÉ MUY BIEN EN ESTAS VACACIONES: ANDUVE POR
  PARÍS, ANDUVE POR ROMA, ANDUVE POR LONDRES, ANDUVE
  POR MADRID... Y ¿USTED QUÉ HIZO DE VACACIONES?
— YO TAMBIÉN LA PASÉ MUY BIEN, HERMANO. YO NADUVE,
  NADUVE Y NADUVE EN LA ALBERCA DE MI CASA...

Tenga en cuenta también que los verbos cuyo infinitivo termina en *-jir* y *-jer*, nunca cambian la *jota* a *ge* en las terminaciones. *Tejer*, por ejemplo, tiene inflexiones como *tejió, tejerá, tejo, tejamos...* nunca *tege, tegemos, tegerá, tegía, tegemos, tegeremos...* (incorrectos con *ge*).

Otras irregularidades con 'jota'

Otra irregularidad importante se presenta con los verbos terminados en *-decir, -ducir,* y *-traer,* algunas de cuyas inflexiones son con *jota.* Por ejemplo, *decir,* tiene desinencias con *ce* (*dice, decimos...*) y con *jota* (*dijo, dijera, dijeron...*). También adquiere *jota* el verbo *traer...,* en terminaciones como *trajo, trajera, trajeron...*Tenga en cuenta esta particularidad en verbos como *abstraer* (*abstrajo, abstrajese...*), *atraer* (*atraje, atrajeron...*), *bendecir* (*bendijesen...*) *contradecir* (*contradijeran...*), *deducir* (*deduje...*), *extraer* (*extrajiste...*), *inducir* (*indujeran...*), *predecir, reproducir, retrotraer, seducir, sustraer, traducir...*

Verbos cuyo infinitivo termina en -guar y -cuar

La norma dice que los verbos terminados en *-cuar* y *-guar* tienen como modelo de conjugación el verbo *averiguar.* Según ello no es válido decir ni escribir *adecúo, adecúen, evacúo, evacúas, evacúan, evacúen, licúas, licúen...,* sino *adecuo, adecuen, evacuo, evacuas, evacuan, evacuen, licuas, licuen...* como *averiguo, averiguas, averigüen, averigües...* Tal norma no se aplica en general en América, donde lo más que se logra es la dicotomía entre pronunciación y escritura: se escribe *adecue,* pero se pronuncia *adecúe...*

Lo mejor será olvidarnos de esta norma y seguir pronunciando y escribiendo *adecúe, evacúe, licúe...* hasta que la Academia lo acepte, máxime cuando la forma culta o hasta ahora aceptada por la Academia suena en estas tierras vulgar, y la forma vulgar (para la Academia) suena principesca. Si así se procede, estos verbos serán irregulares y se podrá tomar como modelo de conjugación no ya *averiguar,* sino, por ejemplo, *actuar* (*actúo, actúas*).

Nota para la presente edición: El DRAE 2001 admite también la conjugación con hiato (como *actuar*) para los verbos *licuar* y *adecuar,* pero no para *evacuar.*

Inflexiones con 'ce' de verbos terminados en -zar, -cer, -cir

Cuando los verbos terminados en *-zar, -cer, -cir* llevan las vocales *a, o,* son con *zeta: izo, izas* (de *izar*), *tuerzo...* (de *torcer*), *zurzo* (de *zurcir*). Cuando llevan las vocales *i, e,* son con *ce: ice, icé...* (de *izar*), *hice, hicimos* (de *hacer*), *zurce, zurcí...* (de *zurcir*)...

Diez verbos, su significado y manejo

Ahora, lo invito a analizar diez verbos, desde el punto de vista semántico (significado).

adolecer no es 'carecer'

Cada vez veo con más frecuencia y en niveles cultos el uso de *adolecer* con el significado equivocado de *carecer: el proyecto adolece de recursos* (por *...carece de recursos*), *los cajeros adolecen de seguridad* (por *...carecen de seguridad*), *la carretera adolecía de señalización* (por *carecía de señalización*)... Tenga usted en cuenta que *adolecer* es 'tener un defecto'. Así que, en primer lugar, *adolece* equivale a *tiene* y, en segundo lugar, el complemento de este verbo (objeto prepositivo) es un defecto.

¿Cómo sé si metí la pata con este bendito verbo? Muy sencillo: cambie *adolece de* por *tiene*. Si eso era lo que quería decir, está bien.

Mi oficina adolece de computador (¿quiere decir que 'tiene computador'? ¿No? Pues es errónea la oración. Lo correcto es *Mi oficina carece de computador*).

Mi oficina adolece de humedad (¿quiere decir que 'tiene humedad'? ¿Sí? Pues está bien).

La carretera del condado adolece de agentes de tránsito (¿quiere decir que 'tiene agentes de tránsito'? ¿No? Pues está mal. Quizá su idea es que *carece de agentes de tránsito*).

La carretera del condado adolece de mala señalización (¿quiere decir que 'tiene mala señalización'? ¿Sí? Pues está bien).

Ejemplos incorrectos:

El proyecto adolece de respaldo gubernamental (corrección: *...carece de...*)

El informe adolece de claridad (corrección: *...carece de...*)

Batman adolece de alas (corrección: *...carece de...*)

La contabilidad adolece de soportes (corrección: *...carece de...*)

Mi suegra adolece de buena salud (corrección: *...carece de ...*)

De hecho, no puedo usar el verbo *adolece* cuando voy a agregar una cualidad *(adolece de bondad, adolece de gracia, adolece de pureza...)*, sino solo cuando voy a agregar un defecto: *adolece de achaques, adolece de taquicardia, adolece de inseguridad, adolece de desorden, adolece de neumonía, adolecía de mala circulación, adoleció de desequilibrio, adolecerá de vacíos, si adoleciera de vicios insondables...*

No escriba en sus informes de auditoría:

El cheque adolece de una de las firmas.

El balance semestral adolece de consistencia.

Las cuentas de cobro adolecen de numeración.

Sino:

El cheque carece de una de las firmas.

El balance semestral adolece de inconsistencias.

Las cuentas de cobro carecen de numeración.

cancelar *no es 'pagar'*

En algunos países se toman como sinónimos *cancelar* y *pagar*. En vez de decir *¿quién paga la cuenta?,* se dice *¿quién cancela la cuenta?* Tal error tiene el respaldo de algunos diccionarios, que al registrar el uso lo convierten en norma. *Cancelar* es anular, abolir, derogar, borrar de la memoria. *Pagar* es dar o satisfacer lo que se debe. Si usted dice *voy a cancelar el agua,* mañana no tendrá con qué ducharse. Si, en cambio, dice *voy a pagar el agua,* la empresa de acueducto le seguirá suministrando el servicio con toda la generosidad posible. Si usted *cancela* su matrícula, no podrá asistir a clases durante el curso. Si, en cambio, usted *paga* la matrícula, tendrá todo el derecho a participar en las clases en las que se haya inscrito.

En definitiva, *cancelar* y *pagar* no son sinónimos.

conllevar no es 'tener como consecuencia'

Con frecuencia oigo en la televisión y leo en la prensa oraciones del siguiente tenor: *la situación del país conlleva a una mayor participación ciudadana..., las nuevas medidas económicas conllevan a disminuir la capacidad adquisitiva real..., mis problemas de salud me conllevan a disminuir el ritmo de trabajo...* Estas oraciones disparatadas surgen de tomar *conlleva* como sinónimo elegante de *lleva a*, y observe usted que si cambio *conlleva* por *lleva a* en los anteriores ejemplos, el significado es claro: *la situación del país lleva a una mayor participación ciudadana..., las nuevas medidas económicas llevan a disminuir la capacidad adquisitiva real..., mis problemas de salud me llevan a disminuir el ritmo de trabajo...*

Conlleva es 'lleva consigo'. *Lleva a* es 'tiene como consecuencia'. *Conlleva a* serían dos cosas distintas: *lleva con* y *lleva a*. No conjugue, pues, el verbo *conlleva* con preposición *a*, pues ya tiene una preposición que le da sentido, la preposición *con*: *con-lleva*. Además, no le agregue una consecuencia, como objeto, sino una condición o una característica: *Bosnia conlleva las secuelas de la guerra..., perder el año conlleva habérsela pasado vagando..., grabar un primer disco conlleva mucho trabajo de creación...*

Conlleva es más 'tiene como condición' o 'requiere' o 'tiene como característica', que 'tiene como consecuencia'.

cotizar no es 'pedir precio'

Un error que se maneja en muchas empresas es el de darle al verbo *cotizar* el sentido de 'pedir precio', cuando este verbo significa lo contrario: 'dar precio'. El jefe de compras de la empresa no *cotiza* las sillas, la papelería, las cortinas, los extractores... El jefe de compras *solicita cotización* de las sillas, la papelería..., y los proveedores *cotizan* las sillas...

detectar no es simple sinónimo de descubrir

Con fecuencia se lee en informes de auditoría y de revisoría *se detectó...*, *fue detectado..., hemos detectado..., ha sido detectado...* como si fueran informes del mismísimo James Bond, agente 007... No abuse de este verbo. *Detectar* es 'descrubir por métodos físicos o químicos lo que no puede ser observado directamente'. Así que si la inspección permite establecer un daño, un faltante, una anomalía, bien puede expresarse esta idea con un *se descubrió, se estableció, se encontró, se halló...* y dejar *se detectó*, para aquellas ocasiones en las cuales efectivamente haya un radar (*se detectó la presencia de un avión no identificado en la frontera...*), una lámpara ultravioleta (*se detectaron tres billetes falsos en caja...*), un rayo infrarrojo (*se detectaron armas en el equipaje...*).

dictar no es 'dirigir'

En el mundo de la capacitación empresarial se oye con inusitada frecuencia *se dictará un seminario..., se dictará un taller...* Si *dictar* es 'pronunciar las palabras con la necesaria lentitud para que quien escuche tome nota', claramente no se *dictan* seminarios, ni talleres. Estas actividades docentes las *dirige* Fulano, o las *organiza* tal institución o las *ofrece* tal entidad. Dejemos *dictar* para cartas, conferencias, charlas, y la irremplazable cátedra, para la que es tan propio este verbo.

filmar no es 'grabar'

Lamentablemente el error está tan extendido que va a ser difícil erradicarlo, pero debo insistir en él: no se *filman* videos... el robo a un banco no queda *filmado* gracias a las cámaras de video estratégicamente situadas por las compañías de seguridad. Se *filma* cine. Así de sencillo. La filmación es un proceso fotográfico: impresión de película de celuloide por la luz, para ser revelada y posteriormente proyectada, pasando 24 fotogramas por segundo, para dar la impresión de movimiento. Cuando se trabaja con el sistema de televisión, hay videograbadoras, con las que se *graban* (no se filman) videocintas. Este es un proceso electromagnético, bien distinto al del cine. Así que, no haga el oso: no diga *voy a filmar el matrimonio de mi hermana con esta Handycam*, pues una Handycam, o cualquier otra videograbadora, *graba* y no *filma*.

implicar no es 'producir'

Lo mismo que *conllevar* no es 'llevar a', *implicar* no es 'producir'. Con no poca frecuencia se oye y se lee que tal situación política, económica o social *implica* futuros problemas en la comunidad... No, señor. No se puede usar el verbo *implica* como si se quisiera decir *produce*. *Implica* es 'tiene como condición', 'incluye', 'lleva en sí', mientras que *produce* es 'tiene como efecto'. Compare la relación de los dos verbos en el siguiente ejemplo: *La drogadicción de Fulanito **implicó** descuido en su formación infantil y **produjo** en él graves desequilibrios mentales que lo siguen afectando hoy.*

ignorar no es todo lo que dice Hollywood

Aquí le voy a echar la culpa directamente a Hollywood. Parece que en la traducción de películas al español, una gran cantidad de verbos se reducen a uno solo: *ignorar*, con lo que, a la par que se gana más público, se empobrece su capacidad comunicativa poco a poco. Si alguien *olvida* cumplir su tarea, el personaje dice que *ignoró* su tarea... Si uno *desaira* a otro, también lo *ignora*... Si un político *desestima* las declaraciones de su contrincante, también *ignora*... Si alguien debe *borrar de su mente* un recuerdo que lo perturba, el siquiatra le dice: *ignóralo*... Si a Harry no lo oye Jane, lo *ignora*...

Tanto que hoy por hoy, en las calles de esta aldea global, si el cajero del banco no atiende bien al cliente, el cliente acusa: *me ignoró*... Si el revisor fiscal observa que el trabajador *incumplió* el reglamento, escribe: *ignoró el reglamento*. Y si un conductor distraído se pasa el semáforo en rojo y produce un accidente, rápidamente se escuchará en las ondas hercianas que un conductor *ignoró* las señales de tránsito. ¡Todo lo que le endilgamos al verbo *ignorar*!, cuando solamente tiene un significado preciso e irreemplazable: *no saber*. En los demás casos deben emplearse esos otros verbos que no están para sustituirlo: *desobedecer, desestimar, olvidar, incumplir, violar* (una norma), *borrar de la mente, desairar*...

rentar no es 'arrendar' ni 'alquilar'

Sin discusión, no se *rentan* carros. En español, los automóviles se *alquilan*. Y punto. *Rentar* es 'producir renta'. Una inversión *renta*. Un automóvil se *alquila*... Que eso es luchar contra la corriente, porque todos lo dicen así... Bueno, aceptemos que todos los que alquilan automóviles dicen *se rentan carros* o *rente un carro*, pero no exageremos; todos los que alquilan automóviles no son todos los hispanohablantes.

Diez problemas en el uso de las preposiciones

Hay tratados enormes sobre el uso de las preposiciones y todo manual de estilo le dedica alguna página al tema. Aquí no voy a extenderme a todas las posibilidades y dudas que ofrecen las preposiciones, ni mucho menos. Sólo me voy a referir a diez casos especialmente discutidos.

Sin embargo

La pregunta infaltable: ¿*sin embargo* se escribe unido o separado? Y la respuesta de siempre: separado, pues toda preposición va separada de su término y esta no es una excepción: así como se escribe *por embargo*, *con embargo*, *para embargo*, también se escribe *sin embargo*.

Un vaso de agua

La discusión bizantina más frecuente del siglo XX: que no se dice *vaso de agua*, porque el vaso es de vidrio y no de agua... que sí se dice, porque así se ha dicho siempre... que sí... que no... En el DRAE aparecen veintisiete significados de la preposición *de*. El quinto es 'cantidad o contenido', por ejemplo, *vaso de agua, vaso de vino*. Bastaría abrir el diccionario, ver esa quinta acepción de *de* y quedar tranquilo para toda la vida.

Lo cierto es que el paciente le dice al médico que fuma *un paquete de cigarrillos* diario... y el que termina sus estudios invita a sus amigos a *una copa de champaña*... y el que va a la tienda pide *una botella de leche*... y a ninguno de los tres le dan garrote porque no dijo *un paquete con cigarrillos... una copa con champaña... una botella con leche...* El garrote es únicamente para el que pide *un vaso de agua*. No le dé más vueltas: *un vaso de agua*, y se acabó.

Vamos a por agua

La expresión *vamos a por agua* y otras del mismo corte, como *vamos a por ellos, vamos a por el pan, vamos a por las uvas...*, son propias de nuestros hermanos españoles, pues ningún americano las usa, salvo que sea un actor en trance de representar sainetes de autor ibérico. Se ha condenado con el débil argumento de que no se admiten dos preposiciones seguidas... En realidad, aunque no es frecuente, sí se admiten, pues nadie condena la expresión *van de a pie*, que no equivale a *van a pie* ni a *van de pie*.

El argumento que ha impedido la condena definitiva de tan pintoresca expresión es la siguiente: *ir por agua* es ir en un barco por el río, análogo a *ir por carretera* o *ir por mar*; en cambio, *ir a por agua* es ir a traer el bendito líquido para calmar la sed. No condenemos, pues, a nuestros hermanos de la península cuando les oigamos ese simpático grito de batalla: *¡a por ellos!*

Hasta las tres de la tarde

La preposición *hasta* expresa término y son muchas las frases que se leen y se oyen aquí y allá en las cuales parece usarse con el significado contrario: *hasta el lunes se sabrá la alineación del equipo*, cuando lo que se quiere decir es que *desde el lunes se sabrá...* o con la preposición *hasta*: *hasta el lunes no se sabrá la alineación...*

Mató su mujer

Un periódico sensacionalista que veo con frecuencia exhibido en los quioscos suele titular más o menos así: *Hombre mata mujer... Novio asesina novia... Padre abandona familia...* Usted perdonará, pero le advertí a tiempo que era un periódico sensacionalista. Pues bien, esos titulares no se entienden, porque no tienen la preposición *a* para el objeto directo de persona. Sin la *a* no se sabe quién es el asesino, o quién abandonó a quién. Observe cómo víctima y victimario se pueden confundir por la ausencia de la preposición: *Hombre mata a mujer / A hombre mata mujer... Novio asesina a novia / A novio asesina novia... Padre abandona a familia / A padre abandona familia...* La víctima, que es el objeto directo, debe ir con *a*, para que no se confunda con el victimario, que es el sujeto de la oración.

Aspira la Presidencia de la República

Otra *a* indispensable. Si me contratan como jefe de información de un candidato a las próximas elecciones presidenciales, y digo en mis notas de prensa que *Fulano aspira la presidencia*, lo que estoy informando es que mi candidato trabaja como aseador y no que quiere ser Presidente. No es lo mismo *aspira la presidencia* (pasa la máquina aspiradora para limpiar la oficina de Presidencia) que *aspira a la Presidencia* (es candidato).

Los temas a tratar son los siguientes

Hay mil o diez mil frases parecidas a esta: *los problemas a resolver serán tratados en la reunión..., los asuntos a discutir están anotados en la agenda..., los televisores a revisar quedaron en el garaje..., las cuentas a pagar, los discos a programar, los computadores a actualizar...* Esa construcción (sustantivo + a + infinitivo) es galicada, e incorrecta en español. Además de incorrecta, es innecesaria y rebuscada, pues vea usted cómo *los temas a tratar son los siguientes* se puede aligerar fácilmente: *los temas son los siguientes...,* o más breve aun: *temario...* En todo caso, siempre se le puede buscar otro giro a ese circunloquio y expresar la misma idea en español correcto.

Fasta llegar cabe un río

Con frecuencia, cuando hablo de preposiciones, mis alumnos me repiten una lista, que comienza así: *a, ante, bajo, cabe, con, contra...* Enseguida, les pido un ejemplo con la preposición *cabe,* que mencionan en el cuarto lugar de su lista. Después de alguna vacilación, dicen: *cabe anotar que..., cabe agregar que..., no cabe la menor duda...* ¿Y la preposición *cabe* dónde está?, les pregunto; a lo que replican sin vacilar: ¿No lo oyó? Ahí está. No, no la oí. No encuentro ninguna preposición *cabe* en esas frases. Ese *cabe* que ustedes están usando es verbo... ¡Ah sí!, ¿entonces? Entonces, la preposición *cabe* no se usa hoy y hay que buscarla en textos antiguos, como en aquella estrofa que le transcribí en el capítulo 4 de este libro, uno de cuyos versos dice: *fasta llegar cabe un río...*

Ex

La palabra *ex* es una de las más exitosas de nuestro idioma. Tanto, que la viene copiando el inglés desde hace unos años. Se usa generalmente antepuesta al nombre de un cargo para indicar que su titular dejó de ocuparlo, *ex gerente, ex presidente, ex ministro.* Se debe escribir separada de su término, como adjetivo que es. También es sustantivo, con el sentido de 'ex cónyuge', *me encontré por casualidad con mi ex.* No se debe usar en principio para muertos, *John Kennedy, ex presidente de...,* ni para profesiones, *ex abogado, ex periodista,* menos cuando ellas imprimen carácter, *ex cura, ex militar.* Tampoco para entidades, *ex URSS, ex Imperio Romano.*

Nota para la presente edición: esta explicación está en este apartado, porque la palabra *ex* estaba clasificada como preposición hasta el 2001.

En un minuto lo atiendo

Si usted llega a mi oficina, me pregunta si podemos dialogar sobre el verbo *alunizar,* yo lo invito a sentarse y le digo *"en un minuto lo atiendo"*, es muy posible que usted me advierta: Un minuto no es tiempo suficiente para evacuar el tema. Tenemos que hablar una media hora. Lo que en realidad yo quería decirle era que lo atendía dentro de un minuto, mientras terminaba de firmar unos documentos, pero se lo dije mal... Y fíjese usted que este uso está cada vez más extendido: *en dos minutos juegan Atlético y Real...,* expresión equívoca, pues quiere significar que dentro de dos minutos empieza la actividad, pero significa estrictamente cuánto tiempo dura... y un juego de estos no dura dos minutos, sino noventa.

Diez idiotismos, disparates y tonterías

Aparte de todos los idiotismos, disparates y tonterías que le he ido indicando a lo largo de este libro, hay muchos otros... Aquí le relaciono diez, y lo invito a ampliar la lista.... Descubra otros diez o, si se anima, otras diez docenas... es cuestión de estar atento a la forma habitual de expresión de nuestros vecinos, del jefe, de los medios de comunicación, de los oradores públicos...

Hay conmigo veinte

Es verdad que el verbo *haber* no se usa en plural en oraciones impersonales, así que no son válidas las frases *hemos veinte, habemos veinte...,* lo cual no debe llevarnos inexorablemente a semejante rebuscamiento *(hay conmigo veinte personas),* pues tal idea se puede expresar con cualquier otro verbo que no tenga las limitaciones de *haber: somos veinte, estamos veinte, éramos veinte, nos reunimos veinte, asistimos veinte, quedamos veinte...*

Al interior de

La expresión francesa *à l'interieur de* se puso de moda en su versión española *al interior de,* en noticias, discursos, informes... Nada tan innecesario. En español, basta decir *en:* en vez de *hay problemas al interior del colegio,* se puede decir *hay problemas en el colegio...* y así, con todas las oraciones parecidas.

Que se inicia a partir de

Esa sí es una redundancia. O *que se inicia el 2 de octubre* o *que se realiza a partir del 2 de octubre*, pero no *que se inicia a partir de...*

Dicho, dicha, dichos, dichas, mismo, misma, mismos, mismas

En el trance de no repetir, obsesión de muchos cuando escriben, se evitan sustantivos y adjetivos con expresiones como *dicho, dicha, mismo, misma...* que son horribles (perdóneme la franqueza) y evitables con el simple recurso de repetir.

Los pupitres del colegio fueron reparados por obreros especializados. Los mismos arreglaron los escritorios. Dichos muebles habían sido comprados a proveedores japoneses y los mismos habían garantizado que dichos recursos materiales tendrían una duración superior.

¿Para qué tanto deíctico? Basta decir:

Los pupitres y los escritorios fueron reparados por obreros especializados. Pupitres y escritorios habían sido comprados a proveedores japoneses, que otorgaron garantía de duración superior. Es mejor repetir *pupitres* y *escritorios*, que armar párrafos con tanto *mismo* y tanto *dicho*.

Ídem

Quizá por el cansancio de tanto *dicho, dicha, mismo, misma...* Algunos escribidores han optado por acudir a la abreviatura latina *ídem*, para referirse a sustantivos, adjetivos o situaciones ya expresadas: *Mi amigo fue a jugar al fútbol y yo ídem... La pelota se fue por el costado derecho y el juez del ídem alzó la bandera... Yo voy a comer helado de vanilla, ¿quiere un ídem?* ¡A qué extremos hemos llegado! Lo más absurdo de este caso es que *ídem* es abreviatura de *íbidem*, lo que hace suponer que quien tal idioma usa no tendrá inconveniente en decirle a una chica: *¡por fa, dame el tel de tu apto!*

En el día inmediatamente anterior

En cartas, noticias, informes... he visto el circunloquio *en el día inmediatamente anterior* que no es otra cosa que *ayer: El presidente sancionó en

el día inmediatamente anterior la ley de televisión no es otra cosa que
...*sancionó ayer...* Aparte del claro rebuscamiento de tal expresión, hay
un posible equívoco: si el locutor del noticiero ha leído una conmemora-
ción, por ejemplo, la llegada del hombre a la Luna. Y, enseguida, lee la
noticia de la sanción de la ley de televisión, un oyente atento entenderá
que la ley fue sancionada el 19 de julio de 1969 (el día inmediatamente
anterior a la llegada del hombre a la Luna) y no ayer.

En el día de ayer, en el día de mañana

La misma situación se da con las frases *en el día de ayer, en el día de
mañana,* cuando lo que se quiere decir no es otra cosa que *ayer* y *mañana.* El asunto se agrava, porque la frase *en el día de ayer* suele
interpretarse metafóricamente como 'en épocas antiguas', 'en otros tiempos', *y en el día de mañana,* 'en el futuro', 'en los próximos siglos'. Si un
candidato a la Presidencia dice que *en el día de mañana los niños tendrán
escuela primaria gratuita,* los votantes reservarán su sufragio por él para
el próximo siglo, pues ellos necesitan soluciones inmediatas y no para el
día de mañana que quién sabe si llegará...

...y perdone la redundancia

Todos los días se oye al entrevistado y se lee al columnista que a cada
paso presenta excusas: *perdone la redundancia...* ¡Hombre!, si todo lo que
hizo fue repetir dos sonidos *(el isleño cree que la Isla es su vida),* o un
sustantivo y un verbo parecido *(el Secretario Adjunto adjuntó la carta),*
no se preocupe... o, en todo caso, no presente excusas por redundancias
que no hay, sino por cacofonías... Repetir una palabra, o repetir un sonido, o utilizar en la misma oración sustantivos, adjetivos y verbos que
tienen la misma raíz no constituye redundancia. Por el contrario, puede
ser la mayor muestra de precisión, ya que se opta por la repetición y no
por el peligroso cambio de palabras, que puede llevar inevitablemente a
la distorsión de la idea.

Tanto gusto en conocerle

¿Cuál *conocerle?,* ¿cuál *le?* El objeto directo se remplaza con *lo* o con *la.*
La frase correcta es *tanto gusto en conocerlo* o *tanto gusto en conocerla,* si
es verdad que le da gusto. Vea un tratamiento amplio de este tema en el
capítulo 16.

Mi persona

¡No sea tan humilde! No diga *mi persona* en vez de *yo*. ¿Qué tal que yo le dijera en esta página "Mi persona le agradece que haya leído este libro". Usted con toda razón diría: ¡Qué oso! ...que me devuelvan mi dinero...

Es cierto que algunos autores abusan del yo. Yo creo..., yo pienso..., yo diría..., yo quisiera... hasta el punto de irrespetar al lector con tal culto al propio ego (de ahí viene egoísmo). Sin embargo, entre el desmedido culto al yo y la desmedida humildad de *mi persona,* hay un término medio, que el lector acepta y agradece.

Glosario

··

adjetivo: Adjetivo es la palabra que modifica el sustantivo. Incluye artículos *(el, las, un, unas...)*, demostrativos *(este, aquella, esos...)*, posesivos *(mi, nuestras, su...)*, calificativos *(buena, grandioso, nacarado...)*. Siempre va acompañando al sustantivo (**el** zapatero, **este** edificio, **mi** camiseta, **buena** cosecha...).

adverbio: Adverbio es la parte de la oración que modifica el verbo. Hay adverbios de modo *(tenazmente, gratis, sin ton ni son...)*, de cantidad *(mucho, poco, harto...)*, de tiempo *(ayer, al mediodía, después...)*, de lugar *(aquí, cerca, lejos...)*. Va acompañando el verbo (trabaja **tenazmente**, *ha comido* **poco**, *se fue* **ayer**, *no ha vivido* **aquí...**) o un adjetivo (**tenazmente** bueno...), u otro adverbio (**tenazmente** cerca...).

anglicismo: Palabra o frase de origen inglés incorrecta en español.

artículo: El artículo es adjetivo. Por ello, modifica sustantivo (**el** *caballete*, **la** *portería*, **los** *discípulos*, **las** *viejas glorias del fútbol*, **un** *consomé caliente*, **una** *buena propuesta*, **unos** *discursos inoperantes*, **unas** *niñas preciosas...*). Hay artículos definidos (el, la, los, las) e indefinidos (un, una, unos, unas).

asonancia: Mal sonido, sonido desagradable o repetición molesta de sonidos.

átona: Palabra que no tiene acento y que fonéticamente se une a otra. Son palabras átonas los artículos *(un, uno, una, unos, unas, lo, la, los, las)*, los pronombres clíticos *(me, te, se, nos, os, lo, la, le, los, las, les)*, casi todas las preposiciones *(a, ante, bajo, con, contra, de, desde, en, entre, ex...)* y algunos adjetivos *(san, gran...)*. Sílaba átona es una sílaba que no lleva acento en una palabra **(bro, crua... en libro, cruasán...).**

axiológico: Lo que está en el orden de los principios.

axioma: Afirmación evidente, que no necesita demostración.

barbarismo: Palabra o frase incorrecta, que se usa por influencia de otro idioma.

cacofonía: Asonancia (Ver).

castellano: Nombre del idioma universalmente conocido como *español.* El castellano surgió en los siglos X y XI como una evolución del latín, en la zona cantábrica de la península ibérica. Poco a poco se fue extendiendo hacia el sur, hasta caracterizar la zona castellana y convertirse más adelante en idioma oficial de España, donde hoy coexiste con otras lenguas derivadas del latín, como el catalán, el gallego, el valenciano..., y con el eusquera o vasco, no derivado del latín. El rey Carlos III estableció en 1770 el castellano como idioma oficial del Imperio, lo que propició que se convirtiera en la lengua universal que es hoy.

clítico: Pronombre átono *(me, te, se, nos, os, lo, la, le, los, las, les)* que va antes *(**le** manda decir mi mamá...)* o después *(mánde**le** la plata del mercado...)* del verbo, para indicar que la oración es impersonal *(**se** informa que la boda del presidente es el próximo sábado...),* para remplazar el objeto directo *(**la** llama su esposo...),* para anticipar el objeto indirecto *(**le** recuerdo que hoy es quincena...)* o para conjugar los verbos pronominales *(acuérdese de sus compromisos, mírese en el espejo...)*

conjunción: Palabra *(y, e, ni, que...)* o frase *(sin embargo, por ende, así mismo...)* que sirve para unir voces, oraciones, conceptos...

común: Género de algunas palabras, que es igual en masculino *(el gerente, el modelo...)* y en femenino *(la gerente, la modelo...).*

deíctico: Palabra o frase con la que se alude a otra que ya se expresó. Es frecuente acudir a los deícticos *(misma, dicho, mencionado...)* para evitar la repetición de los sustantivos.

determinativa: Oración o parte de la oración que expresa la esencia de la idea. Se suele componer de sujeto, verbo y objeto.

'dummy', 'dummies': Palabra inglesa que sirve para designar al tonto, bisoño, inexperto o principiante en cualquier actividad humana o campo del saber. Aunque en español existen las mencionadas palabras *(tonto, bisoño, inexperto, principiante)* para traducirla, los editores prefirieron dejar la palabra *dummies* (plural de *dummy)* en la versión española de esta serie de libros, porque la voz *dummies* tiene una connotación agradable, simpática e inofensiva de la que sus equivalentes españoles carecen.

elcualismo: Uso impropio de las expresiones pronominales *el cual, la cual, los cuales, las cuales,* al comienzo del inciso explicativo o de la oración subordinada.

enclítico: Pronombre átono (Ver **átono**) que se une al verbo en forma de sufijo para remplazar o anticipar los objetos de la oración *(lláme**lo,** por llame a él... tráiga**melo,** por traiga eso a mí).*

enumerativa: Oración con enumeración. Coma que separa los elementos análogos de una enumeración.

español: Idioma que hablan hoy casi cuatrocientos millones de personas en el mundo y cuyo correcto uso es el objetivo de este libro. El nombre de *español* surgió en la Edad Media, entre los peregrinos que iban a Santiago de Compostela y designaban *español* el idioma que comenzaban a oír una vez pasaban los Pirineos. Aunque, además del castellano, hay varias lenguas españolas (de España), como el gallego, el valenciano, el catalán, el eusquera o vasco..., universalmente se llama hoy español al castellano (Ver **castellano).**

esperanto: Idioma creado hace más de un siglo, con los elementos representativos de los demás idiomas existentes, y que pretende convertirse en lengua universal, gracias a la simplicidad de su gramática.

estética: Lo que está en el orden de la belleza.

explicativa: Oración con incisos explicativos u oraciones subordinadas. Coma que indica que una frase es inciso u oración subordinada.

femenino: Género de sustantivos referidos a mujer *(abogada, concejala, enfermera, sastra...)* o de los que deban hacer concordancia con adjetivos igualmente femeninos *(la proeza, una ilusión, esta casa, nuestras dificultades...).*

frase: Conjunto de palabras que aparece entre dos signos de puntuación *(...sin embargo, así mismo, sin que nadie pudiera habérselo imaginado...).* Conjunto de palabras que constituye un elemento de la oración, por ejemplo, el sujeto *(Mis primas de Oruro...),* el verbo *(...han estado pensando...),* el objeto *(...ir a estudiar a La Paz...),* o un complemento circunstancial *(...para terminar sus estudios...).* El conjunto de las frases forma una oración *(Mis primas de Oruro han estado pensando ir a estudiar a La Paz, para terminar sus estudios).*

galicismo: Palabra o frase de origen francés incorrecta en español. Galicismo viene de 'Las Galias', antiguo nombre de Francia.

hacer el oso: Simpática e inofensiva expresión, equivalente a hacer el ridículo o 'meter la pata'. 'No haga el oso', una de las frases de combate de este libro, es una cordial invitación a que el lector no repita el error en que ya otro hablante ha incurrido y evite así quedar mal con sus oyentes o lectores.

hipocorístico: Forma familiar de algunos nombres propios *(Memo, Paco, Nata...* son los hipocorísticos de *Guillermo, Francisco, Natalia...)*

hispanohablante: Persona o pueblo que habla español.

idiotismo: Corrección de lo que ya era correcto, es decir, hipercorrección, o, en general, error gramatical.

interjección: Expresión de fiesta, lamento, llamada... que generalmente está aislada del resto de la oración, o constituye por sí misma una oración (*¡huy!, ¡caramba!, olé...*).

intransitivo: Verbo que no tiene objeto directo (*adolece, trotó, está seguro...*), en cambio del cual puede tener objeto prepositivo (*adolece de insuficiencia hepática..., trotó hasta el cansancio..., está seguro de que mañana llega su suegra...*).

lexema: Palabra. Voz. Vocablo.

licencia poética: Violación consciente de la norma gramatical, para hacer más bella, agradable, vigorosa o clara, la expresión.

locución: Frase adverbial (*sin ton ni son... de la forma más rápida posible...*) o conjuntiva (*sin embargo... por lo tanto...*) frecuente.

masculino: Género de los sustantivos propios del hombre (*abogado, concejal, enfermero, sastre...*) y de los que deben hacer concordancia con adjetivos igualmente masculinos (*un miembro, los parques, nuestros billetes de cien...*).

metáfora: Figura de construcción que elude el significado directo de la palabra (*mi teléfono es rojo*) y le da otro aproximado para hacer más bella o más enérgica la expresión (*mi teléfono es 412 35 69*).

mito: Aseveración que posa de norma, pero no lo es (*Los nombres propios no tienen ortografía, las mayúsculas no se tildan, no se deben usar gerundios, el punto y coma ya no se usa...*).

ontológico: Lo que está en el orden del ser, de la realidad. Lo que existe. Se dice como opuesto a *conceptual* o *ideal,* que es lo que está en el orden del conocer, de las ideas, de los conceptos, de los principios. Un texto puede ser correcto o incorrecto en el orden ideal, porque respeta o viola una norma gramatical; o en el orden ontológico, porque expresa o no expresa la realidad.

oración: Palabra (*llueve, ven, anímate...*) o conjunto de palabras (*está haciendo mucho frío, en toda la ciudad, desde esta mañana...*) que expresan una idea completa.

ortología: Fonética. Parte de la gramática que estudia los sonidos de las palabras. Norma para la correcta pronunciación.

palíndromo: Palabra, frase u oración que se lee igual al derecho y al revés *(Somos, Amor a Roma, Somos o no somos...)*.

párrafo: Parte de un escrito que generalmente comienza con mayúscula, termina con punto y aparte y desarrolla una idea completa. Se compone de una o varias oraciones.

pleonasmo: Figura de construcción que acude a la repetición para dar más belleza, fuerza expresiva o contundencia al texto *(mendrugo de pan... lo hice por mí mismo... no quiero nada de nada... lo vi con mis propios ojos...)*. No es lo mismo que redundancia (Ver **redundancia**).

prefijo: Partícula de una o dos sílabas *(super-, vice-, sub-...)* que se une a una palabra para modificar su significado *(**super**intendencia, vicepresidente, subtotal...)*. A veces se llama elemento compositivo.

preposición: Palabra que une y establece relación semántica entre dos expresiones. Son preposiciones *durante, incluso, so, hasta, con, para, a, según...* A diferencia de los prefijos que van unidos *(**ex**traer, **sin**número, **pro**nombre...)*, las preposiciones siempre van separadas *(ex presidente, sin embargo, pro daminificados...)*.

proclítico: Pronombre átono (ver **átono**) que antecede al verbo para expresar que la oración es impersonal *(**se** hace saber, se informa, se recuerda...)*, o para anticipar el objeto directo *(**los** recibí, **la** amo...)*, o para anticipar o remplazar el objeto indirecto *(**les** dije a los bolivianos que aceptaba su invitación, **le** presté cien dólares...)*

que galicado: Palabra *que* precedida de alguna inflexión del verbo *ser*, en función de adverbio de modo *(es así que se hace)*, lugar *(era en Palermo que cantaba)* o tiempo *(será mañana que nos hablamos)*. Es redundante en la oración española.

redundancia: Repetición innecesaria e incorrecta *(mas sin embargo, hizo su debut por primera vez...)* (Ver **pleonasmo**).

semántica: Significado de una voz, de un giro, de una frase, de una oración. Parte de la gramática que estudia el significado de las palabras.

sicalíptica: Expresión que en un determinado lugar o ambiente resulta malsonante por su connotación sexual.

sinécdoque: Figura de expresión que remplaza el todo por la parte; por ejemplo, *comida* por *pan (Bendice, Señor el pan...).*

tautología: Definición de algo por sí mismo *(un toro es un toro).* Círculo vicioso.

sintagma: Frase (Ver).

sintaxis: Parte de la gramática que estudia la construcción de la frase, la oración y el párrafo.

subordinada: Oración que complementa una principal y va separada de ella con coma. Puede ser explicativa *(Mis amigos fueron a Orlando, que es un lugar maravilloso...)* o adversativa *(Mis amigos fueron a Orlando, pero se aburrieron a más no poder...).*

sufijo: Partícula que se agrega a la palabra para darle un matiz de significado distinto, como *-ísimo, -azo, -mente... (buenísimo, sablazo, hábilmente...).*

tónica: Palabra que tiene acento. Sílaba que lleva el acento de la palabra, como *le* en *chileno; ver* en *universo; que,* en *disquete; lí* en *línea* (Ver **átona**).

transitivo: Verbo que tiene objeto directo *(dijo, saluda, ivestigará...),* que puede responder a la pregunta *qué (dijo que estaba mejor, ivestigará sus antecedentes...)* o a la pregunta *a quién (saluda a su hijo, investigará a sus empleados...)*

sustantivo: Palabra que expresa el nombre de alguien o de algo. Puede ir en el sujeto (***Juana Salguero*** *encontró a su padre... el libro es claro...*) o en el objeto de la oración *(Se le olvidó a **Juana Salguero...** mis amigos compraron un **libro...**).*

verbo: Palabra o frase que expresa acción *(canta, han estado disponiendo, votarán...),* pasión *(oye, recibieron, fueron influidas...)* o movimiento *(iba caminando, hubieron de regresar, anduvo...)* (Ver **transitivo, intransitivo).**

Índice

● *F* ●

• W •

• Y •

• Z •

Bibliografía

ACADEMIA ESPAÑOLA: *Diccionario de la lengua española,* Madrid, Espasa Calpe, 1984 (20a.), 1992 (21a.), 2001 (22a.).

Esbozo de una nueva gramática de la lengua española, Madrid, Espasa Calpe, 1973.

Ortografía de la lengua española, Madrid, Espasa Calpe, 1999.

ALARCOS LLORACH, Emilio: *Gramática de la lengua española,* Madrid, Espasa Calpe, 1994 (Colección Nebrija y Bello, de la Real Academia Española).

ÁVILA, Fernando: *Dónde va la coma,* Bogotá, Norma, 2001

Dónde va la tilde, Bogotá, Norma, 2002

BROWN, Fortunato: *Diccionario de la conjugación,* Bogotá, Taller de Redacción Profesional, 1982.

CARO Y CUERVO, Instituto: *El español de América hacia el siglo XXI (I),* Santa Fe de Bogotá, Caro y Cuervo, 1991.

Nuevo Diccionario de americanismos, Santa Fe de Bogotá, Caro y Cuervo, 1993.

CEGALLA, Domingos Paschoal: *Novíssima gramática da língua portuguesa,* São Paulo, Nacional, 1991.

CORRIPIO, Fernando: *Diccionario de dudas e incorrecciones del idioma,* París, Larousse, 1988.

CUERVO, Rufino José: *Diccionario de construcción y régimen de la lengua castellana,* Bogotá, Caro y Cuervo, 1953.

DI FILIPPO, Mario Alario: *Lexicón de colombianismos,* Bogotá, Banco de la República, 1983.

EFE, Agencia: *Manual de español urgente,* Madrid, Cátedra, 1994 (10a.).

El idioma español en el deporte, Logroño, 1992.

Vademécum de español urgente (I), Madrid, Efe, 1995 (2a.).

ESCANDÓN, Rafael: *Curiosidades del idioma,* Tunja, Alethia, 1992.

GHIO, Augusto: *Inglés básico,* Bogotá, World, 1976 (56a.).

LAPESA, Rafael: *Historia de la lengua española,* Madrid, Gredos, 1981 (9a.).

LOBO-SERNA, Ciro Alfonso: *Lengua y cultura latinas para abogados,* Santa Fe de Bogotá, Sergio Arboleda, 1994.

Vademécum de lengua española, Santa Fe de Bogotá, Sergio Arboleda, 1992.

MARROQUÍN, José Manuel: *Tratado de ortología y ortografía de la lengua castellana,* Bogotá, Academia Colombiana, 1980

MARTÍNEZ DE SOUSA, José: *Diccionario de ortografía de la lengua española,* Madrid, Paraninfo, 1996.

Diccionario de usos y dudas del español actual, Barcelona, Vox, 1996.

MUNDO, El: *Libro de estilo,* Madrid, Unidad, 1996.

PAÍS, El: *Libro de estilo,* Madrid, El País, 1996 (11a.).

PESQUERA, Julio G.: *Las buenas palabras,* Cali, Pirámide, 1992.

RODAS DONN, Elizabeth: *Spanish-English Comparative Dictionary of Cognates / Diccionario comparativo de cognados en español e inglés,* Colorado Springs, RoDonn, 1985.

TIEMPO, El: *Manual de Redacción,* Santa Fe de Bogotá, El Tiempo, 1995.

TIERNO, Bernabé, y Rosa VELASCO: *Dudas y errores del lenguaje,* Madrid, Temas de Hoy, 1993.

UJFALUSSY F., Peter: *Baraja ortográfica de Petúfar,* Santa Fe de Bogotá, Cultura Moderna, 1996.